Hauenstein, Werner

Der Harz

C000161180

Hauenstein, Werner

Der Harz

Inktank publishing, 2018

www.inktank-publishing.com

ISBN/EAN: 9783750105836

All rights reserved

This is a reprint of a historical out of copyright text that has been re-manufactured for better reading and printing by our unique software. Inktank publishing retains all rights of this specific copy which is marked with an invisible watermark.

MEYERS REISEBÜCHER.

Gdańsk - Danzig

DER HARZ.

ZEHNTE AUFLAGE.

MIT 7 KARTEN UND EINEM BROCKENPANORAMA.

VOM HARZ-KLUB DURCHGESEHEN.

LEIPZIG
BIBLIOGRAPHISCHES INSTITUT.
1889.

Vorwort.

Die vorliegende, wesentlich umgearbeitete zehnte Auflage des »Harz-Wegweisers« verdankt ihre bedeutenden Veränderungen, Erweiterungen und Berichtigungen außer unsern eignen Wahrnehmungen und denen unsrer alten ständigen Mitarbeiter ganz besonders der regen Mitarbeiterschaft der Zweigvereine des »Harzklubs«, die dem »Wegweiser« das lebhafteste Interesse entgegenbrachten und uns durch zahlreiche und wertvolle Beiträge unterstützten. Wir sprechen allen diesen Freunden des Buches an dieser Stelle nochmals für ihre Beihilfe unsern Dank aus und bitten sie, ihr Interesse dem Büchelchen zu bewahren und uns auch ferner ihre Beiträge zu immer weiterer Vervollkommnung des »Wegweisers« zugehen zu lassen. Daß wir bei der Verschiedenartigkeit der einzelnen Beiträge und der ihnen zu Grunde liegenden Auffassung, mit Rücksicht auf die erforderliche objektive Haltung und gleichmäßige Behandlung des Buches nicht immer *allen* Wünschen und Anforderungen gerecht zu werden vermochten, liegt in der Natur der Sache und wird jedem Einsichtigen einleuchten.

Im Texte des Buches sind mehrfache größere Umstellungen vorgenommen worden, hervorgerufen durch die neuen in den Harz führenden Eisenbahnen; auch wurden einige Routen zur Verbindung des Nordharzes mit dem Südharz ganz neu konstruiert.

Eine wesentliche Bereicherung hat die neue Auflage erfahren durch die Aufnahme drei neuer Spezialkarten im Maßstabe von 1:60,000: »*Wernigerode Umgebung*«, »*Brocken*« und »*Harzburg*—

Ilsenburg«, welche nach dem besten Originalmaterial gezeichnet und durch Ortskundige berichtigt und ergänzt wurden. Diese Beigaben werden allen Harzfreunden eine willkommene Erscheinung sein; sie sollen bei den weitern Auflagen des Buches auch auf die übrigen Gebiete des Harzes, zunächst auf den Südharz, ausgedehnt werden.

In den *wirtschaftlichen Angaben* haben wir auch diesmal wieder die auszeichnenden Sterne (*) bei den *Gasthöfen* weggelassen; diese Empfehlungen haben in allen Reisebüchern so überhandgenommen, daß sie eben keine Auszeichnung mehr sind. Eine Garantie für diese Sterne konnte bei der Veränderlichkeit dieser Dinge ja so wohl niemand von dem Herausgeber eines Reisebuchs verlangen. Wo ein Gasthof auf Grund mehrfacher Erfahrungen zu loben oder nach irgend einer Richtung hin zu charakterisieren war, ist dies durch einen betreffenden Zusatz geschehen. Mancherlei dreisten Ansprüchen gegenüber erklären wir zugleich, daß unsre Führer keine Adreßbücher von *Gasthöfen* und *Wirtshäusern* sein sollen und *nicht für die Gastwirte* (wie diese oft irrtümlich anzunehmen scheinen), sondern im Interesse der Reisenden geschrieben sind. Wir erkennen auch durchaus keine Verpflichtung an, *sämtliche* derartige Verpflegungsanstalten anzuführen.

☞ *Wo der Reisende in irgend einer Weise übervorteilt wird, bitten wir, seine Beschwerde unter Beifügung der schriftlichen Belege an die »Redaktion von Meyers Reisebücher in Leipzig« richten zu wollen. Derartige Mitteilungen werden mit Dank entgegengenommen und bei weitern Auflagen entsprechend verwertet.*

Leipzig, Frühjahr 1889.

Die Redaktion von Meyers Reisebüchern.

Inhalts-Verzeichnis.

Eintrittsrouten für den Harz.

Harz-Routen.

Karten und Panorama.

Abkürzungen.

Bed.	= Bedienung.	R. r.	= rechts.
Frühst.	= Frühstück.	R.	= Route.
km	= Kilometer.	S.	= Seite.
L. l.	= links.	Stat.	= Station.
M.	= Mark.	St.	= Stunden.
m	= Meter.	S.	= Süden.
Min.	= Minuten.	SW.	= Südwest.
Mitt.	= Mittagsessen.	T. d'h.	= Table d'hôte.
N.	= Norden.	ü. M.	= über dem Meer.
O.	= Osten.	W.	= Westen.
Pf.	= Pfennig.	Z.	= Zimmer.

Die Angaben *vor* einer Ortsbezeichnung und *in Parenthese*, z. B.: (18 km) Blankenburg, ($4^1/_2$ St.) Brocken, bedeuten stets die Entfernung des Orts *vom Ausgangspunkt der Tour;* die Angaben *ohne Parenthese* im laufenden Text (besonders bei Bergtouren häufig) bezeichnen die Entfernung von der *zunächst vorher gemachten Zeitangabe*, z. B.: zuerst mäßig aufwärts nach dem *Renneckenhaus*, $1^1/_2$ St., dann steil hinan zum Plateau, 1 St., dann weiter durch den Wald auf den ($3^1/_2$ St.) Gipfel, 1 St.

Erklärung.

Die von der Verlagshandlung am Schluß des Buches beigegebene *Anzeigen-Beilage*, welche den Inserenten Gelegenheit geben soll, sich vor dem Publikum über Dinge auszusprechen, für die der *Text* des Buches keinen Raum hat, steht selbsverständlich nicht im entferntesten Zusammenhang mit der *Redaktion* der Bücher. Unser Urteil im Text wird dadurch auch nicht im mindesten beeinflußt. ☞ Die Empfehlung oder auch nur die Aufnahme eines Gasthauses od. dgl. in unsre Bücher ist durch keinerlei Bezahlung – unter welcher Form es auch sei – zu erlangen. Wir bemerken dies ausdrücklich, um der Möglichkeit von Mißverständnissen und mancherlei Anfragen von vornherein zu begegnen, warnen dabei gleichzeitig vor Leuten, die sich als Mitglieder unsrer Redaktion ausgeben (während sie oft nur Inseratensammler, meist aber geradezu Betrüger sind) und bitten, uns von solchen Schwindeleien in Kenntnis setzen zu wollen.

Die Redaktion von Meyers Reisebüchern.

Harz-Klub.

Der im Jahre 1886/87 in Seesen und Goslar begründete Verein hat sich folgende Aufgaben gestellt:

a) Die Bezeichnung der für den Harzreisenden in Frage kommenden Wege nach einheitlichem Plan sowie die Anlage neuer und die Aufbesserung schon vorhandener Wege innerhalb des Harzgebiets.

b) Die Erschließung von Aussichtspunkten und neuen lohnenden Wanderungen im Harz.

c) Die Förderung und Richtigstellung aller den Harz behandelnden Reisebücher und Karten.

d) Die uneigennützige und unentgeltliche Erteilung von Auskunft an den Harztouristen, womöglich in sämtlichen Orten des Harzes, sowie Förderung alles dessen, was das Reisen im Harz angenehm macht und erleichtert, was den Aufenthalt daselbst verschönert und anziehend gestaltet, und was den Harzreisenden gegen etwaige Unbill seitens der Einwohner schützt.

Da diese Dinge zum Teil nur durch die rege Beihilfe des reisenden Publikums zu erreichen sind, so wendet sich der Vorstand des Harzklubs mit der Bitte an alle Harzreisenden, von den auf der umstehenden Seite aufgeführten Auskunftsstellen des Vereins im eignen Interesse einen recht häufigen Gebrauch machen zu wollen. Die dort genannten Herren, welche die Auskunfterteilung als ein Ehrenamt übernommen haben, werden alle Anfragen bereitwilligst und unentgeltlich beantworten und ebenso etwaige Beschwerden entgegennehmen, sofern solche von dem nötigen Beweismaterial und der vollen Adresse des Beschwerdeführenden begleitet sind. Auch der erste Schriftführer des Harzklubs, Herr Buchhändler *H. C. Huch* in *Quedlinburg*, ist gern bereit, Anfragen zu beantworten und berechtigte Beschwerden anzunehmen, um solche dem Zentralvorstand zu unterbreiten. — Freunde des Harzes, welche unsern gemeinnützigen Bestrebungen Anerkennung zollen, mögen dem Verein als Mitglied beitreten. Der Jahresbeitrag beträgt 3 M.

Der Zentralvorstand des Harz-Klubs.

Vorsitzender: A. Schneider, Eisenbahndirektor in Blankenburg am Harz.

Auskunftstellen des Harz-Klubs.

Altenbrak:	Der jeweilige Vorstand.
Andreasberg:	*W. Voigt*, Fabrikant.
Aschersleben:	*L. Schnock*, Buchhändler.
Ballenstedt:	*Grauel*, Kaufmann, Allee 334.
Benneckenstein:	Der jeweilige Vorstand.
Blankenburg:	Büreau d. *Blankenburg-Halberstädter Eisenbahn.*
-	*Glaser*, Stadtrat, Langestraße 1.
Braunlage:	*Lohmann*, Lehrer.
Gernrode:	Magistrat der Stadt.
Goslar:	*L. Koch*, Buchhändler.
Grund:	Der jeweilige Vorstand.
Güntersberge:	*Becker*, Ökonom.
Halberstadt:	*Germer*, Buchhändler.
Harzburg:	Herzogl. Bade-Kommissariat.
Hasselfelde:	*Bischof*, Apotheker.
-	*G. A. Ludwig*, Kaufmann.
Herzberg:	*Schlüter*, Bürgermeister.
Hohegeiß:	Der jeweilige Vorstand.
Klausthal:	*R. Mehnert*, Kaufmann, Zellbach.
-	*O. Schürmann*, Kaufmann, Kronenplatz.
-	*A. Lindner*, Kaufmann, Rollplatz.
Lautenthal:	*Nolte*, Apotheker.
Lerbach:	Der jeweilige Vorstand.
Neustadt u. H. bei Ilfeld.	*Roth*, Hüttendirektor.
Osterode:	Dr. *Ahrens*, Oberlehrer, Kaiserplatz.
-	*Fr. Beck*, Kaufmann, Königsplatz.
-	*A. Rimella*, Kaufmann, Kornmarkt.
Quedlinburg:	*H. C. Huch*, Buchhändler, Bockstraße 12.
-	*H. Meyer*, Rentier, Harzweg 16.
Sachsa:	*Frind*, Schützenhaus.
Seesen:	*Flebbe*, Kaufmann.
Stecklenberg:	*Große*, Gastwirt.
Stiege:	*Herzberg*, Kaufmann.
-	*Graf*, Gastwirt.
Stolberg:	*M. Kersten*, Kaufmann.
Thale:	*Schulze*, Postverwalter.
-	*Grupe*, Buchdruckereibesitzer.
Treseburg:	*Schomberg*, Gemeinde-Vorsteher.
-	*L. J. Reechwaldt.*
Walkenried:	*Lauterbach*, Postverwalter.
Wernigerode:	Der jeweilige Vorstand.
Wieda:	*Bischoff*, Kaufmann.

Allgemeines.

Reisezeit. Der Harz läßt sich schon vom Mai an bereisen. Touren zur Roßtrappe, ins Bodethal, durchs Selkethal sowie zu allen am Harzrand gelegenen Orten können, wenn überhaupt der Charakter des Frühjahrs ein günstiger ist, sogar schon Ende April mit Genuß unternommen werden. — *Brocken* und *Oberharz* kehren vor Anfang Juni gewöhnlich noch die rauhe Seite heraus. — Die üblichste Reisezeit für den Harz ist Anfang Juni bis Ende September; letztgenannter Monat ist sogar häufig der schönste, weil dann in der Regel die Nebel, jene Freudenverderber im Harz, nicht von Dauer sind. — Frühling und Herbst haben den Vorzug, daß der Harz dann nicht überfüllt ist und die Preise etwas billiger sind. — Im Winter hat eine Schlittenfahrt durch die von schneebedeckten Tannen eingerahmten Harzthäler einen großen Reiz; selbst der Brocken wird in dieser Jahreszeit von einzelnen Reisenden besucht; doch ist zu beachten, daß Wanderungen im Schnee sehr ermüdend sind.

Der nordöstliche und nördliche Teil des Harzes ist der landschaftlich lieblichere, der westliche Oberharz, von weit ernsterm Charakter, bietet dem, der den Bergbau, das Hütten- und Hammerwesen kennen lernen will, die größte Ausbeute. Der Südrand ist im allgemeinen noch weniger besucht, als er es wegen seiner schönen Aussichtspunkte und seiner herrlichen Wälder wohl verdiente.

Die **Reisekleidung** richtet sich nach den körperlichen und Bequemlichkeits-Bedürfnissen des Touristen. Wer alle sich darbietenden Verkehrsmittel benutzt, braucht kaum besondere Vorkehrungen in seiner Kleidung zu treffen. Der Tourist, welcher vorherrschend zu Fuß den Harz zu durchwandern gedenkt, mag seinen Anzug etwas anders einrichten. *Wollene Hemden* und *wollene Strümpfe* sind selbst bei starker Sonnenhitze dringend anzuempfehlen; sie schützen bei der wechselnden Temperatur im Gebirge vor Erkältungen. Daneben habe man noch einige Paar baumwollene Socken und Hemden. Als beste *Fußbekleidung* sind derbe kalblederne Halbstiefel zum Schnüren mit Doppelsohlen und flachen Absätzen zu empfehlen; man zieht sie bequemer an und aus als Schaftstiefel.

Harz. 1

Reise-Ausrüstung. Dem Fußgänger ist als bequemstes Gepäck die *Seitentasche,* die durch zwei unten angenähte Ringe leicht zum Rückentornister umgewandelt werden kann, oder besser noch ein *Rückentornister* (womöglich mit gesteiftem Rücken) von Waterproof (besser als von Leder) zu empfehlen. Der *Plaid* oder *Regenmantel* trägt sich am leichtesten wie ein Militärmantel zusammengerollt über die Achsel gehängt. Im Tornister befinden sich, außer der Wäsche, ein Paar leichte *Schuhe* oder *Pantoffeln.* Man versehe sich ferner mit einer *Feldflasche* mit Kognak; beim Trinken kalten Wassers setze man demselben etwas Zucker mit Kognak zu. *Lederbecher* zum Zusammenklappen oder ein *Taschentrinkglas. Operngucker* oder *Feldstecher.* Der *Handstock* sei fest, mit guter Zwinge versehen; wer einen Regen- oder Herrensonnenschirm mit derbem Stock besitzt, benutze diesen als Handstock. Schließlich gehören noch zum Reiseapparat: Waschzeug (nebst Seifenpapier; angenehm auch ein Handtuch), Messer mit Pfropfenzieher, ein Kompaß, Feuerzeug, Nadel, Zwirn, Knöpfe, englisches Pflaster und etwas Bindfaden. Von Nutzen ist endlich auch oft ein medizinisches Heilmittel: *Natron bicarbonicum* gegen Magensäure (Sodbrennen), Hoffmannsche Tropfen gegen Ohnmacht, dann gegen Kolik und Diarrhöe die sogen. Choleratropfen: Valerianatropfen, Opium und Pfefferminzöl oder -Tropfen, wie man sie in jeder Apotheke sich mischen lassen kann. Ein reichliches Stück Hirschtalg oder Vaselin zum Bestreichen wund gelaufener Stellen nebst alter Leinwand ist als ein im Bedürfnisfall äußerst wohlthätiges Heilmittel ja nicht zu vergessen.

Reisekosten. Der Harz gehört nicht zu den billigen Reisegegenden Deutschlands. Im Verhältnis zu dem oft sehr bescheidenen Komfort am wenigsten gerechtfertigt sind die hohen Preise in den vielbesuchten Orten am nördlichen Harzrand. Billiger und gemütlicher ist der Aufenthalt am Südrand des Harzes. Selbstverständlich richten sich die Reisekosten nach den Ansprüchen, welche der Fremde bezüglich Unterkunft und Verpflegung stellt. Wer alle bequemen Verkehrsmittel benutzt, stets Führer und Träger zur Seite hat, in den ersten Gasthöfen wohnt und nicht die billigsten Weine auf der Karte auszuwählen gewohnt ist, braucht wohl täglich 20 M.; Fußgänger mit bescheidenen Ansprüchen an Küche und Keller können (Führer, Eisenbahn und Post nicht eingerechnet) mit täglich 10 M. anständig auskommen.

Gasthöfe. In den Verkehrsmittelpunkten, wie Harzburg, Thale, Suderode, Wernigerode, Brocken und den größern Städten, gibt es gut eingerichtete Häuser, die auch größern Ansprüchen genügen; im übrigen aber stehen die Gasthäuser des Harzes in Bezug auf Komfort häufig hinter dem zurück, was der heutzutage verwöhnte, von außerhalb des Harzes kommende Reisende gegenüber den geforderten

Preisen billigerweise verlangen dürfte. Einrichtung und Verpflegung lassen da oft viel zu wünschen übrig, und es wäre den Gastwirten, welche ihre bescheidenen Häuser als »Hotels ersten Ranges« ankündigen, im eignen Interesse anzuraten, erst einmal einen gut geführten Gasthof kennen zu lernen und danach ihr Haus umzugestalten. — Die *Preise der Gasthöfe höhern Ranges* sind gewöhnlich: Zimmer, Licht und Bedienung von 2,50 M. an; Kaffee mit Brot und Butter 1 M.; Mittagstisch ohne Wein 2,50—3 M. — *Preise der Gasthöfe mindern Ranges:* Zimmer 1,50 M.; Kaffee mit Brot und Butter 75 Pf.; Mittagstisch 1,50 M.; Abendessen 1 M.; Bedienung 30—40 Pf.

Überall am Harz bekommt man *Bier,* das jedoch einem bierverwöhnten Magen nicht immer zusagt; gegen ihr eignes Interesse verschmähen es viele Gasthöfe, ein gutes bayrisches Bier zu führen. Von den *Weinen* sind die roten in den bessern Häusern, bei guten Preisen, meist erträglich; weniger die weißen Weine, welche manchmal nur ein elendes Kunstprodukt sind. Die frische (süße) *Milch* ist fast überall, namentlich auf den Höhen, vorzüglich; wer sie nicht gut vertragen kann, gieße ein Gläschen Kognak hinein. Eine Spezialität des Harzes ist das *Birkenwasser,* der aus angebohrten Stämmen gewonnene Frühjahrssaft der Birken, ein sehr erfrischendes (leider nicht billiges) Getränk. Die guten *Harzer Handkäse* bekommt man meist auf dem Oberharz. Wer im Herbst reist, hat die Annehmlichkeit, viel *Wildbret,* namentlich auch Rebhühner und Kramtsvögel, aufgetischt zu bekommen. *Fische* gibt es stets auf der Speisekarte, freilich nicht billig (Forellen 2—2,75 M.).

Einige Gasthausregeln. Man erkundige sich gleich bei der Ankunft nach dem Preise des Zimmers etc. Kurz vor der gemeinsamen Table d'hôte verlange man nie aus übel angebrachter Sparsamkeit ein bescheidenes Gabelfrühstück; man muß meistens ebensoviel dafür bezahlen wie für eine vollständige Mahlzeit. Wer am andern Morgen früh abreisen will, berichtige schon am Abend vorher seine Rechnung. In allen guten Gasthöfen erhält der Reisende schriftliche Rechnung; man prüfe dieselbe und addiere sie. Während der hohen Reisezeit suche man in den vielbereisten Gegenden abends beizeiten sein Gasthaus zu erreichen, um nicht der Unannehmlichkeit ausgesetzt zu sein, erst nach langem Umherirren in später Nacht ein Unterkommen zu finden. Wer längere Zeit in einem besuchten Gasthof verweilt, thut wohl, stets Tagesrechnung zu verlangen.

Die **Verkehrsmittel** nach und auf dem Harz sind in durchaus lobenswertem Zustand. Fünf große *Eisenbahnsysteme* umschließen den Harz und senden ihre Zweigbahnen bis mitten in die Berge. — **Posten,** welche an die Eisenbahnpunkte anknüpfen, sind ziemlich reichlich; sie sind an den betreffenden Orten angeführt. Die Wagen sind gut und bequem und ihre Benutzung zu empfehlen.

1*

Preis für das Kilometer 10 Pf. — **Telegraphen** hat man an *allen Eisenbahnstationen* wie auch in allen größern Ortschaften; die Stationen sind überall erwähnt. — **Reittiere** findet man nur an den besuchtesten Orten des Unterharzes sowie in Harzburg und Goslar.

Lohnfuhrwerk ist am Harz teuer. Ein Wagen mit 2 Pferden kostet 20 M., ein Einspänner 10—12 M. für den Tag, wozu noch das vom Kutscher beanspruchte Trinkgeld von 2—2,50 M. und in den Stolbergschen Grafschaften das Chausseegeld kommen. Es ist anzuraten, sich mit dem Wirt über die Gesamtunkosten zu verständigen, um eventuellen Prellereien vorzubeugen. ☞ Man thut nicht gut, Wagen auf weitere Touren zu mieten, da man in der Regel auch die Rückfahrt zu bezahlen hat, wenn der Kutscher unterwegs übernachten muß. Man stelle dies vor der Abreise fest.

Führer. Ein bestallter Führer in dem braunschweigischen Harzgebiet besitzt ein Dienstbuch mit Zeugnissen über seine Leistungen. In den übrigen Gegenden ist das Führerwesen leider noch wenig geordnet, eine Taxe amtlich noch nicht festgestellt! Wirkliche Führer erhalten täglich 4—5 M. Dafür müssen sie das Gepäck der Reisenden bis 12½ kg tragen und alle eignen Bedürfnisse selbst bestreiten. Bei Annahme eines Führers für mehrere Tage überzeuge man sich möglichst genau, ob derselbe auch alle diejenigen Gegenden des Harzes kennt, welche man zu bereisen gedenkt; sie behaupten gewöhnlich, alles zu kennen, weshalb es vorzuziehen ist, auch die Führer *nur auf kürzere* Strecken zu mieten. Ist der Dienst eines Führers zu Ende, und muß er dann noch eine Nacht unterwegs bleiben, so werden ihm 25 Pf. für jede Meile der Rückreise vergütet. Den Gasthofsempfehlungen der Führer schenke man aus naheliegenden Gründen nicht ohne weiteres Glauben. Seitdem der Harzklub die Haupttouristenwege bezeichnet hat, sind Führer für diese ganz überflüssig; man bedient sich ihrer nur noch als Träger.

Sommeraufenthalt. Der sogen. Sommeraufenthalt, d. h. das Mieten einer Wohnung in der Regel auf mindestens einen Monat, ist am Harz noch vorteilhaft. Die sogen. Sommerfremden können sich einrichten wie Einheimische und genießen namentlich beim Einkauf von Rohprodukten alle Vorteile derselben. Man bestelle die Wohnungen, wenn thunlich, schon im Frühjahr.

Wo soll man wohnen?

Zur Beantwortung dieser Frage wollen wir hier einige Winke geben. Der *Unterharz* wird wesentlich wegen der tief eingeschnittenen, mit Laubwald besetzten Thäler, der *Oberharz* wegen der kühlern Höhen und der dünnern Luft besucht. Die Thäler des N o r d r a n d s fallen steiler ab, sind durch Wasser belebt und von schönen Straßen und Promenaden durchzogen; die Ausläufer des Harzes selbst sind mit Dörfern und Villen besetzt.

Das **Bodethal,** hochromantisch und wild, besonders im untern Teil, bleibt das Kleinod aller Harzthäler; es ist das Hauptreiseziel aller Touristen, deshalb außerordentlich belebt, geräuschvoll und nicht billig.

Thale bietet recht gute Unterkunft; auch in den übrigen Gasthöfen auf der Strecke bis Treseburg (S. 60–66) findet man gutes Unterkommen. Einfacher, ruhiger und billiger ist es in **Altenbrak**, **Rübeland** und **Wendefurt** (R. 2).

Südöstl. vom Bodethal finden sich malerische Partien noch bei **Suderode** (S. 219); es ist der beliebteste Badeort des östlichen Harzes, hat ziemlich gut eingerichtete Gasthöfe und eine große Auswahl von Privatwohnungen, aber auch hohe Preise. Etwas billiger lebt man im nahen **Gernrode** (S. 217).

Im lieblichen **Selkethal** (R. 32) ist nur **Alexisbad** und **Mägdesprung** für Badezwecke, bez. als Sommerfrische zu nennen.

Nordwärts vom Bodethal bietet die Umgegend von **Blankenburg** (R. 4) hübsche Partien; man lebt hier gut und nicht zu teuer. Auch wird Blankenburg als Luftkurort besucht. Wunderschöne Umgebung. Reiches Ausflugsgebiet.

Wernigerode (S. 103) und das angrenzende **Hasserode** (S. 102) an der Holtemme, am Weg zur Steinernen Renne, liegen überaus lieblich und haben gute Hotels und Pensionshäuser. Die Sommerwohnungen in Privathäusern sind sehr gesucht; angenehmes Leben, reiches Ausflugsgebiet.

Sehr besucht ist das malerische, an prächtigen Baumgruppen reiche Thal der *Ilse*; **Ilsenburg** (S. 110) selbst hat zwei gute Hotels und zahlreiche Privatwohnungen für Sommergäste, aber zum Teil in der Nähe von Eisenwerken.

Das *Radauthal* ist im Gebirge selbst nicht bewohnt, dagegen entfaltet sich am Thalausgang das großartige Badeleben von **Harzburg** (S. 114), der schönsten und elegantesten Sommerfrische des Harzes; Badeort ersten Ranges mit einer Reihe vornehmer Hotels. Nichts für bescheidene Börsen. Reizende Umgebung.

Ecker- und **Okerthal** (R. 13) kommen nur für Ausflüge in Betracht. Letzteres ist nächst dem Bodethal das schönste Thal des Harzes. Unterkunft für längere Zeit aber nicht zu empfehlen; das am Thalausgang gelegene Oker schon der Industrie wegen nicht. Dagegen wird die Stadt **Goslar** (neuerdings ein Haupteintrittspunkt in den Harz) viel als Sommerfrische aufgesucht.

Die Thaler am Südrand des Harzes sind gestreckter, haben weniger Wasser; die Wege sind nicht überall so gebahnt, die Ortschaften seltener. Die Gegend ist hier noch nicht vom großen Touristenschwarm überlaufen und deshalb stiller und billiger als der Nordharz.

Osterode (S. 157) und **Herzberg** (S. 173) liegen außerhalb der Berge; in der Nähe des erstern wäre nur **Lerbach** (S. 158) als einfache, hübsch gelegene Sommerfrische zu nennen.

Lauterberg (S. 178), in malerischer Lage an der Oder, inmitten der schönsten Ausflüge (viel Wald), 2 St. vom **Ravensberg** (dem schönsten Aussichtspunkt des Südharzes, mit Gasthaus), ist ein recht beliebter Aufenthalt für Sommerfremde und wegen seiner vortrefflichen Wasserheilanstalt viel besucht. — Auch am **Wiesenbecker Teich** (S. 181) Pension für Sommergäste.

Sachsa (S. 183), ein Waldidyll am Fuß des Ravensbergs, wird wegen seines billigen Lebens (besonders von Beamten) stark besucht; — das **Wiedathal** ist einförmig und bietet wenig Gelegenheit zum Wohnen; — das **Zorgethal** ist schön, aber wegen der Eisenindustrie weniger geeignet, doch ist **Hohegeiß** (S. 126), das höchstgelegene Dorf des Harzes (612 m), mit bescheidener Unterkunft als Luftkurort zu nennen. — **Walkenried** und **Ellrich** liegen zu sehr außerhalb der Berge und kommen deshalb nicht in Betracht.

Ilfeld (S. 197) und **Neustadt unterm Hohnstein** (S. 199), in schöner Lage an dicht bewaldeten Bergen, verlocken beide zu längerm Aufenthalt; Unterkunft einfach und billig.

Stolberg (S. 202), mitten im Waldkessel, ist reizend für den, welcher Genuß an herrlichen Waldungen hat; höchst angenehmer, ruhiger Aufenthalt mit guter Unterkunft.

Im Oberharz ist **Grund** (S. 154), eine von schönem Laubwald umgebene, nicht zu teure Sommerfrische, am besuchtesten, besonders von Familien mit Kindern.

Lautenthal (S. 144) und **Wildemann** (S. 145) sind, selbst bei ihren noch bescheidenen Wirtshausverhältnissen, als Sommerstationen besucht; letzteres liegt schon 422 m hoch.

Altenau (S. 160) wird seiner Tannenwälder, seiner hohen, gesunden Lage (450 m) und frischen Luft wegen besucht; nicht teuer.

Klausthal und **Zellerfeld** (R. 16), ganz frei gelegen, namentlich aber **St. Andreasberg** (S. 165) sind wegen ihrer hohen (bis 600 m) und gesunden, aber etwas rauhen Lage als Höhenluftkurorte im heißen Sommer zu empfehlen und durch ihr eigentümliches bergmännisches Gepräge anziehend. Unterkunft für mäßige Ansprüche genügend; in Klausthal-Zellerfeld etwas besser; in Andreasberg gute ärztliche Hilfe.

Schierke (S. 89) am Südfuß des Brocken, in 610 m Seehöhe, wird neuerdings als bescheidene Sommerfrische besucht.

Außerdem nimmt man selbst auf den Höhen in *Braunlage, Elend* und *Oderbrück, Kamschlacken, Festenburg* gern Sommerfremde; doch ist die Unterkunft hier nur ganz bescheiden.

Wer allen möglichen Komfort sucht, elegante Wohnung, Table d'hôte, Café, Zeitungen und Kurszettel, Fuhrwerk, Maultiere, Führer, der wähle unter *Harzburg, Thale, Blankenburg, Wernigerode, Suderode*.

Wer eine Heilkur brauchen will, geht nach *Harzburg, Suderode, Alexisbad, Lauterberg* (Kaltwasserheilanstalt), *St. Andreasberg*.

Wer Höhenklima haben will, wohne in *St. Andreasberg, Klausthal-Zellerfeld, Altenau, Schierke, Elend, Hohegeiß, Benneckenstein* und *Hasselfelde*.

Wer kühle, frische Thäler, frische Waldluft sucht, Höhen ersteigen will, gehe nach *Treseburg, Wernigerode, Hasserode, Ilsenburg, Harzburg, Grund, Lauterberg* oder nach *Stolberg* und, sofern er sich mit einfacher Unterkunft und Verpflegung begnügen mag, nach *Sachsa, Ilfeld, Neustadt unterm Hohnstein, Lerbach, Altenbrak, Lautenthal, Wildemann*.

Fußreisen (einige Ratschläge für noch unerfahrene Touristen). Wer nicht geübter Fußgänger ist, möge vor Antritt seiner Harzreise in denjenigen neuen Schuhen, welche er zu benutzen gedenkt, einige Übungsmärsche machen. Auf der Reise selbst wird früh ausmarschiert; wer es ertragen kann, nehme den Kaffee erst nach 1½–2stündiger Tour. Der Marsch in frischer Morgenkühle, bei vollen Kräften, bringt am leichtesten vorwärts. Ganz besonders ist er für Bergbesteigungen anzuempfehlen. Wenn es der Tagesplan gestattet, lege man 4–5 Stunden Wegs am Vormittag zurück. Während der hohen Mittagszeit, bis etwa gegen 3 Uhr, wird gerastet. Die Hauptmahlzeit nimmt man am passendsten nach beendetem Marsch. Wem die Füße von angestrengtem Marsch brennen, möge ein kurzes Fußbad im sonnenwarmen Wasser (etwa 20–21° C.), nie im kalten Gebirgsbach nehmen. Vor dem Baden in Gebirgswassern oder in den Harzteichen ist dringend zu warnen. Auf dem Marsch lege man bei großer Hitze ein leinenes Taschentuch über Kopf und Stirn und setze den Hut darüber; der Schweiß, welcher für die Augen sehr empfindlich ist, zieht hinein und verdunstet. — Bergan steige man gleichmäßig, ruhig, im langsamen Tempo, so daß Puls und Lunge nicht in übermäßige Aufregung geraten. Einige Schluck frischen Wassers direkt aus der Brunnenröhre schaden nichts; vieles Trinken schwächt. Rätlich ist der Zusatz von etwas Kognak oder Rum aus der Feldflasche, er beugt etwa störenden

Einwirkungen des kalten Wassers auf den Magen vor. Für Gebirgswanderungen (besonders auch nach dem Brocken hin) versehe man sich stets mit etwas Mundvorrat, damit man nicht in Verlegenheit kommt. Im Wald hüte man sich vor schwach betretenen oder nur durch ein Fahrgeleise gebildeten Wegen; sie führen nicht selten nur zu Holzschlägen und hören dann ganz auf. Im Unterharz richtet man sich nach den vielfach an den Bäumen angebrachten *Wegzeichen*, die Anfangsbuchstaben der aufzusuchenden Punkte enthaltend. In neuerer Zeit sind auf den begangenern Routen allenthalben granitene Wegsteine mit sehr deutlichen Aufschriften angebracht. Auch der Kot der Maultiere auf den Wegen im Nordharz ist ein gutes Führerzeichen. Bei nebeligem Wetter (im Harz keine Seltenheit) wandere man nie allein, am wenigsten Waldpfade, es sei denn, daß man Chaussee hätte. Auf einer Höhe angelangt, werde der Rock zugeknöpft und der Plaid umgehangen; ist ein Gasthaus oder eine Hütte oben, so wechsele man, falls der Körper sehr stark transpirierte, die Wäsche oder warte 1/4 St., ehe man wieder hinausgeht; die sich geltend machende Reaktion geht nicht selten aus der großen Erhitzung in fieberfröstelnde Kälte über. Auf einem Stationspunkt angelangt, überlasse sich der Fußwanderer nicht sofort der unbedingtesten Ruhe; noch etwas Bewegung bewahrt vor dem unbehaglichen Steifwerden der Füße. Wer bedeutende Ermattung in den Schenkeln und Waden spürt, wasche dieselben sorgfältig erst mit überschlagenem Wasser, um Staub und Schweiß zu entfernen, und dann mit Spiritus oder Branntwein. Überhaupt trägt regelmäßige Hautpflege viel zum Wohlbefinden auf Fußreisen bei.

Sonnenaufgang und Sonnenuntergang im Harz.

	Aufgang		Untergang			Aufgang		Untergang	
1. Mai	4 Uhr	30 Min.	7 Uhr	25 Min.	20. Juli	4 Uhr	4 Min.	8 Uhr	7 Min.
10. —	4 -	14 -	7 -	40 -	1. Aug.	4 -	22 -	7 -	49 -
20. —	3 -	58 -	7 -	55 -	10. —	4 -	36 -	7 -	33 -
1. Juni	3 -	45 -	8 -	11 -	20. —	4 -	53 -	7 -	12 -
10. —	3 -	39 -	8 -	19 -	1. Sept.	5 -	13 -	6 -	46 -
20. —	3 -	39 -	8 -	24 -	10. —	5 -	28 -	6 -	25 -
1. Juli	3 -	43 -	8 -	24 -	20. —	5 -	45 -	6 -	1 -
10. —	3 -	51 -	8 -	18 -	1. Okt.	6 -	3 -	5 -	35 -

Höhenangaben sind im Texte des Buches durchweg in Metern (m) über dem Meer gemacht worden (1 Meter = 3,186 preuß. Fuß oder 3,078 Pariser Fuß). Die den Orts- und Bergnamen beigefügten Zahlen bezeichnen stets die Höhe über dem Meer, z. B. Goslar (260 m) = 260 m ü. M. Wir geben hier eine

Zusammenstellung der Berghöhen und Ortschaften des Harzes (und einiger andrer Städte) nach ihrer Höhenlage in Metern über dem Meer.

1142 Brocken.
1014 Heinrichshöhe.
1029 Königsberg.
968 Wurmberg.
929 Zeterklippen.
929 Renneckenberg.
926 Achtermannshöhe.
926 Bruchberg.
919 Wolfswarte.
910 Wegweiser am Brockenbett.
902 Hohneklippen.

902 Großer Winterberg.
894 Rehberg.
881 Quitschenköpfe.
860 Acker.
858 Schwarze Tannen.
857 Erdbeerkopf.
835 Kleiner Winterberg.
810 Hanskühnenburg.
800 Torfhaus (Brockenkrug).
781 Oderbrück.
778 Sonnenberger Chausseehaus.
763 Schalke.
763 Hahnenklippe.
758 Abbensteinklippe.
729 Förnerhanskuppe.
724 Oderteich.
719 Stöberhai.
714 Jagdkopf.
696 Scharfenstein.
687 Großer Knollen.
685 Gebbersberg.
682 Schnarcherklippe.
682 Barenberg.
682 Ebersberg.
664 Matthias Schmidt-Berg.
660 Ravensberg.
642 Hohegeiß.
636 Rammelsberg.
627 (–580) St. Andreasberg.
604 Klausthal.
601 Kummel.
596 Schierke.
595 Ahrendsberg.
578 Meinekeberg.
575 Auerberg (oder Josephshöhe).
574 Viktorshöhe.
573 Schwarzenberg.
572 Scholm.
571 Kukholzklippe.
562 Iberg.
550 Braunlage.
549 Zellerfeld.
545 Meineberg.
540 Friedrichsbrunn.
530 Benneckenstein.
525 Ahrendsberger Forsthaus.
500 Hessenkopf.
500 Elend.
499 Tannengarten.
496 Eichenforst.
490 Altenau.
487 Ahrendsberg (bei Lauterberg).
487 Hartenberg, Forsthaus.
485 Elbingerode, Bahnhof.
484 Burgberg b. Harzburg.
482 Stiege.
482 Hüttenrode.
480 Tanne.
468 Elbingerode.
467 Eggeroder Forsthaus.
459 Nordberg.
458 Kyffhäuser.
455 Hainfeld.
455 Trautenstein.
454 Hexentanzplatz.
452 Hasselfelde.
440 Rothehütte, Bahnhof.
436 Ilsenstein.
430 Hübichenstein.
422 Wildemann.
422 Sternhaus.
421 Hausberg (b. Lauterberg).
410 Güntersberge.
403 Ziegenkopf.
400 Straßberg.
400 Ebersburg.
396 Rothenburg (Kyffhäuser).
395 Harzgerode.
393 Rübeland.
386 Georgshöhe.
383 Scharzfels, Ruine.
382 Weißer Hirsch.
380 Wieda.
375 Roßtrappe.
375 Schloß Stolberg.
356 Zorge.
350 Lerbach.
350 Hohnstein, Ruine.
348 Lauenburg.
348 Meiseberg.
340 Sieber.
337 Blankenburg, Schloß.
337 Romkerhall.
326 Wendefurth.
325 Sachsa.
320 Alexisbad.
320 Falkenstein, Schloß.
319 Teufelsmauer.
303 Grund.
300 Altenbrak.
300 Selkesicht.
300 Stolberg.
300 Lauterberg.
296 Lautenthal.
295 Mägdesprung.
295 Regenstein.
292 Hasserode.
281 Stubenberg.
270 Treseburg.
265 Mansfeld, Schloß.
260 Michaelstein.
260 Neustadt u. Hohnstein.
260 Ilfeld.
260 Heimburg.
260 Goslar.
260 Scharzfeld, Dorf.
250 Ellrich.
250 Eckerkrug.
248 Selkemühle.
246 Harzburg.
(224 – Bahnhof.)
244 Walkenried.
240 Herzberg.
238 Ilsenburg.
234 Blankenburg, Stadt.
232 Wernigerode.
230 Osterode.
225 Arnstein, Ruine.
224 Gernrode.
217 Ballenstedt.
(264 – Schloß.)
213 Erfurt.
210 Oker.
209 Seesen.
200 Mansfeld, Stadt.
198 Suderode.
185 Sondershausen.
182 Nordhausen.
179 Sangerhausen.
175 Thale.
153 Roßla.
150 Vienenburg.
148 Göttingen.
135 Kassel.
124 Eisleben.
123 Halberstadt.
121 Quedlinburg.
120 Münden.
118 Leipzig.
113 Aschersleben.
110 Halle.
89 Hildesheim.
80 Köthen.
74 Braunschweig.
55 Hannover.
55 Bernburg.
50 Magdeburg.
37 Berlin.

Entfernungen sind (mit Ausschluß der eigentlichen Bergtouren) in Kilometern (km) angegeben, von denen 7,420 auf die deutsche geographische Meile gehen. Gute Fußgänger legen das Kilometer in 12 Min., langsamere in 15 Min., Fuhrwerke in 6—9 Min. zurück, so daß sich jeder Tourist seinen Bedarf an Zeit danach genau ausrechnen kann, indem er mit 5, bezw. 4 in die Kilometerzahl dividiert, um die Stundenzahl zu erhalten. Bei Bergtouren sind die Entfernungen in Stunden angegeben, wie sie ein mäßiger Fußgänger braucht. Die Angaben *vor* einer Ortsbezeichnung und *in Parenthese*, z. B.: (18 km) Blankenburg, (4½ St.) Brocken, bedeuten stets die Entfernung des Ortes *vom Ausgangspunkt der Tour;* die Angaben *ohne Parenthese* im laufenden Text (besonders bei Bergtouren häufig) bezeichnen die Entfernung von der *zunächst vorher gemachten Zeitangabe,* z. B.: zuerst mäßig aufwärts nach dem *Renneckenhaus* (1½ St.), dann steil hinan zum Plateau, 1 St., dann weiter durch Wald in 1 St. auf den (3½ St.) Gipfel.

Der **Harzklub** bezweckt die touristische Erschließung des ganzen Harzgebietes durch Wegebauten, Wegebezeichnungen, Herausgabe von Wegekärtchen, Errichtung von Wegweisern, Orientierungstafeln und Aussichtstürmen. Er umfaßt das ganze Gebiet des Harzes und setzt sich aus Zweigvereinen zusammen, die nicht allein auf die Ortschaften des Harzgebietes beschränkt, sondern auch auf die größern Städte, die ein Interesse an dem Besuch des Harzes haben, ausgedehnt werden sollen. Der herzoglich braunschweigische Bahndirektor, Herr *A. Schneider* zu Blankenburg am Harz, ist Vorsitzender des Vorstandes. Freunde des Harzes seien hiermit aufgefordert, Mitglieder irgend eines Zweigvereins zu werden oder Beiträge direkt dem Vorstand des Harzklubs zugehen zu lassen, um dadurch dessen gemeinnützige Bestrebungen zu unterstützen. Der Jahresbeitrag beträgt 3 Mark. Gegründet wurde der Verein Anfang des Jahres 1887. Ein Verzeichnis der Auskunftsstellen befindet sich vor S. 1 des Buches.

Karten. Für die Mehrzahl aller Touristen werden die unserm Buche beigegebenen, nach bestem Material gezeichneten Karten völlig ausreichen. Wer für längern Aufenthalt noch eingehendere Darstellungen haben will, wählt am besten die betreffenden Sektionen der *Preußischen Meßtischblätter* 1:25,000 (deren Netz jede Buchhandlung besorgt), welche freilich zum Teil sehr veraltet sind; neu sind die Sektionen: Goslar, Vienenburg, Seesen, Zellerfeld, Neustadt-Harzburg, Osterode und Riefensbeck. Die *Preußische Generalstabskarte* (»Karte des Deutschen Reichs«) ist für den Harz ebenfalls teilweise veraltet; neu sind nur die Sektionen: Goslar, Göttingen, Nordhausen. Die Karten von *O. v. Bomsdorff* (Magdeburg bei A. Rathke) 1:100,000 in 4 Blatt und die von *Henry Lange* (Berlin bei M. Pasch) 1:100,000 in 1 Blatt sind beides nur teilweise durchgearbeitete Kopien der Generalstabskarte. Ein sehr wertvolles Blatt ist die *Karte vom Nordwestharz,* vom Oberförster *Reuß* in Goslar, 1:40,000 in 1 Blatt (Goslar, bei Koch). Andre Spezialkarten einzelner Teile des Harzes sind an den betreffenden Stellen genannt.

Der Harz.

Der **Harz**, ursprünglich und noch im Mittelalter *Hart*, »Bergwald«, das nördlichste Glied des mitteldeutschen Berglandes, erhebt sich zwischen Leine und Saale auf den Grenzen von Nieder- und Obersachsen als eine Stammes- und Dialektscheide, wo Niederdeutsch und Hochdeutsch zusammenstoßen. Seine halb elliptische Masse hat bei einer Länge von ca. 100 km von Hettstädt im O. bis Seesen im W. und einer größten Breite von 33 km zwischen Blankenburg im N. und Walkenried im S. etwa 2000 qkm (36 QM.) Flächeninhalt, die von etwa 70,000 Seelen (meist lutherischer Konfession) bewohnt werden. Innerhalb dieser Umgrenzung erhebt sich der Harz als ein von zahlreichen Thälern durchfurchtes und eingeschnittenes, wellenförmiges Hochland, welches rasch aus dem umliegenden Land aufsteigt, in seinem westlichen Dritteil überragt von dem noch einmal so hoch aufgesetzten, aber gerundeten Brockengebirge. Von fern her gesehen, erscheint der Harz daher als steil gegen W. abfallende, sanft nach O. sich senkende, oben fast geradlinige, dunkle waldige Bergwand, über welche sich außer dem Brocken östlicher nur die niedrige Höhe des Auerbergs und im äußersten Osten die sanfte Anschwellung des Rambergs erhebt. Der Gegensatz zu den schrankenlosen Ebenen des Nordens sowie die große Annäherung des Brockens (der nur 8 km südwestlich von Ilsenburg liegt) an den Nordrand des Gebirges ist Ursache, daß der Anblick des Harzes von N. imposanter ist als von S. her (vgl. S. 96).

In geognostischer Beziehung besteht die Hauptmasse des Gebirges aus Thonschiefer, Grauwacke, Granit (Brocken und Ramberg) und Porphyr (Auerberg). Der Harz »enthält im kleinsten Raume alle Formationen und Eruptivgesteine mit einziger Ausnahme des kristallinischen Schiefergebirges und der jungen vulkanischen Gesteine«.

Der einzelnen Teile, welche man innerhalb des Harzes unterscheidet, sind im wesentlichen vier. Das bis 1142 m ansteigende Brockengebirge zwischen Ober- und Unterharz. Der sich im S. anschließende hohe Quarzitzug des *Bruchbergs* (926 m) und des *Ackers* bildet die Naturgrenze zwischen dem Ober- und dem Südharz. Diese Berge selbst bilden mit dem im W. sich anschließenden Plateau um

Klausthal (600 m) und Zellerfeld, einer einförmigen Hochebene, über welche sich nur die *Schalke* bis 763 m und der *Bocksberg* bis 725 m erheben, den Oberharz, während östl. vom Brocken sich als niedrigere Stufe von 450 m mittlerer Höhe das größere wellenförmige Plateau des Unterharzes mit ausgedehnten wirklichen Hochebenen, wie um Elbingerode (485 m), Hasselfelde (466 m), Günthersberg (410 m), Harzgerode (395 m), ausbreitet, nach O. sich senkend. Der Südharz wird durch eine Linie vom *Auersberg* bis zum *Rehberg* vom Unterharz, durch den Bruchberg und den Acker vom Oberharz geschieden; seine höchste Erhebung ist der *Stöberhai* mit 719 m.

Die klimatischen Verhältnisse des Brockengebirges, auf dessen so häufig vom Nebel eingehüllten Gipfel jährlich nicht weniger als 1,35 m Regen fallen, und auf welchem die mittlere Temperatur nur 0,87° C. beträgt, im Januar bis — 8,06° C. sinkt und sich selbst im Juli nicht über 10,16° C. erhebt, bedingen seinen Wasserreichtum und seine Vegetationsverhältnisse, den Reichtum an Torfmooren auf seinem Granit- und Quarzitboden, deren größter sich auf dem ausgedehnten, 800 m hoch gelegenen *Brockenfeld* im W. des Brockens ausbreitet. Aus ihm fließen nach allen Weltgegenden Bäche hinaus. Während die obersten Thalursprünge meist flache Mulden sind, vertiefen sich die Thäler weiter hinab und zeichnen sich, vornehmlich wenn sie auf ihrem untern Lauf Granit durchbrechen, durch ihre malerischen Felsbildungen aus, so das *Oker-, Ilse-* und untere *Bodethal,* letzteres mit der Roßtrappe, der großartigsten, am Tanzplatz bis 230 m über den Bodespiegel ansteigenden Felspartie in Deutschland diesseit der Alpen und des Schwarzwalds. Der Quellreichtum des Harzes, obgleich notwendigerweise schon infolge der Meereshöhe nicht gering, ist gleichwohl sehr von den Waldungen und noch mehr von den Mooren abhängig, die man teilweise zu voreilig trocken gelegt und in schlechten Waldboden verwandelt hat, welcher die Feuchtigkeit weit minder gleichmäßig anzuhalten im stande ist. Es ist diesem Umstand auch wohl zuzuschreiben, daß die Gewässer, welche dem Harz entspringen, nicht nur überhaupt, sondern namentlich an andauernder Wassermenge erheblich abgenommen haben.

Die verschiedene Erhebung des Harzes über dem Meer bedingt wesentliche Verschiedenheiten in der Vegetation und im Anbau desselben: auf dem Granit des Brockens eine reiche boreale Moos- und Flechtenflora und auf seinem kahlen Gipfel das Vorkommen der borealen *Betula nana,* der subalpinen *Anemone alpina,* des gegenwärtig verschwundenen *Hieracium alpinum,* während an den warmen Kalkfelsen des Mühlenthals zwischen Elbingerode und Rübeland die *Saxifraga caespitosa* (decipiens *Ehrh.*) und *Arabis Halleri* blühen. Bis tief herab herrscht am Brockengebirge und dem übrigen Oberharz der dunkle Fichtenwald; nur an den untern Gebirgsabhängen und in den tiefern Thälern tritt der Laubwald hinzu, während am Unterharz, je weiter östlich, der Laubwald aus Buche, Eiche und Birke immer vorherrschender wird. Der Hochwald hört in einer Höhe von etwa 1000 m auf, was für den Harz eine auffallend niedere Baumgrenze bekundet (am Riesengebirge geht dieselbe bis 1400 m ü. M., und im Engadin trifft man Tannen noch in 2000, Arven [Zirbelkiefer] sogar noch in 2500 m Meereshöhe), die eine natürliche Folge der Isoliertheit des Brockens ist. Von den Höhenpunkten aus erscheint der Harz fast als ein einziger, nur von einzelnen Blößen und Flußbetten unterbrochener Wald, und nur die Höhe des Klausthaler Plateaus sowie manche Ebenen auf den östlichen Höhen sind baumlos. Von den etwa 201,000 ha, welche der Harz enthält, waren ursprünglich an 182,000 ha mit Holz bestanden. Zwar ist auch der Verbrauch an Holz ein ungeheurer, indem allein die Eisenhütten auf dem Harz nahezu $^1/_2$ Mill. cbm Holzkohlen erfordern und der übrige Hütten- und Hausbedarf gegen 1 Mill. cbm wegnimmt; trotzdem geht noch eine erhebliche Menge Bau- und Brennholz nach größern Städten und in die nähere Nachbarschaft, welche der Harz auch mit Schindeln, Pech und Teer versorgt. Ein Industriezweig, der in neuerer Zeit eine gewisse Bedeutung erlangt hat, ist die Herstellung von Holzmehl, besonders aus Fichten, für die Papierfabrikation. Minder wichtig ist der Ertrag des Waldes an Beeren, von denen vor allen die Preißel- oder Kronsbeeren einen Ausfuhrartikel bilden. Auf dem höhern Plateau des Oberharzes wächst nur noch die Kartoffel, Roggen wird nicht mehr reif, die Gerste selten; auf dem Unterharz dagegen findet fast überall Ackerbau statt, gedeihen auch Gemüse und Obst, im O. selbst der Nußbaum. Weite Getreidefelder bedecken die einförmigen Hochebenen zwischen den ostwärts ziehenden landschaftlich schönen Flußthälern, und hier wird man nicht an ein Gebirgsland erinnert, wenn man nicht an einen Bergrand tritt und tief unter sich in ein vielgewundenes, von Wald, auch wohl von Felsen eingeengtes wiesenreiches Thal sieht. Wiesen bilden einen Hauptreichtum des Landes. Die zwischen den Waldungen in den Schluchten und Thälern liegenden Wiesen sind zwar gut, erfordern jedoch eine sorgfältige Pflege und meist Düngung, sofern sie das nötige Heu für die Winterfütterung liefern sollen. Dagegen ist die Sommerfütterung auf den Anhöhen so reichlich und kräftig, daß aus den Nachbargegenden ganze Herden im Mai in den Harz gesendet und im Spätherbst fett zurückgetrieben werden. Zwar gibt es keine eigentlichen Sennen, indessen schützen die hin und wieder zerstreut stehenden sogen. »Rinderställe« die Nacht über Hirten und Herden, welch letztere, wie in der Schweiz, Glocken und Leitkühe haben. Das Harzvieh, dessen ursprüngliche Rasse durch Schweizervieh nicht immer in zweckmäßiger Weise gekreuzt ist, liefert Milch, Butter und Käse von vorzüglicher Güte. Im Unterharz wird auch Schafzucht betrieben; der Esel dient der Bequemlichkeit der Reisenden.

Was die Produktion des **Bergbaues** und **Hüttenwesens** betrifft, so fördern die Werke des Oberbergamtsbezirks Klausthal unter anderm: etwa 3½ Mill. Ztr. Eisenerze, 6 Mill. Ztr. Steinkohlen, 2½ Mill. Ztr. Braunkohlen etc. Verarbeitet werden in den Silberhütten Klausthal, Altenau, Lautenthal und St. Andreasberg sowie in den kommunion-unterharzischen Hütten- und Silberwerken bei Goslar und Oker etwa 800,000 Ztr. Schmelzgut, d. h. aufbereitete Erze, aus denen unter anderm gewonnen werden: etwa 55 kg Gold, 54,000 kg Silber, 180,000 Ztr. Blei, 2868 Ztr. Kupfer, 31,220 Ztr. Schwefelsäure, 17,000 Ztr. Vitriol etc. Gesamtwert der Produktion etwa 10 Mill. M.

Klausthal ist die eigentliche Rohhütte und verschmelzt den bei weitem größten Teil der Erze, während auf der Lautenthaler Hütte die Entsilberung und auf der Altenauer Hütte die Darstellung von Kupfer vorgenommen werden.

Im ganzen Harz werden etwa 5000 Berg-, Poch- und Hüttenleute beschäftigt mit etwa 20,000 Personen Familie.

Bis 120 m unter den Spiegel des Meers steigt hier der Bergmann in die Teufe nieder (in der 890 m tiefen *Grube Samson*, S. 163). Von der Höhe des Gebirges werden die dort aufgesammelten Wasser mittels stundenweiter Leitung zum Betrieb der Maschinen im Bergwerk und zu dem der Hütten herniedergeführt (Oderteich, S. 161). Aus den 70 Bergwerksteichen des nordwestlichen Oberharzes mit 255 ha Oberfläche und 13 Mill. cbm Wasser werden über 200 große Wasserräder und drei Wassersäulenmaschinen gespeist; außerdem sind zur Verstärkung der Betriebskraft bei verschiedenen Werken auch Dampfmaschinen in Thätigkeit. Großartige Anlagen erleichtern den Wasserabzug (S. 141), z. B. der Ernst-August-Stollen, der am Westfuß des Gebirges ausmündet und die Höhe, zu der in den Werken die Wasser zu heben sind, sehr bedeutend vermindert. Überhaupt haben Praxis und Wissenschaft sich vereinigt, den so wichtigen Berg- und Hüttenbau des Harzes zu heben. Überallhin, namentlich auch in überseeische Länder, entsendet die Bergschule des Harzes zu Klausthal ihre Zöglinge.

Der Bergbau des Oberharzes läßt sich bis in die Zeit der sächsischen Kaiser zurückverfolgen. Um 968 wurden die Rammelsberger Erze entdeckt, und schon 1016 zog man fränkische Bergleute vom Fichtelgebirge herbei. Die Gruben auf dem südlichen Oberharz wurden jedoch erst später erschlossen, und selbst der Rammelsberger Bau erlitt zu derselben Zeit, wo der Freiberger Bau seine Blütezeit begann (1170), teils durch zeitweilig erwachsende Schwierigkeiten des Gewinns der Erze nach erfolgtem Abraum der obersten Teufen, teils durch die auf Heinrichs des Löwen Achtserklärung folgenden Kriege häufige Unterbrechungen. Die Stadt Goslar, seit 1374 im Besitz des ganzen Rammelsbergs, bot alles auf, um den Bau möglichst nutzbar zu machen. Zu diesem Zweck wurde 1419 eine neue Kolonie obersächsischer Bergleute herbeigerufen. Infolge entstandener Zwistigkeiten zwischen der Stadt und den Herzögen wurde erstere genötigt, 1552 den Rammelsberg und dessen Zehnten, von welchem sie bloß einen kleinen Teil als privates Eigentum behielt, an Heinrich den jüngern wieder herauszugeben. Inzwischen, vielleicht schon in der zweiten Hälfte des 13. Jahrh., hatte der Bau auf dem südlichen Oberharz begonnen; doch erst in der Mitte des 15. Jahrh. erscheint die Grube Celle als gebaut, und im 16. Jahrh. gelangte diese zu größerer Blüte, wie auch der Bau im Rammelsberg auf das thätigste fortgesetzt ward. Nachdem 1568 der tiefe Juliusstollen bei Goslar begonnen und andre Hauptstollen ausgebaut worden waren, wurde 1576 die erste Messinghütte errichtet. Aber erst dann, als ein böhmischer Schmelzer, Georg Neßler, 1577 das Verfahren, das Kupfer zu gute zu machen, gelehrt hatte, kamen sowohl die Rammelsberger als Oberharzer Gruben zu höherer Blüte. Die Aufnahme des Eisenbergwerks am Iberg hatte die Erbauung der Stadt Grund und die Auffindung der Grube Andreaskreuz die Gründung der Bergstadt Andreasberg (1521) zur Folge; rasch folgten auf diese die Städte Lautenthal, Klausthal u. a. aus gleicher Ursache. Erlitt der Bergbau von jetzt an auch mancherlei Unfälle, insbesondere durch den Dreißigjährigen Krieg, so vervollkommte er sich doch bald augenscheinlich, besonders nachdem man 1632 das Bohren und Sprengen mittels Pulvers erlernt hatte. Es wurden nun noch mehrere Züge und Stollen sowie Silber- und Eisenhütten errichtet; auch wurde der Oderteich ausgegraben.

Am blühendsten war der Harzer Bergbau von der Mitte des 17. bis zur Mitte des 18. Jahrh., seit welcher Zeit nicht nur die Reichhaltigkeit aller Gruben auf dem Oberharz bedeutend abgenommen hat, sondern auch das Holz um die Hütten fast gänzlich verschwunden ist, so daß es nun nicht ohne Beschwerde und Kosten aus größern Entfernungen herbeigeschafft werden muß.

Geschichtliches (von Karl Meyer-Nordhausen). Die erste Erwähnung des jetzigen Harzgebirges findet sich bei Julius Cäsar (in dessen gallischem Krieg) zum Jahr 53 v. Chr., wo dieser römische Feldherr, im Begriff, die Sueven anzugreifen und zu züchtigen, von ubischen Kundschaftern erfuhr, daß »dort am äußersten Ende des Gebiets der Sueven ein Wald von endlosem Umfang, Namens *Bacenis,* sich befinde, der sich weit landeinwärts erstrecke. Wie eine natürliche Mauer vorgezogen, stelle er die Sueven vor den Cheruskern, die Cherusker vor den Sueven gegen Unbill und Einfälle sicher.« Dieser *Baceniswald* ist dem Julius Cäsar ein Teil des großen *Hercynischen Waldes* (der hercynia silva), mit welchem Namen er das ganze deutsche Mittelgebirge von der Schweiz bis zum Riesengebirge bezeichnet. Höchst zweifelhaft ist es jedoch, ob der Name des Harzes mit dem des Hercynischen Waldes verwandt ist.

Mit dem Namen »*Harz*« wird unser Gebirge erst seit Ende des 8. Jahrh. genannt (781 und 803 »silva quae vocatur Haertz«, — 9. Jahrh. »saltus quae vocatur Harz«, — 1014 »montana, quae dicuntur

Hart«, — 1086 »silva quae dicitur Harz«). Der Name »Hart oder Harz« soll »das Waldgebirge« bezeichnen; jedenfalls ist aber mit dieser Erklärung des Namens die Bedeutung desselben nicht erschöpft.

Schon zu Julius Cäsars Zeiten war der Baceniswald ein *Scheidegebirge* zwischen den Cheruskern und Sueven. Ein Scheidegebirge ist der Harz das ganze Mittelalter hindurch bis in die Neuzeit gewesen und geblieben. Im frühern Mittelalter schied er die cheruskischen Engern- und Ostfalensachsen von den suevischen Hermunduren und im weitern Verlauf der Geschichte die Sachsen von den Thüringern. (Die alte Grenze zwischen den beiden zuletzt genannten Volksstämmen lief am Steinabach neben dem Ravensberg aufwärts zur Höhe des Gebirges, dann nordwärts und abwärts durch die Kalbe zur Oker, so daß der Oberharz zum Sachsenland, der Unterharz zum Thüringerland gehörte.) Von den Sachsen wurden am Rande des Oberharzes die Orte mit der Endung »ede oder ithi« (Pöhlde, Duneda, Vorsati, Getlidi), von den Thüringern am Rande des Unterharzes die Orte mit der Endung »ingen« (Quitilingen, Helsungen, Bicklingen, Mehringen, Bennungen, Leinungen, Breitungen, Uftrungen, Rossungen) und von den in das Thüringerland eingewanderten Angeln die Orte mit den Endungen »leben und stedt« (Minsleben, Silstedt, Ballenstedt, Ermsleben, Aschersleben, Quenstedt, Arnstedt, Sandersleben, Hettstedt, Riestedt, Hohlstedt, Woffleben, Gudersleben) gegründet.

Nach dem Sturz des Thüringerreichs 531 n. Chr. gingen am Nord- und Ostrande des Unterharzes große Veränderungen vor: Zwischen der Oker und Harzbode ließen sich die *Charuden* (oder Haruden), zwischen Bode, Saale, Schlenze und Harzwipper die *Wariner* (oder Nordschwaben), zwischen Schlenze, Harzwipper und Willerbach oder der bösen Sieben die *Hosingen* und zwischen Willerbach, Harzwipper, kleinen Helme, Sachsgraben und Leine *Friesen* nieder. Unter der tyrannischen Herrschaft der fränkischen Herzöge Theobalds und Hedens von Thüringen fielen die genannten Stämme des Nordthüringerlandes ab, schlossen sich dem großen Sachsenbund an und bildeten den Stamm der *»Ostsachsen«*. Es entstand dadurch auf dem Unterharz eine neue Grenze zwischen den fränkischen Thüringern und den Ostsachsen.

Diese Grenze lief von der großen Helme unter Wallhausen den jetzt von den Sachsen als Grenzwall angelegten »Sachsgraben« aufwärts, im Grubenthal in die Höhe zum Wiebaug, im Friesenthal abwärts zur Leine, diese aufwärts bis zur Quelle, von dieser westlich an Horla, östlich an Rotha und südlich an Paßbruch vorbei nach dem Hagelsbach (bei Hayn), nach dem Ursprung der Wipper, hinter dem Auerberg (dem Urberg, d. h. *ersten* Berg im Thüringerland) hinüber zum Sprakenbach, zur schmalen Luda, in derselben hinauf, hinter dem Berg Hengstrücken nach dem Rohrborn (Ringheborn) westlich von Stolberg, westwärts nach dem Ursprung der Bera, am Oberlauf der Bera nach

Westen hin zum Tiefenbach, Dambach, durch die Rapboda nach dem Brunnenbach, nach dem Krodenbach (jetzt Kronenbach), diesen aufwärts bis zur Quelle in der Nähe des Heidenstiegs.

Der Harz war ursprünglich ein Urwald, ohne Weg und Steg und ohne Ansiedelung. In diesem Urwald hausten Bären, Wölfe und Luchse und nach dem Zeugnis des Julius Cäsar auch Auerochsen und Alcen (Elche = Elentiere). Auf dem Rande des Gebirges hatten die Anwohner ihre alten Zufluchtsstätten (vorhistorischen Burgen) und Kultusstätten angelegt (die Steinkirche oder der Ritterstein bei Scharzfeld, die alte Burg südl. über Pöhlde, Hübichenstein bei Grund, Lauseberg bei Seesen im Sachsenland, — die Roßtrappe oder Wiltenburg im Harudenland, — die Homburg am Hexentanzplatz im Schwabenland, — die Friesenburg bei Grillenberg im Friesenfeld, — die Wichaugs bei Wallhausen und Breitungen, das Reckefeld bei Questenberg, die Grasburg im alten Stolberg bei Stempeda, die Harzburg und Frauenburg bei Ilfeld, der Himmelsberg bei Niedersachswerfen, der Burgberg bei Ellrich, der Holdenstein bei Walkenried im Thüringerlande). Wodan (Hübich, Gibich), Thonar, Ziu (Sachsnot), Balder (Phol) und Holda (Hilde, Herka) sind die altgermanischen Göttergestalten, welche in den an diesen heiligen Stätten haftenden Sagen mehr oder weniger deutlich hervortreten. Zu Ehren der Frühlingsgöttin und Erdenmutter Ostara flammten damals, wie heute noch, rings um den Harz im Frühling die Osterfeuer auf den heiligen Osterbergen, Bockshornbergen und -Schanzen auf, nur am Südostrand wurden damals Sonnwendfeuer gebraunt, wie heute noch die Johannisfeuer. Durch den alten Urwald brauste in der Herbstzeit und in den heiligen zwölf Nächten dem Glauben der Alten nach der Jagdzug Wodans, wie heute noch der gespenstische Zug des »wilden Jägers«.

Das *Christentum* kam und verwies die hohen Götter der alten Germanen aus ihren himmlischen Sitzen hinab in die Unterwelt und wandelte die hehren Gestalten um in teuflische Wesen. Die unter der Hoheit der Frankenkönige stehenden Thüringer nahmen schon vor Bonifacius' Zeiten das Christentum teilweise an. Bonifacius befestigte unter ihnen die christliche Lehre und ordnete bei ihnen das Kirchenwesen. Die Nordschwaben am Nordostrande und wohl auch die Hosingen und Friesen am Südostrande des Unterharzes zwang Pippin 748 zur Annahme des Christentums, nachdem bereits 743—745 sein Bruder Karlmann die Sachsen am Südwestrand des Harzes (von Osterhagen bis Gittelde) unterjocht und dem Christenglauben gewonnen hatte. Den übrigen Sachsen am West- und Nordrand des Harzes zwang 780 Karl d. Gr. das Christentum auf.

Der große Urwald des Harzes fiel als herrenloses Gut dem Fiskus zu und wurde im Anfang des 10. Jahrh. ein Besitz der deutschen

Könige sächsischen Stammes, zuerst ein Jagdrevier des Städte und Burgen gründenden Königs Heinrich I., und blieb weiter noch lange ein »*Bannforst der deutschen Kaiser*«. Als solchen kennt ihn noch der (zwischen 1224 und 1235 verfaßte) »Sachsenspiegel«, welcher im 62. Kapitel des 2. Buches erzählt: »Da Gott den Menschen schuf, gab er ihm Gewalt über Fische, Vögel und über alle wilden Tiere, ... doch sind drei Stätten im Lande zu Sachsen, da den Tieren Frieden gewirkt ist bei Königsbann, ohne Bären, Wölfen und Füchsen. Die eine ist die Haide zu Koyna (Kayna bei Zeitz), die andre der Hart, die dritte die Magethaide (Lüneburger Heide). Wer in denselben Wild fängt, der soll als Strafe zahlen des Königs Bann, das sind 60 Schillinge. Wer durch den Bannforst reitet, dessen Bogen und Armborst soll ungespannt sein, sein Köcher bedeckt, seine Winde (Windhunde) und Bracken (Jagdhunde) aufgefangen und seine Hunde gekoppelt. Jaget ein Mann ein Wild außerhalb des Bannforstes und es folget dem Wilde sein Hund in den Forst, so darf der Mann dem jagenden Hunde wohl folgen, aber ohne Blasen (des Hornes) und ohne ihm den Fang des Wildes zu heißen; nur seinen Hund zurückzurufen ist ihm erlaubt.«

Um den alten Urwald scheint schon in uralter Zeit eine alte Heerstraße gelaufen zu sein, doch kein Weg durch ihn. Die beiden ältesten durch den Harz führenden Straßen (gewiß ursprünglich nur Saumpfade) sind anscheinend gewesen: 1) der *wilde Weg* (979, »Willianwech«, noch 1534 als »Willmannssteig« genannt, lief von Wallhausen nordwärts an Großleinungen, Rotha, Königerode, Steinbrücken, Molmerswende, Pansfelde und Meisdorf vorüber, also von S. nach N. quer über den Unterharz) und — 2) der *Heidenstieg* (1014, »semita quae dicitur Heidhenstig«, später auch »Kaiserstraße« genannt, führte von Nordhausen nach Ellrich, zwischen Zorge und Wieda hoch zur jetzigen hannöversch-braunschweigischen Grenze, an dieser westlich von Braunlage fort, am Kapellenflecke, Königskruge, Neuschlosse, Königskopfe vorbei, über die Oder und den Lerchenkopf nach dem Ahrendsberge, hinunter zur Oker, hinüber nach Goslar, also ebenfalls von S. nach N. quer über den Oberharz). — Wenig jünger (anscheinend im Anfang des 10. Jahrh. angelegt) werden sein: 1) Der *Housterweg*, von Osterode (Hosterroth) über Klausthal-Zellerfeld nach Goslar laufend und gleichfalls von S. nach N. über den Oberharz führend (im Zug des Housterwegs wird die über den Vorbach nördlich von Zellerfeld führende Knüppelbrücke 1013 als »Widukindespeckiau« erwähnt). — 2) Die von W. nach O. der Länge nach über den ganzen Harz, von Seesen über Klausthal, Wolfswarte, im Thal der Kalten Bode abwärts nach Königshof, Bodfeld, Hasselfelde, Stiege, Güntersberge, Harzgerode, Königerode, Greifenhagen, Walbeck laufende *Harzlängsstraße* (urkundlich auch

»hohe Straße« und »Klausstraße« genannt). — 3) Die *Nordhausen-Wernigeroder Harzstraße* (auch »alter Houweg« genannt), von Nordhausen über Himmelgarten, Steigerthal, Buchholz, Birkenmoor, Hasselfelde, Elbingerode, Wernigerode laufend, wird seit dem Anfang des 13. Jahrh. (1286, »via communis«) erwähnt. Aus dem Ende des 14. Jahrh. wird noch eine »Heerstraße« genannt, welche von Kleisingen bei Ellrich, über Werna, westlich von Sulzhain empor in den Harz nach Benneckenstein (und nach Bodfeld?) führte. (Später wurde zwischen diesen alten Harzstraßen eine ganze Anzahl Verbindungswege angelegt.) An allen diesen alten Harzheerstraßen lagen *Klausen* mit Kapellen (wo die im einsamen, menschenleeren Harzwald Wandernden wohl Erfrischungen fanden und zugleich Gelegenheit hatten, ihr Gebet zu verrichten) und *Burgfriede* (Warttürme, in welchen Kriegsmänner hausten, denen die Sorge für die Sicherheit der Straße und das Geleit der Wanderer anvertraut war). Wir nennen hier nur die Klaus bei Klausthal und die Klaus bei Rammelburg an der Harzlängsstraße, die Klaus und »capella in nemore« am Heidenstieg südwestl. von Braunlage, den Mönchhof Birkenmoor und die Theobaldiklause zu Nöschenrode an der Nordhausen-Wernigeroder Straße, die Klause bei Pansfelde und die zu Wertheim bei Meisdorf am Wilden Weg. An Warten und Bergfrieden seien genannt: die Burg bei Zellerfeld, die Wolfswarte auf dem Bruchberg, die Elendsburg und Susenburg im Thal der Kalten Bode, die Trogburg westlich von Hasselfelde, die Warte zu Kitzkerode westlich und die Hohe Warte östlich von Harzgerode, das Neue Schloß bei Wippra an der Harzlängsstraße, das Neue Schloß am Heidenstieg, Bergfeld an der Nordhausen-Wernigeroder Straße, die Schönburg bei Altenbrak und die Treseburg an jüngern Harzstraßen.

Der Zug der alten Harzheerstraßen von Pfalz zu Pfalz, von Königshof zu Königshof, von einer kaiserlichen Jagdburg zur andern läßt darauf schließen, daß sie im Anfang des 10. Jahrh. angelegt worden sind, als Herzog Otto der Erlauchte von Sachsen und sein großer Sohn Heinrich, der nachmalige deutsche König, am Fuß des Harzgebirges die Pfalzen und Königshöfe zu Wallhausen, Nordhausen, Pöhlde, Gittelde, Seesen, Goslar, Ilsenburg, Derenburg und Quedlinburg und innerhalb des Harzgebirgswaldes die Jagdschlösser Bodfeld, Ilsenburg, Hasselfelde, Siptenfelde, Walbeck u. a. erbaut hatten.

In dieser Zeit (Anfang des 10. Jahrh.) wurde auf dem Unterharz der bis dahin unwirtliche Harzwald durch Feuerschwendung und Rodung gelichtet und dem Ackerbau und der Viehzucht dienstbar gemacht. Eine große Menge Dörfer wurde auf den Lichtungen des Unterharzes neu angelegt (sie sind an ihren auf rode, schwende, hagen, feld ausgehenden Namen zu erkennen) und größtenteils mit Einwohnern aus den anliegenden Landschaften besetzt. Ja sogar

Wenden aus den neu unterworfenen slawischen Gegenden östlich von der Saale wurden damals am und auf dem Unterharz angesiedelt, teils in besondern Dörfern (Tupele, Politz, Zobecker, Kämritz, Wendeswich, Hübitz bei Walbeck, Löbnitz, Gorenzen und Berchtewende bei Sangerhausen, Altwenden und Nausitz bei Wallhausen, Rosperwende, [Wendisch-]Breitungen, Tütchewende bei Roßla, Libitz, Othstedt, Windehausen, Bechersdorf, Bielen, Steinbrücken und Buchholz bei Nordhausen, Mizzilokke [Schilo?] und Macketserve bei Harzgerode, Kobeletz bei Hasselfelde, Buritz und Linzeck bei Blankenburg), teils in besondern Gassen deutscher Dörfer (z.B. in der Wendischen Gasse zu Hattendorf, einem wüsten Dorf bei Breitungen).

Auf den kaiserlichen Jagdschlössern des Harzes haben sich die deutschen Könige und Kaiser des sächsischen Hauses besonders oft aufgehalten und von ihnen aus in den weiten und wildreichen Forsten das edle Weidwerk ausgeübt.

König *Heinrich I.* jagte im Herbst 935 im Harz und wurde im Jagdschloß *Bodfeld* von einem Schlaganfall ereilt, der ihn mahnte, des Todes zu gedenken und sein Haus zu bestellen. — Seinen großen Sohn *Otto I.* finden wir am 13. Juli 940, am 21. Juli 946 und 17. Juli 961 zu *Siptenfeld,* am 19. Sept. 944, 12. Febr. 945 und 9. Sept. 952 zu *Bodfeld,* am 1. Mai 950, 14. April 959 und 9. April 973 zu *Walbeck.* — *Otto II.* hielt sich am 18. Sept. 973, 29. Aug. 975, 27. Sept. 979 und am 10. Sept. 980 zu *Bodfeld* und am 19. Nov. 979 zu *Walbeck* auf; um die Mitte des Augusts 975 jagte er im Harzwald bei *Siptenfeld.* — Kaiser *Otto III.* war am 4. Okt. 991, vom 17. bis 29. Sept. 992, am 7. Juli 995 zu *Ilsenburg* und am 10. Juli 995 zu *Bodfeld.* — Kaiser *Heinrich II.* weilte am 12. Mai 1003, am Palmsonntag und Ende September 1021 zu *Walbeck.* — Den Kaiser *Konrad II.* finden wir nur einmal auf dem Harz, nämlich am 1. Nov. 1025 zu *Bodfeld.* Dagegen war der Harz dem Kaiser *Heinrich III.* ein sehr beliebtes Jagdrevier; er erhob *Goslar* zu seiner Lieblingsresidenz, so daß es »clarissimum regni domicilium« genannt wurde, und erbaute hier das »Kaiserhaus«, die einzige noch in Deutschland erhaltene Pfalz; er war am 18. Jan. 1043 und 17. Jan. 1052 zu *Hasselfelde,* vom 13. bis 29. Sept. 1039, am 26. April und 13. Aug. 1045, vom 16. bis 26. Sept. 1045 und vom 15. Sept. bis 5. Okt. 1056 mit seinem Sohn *Heinrich IV.* zu *Bodfeld,* wo am 5. Okt. d. J., angeblich infolge Genusses einer Hirschleber, der Tod den großen Kaiser Heinrich III. in Gegenwart des Papstes Viktor, mehrerer Bischöfe und vieler Fürsten ereilte. Wären uns mehr Urkunden der sächsischen und salisch-fränkischen Kaiser erhalten geblieben, so würden wir noch manches Weilen der Kaiser dieser beiden Geschlechter auf den wildreichen Höhen des Harzes verzeichnen können.

Nach Erbauung der Königshöfe am Harz und der kaiserlichen

Jagdschlösser im Harz wurden die seit Einführung der Gauverfassung den angrenzenden Gauen zugeteilten Harzdistrikte diesen Königsburgen zugelegt und von ihnen aus benutzt und verwaltet. Nach dem Sinken der Kaisermacht wurden viele Harzteile von den Kaisern an Klöster und Fürsten vergeben. 952 gab Kaiser Otto I. dem von seiner Mutter Mathilde gestifteten Kloster Pöhlde den dritten Teil des Harzwaldes des Königshofes Pöhlde; dem Stifte Quedlinburg schenkte er 937 ein Stück vom Harzteil des Jagdschlosses Siptenfeld und 961 den Harzteil des Königshofes Quitilinga; Otto III. gab den Harzteil der Burg Seesen mit dieser an das Stift Gandersheim und 975 ein Stück des Harzteils der Jagdburg Siptenfeld (mit Harzgerode) an das Kloster Nienburg; Otto III. schenkte den ganzen Harzteil des Königshofes Walbeck dem auf diesem Hof gestifteten Kloster; Kaiser Heinrich II. gab den ilsenburgischen Harzteil dem Bischof von Halberstadt zur Ausstattung des zu gründenden Klosters Ilsenburg und 1008 den ganzen Harzdistrikt der Königsburgen Bodfeld, Hasselfelde und Derenburg an das Stift Gandersheim. Kaiser Friedrich I. gab 1158 tauschweise Herzog Heinrich dem Löwen den ganzen hlisgauschen (Südwest-) Harz. Durch diese und andre Vergabungen der Kaiser war der Harz, mit Ausnahme kleiner Distrikte, aus dem Besitz der Kaiser gekommen. Kaiser Heinrich IV. suchte 1073, nachdem er bereits die prächtige Harzburg erbaut, in den Harzgegenden Stützpunkte seiner wankenden Macht in Sachsen zu schaffen und erbaute am Harzrand die Burgen Heimburg (bei Blankenburg), Wigantestein (?), Moseburg (bei Stangerode) und Sassenstein (bei Sachsa); aber der Grimm der Sachsen und Thüringer preßte dem Kaiser den Befehl zur Zerstörung dieser Zwingburgen ab. Unter seiner Regierung wanderten von dem Volk der Holzaten (der Holsteiner) mehr als 600 Familien aus ihrer Heimat, setzten über die Elbe und zogen weithin, um sich geeignete Sitze zu suchen. Diese Nordalbinger kamen ins Harzgebirge und blieben dort, sie selbst und ihre Nachkommen. Sie besetzten den größten Teil des bodfeldischen Harzes und erbauten hier unter andern einen Ort, den sie nach ihrem Namen »Alvelincherot« (Elbingerode) nannten.

Infolge der Vergabungen der Kaiser bildete sich auf dem Harz eine große Anzahl kleiner Grafschaften u. Herrschaften: im jetzigen Oberharz die Grafschaften Scharzfeld-Lauterberg, Herzberg, Katelnburg, Winzenburg, das Gebiet der Reichsstadt Goslar; auf der nördlichen Hälfte des Unterharzes die Herrschaft Harzburg, die Grafschaften Wernigerode und Blankenburg-Reinstein, das Stiftsgebiet von Quedlinburg, die Grafschaften Anhalt-Aschersleben, Falkenstein und Arnstein; auf der südlichen Hälfte des Unterharzes die Grafschaften und Herrschaften Mansfeld, Rammelburg, Wippra, Sangerhausen-Grillenberg, Morungen, Questenberg, Stolberg, Ebersburg, Hohnstein und Klettenberg. Ein neuer Kranz von *Herrenburgen* entstand nun seit dem Anfang des 12. Jahrh. rings um den Harz: Scharzfeld (gegründet um 1130), Lauterberg (1190), Herzberg und Osterode (1130), Windhausen (1170), Hindenburg (1150), Lichtenstein (1200), Staufenburg (1130), Schildberg (1148), Kirchberg (1220), Ahlsburg (?), Wernigerode (1120), Blankenburg (1120), Reinstein (1160), Lauenburg (1150), Steckelnberg (1250), Anhalt (1123), Ballenstedt (Anfang des 11. Jahrh.), Konradsburg (Anfang des 11. Jahrh.), Falkenstein (1100), Arnstein (1130), Rammelburg (1250), Wippra (1040), Biesenrode (Anfang des 12. Jahrh.), Rittagsburg (980), Mansfeld (1050), Sangerhausen (1040), Grillenburg (1110), Morungen und Leinungen (1050), Questenberg und Roßla (1250), Arnswald (1210), Thierberg (1300), Stolberg (1210), Ebersburg (1207), Hohnstein (1120), Ilfeld (Anfang des 12 Jahrh.), Staufenburg oder Bistop (1242). Durch die Kaiser und Harzherren wurde am und auf dem Harz eine stattliche Anzahl *Klöster* gestiftet zu Gandersheim, Goslar, Ilsenburg, Drübeck, Michaelstein, Wenthusen-Thale, Quedlinburg, Frose, Gernrode, Thankmarsfeld, Hagenrode, Ballenstedt, Konradsburg, Kloster Mansfeld, Wimmelburg, Kaltenborn, Sangerhausen, Nikolausrode, Himmelgarten, Ilfeld, Walkenried, Pöhlde, Osterode, Matthiaszell (Zellerfeld) und Paradies zu Hasselfelde.

Im 13. Jahrh. entstanden auf dem Unterharz nicht nur noch mehrere kleinere Burgen (Heinrichsburg, Erichsburg, Güntersberge, Ackenburg, Paßbruch, Wolfsberg, Stiege, Benneckenstein, sondern unter den meisten derselben auch noch dörfliche und städtische Ansiedelungen. Im 14. Jahrh. entstand Tanne, im 15. wurden angelegt Trautenstein, Rübeland, Neuwerk, Wendefurth, Altenbrak, Treseburg und am Ende des 15. und Anfang des 16. Jahrh. die andern Hüttenanlagen des obern Bodethals zu Uxholl-Lukashof, Wiethfeld, Königshof, Rothehütte und Elend. Am Ende des 16. Jahrh. erweiterten sich die Hüttenanlagen zu Braunlage, die bereits um die Mitte des 13 Jahrh. als »Bruneslo« genannt werden, zu einem Ort. Ganz neu sind Schierke und Rothehütte (17. Jahrh.) und Friedrichsbrunn und Friedrichshöhe (18. Jahrh.).

Der *Bergbau* im Rammelsberg bei Goslar und bei Harzgerode wird in den Anfang des 10. Jahrh., der bei Mansfeld in das 11. Jahrh. zurückreichen. Der Bergbau der Walkenrieder Mönche wird seit dem Ende des 12. Jahrh. erwähnt; größere Ausdehnung nahm der Bergbau im 13. Jahrh. im Hohnstein-Klettenbergischen und am Südwestharz. Der Stolberger Bergbau fing Ende des 14. Jahrh. an und erreichte seine größte Blüte im 15. Jahrh.

Die erste *Besiedelung des Oberharzes* ging ums Jahr 1200 von Goslar aus. Es wurde vom dortigen Reichsstift Simonis-Judä in der Nähe des Kreuzungspunktes der alten Harzlängsstraße und der Goslar-Osteroder Straße das Kloster Matthiaszell gegründet. Neben diesem Kloster und zwar östlich von demselben siedelten sich um eine burgartige Befestigungsanlage im »Burgstätter Zuge« Wald- und Bergleute (1240 und 1243 »cives de nemore et montani«) an und trieben im abgetriebenen Oberharzwald Kohlenbrennerei, Viehzucht und Bergbau. Seit 1349 verödete (hauptsächlich durch den schwarzen Tod) der Oberharz wieder, und 1431 wurde das Kloster Matthiaszell, nachdem es längst verlassen worden war, wieder aufgehoben. Seit dem Anfang des 15. Jahrh. wurde der Oberharz zum zweitenmal besiedelt. Dem Bergbau und der Verhüttung der *Eisenerze* verdanken ihre Entstehung: Grund (1505—15), Lerbach (1551), Sieber (1530—1615); der *Silbererze:* Andreasberg (1487—1520), Wildemann (1529—43), Zellerfeld (1526), Lautenthal (erste Hälfte des 16. Jahrh.), Klausthal (1548), Silberhütte (1548), Bockswiese und Hahnenklee (1569), Altenau (seit 1580), Schulenberg und Festenburg (1532—1760). Im Anfang des 17. Jahrh. folgten noch: Lonau als Eisenhüttenort und Buntenbock (1615) als Ansiedelung neben einem alten Viehhof. Da die Bergleute der oberharzischen Orte Klausthal, Zellerfeld, Lautenthal, Wildemann (teilweise), Altenau, Schulenberg und Festenburg, Hahnenklee und Bockswiese aus dem Erzgebirge, die aus Goslar zuerst aus Franken, die der Bergstadt Andreasberg aus der Grafschaft Hohnstein stammen, so sprechen sie *oberdeutsch,* und diese oberdeutsch sprechenden Orte bilden eine *Sprachinsel im niederdeutschen Sprachgebiet,* dem sonst der ganze Oberharz angehört (vgl. S. 23). Gemischt oberdeutsch und niedersächsisch spricht Altenau. Der Dreißigjährige Krieg schädigte dann den Bergbau und die Bergstädte wie überhaupt den ganzen Harz, der mit seinen unendlich vielen Verstecken ein sicherer Zufluchtsort wurde für Marodeure, Diebe, Mörder, weggejagte Landsknechte und Schnapphähne; aber auch für die ergrimmten, schwer geschädigten Harzbewohner, welche sich als »Harzschützen« verbanden und ein Freibeuterleben führten. Heute noch tragen hiernach einzelne Stellen charakteristische Namen, z. B. das Sterbethal im Schirichenthal, das Mordthal an der Rappbode, der Schnapphahnengrund bei Elbingerode.

Im vorigen Jahrhundert wurden die alten Harzstraßen auf kurze Zeit recht belebt, als Friedrich d. Gr. von Preußen, um von Leipzigs Handel zu profitieren, hohe Durchgangszölle einführte, die Kaufleute dagegen die alten, verlassenen Handelsstraßen durch den Harz wieder aufnahmen und solche 1755—58 besserten.

Die mannigfachen Landesteilungen unter die verschiedenen Linien, in welche sich das welfische Haus zersplitterte, trafen auch den Harz. Durch den Rezeß von 1788 trat Wolfenbüttel seinen

Anteil an der Landeshoheit des gemeinschaftlichen oder Kommunion-Oberharzes ab, und es blieben nur Berg- und Hüttenwerke des deshalb so genannten *Kommunion-Unterharzes* (besser Kommunion-Vorharzes) im gemeinsamen Besitz (Näheres S. 122).

In seinen heutigen *politischen* Verhältnissen schließt sich der Harz dem vielherrigen Mitteldeutschland an; er ist auch seit 1866 noch zerstückelt in preußischen (21 QM.), braunschweigischen (13 QM.) und anhaltischen (2 QM.) Besitz. Der etwas über 620 qkm (11 QM.) große Oberharz gehört meist zur Provinz Hannover; der westliche und nordwestliche Rand ist braunschweigisch; der Brocken selbst mit seinem ganzen nördlichen und östlichen Abfall gehört zur Grafschaft Stolberg-Wernigerode unter preußischer Hoheit (vgl. das Kärtchen vor dem Titel).

Die Harzbewohner, ein kräftiger, aufgeweckter Schlag, sind nicht eines und desselben Stammes. Bis an den Süden des Oberharzes reicht westl. der *niedersächsische,* von Sachsa an östl. der *thüringische* Stamm. Außerdem sind auf dem Oberharz *obersächsische* Bergleute aus dem *Erzgebirge* in Menge (in Goslar und Umgegend zur Zeit der sächsischen Kaiser auch *fränkische* Bergleute) angesiedelt. Am Südrande des Harzes wohnen also von Sachsa an östl. bis Obersdorf (nördl. von Sangerhausen) *Thüringer;* auf dem Unterharze deren nahe Verwandte, die *Unterharzer.* Der Ostrand des Harzes ist *mansfeldisch,* der nördliche und nordwestliche Teil des Harzes *niederdeutsch.* Die Sprachgrenze zwischen ober- und niederdeutschem Dialekt läuft folgendermaßen: *Niederdeutsch* sind Lauterberg, Braunlage, Benneckenstein, Trautenstein, Hasselfelde, Thale, Neinstedt, Suderode, Gernrode, Ballenstedt. *Oberdeutsch* sind: Tettenborn, Sachsa, Wieda, Hohegeiß, Rothesütte, Stiege, Allrode, Mägdesprung, Pansfelde. Von oberdeutschen Dialekten innerhalb des Harzgebietes sind also zu unterscheiden: 1) das Nordthüringische, 2) das Unterharzische, 3) das Mansfeldische, 4) das Oberharzische (Erzgebirgische). Letzteres bildet eine Sprachinsel im niedersächsischen Dialekt. (Vgl. *B. Haushalter,* »Die Mundarten des Harzgebietes«, nebst einer Karte. Gekrönte Preisschrift. Halle, Tausch u. Grosse, 1884; — *B. Haushalter,* »Die Sprachgrenze zwischen Mittel- und Niederdeutsch von Hedemünden a. d. Werra bis Staßfurt a. d. Bode«, mit einer Karte. Ebenda 1883.)

Auf dem Harze zeigt sich recht deutlich, wie die Natur, der Boden dem Menschen das Gepräge in *Charakter* und *Sitten* gibt: wie seine Granitberge und Schluchten, so zeigt sich auch der Harzer fest, zäh, ernst und oft rauh und eckig; anderseits wieder fröhlich und unbesorgt bei seiner rauhen Arbeit wie der blanke Sonnenschein auf den grünen Matten und blumenreichen Berghalden und wie die zahlreichen Waldsänger, die ihn umflattern. Dabei ist er in allem genügsam, denn spärlich ist der Ertrag seines Bodens und seiner Arbeit. Der *Ackerbau* ist in den höher gelegenen Gegenden wenig verbreitet, auf den Hochebenen gedeiht das Korn nicht mehr recht, und Gartenfrüchte sind sehr spärlich; dergleichen muß aus den Ebenen heraufgeschafft werden. Dagegen ernähren die schönen Bergwiesen einen kräftigen Schlag *Rindvieh*, der herdenweise hier gesömmert wird. Meist aber ist der Harzer auf den *Bergbau* und die *Waldwirtschaft* angewiesen, was er in dem Harzer Segensspruch ausdrückt:

»Es grüne die Tanne, es wachse das Erz!
Gott schenke uns allen ein fröhliches Herz!«

Wie bereits bemerkt, zogen die Herrscher früherer Jahrhunderte fremde Kolonisten heran, denen sie besondere Privilegien gewährten: Freiheit von Kriegsdienst und Steuern, freies Holz zu Bauten und zum Brennen, freie Weide für das Vieh, wohl stellenweise freie Jagd und Lieferung zu einem Normalpreis des Brotkorns aus den fiskalischen Kornmagazinen des Oberharzes, eigne Verfassung, eignes Gericht. Die Neuzeit hat ihnen vieles genommen, ist ja selbst das Sammeln der *Waldbeeren* neuerdings beschränkt. Und dennoch liebt der *Bergmann* seine beschwerliche Arbeit im Schoß der Erde, etwa wie der Sennhirt das Leben auf der Alp, indes die Hausfrau das Hauswesen und das dürftige Gärtchen besorgt und auf Kopf und Schultern den Dünger auf die Berge schleppt und die großen zentnerschweren Gras- und Heubündel für eine Kuh oder ein Zicklein einheimsen muß. Die *Hüttenleute* sind nicht minder unverdrossen bei ihrer ungesunden Arbeit. Der Wald aber gibt der Beschäftigungen mancherlei: da sind die Holzfäller und Fuhrleute, Köhler und sogen. Harzpulker, welche das Harz im Wald sammeln; da gibt es Sägemühlen, Holzschleifereien, Schindelschneidereien, Zündhölzchenfabriken; anderswo wieder macht man hölzerne Gerätschaften, Schnitzereien, Besen. Mehr Kargheit der Erwerbsquellen als Freude am Vogelgesang hat hier als eigentümlichen Erwerbszweig den Handel mit Singvögeln hervorgerufen; aber es werden nicht mehr bloß Kreuzschnäbel, Finken und Dompfaffen gefangen und gelehrt, sondern auch Kanarienvögel in Menge gezüchtet und ausgeführt. Endlich geben Marmor-, Granit- und Basaltbrüche den *Steinarbeitern* ihr tägliches Brot.

Reisepläne.

Die Hauptpunkte des Harzes können in einer Rundtour, wie sie in Nr. 1—5 angegeben sind, in ca. 14 Tagen besucht werden. Wer weniger Zeit hat und zum erstenmal den Harz besucht, wählt meist den *Nordrand* und richtet seine Reise so ein, daß er sie mit dem Glanzpunkt des Bodethals (Thale-Treseburg, Roßtrappe und Tanzplatz) beschließt. Wenn in den folgenden Plänen angegeben ist, was man alles in einem Tag erreichen *kann*, so folgere man daraus nicht, daß man es auch erreichen *muß*; rüstige Fußgänger werden natürlich wiederum mehr leisten, als hier angegeben.

☞ Im Hochsommer vermeide man, das Bodethal an einem Sonntag zu besuchen; die Extrazüge laden große Menschenmengen aus, wodurch der Genuß der Naturschönheiten geschmälert wird.

Haupttouren durch den ganzen Harz.

I. Siebzehntägige Tour von Thale aus und dahin zurück.

1\. Tag: Vom Bahnhof bei *Thale* (R. 1) zu Fuß nach dem *Hubertusbad, Waldkater, Bodekessel, Schurre*, hinauf zur *Roßtrappe* 3 St. — Zum *Roßtrappefelsen, Bülowshöhe, Winzenburg*. — Fußweg nach *Blankenburg* 2 St.

2\. Tag: *Blankenburg* (R. 4) über das Schloß auf den *Ziegenkopf* 1 St. — Hinüber zum *Regenstein* 3/4 St. — Von da über Kloster *Michaelstein*, Forsthaus *Eggerode*; oder direkt auf der Bahn nach *Rübeland*. *Baumannshöhle*.

3\. Tag: Von *Rübeland* mit der Bahn über *Elbingerode*, oder über *Susenburg* (R. 6) nach *Rothehütte*. — Zu Fuß oder zu Wagen im *Bodethal* aufwärts über *Elend* und *Schierke*, auf den *Brocken* (R. 8) 4 St.

4\. Tag: Hinab durch die *Steinerne Renne* (R. 9) nach *Wernigerode* 4 St. Auf diesem Weg die *Hohneklippen* (S. 108) mit besuchen; sehr lohnend, aber Führer ratsam.

5\. Tag: Nach *Ilsenburg* über Plessenburg und Ausflüge ins *Ilsethal* (R. 11). Von *Ilsenburg* über *Eckerkrug*, die *Rabenklippen* und den *Burgberg* nach *Harzburg* 3 St.

6. Tag: Ausflüge in die Umgebung von *Harzburg* (R. 12). — Von *Harzburg* über *Kästenklippe*, *Hexenküche* oder das *Ahrendsberger Forsthaus* hinab nach *Romkerhall* (R. 13) 4 St.

7. Tag: Durchs *Okerthal* hinaus nach *Oker* und *Goslar;* event. Besichtigung des *Rammelsbergs* (R. 15).

8. Tag: Von Goslar mit der Bahn nach *Lautenthal* und *Wildemann* (R. 16), zu Fuß nach *Grund* (R. 17), Silberhütte, *Klausthal-Zellerfeld* (R. 16).

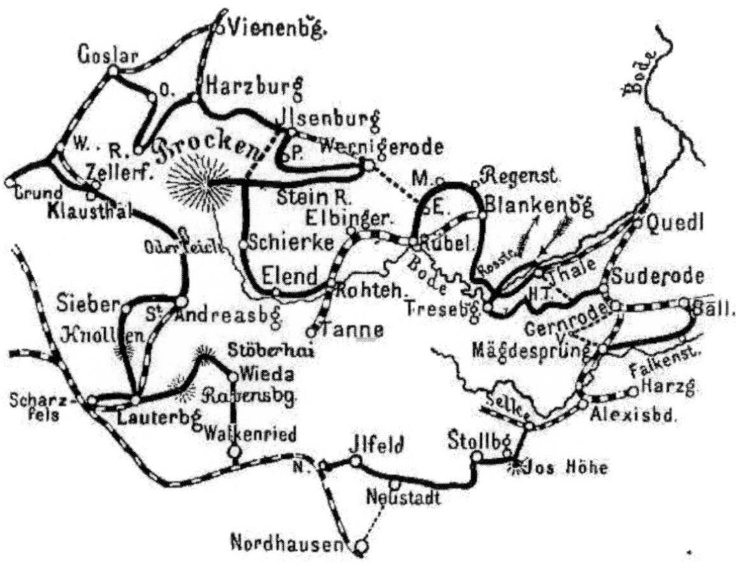

9. Tag: Umgegend von *Klausthal-Zellerfeld* (R. 17), *Altenau* (R. 19).

10. Tag: Von *Klausthal* über den *Bruchberg* (R. 21) zum *Oderteich*, über den *Rehberger Graben* nach *St. Andreasberg*. 6 St.

11. Tag: Vormittags Besichtigung der Hüttenwerke etc. in *St. Andreasberg* (R. 22). — Mittags durch das *Sieberthal* (R. 23) über den *Knollen* (S. 173) nach *Lauterberg* (4 St.); oder direkt mit der Bahn dahin. Besuch der *Steinkirche*, *Einhornshöhle*, *Scharzfelsruine* (R. 24); nach *Lauterberg* (R. 25) zurück.

12. Tag: Auf den *Ravensberg* 2½ St. und den *Stöberhai* (R. 26). — Hinab über *Wieda* nach *Walkenried* 2 St. — Nachmittags Eisenbahn nach *Nordhausen* (R. 28).

13. Tag: Mit der Eisenbahn zurück bis *Niedersachswerfen*, dann mit Post oder zu Fuß nach *Ilfeld;* ins *Behrethal* bis zum

Chausseehaus und von hier aus oder von *Ilfeld* über *Osterode* auf *Ruine Hohnstein* und nach *Neustadt unterm Hohnstein* (R. 30). Summa 5 St.

14. Tag: Über *Ebersburg* und *Eichenforst* nach *Stolberg* (wohin man event. noch am 13. Tag bequem gelangen kann). — Besichtigung von *Stolberg* (R. 31). — Nachm. über den *Auerberg* nach *Lindenberg* (S. 205) $2^1/_4$ St., von wo Bahn (1889 im Bau) nach *Alexisbad* und *Mägdesprung* (R. 31).

15. Tag: Im *Selkethal* abwärts (R. 32 u. 34). — *Schloß Meiseberg*, zum *Gasthaus zum Falken* 3 St. — Auf Schloß *Falkenstein* und wieder zurück. — Nach *Ballenstedt* 1 St. (R. 35).

16. Tag: Bahn nach *Gernrode* ($1^1/_2$ St.); auf den *Stubenberg* und nach *Suderode*, *Viktorshöhe* und *Lauenburg* (R. 37).

17. Tag: Über die *Georgshöhe* auf den *Hexentanzplatz* (R. 1), *Pfeils Denkmal*, *Weißer Hirsch*, *Treseburg*, *Wilhelmsblick*, durch das *Bodethal* hinaus nach *Thale*.

II. Vierzehntägige Tour von Harzburg aus und dahin zurück.

1. Tag: *Harzburg* (R. 12), Radauthal, Molkenhaus, *Burgberg*, Rabenklippen nach *Ilsenburg* (R. 11).

2. Tag: *Ilsethal*, Ilsenstein, auf den *Brocken* (R. 8). — Durch die *Steinerne Renne* nach *Wernigerode* (R. 9 u. 10).

3. Tag: Büchenberg, *Rübeland* (R. 6), *Eggeroder Forsthaus* (R. 5), *Blankenburg* (R. 4).

4. Tag: Zur *Roßtrappe* (R. 4 u. 1), Chaussee nach *Treseburg*, Weißer Hirsch, Pfeils Denkmal, *Hexentanzplatz* (R. 1); event. hinab zum *Waldkater* und nach *Thale*.

5. Tag: Zur *Georgshöhe* (R. 1 u. 37), *Lauenburg*, *Viktorshöhe*, Suderode, Gernrode, Stubenberg, *Ballenstedt* (R. 35).

6. Tag: *Selkethal* (R. 32 u. 34), Falkenstein, Selkemühle, *Mägdesprung* (event. Bahn), *Alexisbad*; event. nach *Harzgerode*.

☞ Wer Ballenstedt und den Falkenstein weglassen will, geht vom Stubenberg nach der Viktorshöhe, Mägdesprung und Alexisbad (event. mit Bahn).

7. u. 8. Tag: Eisenbahn (R. 32; 1889 noch im Bau) bis *Lindenberg* (S. 209), von hier über den *Auerberg* nach *Stolberg* (R 31); zu Fuß über Eichenforst, Ebersburg und Neustadt u. H. (R. 30) nach Nordhausen, — oder zu Fuß nach *Rottleberode* (S. 201) und von da auf der Bahn (1889 noch im Bau) über *Berga* nach Nordhausen.

9. Tag: Von Nordhausen Bahn nach *Walkenried* (R. 27), *Wieda*, *Stöberhai*, *Ravensberg* (R. 26) nach *Lauterberg*.

10. Tag: *Scharzfels*, *Einhornshöhle* (R. 24), *Lauterberg* (R. 25).

11. Tag: Über den *Knollen* durch das Sieberthal nach *St. Andreasberg* (R. 23 u. 22), 4—5 St.
12. Tag: Längs des *Rehberger Graben* (R. 21) zum Oderteich und über das Sonnenberger Chausseehaus nach *Klausthal.*
13. Tag: Klausthal (R. 16), *Grund* (R. 17) über Wildemann (R. 16) nach *Goslar* (R. 15).
14. Tag: Über *Oker* ins Okerthal (R. 13) bis *Romkerhall* und über das *Ahrendsberger Forsthaus* (R. 13) oder die *Kästenklippe* (S. 120) nach *Harzburg zurück.*

III. Vierzehntägige Tour von Nordhausen (oder Lauterberg) aus und dahin zurück.

1. Tag: Von *Nordhausen* (R. 28) über *Neustadt u. H.* und *Eichenforst* (R. 30) nach *Stolberg* (R. 31); — oder auf der Bahn über *Berga* (1889 noch im Bau) nach *Rottleberode* und dann zu Fuß in $1\,^1/_2$ St. nach *Stolberg.*

2. Tag: Über den *Auerberg* (R. 31) nach *Lindenberg,* Bahn (1889 noch im Bau) nach *Alexisbad* (R. 32); dann auf die *Viktorshöhe* (R. 33) und hinab nach *Mägdesprung* (R. 32).
3. Tag: Durchs *Selkethal, Falkenstein* (R. 34), *Ballenstedt* (R. 35).
4. Tag: Eisenbahn bis *Gernrode* (R. 37), dann *Stubenberg, Suderode, Viktorshöhe* (R. 33) und *Lauenburg, Hexentanzplatz* (R. 1).
5. Tag: Hinab ins *Bodethal,* nach der *Roßtrappe, Herzogshöhe,*

Wilhelmsblick, Treseburg. Ausflug nach dem *Weißen Hirsch* und zu *Pfeils Denkmal* (R. 1).

6\. Tag: Durch das *Bodethal* über *Altenbrak, Wendefurt* (R. 2) nach *Rübeland* (R. 6) und auf der Eisenbahn oder über den *Ziegenkopf* nach *Blankenburg* (R. 4).

7\. Tag: Über *Michaelstein, Volkmars Keller, Eggeroder Forsthaus* (R. 5) nach *Wernigerode* (R. 10).

8\. Tag: Durch die *Steinerne Renne* (R. 9) auf den *Brocken* (R. 8), hinab nach *Ilsenburg* (R. 11).

9\. Tag: Über den *Eckerkrug* (R. 12) nach *Harzburg*. Umgebung.

10\. Tag: Von *Harzburg* (R. 13) über das *Ahrendsberger Forsthaus* (R. 13) oder die *Kästenklippe* (R. 12) ins *Okerthal* (R. 13) und nach *Klausthal-Zellerfeld* (R. 16).

11\. Tag: Fahrstraße über *Oderteich* und den *Rehberger Graben* nach *St. Andreasberg* (R. 21 u. 22).

12\. Tag: Über *Schluft* nach *Hanskühnenburg* (R. 20) und über *Sieber* und den *Knollen* (R. 23) nach *Lauterberg* (R. 25); starke Tagestour. (Auch Eisenbahn von St. Andreasberg direkt nach Lauterberg.)

13\., event. 14. Tag: Vorm. *Scharzfelsruine, Steinkirche* etc. (R. 24). Nachm. *Ravensberg, Stöberhai* (R. 26), hinab nach *Wieda*, hier event. übernachten. — *Sachsa* und *Walkenried* (R. 27). Abends Eisenbahn nach *Nordhausen* (Eintr.-R. IX).

IV. Zwölftägige Tour von Osterode oder Herzberg aus und dahin zurück.

1\. Tag: *Osterode* (R. 18), *Lerbach, Weghaus* und *Kukholzklippe, Klausthal* und *Zellerfeld* (R. 17). Bahn nach *Goslar* (R. 15) oder lohnender durchs *Okerthal* (Romkerhall, R. 13) oder über die *Schalke* (S. 150) dahin.

2\. Tag: *Harzburg* (R. 12), *Radauthal, Ilsenburg* (R. 11).

3\. Tag: *Brocken* (R. 8), *Steinerne Renne*, event. *Hohneklippen, Wernigerode* (R. 9).

4\. Tag: Über den *Hartenberg* nach *Rübeland* (R. 10) und über das *Eggeroder Forsthaus* und Michaelstein (R. 5), oder direkt auf der Bahn nach *Blankenburg* (R. 4).

5\. Tag: Nach *Wendefurt*, durch das *Bodethal* nach *Altenbrak* und *Treseburg* (R. 2); *Pfeils Denkmal* und *Weißer Hirsch* (R. 1).

6\. Tag: *Wilhelmsblick, Roßtrappe, Bodethal, Bodekessel, Waldkater*, über *Thale* auf den *Hexentanzplatz* (R. 1).

7\. Tag: *Viktorshöhe* (R. 33), *Lauenburg, Stubenberg, Ballenstedt* (R. 35).

8\. Tag: *Selkethal, Falkenstein* (R. 34), *Mägdesprung* (R. 33), *Alexisbad* (event. Bahn von Mägdesprung ab).

9. Tag: Eisenbahn (1889 noch im Bau) bis *Lindenberg* (R. 32), dann zu Fuß über den *Auerberg* (R. 31) nach *Stolberg*, *Hohnstein* (R. 30), *Neustadt*.

10. Tag: Über *Ilfeld* nach *Niedersachswerfen*, Bahn bis *Walkenried* (R. 27), *Wieda*, *Stöberhai*, *Ravensberg* (R. 26), *Lauterberg*.

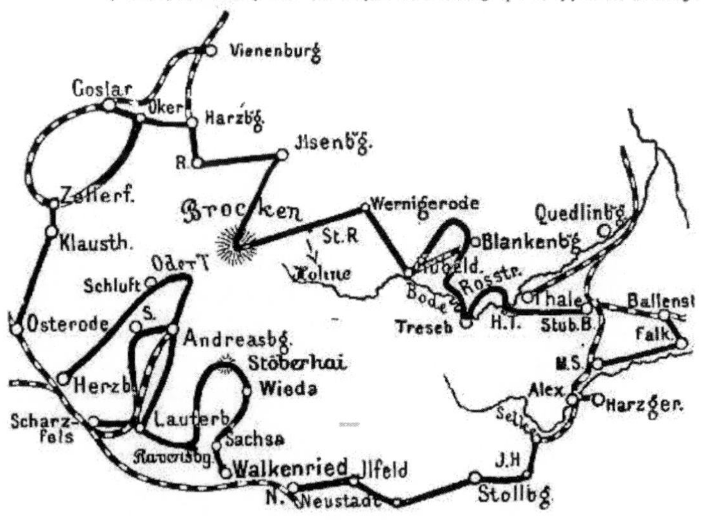

11. Tag: *Lauterberg* (R. 25), *Scharzfelsruine* (R. 24), *Knollen*, *Sieber* (R. 23), *St. Andreasberg* (R. 22).

12. Tag: *Rehberger Graben* (R. 21) u. *Oderteich*, über *Schluft*, *Hanskühnenburg*, *Jagdhaus*, *Lonau* (R. 20), *Herzberg* (S. 173)

V. Vierzehntägige Tour durch den ganzen Harz, für kräftige Fußgänger.

Ganz als **Fußtour** behandelt, tägl. 7–9 St. Kann in Harzburg (1. Tag), Wernigerode (12. Tag), Ilsenburg (13. Tag), Blankenburg (11. Tag), Thale (10. Tag), Ballenstedt (9. Tag), Nordhausen (7. Tag) oder Lauterberg (6. Tag) begonnen, bez. beendet werden. Wer die Hauptpunkte des Harzes schon kennt, wird hier auf manche interessante Seitentour aufmerksam gemacht.

1. Tag: *Harzburg*, Radauthal, Molkenhaus, Muxklippe über dem Eckerthal, *Rabenklippe*, quer durch den Wald zum Sachsenberg, Abend und Nacht auf dem Burgberg (R. 12).

2. Tag: Direkter Weg auf den *Ahrendsberg* und die *Ahrendsberger Klippen* (R. 13); Mittag im Forsthaus. Zurück durchs *Okerthal* (R. 13) nach Harzburg.

3. Tag: Silberborn, Elfenstein, *Kästenklippe* (R. 12) nach *Romkerhall* (R. 13) und weiter über *Altenau* oder (lohnender) über die *Schalke* (S. 150) nach *Klausthal-Zellerfeld* (R. 16).

4. Tag: Chaussee nach Oderbrück bis zum *Sperberhai* (R. 21); dann r. (mit Führer) ins *Sösethal*, Kamschlaken, Riefensbeck (R. 18); über die *Hanskühnenburg* (R. 20) nach *Schluft* (R. 22) oder dem *Sonnenberger Chausseehaus* (R. 21).

5. Tag: Chaussee bis zum *Oderteich*, *Rehberger Graben* (R. 21), *St. Andreasberg* (R. 22). Über *Sieber* und den *Knollen* (R. 23) nach *Lauterberg* (R. 25).

6. Tag: Vorm. *Scharzfelsruine* etc. (R. 24). Nachm. Wiesenbecker Teich, *Ravensberg*, *Stöberhai* (R. 26); hinab nach *Wieda* oder *Sachsa* und *Walkenried* (R. 27).

7. Tag: Bahn bis *Niedersachswerfen* (Eintr.-R. 10), nach *Neustadt u. H.*, *Eichenforst* (R. 30) und *Stolberg* (R. 31). Umgebung.

8. Tag: Über den *Auerberg* (R. 31) nach *Lindenberg* (S. 205), Bahn (1889 noch im Bau) nach *Alexisbad*, *Mägdesprung* (R. 32); *Falkenstein* (R. 34), *Ballenstedt* (R. 35); starke Tour. Oder mit Weglassen von Falkenstein und Ballenstedt direkt mit der Eisenbahn nach *Gernrode* (S. 217).

9. Tag: Von Ballenstedt Bahn nach *Gernrode*; *Stubenberg* (R. 37), *Suderode*, *Viktorshöhe* (R. 33), *Lauenburg*, *Hexentanzplatz* (R. 1).

10. Tag: Hinab nach *Thale*, durchs *Bodethal* (R. 1), über die Schurre auf die *Roßtrappe*, hinab über die Wolfsburg nach *Thale*, wieder ins Bodethal, durch den Hirschgrund (S. 62) wieder hinauf zum Hexentanzplatz und über *Pfeils Denkmal* und den *Weißen Hirsch* nach *Treseburg* (R. 1).

11. Tag: Über *Altenbrak*, *Wendefurt* und *Neuwerk* (R. 2) nach *Rübeland*; auf der Bahn (R. 6) nach *Blankenburg*, oder zu Fuß über *Hüttenrode* dahin (R. 4); Nachm. über *Volkmars Keller* (oder *Ziegenkopf*) und *Eggeroder Forsthaus* (R. 5), *Hartenberg* nach *Wernigerode* (R. 10).

12. Tag: Von Wernigerode über die *Steinerne Renne* oder durchs *Drengethal* (R. 9 u. 10), mit Führer zu den *Hohneklippen*, *Jakobsbruch*, *Ahrensklinter Klippen* (schöner Rastplatz), *Brocken*; starke Tour.

13. Tag: Hinab durchs *Schneeloch*, *Plessenburg*, *Ilsestein* nach *Ilsenburg* (R. 11) und über *Eckerkrug* nach *Harzburg* (R. 12).

VI. Zehntägige Tour von Goslar aus durch den nördlichen Harz, mit Thale schließend.

☞ Event. auf 8 Tage zu kürzen, wenn man am 7. Tag bis *Ballenstedt*, am 8. Tag bis *Neinstedt* reist; geht ganz gut.

1. Tag: *Goslar* (R. 15). Besichtigung der Stadt. Event. Einfahrt in den Rammelsberg. Bahn nach *Klausthal*.

2. Tag: *Klausthal, Kukholzklippe* (R. 18), *Weghaus* zum *Heiligenstock, Lerbach, Osterode, Herzberg* (R. 23).
3. Tag: *Sieberthal, St. Andreasberg* (R. 22), *Rehberger Graben* (R. 21), *Oderbrück* (R. 14), *Brocken* (R. 8).
4. Tag: Hinab über die *Steinerne Renne* nach *Wernigerode* (R. 9).
5. Tag: Nach *Rübeland* (R. 6), durchs Bodethal nach *Wendefurt, Altenbrak* (R. 2), *Treseburg* (R. 1). Ausflug nach dem *Denkmal Pfeils* und dem *Weißen Hirsch*.
6. Tag: *Wilhelmsblick, Herzogshöhe, Roßtrappe, Bodekessel, Waldkater, Hirschgrund, Hexentanzplatz* (R. 1).

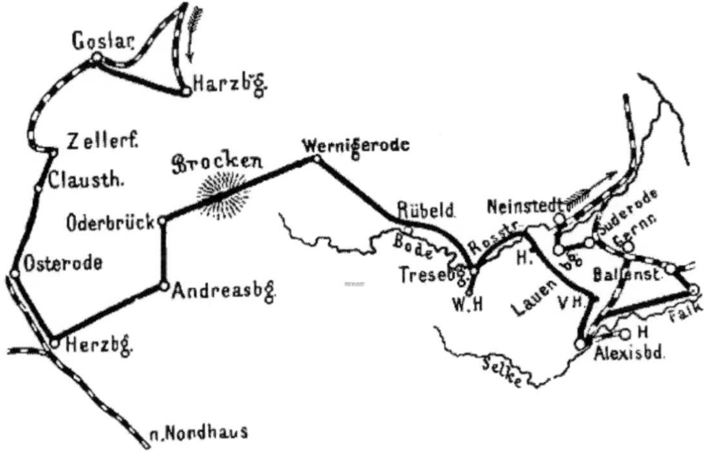

7. Tag: *Viktorshöhe* (R. 33), *Alexisbad* (R. 32), *Mägdesprung*. Abstecher nach der *Heinrichsburg* und dem *Sternhaus*.
8. Tag: Durch das untere Selkethal über *Meiseberg* (R. 34) und *Falkenstein* nach *Ballenstedt* (R. 35).
9. Tag: Von *Ballenstedt* Bahn nach *Gernrode* (R. 37), *Stubenberg*. Über die *Preußenhöhe* nach *Suderode*.
10. Tag: Über den *Tempel* nach der *Lauenburg*. Hinab nach *Neinstedt* (Eintr.-R. 1); Eisenbahn zurück nach *Harzburg*.

VII. Siebentägige Tour von Harzburg aus durch den Nordharz, mit Ballenstedt schließend.

☞ Für sehr bequeme Leute, nur 4–6 St. täglich.

1. Tag: Von *Harzburg* (R. 12) über die *Rabenklippen, Molkenhaus* (R. 8), *Muxklippe* (R. 12), *Eckerthal*, auf den *Brocken* (R. 8).

2. Tag: Im *Schneeloch* herunter, *Ilsefälle, Ilsenstein* (R. 11), *Plessenburg, Steinerne Renne* (R. 9), *Wernigerode* (R. 10).

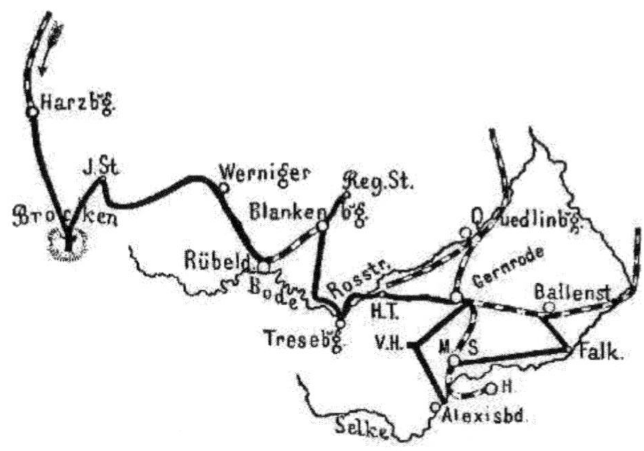

3. Tag: *Mühlthal, Hartenberg* (R. 5), *Rübeland* (R. 6), *Blankenburg* (R. 4, ev. auf der Bahn), *Regenstein*, zurück nach *Blankenburg*.
4. Tag: *Altenbrak* (R. 2), *Treseburg* (R. 1), *Roßtrappe, Bodethal, Hexentanzplatz*.
5. Tag: *Lauenburg, Stecklenburg, Stubenberg* (R. 37).
6. Tag: *Viktorshöhe* (R. 33), *Alexisbad* (R. 32), *Mägdesprung*.
7. Tag: *Meiseberg* (R. 34), *Falkenstein, Ballenstedt* (R. 35).

VIII. Sechstägige Tour von Goslar aus durch den Nordharz, mit Thale schließend.

1. Tag: Von *Goslar* auf der Bahn nach *Harzburg*, Radauthal, Burgberg (R. 12). Über den Elfenstein, Kästenklippe oder Ahrendsberger Forsthaus nach *Romkerhall, Oker* (R. 13) und mit dem letzten Zug zurück nach *Goslar*.
2. Tag: Bahn nach *Wildemann* (R. 16), *Grund* (R. 17), Silberhütte *Klausthal* (R. 17).
3. Tag: Von Klausthal über *Riefensbeck, Hanskühnenburg* (R. 20), *Schluft* nach *St. Andreasberg* (R. 22).
4. Tag: Über Grabenhaus, Rehberger Graben (R. 21), Oderbrück nach dem *Brocken* (R. 8) 5 St., und abwärts nach *Ilsenburg* ($2\frac{1}{2}$–3 St.) oder nach *Wernigerode* (R. 9).
5. Tag: Über Hartenberg nach *Rübeland*, über Eggeroder Forsthaus (R. 5) oder auf der Bahn nach *Blankenburg* (R. 4).

6. Tag: Von Blankenburg über *Wendefurt*, *Altenbrak* nach *Treseburg* (R. 2), *Bodethal*, die *Schurre* hinauf zur *Roßtrappe*, Blechhütte, *Thale* und *Hexentanzplatz* (R. 1).

IX. Zwölftägige Tour von Seesen aus durch den ganzen Harz, mit Thale schließend.

Event. auf 9 Tage zu kürzen, wenn man mit Auslassung von Grund Tag 1 u. 2, mit Auslassung von Wernigerode und Blankenburg 4 u. 5 und mit Auslassung von Treseburg 11 u. 12 zusammen nimmt.

1. Tag: Von *Seesen* nach *Lautenthal*. Bahn bis *Wildemann* (R. 16); über den *Hasenberg* und *Iberg* nach *Grund* (R. 17).
2. Tag: Über *Klausthal* (R. 16) und die *Schalke* (S. 150) nach *Goslar* (R. 15).
3. Tag: Über die *Bleiche*, das *Waldhaus*, *Romkerhall* (R. 13), *Käste*, *Silberborn*, Aktienhotel, Schmalenberg, *Radauer Wasserfall*, Eichen nach *Harzburg* (R. 12).
4. Tag: Über den *Burgberg*, *Rabenklippen*, *Ilsenburg* (R. 11), *Ilsefälle*, *Steinerne Renne* (R. 9) nach *Wernigerode* (R. 10).
5. Tag: Nach *Blankenburg* (R. 5 u. 4), Besuch des *Regensteins*. Mit der Zahnradbahn nach *Rothehütte* (R. 6), zu Fuß oder zu Wagen nach dem *Brocken* (R. 8).
6. Tag: Über *Oderbrück* und den *Rehberger Graben* (R. 14 u. 20) nach *Andreasberg* (R. 22). Mit der Bahn nach *Lauterberg* (R. 25).
7. Tag: Über den *Wiesenbecker Teich* und *Ravensberg* (R. 26) nach *Sachsa* (R. 27) und *Walkenried* (S. 185). Mit der Bahn nach *Niedersachswerfen* und *Ilfeld* (R. 30).
8. Tag: Über die Ruine *Hohnstein* (R. 30) nach *Stolberg* (R. 31).
9. Tag: Über den *Auerberg* nach *Lindenberg* (R. 31); Bahn (1889 noch im Bau) nach *Alexisbad* und *Mägdesprung* (R. 32).
10. Tag: Über den *Falkenstein* nach *Ballenstedt* (R. 34); Bahn nach *Suderode* (R. 35).
11. Tag: Über *Viktorshöhe* (R. 33) und den *Hexentanzplatz* nach *Treseburg* (R. 1).
12. Tag: *Wilhelmsblick*, *Roßtrappe*, *Schurre*, *Bodekessel*, *Thale* (R. 1).

X. Sechstägige Tour von Wernigerode und dahin zurück.

1. Tag: Von *Wernigerode* (R. 10) über die Steinerne Renne auf den *Brocken* (R. 8) und hinab nach *Ilsenburg*. Abends Eisenbahn zurück nach *Wernigerode*.
2. Tag: Über den *Hartenberg* nach *Rübeland* (R. 6), event. *Baumannshöhle*. Durch das Bodethal (R. 2) nach *Wendefurt*, *Altenbrak*, *Treseburg* (R. 1).
3. Tag: Durch das *Bodethal*, *Bodekessel*, *Schurre*, *Roßtrappe*,

zurück ins *Bodethal*, durch den *Hirschgrund* zum *Tanzplatz* (R. 1).

4. Tag: *Viktorshöhe* (R. 33), *Lauenburg*, *Suderode* (R. 35), *Gernrode*, Bahn nach *Mägdesprung* und *Alexisbad* (R. 32).

5. Tag: *Falkenstein* (R. 34), *Meisdorf*, *Ballenstedt* (R. 35). Eisenbahn nach *Quedlinburg* (Eintr.-R. I).

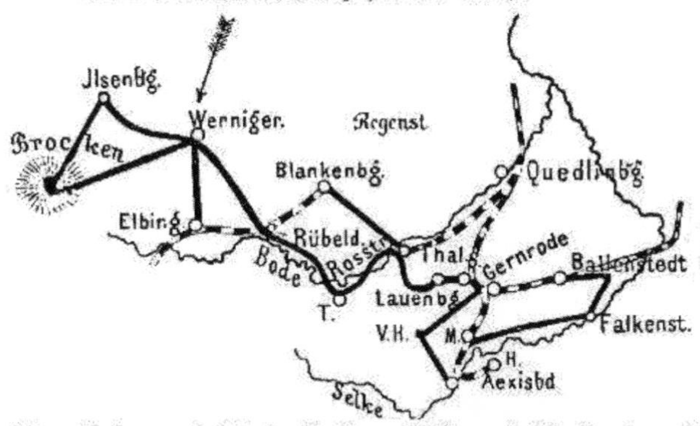

6. Tag: Bahn nach *Thale* (R. 1), zu Fuß nach *Blankenburg* (R. 4). Eisenbahn nach *Elbingerode* (R. 6), zu Fuß über *Hartenberg* nach *Wernigerode* (R. 5).

XI. Sechstägige Tour von Blankenburg aus und dahin zurück.

1. Tag: *Blankenburg* (R. 4), *Roßtrappe* (R. 1), *Hexentanzplatz*, *Lauenburg*, *Suderode*, *Stubenberg*, *Gernrode* (R. 37); Eisenbahn nach *Ballenstedt* (R. 35).

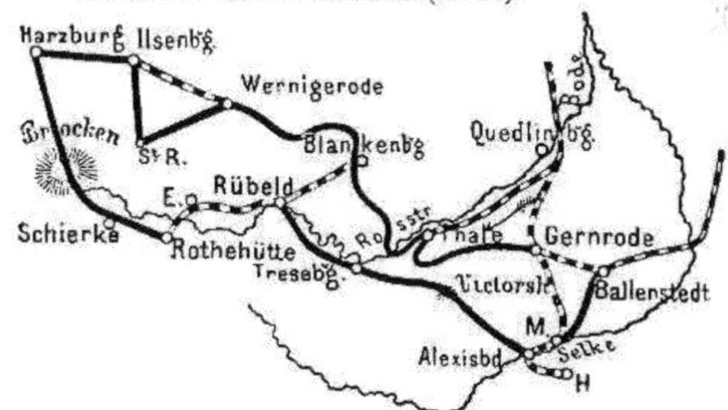

2. Tag: *Falkenstein* (R. 34), *Mägdesprung* (R. 32), *Alexisbad*.

3. Tag: *Viktorshöhe* (R. 33), *Pfeils Denkmal*, *Weißer Hirsch*,

Treseburg (R. 1), *Altenbrak* (R. 2), *Wendefurt* (event. noch bis Rübeland).

4. Tag: Durch das *Bodethal* (R. 2) nach *Rübeland;* Eisenbahn nach *Rothehütte* (R. 6), zu Wagen oder zu Fuß über Schierke auf den *Brocken* (R. 7).

5. Tag: Hinab nach Ilsenburg (S. 93); über die *Plessenburg* und die *Steinerne Renne* (R. 9 u. S. 102) nach *Wernigerode* (R. 10).

6. Tag: Rückreise nach *Blankenburg* über *Eggeroder Forsthaus* und *Michaelstein* (R. 5), *Regenstein.*

XII. Zwei neuntägige Touren von Thale aus und dahin zurück.

Für Reisende, welche ein Zehntage-Billet benutzen.

A. 1. Tag: *Bodethal* hinauf bis zum *Kessel* (R. 1), *Schurre, Roßtrappe, Herzogshöhe, Wilhelmsblick, Treseburg,* durch das Bodethal nach *Rübeland* (R. 2).

2. Tag: Eisenbahn über *Elbingerode* nach *Rothehütte* (R. 7), dann zu Fuß oder zu Wagen über *Schierke* auf den *Brocken* (R. 8).

3. Tag: Vom *Brocken* nach *Harzburg, Rabenklippen* (R. 12), *Ilsenburg* (R. 11).

4. Tag: *Ilsenstein, Ilsefälle* (R. 8), *Plessenburg* (R. 9), *Steinerne Renne,* event. *Hohneklippen, Wernigerode* (R. 10).

5. Tag: *Eggeroder Forsthaus* (R. 5), *Michaelstein, Regenstein* (R. 4), *Blankenburg, Schloß* u. *Wildpark, Heidelberg, Thale* (R. 1).

6. Tag: *Lauenburg, Stecklenburg, Suderode, Stubenberg, Gernrode* (R. 37); Bahn nach *Ballenstedt* (R. 35).

7. Tag: *Selkethal, Falkenstein* (R. 34), *Mägdesprung, Alexisbad* (R. 32).

8. Tag: Bahn (1889 noch im Bau) bis *Lindenberg* (R. 32); zu Fuß über den *Auersberg* nach *Stolberg* (R. 31). Umgebung (R. 31 u. 30).

9. Tag: *Breitenstein*, *Güntersberge* (R. 3a), *Bärenrode*, *Viktorshöhe* (R. 33), *Hexentanzplatz* (R. 1), *Steinbachthal*, *Thale*.

B. *Treseburg* (R. 1), *Blankenburg* (R. 4, 5), *Wernigerode* (R. 10), *Steinerne Renne* (R. 9), *Ilsefälle* (R. 8), *Ilsenstein* (R. 11), *Ilsenburg*, *Eckerthal* (R. 12), *Rabenklippen*, *Harzburg*, *Radauthal*, *Molkenhaus* (R. 8), *Scharfenstein*, *Brocken*, *Schierke* (R. 7), *Rothehütte*, *Elbingerode*, *Rübeland* (R. 6), *Hasselfelde* (R. 3b), *Stiege* (R. 3a), *Breitenstein*, *Stolberg* (R. 31), *Auerberg*, *Lindenberg*, *Alexisbad*, *Mägdesprung* (R. 32), *Meiseberg* (R. 34), *Falkenstein*, *Meisdorf*, *Ballenstedt* (R. 35), *Gernrode* (R. 37), *Stubenberg*, *Viktorshöhe* (R. 33), *Lauenburg* (R. 37), *Wurmbachthal*, *Hexentanzplatz* (R. 1), Bahnhof *Thale*.

XIII. Achttägige Tour von Ballenstedt aus, mit Nordhausen schließend.

1. Tag: Von *Ballenstedt* (R. 35), *Falkenstein* (R. 34), *Mägdesprung*, *Alexisbad* (R. 32).

2. Tag: *Viktorshöhe* (R. 33), *Stubenberg* (S. 218), *Suderode*, *Lauenburg*, *Tanzplatz* (R. 1).

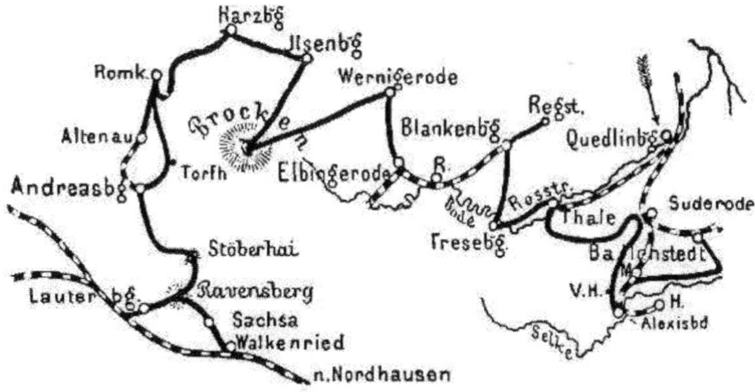

3. Tag: *Thale*, *Bodethal*, *Roßtrappe*, *Herzogshöhe*, *Treseburg* (R. 1), *Altenbrak* (R. 2), *Wendefurt*, *Blankenburg* (R. 4).

4. Tag: *Regenstein*, zurück nach *Blankenburg*; über den *Ziegenkopf* (S. 75), oder auf der Eisenbahn nach *Rübeland* (*Baumannshöhle*) und *Elbingerode* (R. 6); über *Hartenberg* nach *Wernigerode* (R. 10).

5. Tag: *Steinerne Renne* (R. 9), *Brocken* (R. 8), *Ilsenburg* (R. 11).
6. Tag: Durchs Eckerthal nach *Harzburg* (R. 12).
7. Tag: Über *Kästenklippe* (R. 12) nach *Romkerhall* ins *Okerthal* (R. 13) und über *Altenau* (R. 19) oder *Torfhaus* (R. 13), *Rehberger Graben* (R. 21) nach *St. Andreasberg* (R. 22).
8. Tag: *Oderthal* (R. 25), *Stöberhai*, *Ravensberg* (R. 26); hinab nach *Sachsa-Walkenried* (R. 27) oder nach *Lauterberg* (R. 25) und an die Bahn nach *Nordhausen* (R. 28).

XIV. Sechstägige Tour durch den Südharz von Nordhausen aus und dahin zurück (mit Kyffhäuser).

1. Tag: Nach Bahnhof *Scharzfeld* (R. 24). Ruine *Scharzfels* (Einhornhöhle) — *Lauterberg* (R. 25), *Knollen* (S. 173).
2. Tag: *Lauterberg*, *Wiesenbecker Teich*, *Ravensberg*, *Stöberhai* (R. 26). — *Wieda* — *Sachsa* (R. 27).
3. Tag: *Walkenried*. — Bahn nach *Niedersachswerfen* (R. 28). — Nach *Neustadt* und Ruine *Hohnstein*.
4. Tag: Ruine *Ebersburg* — *Eichenforst* — *Stolberg* (R. 31).
5. Tag: *Tyrathal*. — Über *Stempeda*, *Alten-Stolberg* (R. 28), *Steigerthal* nach *Nordhausen*; oder vom *Tyrathal* über *Rottleberode*, dann Bahn (1889 noch im Bau) nach *Berga* (bez. *Roßla*) und *Kelbra* (S. 194).
6. Tag: *Kyffhäuser* (R. 29) und zurück nach *Nordhausen* (Bahn).

XV. Brockenreisen.

1) Vom *Bodethal*, *Blankenburg* oder *Elbingerode* aus R. 2, 4, 6, 7; — 2) von *Wernigerode* aus R. 9 u. S. 94; — 3) von *Ilsenburg* aus S. 93; — 4) von *Harzburg* aus S. 94; — 5) von *Goslar (Okerthal)* aus S. 95 u. R. 13; — 6) von *Altenau*, *Lautenthal*, *Wildemann*, *Klausthal* und *Zellerfeld* aus R. 17 u. 19; — 7) von *St. Andreasberg* über den *Rehberger Graben* (S. 171) nach *Oderbrück* S. 125 und R. 21; — 8) von *Lauterberg* im Oderthal nach dem *Rehberger Graben* und dann nach *Oderbrück* R. 25, 22, 21; — 9) von *Rothehütte* über *Elend* und *Schierke* R. 7.

Eintrittsrouten für den Harz.

I. Eintrittsroute: Von Berlin über Potsdam und Magdeburg nach Halberstadt und Thale.

229 km **Eisenbahn** von *Berlin* bis *Thale*, in $4\frac{1}{2}$–7 St. für I. 19,70, II. 14,30, III. 10,00 M.; — *Blankenburg* in $4\frac{1}{2}$ und 7 St.; — *Wernigerode* in $4\frac{1}{2}$–7 St.; — *Ballenstedt* über Quedlinburg in 5 und $7\frac{1}{2}$ St.; — *Aschersleben* in $6\frac{3}{4}$ St.; — *Harzburg* in 7 und $7\frac{1}{2}$ St.; — *Goslar* in $6\frac{3}{4}$ und $7\frac{3}{4}$ St. — **Sommerbillets** und **Retourbillets** s. im Kursbuch. — **Abfahrt** vom Potsdamer Bahnhof oder den Stadtbahnhöfen in Berlin. Diese Linie ist die direkte und schnellste Verbindung mit Thale.

Vom *Potsdamer* (bez. *Schlesischen*) *Bahnhof* ausgehend, an einer Reihe kleiner Stationen vorüber, erreicht der Zug

(26 km) **Potsdam**, zweite königl. Residenz an der Havel, 51,000 Einw. An *Sanssouci* und den Stat. *Werder* und *Groß-Kreutz* vorüber.

(61 km) **Brandenburg** an der Havel, 33,000 Einw. – Nun folgen die Stationen *Genthin* (gutes Bier), *Burg*, *Biederitz* und

(142 km) **Magdeburg** (50 m; *Central-Hotel* und *Hôtel Continental*, am Bahnhof), Hauptstadt der Provinz Sachsen mit über 114,000 Einw. (mit *Buckau* und *Neustadt* ca. 160,000), Festung ersten Ranges (über 5000 Mann Garnison) und bedeutende Handelsstadt an der Elbe. Berühmter gotischer Dom (1208—1363 erbaut). Reiterstandbild Kaiser Ottos d. Gr. Bronzestandbilder Luthers und des Oberbürgermeisters Francke. Die schönsten Straßen sind der *Breite Weg* und die *Kaiserstraße*.

Folgen die Stationen *Dodendorf*, berühmt durch Schills siegreiches Gefecht gegen westfälische Truppen 7. Mai 1809 (»Bei Dodendorf färbten die Preußen gut, Das fette Land mit französischem Blut.« Arndt), *Langenweddingen* (viel Obst), *Blumenberg*, *Hadmersleben*.

(180 km) **Oschersleben** (*Bahnrestaur.*), Städtchen an der Bode mit 9671 Einw.; r. geht eine Bahn nach Braunschweig ab. — Folgen die Stationen *Krottorf* und *Nienhagen*.

(200 km) **Halberstadt** (123 m; *Bahnrestaurant*, gut), sehr alte Stadt mit 34,000 Einw., in fruchtbarer Ebene an der Holtemme. Wer nach (r.) *Wernigerode* oder *Harzburg-Goslar* reist, geht hier auf die Bahn *Halle-Vienenburg* über; s. Eintr.-Route IV. — Zweigbahn nach *Blankenburg* s. S. 73.

Pferdebahn: Vom Bahnhof zur (20 Min.) Stadt 10 Pf., **Droschke** 50 Pf.

Gasthöfe: *Hotel Prinz Eugen.* — *Goldenes Roß.* T. d'h. 2 M. Zu empfehlen. — *Krone.* Alle drei am Breiten Weg, mit Wagen am Bahnhof. — *Hotel Thüringer Hof*, einfacher. — *Schraders Hotel*, bescheiden.

Restaurationen: *Café Central*, Fischmarkt, elegant. — *Café Dom*, Domplatz. — *Stadtpark*, Friedrichsstraße, neues schönes Lokal mit großem Garten. — *Breitenbach*, gute Gartenrestauration, Spiegelstraße. — *Ratskeller*, neu und originell.

Konditoreien (auch Bier): *Lange*, Fischmarkt. — *Heine*, Schmiedestraße. — *Deesen*, Domplatz.

Harzklub, Zweigverein Halberstadt, Auskunft bei Herrn Buchhändler *Germer*, Holzmarkt 11.

Zweigbahn nach (19 km) *Blankenburg*, *Rothehütte* u. *Tanne* (s. R. 4 u. 6).

Halberstadt ist ein alter Bischofsitz (angeblich seit 804) und soll schon 998 Stadtrechte besessen haben; im 12. Jahrh. wurde es wiederholt von Heinrich V. und Heinrich dem Löwen (1179) niedergebrannt; 1648 ward es Hauptstadt des bis 1807 bestehenden brandenburgischen Fürstentums Halberstadt. — Beim Eintritt in die turmreiche Stadt fallen zunächst die alten, durch Holzschnitzwerk künstlerisch interessanten *Fachwerkbauten aus dem 16. und 17. Jahrh. auf, an denen jede Etage mindestens um eine Schwellenstärke, zuweilen sogar über ½ m vorgebaut ist, so daß das oberste Stockwerk oft über 1 m weiter heraussteht als das Erdgeschoß. Unter diesen Häusern zeigt man noch (am Fischmarkt) dasjenige, in welchem der Ablaßkrämer Tezel wohnte; daneben der **Schuhhof* (von 1579), architektonisch eins der interessantesten Bauwerke der Stadt. Hieran reiht sich würdig das ***Rathaus** (1360—81 erbaut), am Holzmarkt, ein gotischer Bau mit hübschem Renaissance-Erker (an der Südseite) und einem riesigen Roland. — Dann der gegenüberliegende ***Ratskeller** (von 1461), ein Bau von prächtiger Wirkung mit reicher Holzarchitektur. An demselben Platz liegt auch die *Komisse*, die zweite bischöfliche Residenz, ein Spätrenaissancebau von 1596, jetzt Hauptsteueramt. — Am westl. Ende des Domplatzes die **Liebfrauenkirche** (romanisch), das älteste Bauwerk der Gegend, eine 1005—1284 aufgeführte viertürmige Pfeilerbasilika mit merkwürdigen alten Reliefiguren und Wandmalereien; 1848 restauriert. — Gegenüber am Ostende des Platzes die bedeutendste Sehenswürdigkeit der Stadt, der

***Dom**, in der ersten Hälfte des 13. Jahrh. im fein durchgebildeten gotischen Übergangsstil begonnen, später in neuerm System, welches auf den Regeln der französischen Gotik beruhte, beendet; 1850—71 völlig restauriert. Wegen Baufälligkeit mußte der nördliche der beiden Türme (schönes Geläute) 1883—84 abgetragen werden (beim südlichen noch in Frage). (Der Domküster führt umher, Taxe 75 Pf.) Der Dom hat die Form eines lateinischen Kreuzes, ist 135 m lang, 23 m breit, 30 m hoch und enthält außen 24 zum Teil sehr reich gestaltete Strebepfeiler. Das Innere mit den schlank aufragenden Säulen und den schmalen, hohen Seitenschiffen macht in dem durch treffliche Glasmalereien gedämpft einfallenden Licht einen majestätischen Eindruck. Die großen Fenster in den Giebelseiten des Querschiffs sind durch ihr glänzendes Maßwerk von geschweifter Formation ein bezeichnendes Beispiel der Spätzeit. Bemerkenswert die alte *Krypta* und die aus der Zeit der Kreuzzüge stammenden *Gobelins* im Chor. Die Statuen an den Pfeilern nach dem Mittelschiff zu sind größtenteils neu und dem Dom geschenkt. Unter ihnen die des Bischofs *Burkhard II.* (*Buko,* 1059—88); die zwei Kinderschuhe in seiner Rechten deuten auf ihn als Kinderfreund hin. Von ihm singt der Volksmund noch heute: »Buko von Halberstadt, bring' doch unserm Kindchen wat«. Das Chor, durch einen prachtvollen, in den üppigen Formen spätester Gotik ausgeführten Lettner vom Schiff getrennt, bildet einen Dom im Dom. Der Domschatz im Kapitelsaal enthält eine vorzüglich geordnete Sammlung von Reliquien und Kunstgegenständen (berühmte Sammlung geistlicher Gewänder, historisch geordnet). Kanzel von 1500. Bischofstuhl von 1510. Nahe dem Haupteingang der *Lügen- (Leggen-)* oder *Teufelsstein,* wahrscheinlich ein heidnischer Opferaltar, der Sage nach vom Teufel, der mit beim Dombau geholfen haben soll, hinabgeschleudert, als er vernahm, daß es ein Gotteshaus würde.

Auf dem Domplatz das schöne Kriegerdenkmal von 1870/71. — Am Domplatz der Bogengang der *Zwicken* mit zahlreichen Familienwappen der einstigen Domherren (Spiegel, Krosigk, Minnigerode, Blumenthal etc.). In den obern Räumen die höhere Töchterschule. — Nördl. von der Liebfrauenkirche der **Petershof,** die alte bischöfliche Residenz, 1052 erbaut, ein origineller Frührenaissancebau mit Portal von 1552 (Inschrift auf den Erbauer), jetzt Amtsgericht und Gefängnis. — Hinter dem Dom das Haus Nr. 31, welches der Dichter *Gleim* als Domsekretär bewohnte; in diesem »Tempel der Freundschaft« (Besuch für Auswärtige zu jeder Zeit) ist Gleims wertvolle Sammlung von über 100 Gemälden von Zeitgenossen, darunter das berühmte Porträt Lessings, aufgestellt. Im Nebenzimmer Gleims handschriftlicher Briefwechsel mit seinen Freunden. Man lasse sich besonders die selten vorkommende Handschrift Ewalds v. Kleist zeigen. Dann folgt Gleims Bibliothek. — Aus dem Gleimschen Haus l., geradeaus und die *Burgtreppe* hinunter nach dem *Hohen Weg* und von da wieder nach dem Bahnhof.

Wer mehr Zeit hat, kann vom *Hohen Weg* aus vor das *Gröper Thor* nach dem *Poetengang* gehen, um Gleims Gärtchen und Grab in Augenschein zu nehmen. — Bemerkenswert ist ferner noch die *Spiegelsche Kurie* mit ausgezeichneter Geweihsammlung und Gemälden (**Hildebrand,* Die Söhne Eduards); Frau v. Spiegel erlaubt Besichtigung auf Anfrage (Visitenkarte). — Sehenswert ist die **Ornitholo-*

gische Sammlung des Herrn Oberamtmanns *Heine* auf dem Burchardikloster; auf Anfrage und Besuch zeigt Herr Heine sie freundlichst. — *Lichtwers Haus* in gleichnamiger Straße. — An der Südseite der Stadt eine Anlage, die *Plantage,* an derselben das Seminargebäude. — Halberstadt ist Garnison des 3. Bat. Inf.-Regts. Nr. 27 und von 3 Schwadr. 7. Kürassier-Regts. (dessen Uniform Fürst Bismarck trägt), welches am 16. Aug. 1870 bei Mars la Tour jene berühmte Attacke ritt, welche im Auftrage des Chefs des Regiments, Herzogs Ernst von Koburg, durch Prof. L. Braun München in einem großen Ölgemälde dargestellt ist, das sich im Offizierkasino (Prinz Eugen) befindet. — Unter der Industrie der aufstrebenden Stadt zeichnet sich die Zigarren- und Handschuhfabrikation aus; ein ehemals hochberühmtes Bier war der »Broihan«. (Wegen Halberstadts Holzarchitektur vgl. Lübkes »Geschichte der deutschen Renaissance«.)

Vergnügungsorte: 1) **Bullerberge,** Restauration, sehr schöne Aussicht auf die Stadt und nach dem Harze zu, besonders aus dem obern Zimmer des Hauses. — 2) Auf die (1/2 St.) ***Spiegelsberge** (199 m), Droschke 1,25 M.; verdienen den Besuch. Auf der Nordseite der Berge, etwas abwärts, führt ein melancholisch dunkler Gang zur Ruhestätte des Domdechanten v. Spiegel, der diese Anlagen gründete, und zu dessen Ehren hier durch ein Gleimsches Vermächtnis alljährlich am 22. Mai die »Spiegelfeier« stattfindet. Oben im Keller eines alten schloßähnlichen Gebäudes ein großes Faß, 5 m hoch, 9 1/2 m lang, 1594 gebaut. Schlüssel in der nahen Restauration. Aussicht vom Turm aus. — 3) **Sternwarte** *(Restauration),* östl. neben Spiegelsbergen. — Dicht dabei: 4) **Felsenkeller,** hübsch gelegene Restauration. Von hier aus in wenigen Minuten zur *Klus,* uralte, in Felsen gehauene menschliche Wohnungen. Die gegenüberliegenden, jetzt bewaldeten **Klusberge** (174 m), die »Halberstädter Schweiz«, bieten schöne Spaziergänge und eine lohnende Aussicht auf Halberstadt und den Harz. Den nördl. Hintergrund bildet der **Huywald** (herrliche Buchen, 1 1/2 St. entfernt). Man fahre (im Sommer 1 Uhr nachm. Omnibus) bis zum Kloster *Huysburg,* gehe dann zu Fuß herunter durch Buchenwald zum *Gambrinus,* gute Restauration.

1 St. südl. von der Stadt (hinter den Klus- und Spiegelschen Bergen) die städtischen Forste der **Thekenberge** mit interessanten Felsgruppen (Gläserner Mönch) und vielbesuchtem Forsthaus.

Ein etwas weiterer Ausflug geht von den Spiegelsbergen nach dem (2 St. von Halberstadt) **Hoppelnberg** (306 m), von dem aus Aussicht auf den ganzen Harz und die Ebene.

Am Hoppelnberg liegt die kleine Restauration *Waldhalle* und das Dorf **Langenstein,** welches der Herzog Karl Wilhelm Ferdinand von Braunschweig, Oberbefehlshaber des halberstädtischen Regiments, seiner Mätresse, der Marquise Branconi, schenkte, die dort Besuche von Goethe u. Lavater empfing. Hier und im Graufthal (Vogesen) finden sich (angeblich) die einzigen Spuren von Höhlenbewohnern in Deutschland.

Eisenbahn. Hinter Halberstadt folgen die Stationen *Wegeleben* (l. zweigt die nach Aschersleben führende Linie ab) und *Ditfurth.*

(219 km) **Quedlinburg** (121 m; *Bahnrestaurant,* mit Gärtchen), preußische Stadt an der Bode mit 20,000 Einwohnern.

Gasthöfe: *Bär.* — *Buntes Lamm.* — *Goldener Ring.* — *Sonne.* — *Braunes Roß.* **Restaurationen:** *Bahnrestaurant.* — *Buntes Lamm,* Nürnberger Bier. — *Ratskeller,* Bayr. Bier. — *Richters Kaffeegarten,* nahe am Bahnhof.

Eisenbahn über *Suderode* und *Gernrode* nach *Ballenstedt* oder *Alexisbad*.

Schwimmanstalt, mit besuchtem Restaurant.

Harzklub, Zweigverein Quedlinburg; Auskunft bei Herrn Buchhändler *H. C. Huch*, Bockstraße 12, und Herrn Rentier *H. Meyer*, Harzweg 16.

Kunstgärtnereien von *Gebr. Dippe*, *Sattler & Bethge* etc., sehenswert.

Quedlinburg, teilweise noch von betürmten Mauern umgeben, gehört zu den ältesten Städten Deutschlands, es wird urkundlich zuerst 922 genannt; das dortige Stift wurde 936 von König Heinrich I. gegründet, der auch die Stadt erbaut und befestigt hat. Westlich neben der Stadt beim Wipertikloster lag ein alter Königshof, »curies Quitilinga«, auf dem sich König Heinrich I. oft und gern aufhielt. Otto I. versetzte die Nonnen von Wenthusen in Thale hierher und stellte das später »reichsunmittelbare Frauenstift« direkt unter den päpstlichen Stuhl. 1802 kam es mit Gebiet an Preußen, unter dessen Schutz es schon seit 1698 stand; 1803 wurde das Stift aufgehoben. Ein Besuch des Schlosses und seiner Kirche wird durch reichliche Illustrationen zur Bestätigung des hohen Alters dieser Stiftung belohnt. — Der Weg nach dem Schloßplatz führt über den sogen. *Finkenherd*, einen kleinen, von Häusern rings umschlossenen Raum, jene Stelle, wo Heinrich I. beim Vogelstellen die deutsche Kaiserkrone erhalten haben soll. — Auf dem Schloßplatz *Klopstocks Geburtshaus*, kenntlich an zwei Säulen und einer Gedenktafel (seit 1874). — Das *Geburtshaus* des Turnvaters *Guts Muths*, auf der Pölle. — *Geburtshaus* des großen Geographen *Ritter*, Ecke der Worth, auf der Steinbrücke (ist zweckmäßiger auf dem Rückweg vom Schloß zu besuchen); beide Häuser haben Gedenktafeln.

Das **Schloß**, einstmals Sitz gefürsteter Äbtissinnen, und die **Schloßkirche** liegen auf einem Quadersandsteinfelsen (155 m).

Wegen Besichtigung des Schlosses Meldung im Hof l. beim Kastellan; 50 Pf., mehrere Personen 1,50 M. Um die Schloßkirche und die Sakristei mit ihren Reliquien zu sehen, hat man sich, ehe man zum Schloß hinaufsteigt, beim Küster (neben dem Klopstockhaus) zu melden (1, bez. 1,50 M.).

Einige Zimmer des Schlosses sind noch, wie sie zur Zeit der Äbtissinnen waren. Mehrere interessante Gemälde: Aurora v. Königsmark; ein Bild der Kaiserin Katharina II.; eine Reihe von Äbtissinnen aus dem 16. und 17. Jahrh., interessant durch ihre Trachten; ein schönes Gemälde von *Scriver*, der in Quedlinburg Hofprediger war. Bild von *Möller*, Liebhaber und Beamter der letzten Äbtissin, einer schwedischen Prinzessin. Aus einem der Zimmer freundliche Aussicht auf den gegenüberliegenden *Münzenberg* mit seinen Häusern, ein früheres Benediktiner-Jungfrauenkloster (Mons Sionis). — Die zweitürmige **Schloßkirche* birgt wertvolle Denkmäler mittelalterlicher Kunst. 1862—82 wurde sie mit vielem Verständnis restauriert, und bei diesen Arbeiten entdeckte man neben dem Grab Heinrichs I. die kleine Betkapelle, in welcher die Königin Mathilde jahrelang den Verlust ihres Gatten beweinte. Die von Heinrich I. gegründete und von ihm selbst zur Aufnahme seiner und seiner Gemahlin Gebeine bestimmte Kirche wurde in ihrer jetzigen Gestalt erst von Otto III. erbaut und 1021 eingeweiht. Zwei Verwandte ruhen neben dem großen, städtegründenden König, seine Gemahlin Mathilde und Ottos I. Tochter Mathilde. Der barbarisierend nordische Geschmack in romanischem Basilikenstil zeigt sich hier in reicher phantastischer Durchbildung. Den mannigfachsten Wechsel der Formen sieht man in der *Krypta*, welche sich unter Chor und Querschiff erstreckt. Eine schmale Treppe führt hinab in ein Grabgewölbe, in welchem unter anderm auch der *Sarg der Aurora von Königsmark* steht, der bekannten Geliebten Augusts des Starken, die, hochgefeiert wegen ihrer Schönheit, 1728 als Pröpstin von Quedlinburg starb. Das Grabgewölbe liegt im Sandsteinfelsen des Bergs, welcher die Eigentümlichkeit hat, daß er Leichen vortrefflich konserviert. Früher wurde die Leiche der Aurora gezeigt, jetzt nur noch auf Wunsch eine Kindesleiche. (Für Interessenten verweisen wir auf *Hase und Quast*, »Gräber der Schloßkirche zu Quedlinburg«.) — Schöner Blick vom Schloßhof (neben der Kirche) auf die Stadt und den Harz.

Die **Zizer** (Sakristei) enthält die interessantesten Merkwürdigkeiten. An der Spitze derselben ein Reliquienkasten, angeblich von Heinrich I. herrührend, mit Elfenbeintafeln, in denen Szenen der Geschichte Christi en-haut-relief in äußerst ungefüger und plumper Arbeit dargestellt sind (Kuglers kleine Schriften, I, 627). — Ein Krug von der Hochzeit zu Kana (wie der Küster sagt), von der Kaiserin Theophano, Gemahlin Kaiser Ottos II., aus dem Orient hierher gebracht. — Der Codex aureus, ein in Gold und Edelsteine prachtvoll gebundenes Evangelienbuch. — Mehrere beachtenswerte Reliquienkasten. — Ganz besonders interessant ist die Folge großer gewirkter *Teppichstücke; sie rühren, historischen Angaben zufolge, aus dem 13. Jahrh. her und enthalten Darstellungen der allegorischen Vermählungsgeschichte Merkurs mit der Philologie, von Marcianus Capella, eines Buches, das nebst den andern Schriften dieses spätrömischen Grammatikers im Mittelalter eifrig gelesen wurde. Die Ausführung besorgten Klosterfrauen von Quedlinburg. — Schließlich noch Filigranarbeiten, der sogen. Bischofstab und der angebliche Bartkamm Heinrichs I.

Das bemerkenswerte ***Rathaus**, zuerst 1310 urkundlich erwähnt, ist in seiner jetzigen Gestalt 1615 erbaut; an demselben ein Roland. Im Innern (der Rathauswart führt, 50 Pf.) eine Sammlung prähistorischer Altertümer, Gemälde fürstlicher Personen; der Kasten, in welchem der Sage nach der fehdelustige Graf Albert von Regenstein (1336—38) 18 Monate (vgl. S. 77) gefangen saß. — In der Nähe des Rathauses alte malerische *Fachwerkhäuser. — In der Bürgermädchenschule eine *Museum* mit Rüstungen, Waffen, Münzen, Urkunden und einem Kodex des Sachsenspiegels (vgl. R. 34, Schloß Falkenstein). — Quedlinburg ist Garnison von 2 Schwadr. des 7. Kürassier-Regts. — Haupterwerbszweige der Stadt sind Ackerbau und Gärtnerei, deren prachtvolle Blumenfelder schon weit vor der Stadt von der Eisenbahn aus sichtbar sind. Besuch einer der Gärtnereien sehr empfehlenswert; z. B. der *Gebr. Dippe*, welche etwa 8500 Morgen Land in der Umgebung bebauen und dabei 160 Gärtner, 16—1800 Arbeiter und eine Menge Handwerker beschäftigen.

Der **Kleers** (Wiese des Klerus), eine von Linden eingefaßte große Wiese, Spiel- und Tummelplatz der Jugend, auf welcher noch das alte Kleersschießen der Schützengilde abgehalten wird (im Juli).

Spaziergänge: Brühl, ein herrliches Lusthölzchen mit Klopstocks und Ritters Denkmälern und zahlreichen Tischen und Bänken für Familien, auch mit zwei *Gartenrestaurants* (Sanssouci). — An dem 227 m hohen Berg »*Altenburg*« Spaziergänge und ein Kaffeehaus. — Das (1 St.) *Steinholz* (mit Restauration).

Eisenbahn von Quedlinburg 5mal in 20 Min. nach (7 km) **Suderode** (S. 219) für 60, 40, 30 Pf. und weiter nach (9 km) Gernrode und (16 km) **Ballenstedt**, bez. (19 km) **Mägdesprung.**

Für die Weiterfahrt nach *Thale* suche man Platz l. zu bekommen. R. ein Teil der *Teufelsmauer* (S. 76) mit eigentümlichen Felsbildungen. Fußgänger steigen wohl zuweilen in

(225 km) **Neinstedt** (*Bahnrestaurant; Landhaus; Post*) aus, um von hier aus Suderode, Lauenburg, Georgshöhe (R. 37) zu besuchen und nach Thale den Rückweg zu nehmen. Neinstedt war Wohnort von Philipp v. Nathusius (gest. 1872), der dort auf dem Lindenhof (wo der Dichter Tiedge Hauslehrer war) eine Rettungsanstalt und eine segensreiche Anstalt für Blödsinnige (Elisabethstift) gründete und das »Volksblatt für Stadt und Land« redigierte. — Schöne Aussicht vom *Osterberg* (auf dem zwei Linden stehen) und noch besser vom Kirchhof.

Von Neinstedt nach *Suderode*, 1 St.; zuerst Chaussee südwärts nach (1/2 St.) Stecklenberg, dann ostwärts über *Reißaus*, einzelne, besuchte Gastwirtschaft, 10 Min. von Suderode (S. 213). — Die *Lauenburg* (S. 215) liegt nur 1/4 St. südl. von Stecklenberg. — Die *Georgshöhe* (S. 216) erreicht man von Neinstedt aus südl. auf Feldwegen in 1 St.

(229 km) **Thale** (175 m), Endpunkt der Eisenbahn; s. S. 58.

II. Eintrittsroute: Von Berlin über Magdeburg, Börssum nach Harzburg, Goslar und Seesen.

Eisenbahn von Berlin bis (214 km) *Harzburg* in 5 und 7 St. Schnellzug: I. 24,40, II. 16,10, III. 12,00 M.; — nach (249 km) *Goslar* in 5 1/4 u. 7 1/2 St. Preis: 50, 40, 30 Pf. mehr; — nach (264 km) *Seesen* in 4 3/4 und 7 1/4 St. für I. 27,40, II. 18,30, III. 13,70 M. (Schnellzug). **Sommerbillets, Saisonbillets** und **Retourbillets** s. im Kursbuch. — **Abfahrt** vom Potsdamer Bahnhof oder den Stadtbahnhöfen. — ☞ Die Linie bildet den direkten Verkehr zwischen *Berlin* und *Harzburg — Goslar — Seesen.*

Diese Linie führt wie Eintr.-Route I. über *Potsdam, Brandenburg* nach (142 km) *Magdeburg;* dann über (172 km) *Eilsleben,* tritt in *Schöningen* auf braunschweigisches Gebiet, erreicht den Bahnknotenpunkt (200 km) *Jerxheim* und über *Mattierzoll*

(223 km) Stat. **Börssum** (S. 51). ☞ Wagenwechsel nach *Harzburg* und *Goslar*. — Folgen die Stationen *Schladen* und

(237 km) **Vienenburg** (145 m; *Bahnrestaurant*). Hier nochmalige Bahnabzweigung l. nach

(244 km) Stat. **Harzburg** (R. 12), r. über Stat. *Oker* (S. 122) nach (249 km) **Goslar** (R. 15).

Die Hauptbahn führt von *Börssum* nach

(239 km) **Salzgitter** *(Zum Rathaus)*, industrieller Flecken mit 1700 Einw.; preußisch-braunschweigische bedeutende Saline *Liebenhall* (Steinsalzlager, 229 m tief). — Stat. *Ringelheim*, Dorf, ehemals Benediktinerabtei (jetzt Schloß), Kreuzung mit der Bahn Goslar — Nordstemmen (S. 49). — Stat. *Lutter am Barenberg*, Dorf mit 1800 Einw., berühmt durch den entscheidenden Sieg, welchen Tilly 27. Aug. 1626 hier über den Dänenkönig Christian IV. errang. Von diesem Kampf ist der Sage nach auf dem weiterhin l. gelegenen *Rotfeld* noch heute die Erde rötlich. — Stat. *Neuekrug*.

(264 km) Stat. **Seesen** (209 m), braunschweigisches Städtchen mit 4200 Einwohnern.

Gasthöfe: *Kronprinz* mit Garten, T. d'h. 1 Uhr, 1,75 M. — *Bahnhofshotel.* — *Krone.* — *Der Grüne Jäger* (s. unten). — *Wilhelmsbad* mit Garten und Bädern. — **Harzklub**, Zweigverein Seesen; Auskunft bei Kaufmann *Flebbe* (weist auch Sommerwohnungen nach).

Seesen, alter, 979 als »villa Seuson«, später als »castrum Sehusaburg« (das jetzige Amtsgericht ist aus der Burg entstanden) erwähnter Ort, welcher von Heinrich dem Einäugigen 1453 Stadtgerechtsame erhielt. Oft durch Brände zerstört, ist die Stadt sehr regelmäßig gebaut. Unter den Häusern bemerkenswert die *Jacobson-Schule*, von Israel Jacobson gestiftet 1801, jetzt eine Realschule zweiter Ordnung mit großem Internat (150 Alumnen), und die *Jacobsonsche Waisenhausstiftung*, von M. Jacobson (dem Sohn des Erstgenannten) 1852 gestiftet.

Israel Jacobson lebte anfangs am Hof zu Braunschweig und dann an dem des Königs von Westfalen in Kassel, dem er viele Staatsgüter im Halberstädtischen abkaufte.

Seesen ist die Heimat der Familie *Steinway* (Steinweg), der bekannten Klavierfabrikanten. — Die Bewohner treiben Handwerk und Ackerbau, mehrere große Zigarrenfabriken (meist Bremer Häuser). — Seesen eignet sich durch seine Lage am Fuß des Gebirges sowie als Eisenbahnknotenpunkt zum Eingangspunkt in den westlichen Oberharz und zum Standquartier, von wo aus sich eine große Zahl lohnender Tagestouren machen lassen. — 1 ½ km vor der Stadt liegt der »*Grüne Jäger*«, ein Gasthaus mit Logierhaus in schönster Lage am Waldesrand und am Fuß des Harzes, wo Sommerfrischler Aufnahme finden (Pens. 3,50—4,50 M.).

Spaziergänge: 1) Nach dem »*Grünen Jäger*« (s. oben) und im *Schildautbale* aufwärts zur **Köthe** (4½ km), ein Borkenhaus auf der braunschweigisch-hannöverschen Grenze, einfache Erfrischungen, sehr empfehlenswerter Weg. Promenadenwege am Wasser. Oberhalb der Köthe liegen die Reste des Schlosses *Schildberg*, das von Heinrich dem Löwen zerstört wurde (der Sage nach wurde es erst überwältigt, als Bergleute aus Goslar den Brunnen der Burg abgegraben hatten). — Von hier über den kahlen Gipfel der *Eickmuhl* (427 m) zurück (1 St.) schöner Blick ins Thal und nach den Bergzügen an der Weser und Leine. — 2) Nach dem (1 St. westl.) **Wohlensteine**, einer in der Hildesheimer Stiftsfehde zerstörten Burg oberhalb des Dorfes *Bilderlahe;* schöner Buchenwald, vom Waldesrande schönes Panorama des Harzes.

Touristen, die sich für Geognosie interessieren, mögen die Erdfälle im Muschelkalk beachten, welche Seesen im Halbkreise umziehen. Es empfiehlt sich ein Gang nach dem **Bulk** (1/4 St.), wo 15–30 m tiefe, trockne Erdfälle liegen; mit Wasser gefüllte im Südwesten der Stadt.

Weitere Ausflüge (die Touristenwege sind durch den Harzklub bezeichnet): 1) Nordwärts nach dem (2 1/4 St.) *Sangenberge*, mit sehr schönem Blick auf den Harz und das Flachland; von da nach *Langelsheim* (1 St.) oder *Neukrug* (1 St.), zurück mit der Bahn. — 2) Nach (2 St.) *Lautenthal* (S. 144); entweder der Straße oder den bezeichneten Fußwegen folgend. Abstecher nach dem *Bromberg* (1/2 St.). — 3) Über die Berge nach (3 1/2 St.) *Grund* (S. 153). — 4) Mit der Landeseisenbahn nach dem **Wohldenberge** *(Gasthaus)*, Reste eines Sitzes der Wohldenberger Grafen, über das *Jägerhaus* (Forsthaus, Einkehr) und die *Bodensteiner Klippen* (Sandstein) nach *Lutter a. B.* (S. 46).

Braunschweigische Landesbahn von Seesen über *Derneburg* (S. 49) nach (75 km) *Braunschweig* in 3 1/2 St. für I. 6,00, II. 4,50, III. 3,00 M.; gewährt auch Verbindung nach Hildesheim.

32 km **Zweigbahn:** Von *Seesen* in 1 St. über die Stationen *Gittelde-Grund* (S. 153), **Osterode** (S. 157) nach **Herzberg** (S. 173), an der Linie *Northeim-Nordhausen* (Eintr.-Route IX).

34 km **Verbindungsbahn** von *Seesen* über *Neuekrug, Langelsheim* nach **Goslar** und **Vienenburg** in 1 1/2 St.

III. Eintrittsroute: Von Berlin über Köthen und Aschersleben nach Ballenstedt, Thale, Halberstadt.

Eisenbahn von *Berlin* nach *Aschersleben* (196 km) in 4 5/6 und 5 1/2 St. für I. 16,70, II. 13,10, III. 9,40 M.; — nach *Ballenstedt* (218 km) in 5 1/2 und 6 1/2 St. für I. 18,30, II. 14,30, III. 10,20 M.; — nach *Thale* (242 km) in 7 und 7 1/2 St. für I. 19,10, II. 14,30, III. 9,60 M.; — nach *Halberstadt*, 6 1/2 St.; — nach *Blankenburg* (217 km) in 6 St.; — nach *Wernigerode* in 6 1/2 St. — **Retourbillets** etc. siehe im Kursbuch.

Abfahrt vom Anhaltischen Bahnhof.

Vom *Anhaltischen Bahnhof* in Berlin über *Jüterbogk* nach

(95 km) **Wittenberg** (72 m) an der Elbe, 14,000 Einw., berühmt durch Martin Luthers reformatorische Thätigkeit; Schloßkirche, Stadtkirche, Luthers und Melanchthons Standbilder auf dem Markt, Rathaus. Garnison des Inf.-Regts. Nr. 20 und 1 Abt. Feld-Artillerie Nr. 3. — Über Koswig, Kliecken, Roßlau (Elbüberbrückung) nach

(132 km) **Dessau** (61 m), Haupt- und Residenzstadt des Herzogtums Anhalt, 27,570 Einw., 1 Bat. Infanterie Nr. 93. — Folgen *Mosigkau* und *Elsnigk*, dann (153 km) **Köthen** (80 m), ehemals Residenz,

17,469 Einw. – Über *Biendorf* nach (173 km) *Bernburg* an der Saale, *Güsten, Giersleben* nach

(197 km) Stat. **Aschersleben** (113 m), wo die Linie in die Bahn Halle-Vienenburg einmündet. Auf dieser nach *Thale, Blankenburg, Wernigerode, Vienenburg* etc., vgl. Eintr.-Route IV.

IV. Eintrittsroute: Von Leipzig über Halle und Aschersleben nach Ballenstedt, Thale, Halberstadt, Blankenburg, Wernigerode, Vienenburg und Goslar.

Eisenbahn von Leipzig bis *Ballenstedt* (111 km) 3mal in 3–4 St. für I. 9,00, II. 6,80, III. 4,50 M.; – bis *Thale* (136 km) 4mal in $4^1/_6$–$5^1/_4$ St. für I. 10,90, II. 8,20, III. 5,50 M.; — bis *Halberstadt* (90 km) 6mal in 3–4 St. für I. 9,80, II. 7,40, III. 4,90 M.; — bis *Blankenburg* 4mal in 4–5 St.; — bis *Wernigerode* (147 km) 3mal in 4–$5^1/_4$ St. für I. 11,70, II. 8,80, III. 5,90 M.; — bis *Goslar* (173 km) 4mal in $4^1/_4$–6 St. — **Sommerbillets** und **Rundreisebillets** s. im Kursbuch. – **Abfahrt** v. Magdeburger Bahnhof.

Von *Leipzig* nach (33 km) **Halle**; dann an der Saale abwärts über Stat. *Trotha*, am Götschenbach entlang nach Stationen *Wallwitz* (r. der Petersberg), *Nauendorf, Könnern*. Nun über die Saale, Stationen *Belleben, Sandersleben;* an der Wipper abwärts nach

(90 km) **Aschersleben** (113 m; *Stadt Leipzig*, am Bahnhof; *Deutsches Haus*), alter preußischer Stadt mit 22,000 Einw., einst Hauptort der Grafschaft Askanien. Zweigverein des Harzklubs, Auskunft bei Herrn Buchhändler *L. Schnock*. – Hier mündet r. die Bahn von Köthen (Berlin, Eintr.-R. III) ein.

(97 km) Stat. **Frose** *(Bahnrestaur.)*; ☞ Wagenwechsel für die Zweigbahn (14 km) nach **Ballenstedt** (R. 35). – L. erscheinen die Harzberge. Weiter über *Gatersleben* nach

(115 km) **Wegeleben** *(Bahnrestaur.)*; ☞ Wagenwechsel für die Zweigbahn (21 km) nach **Thale** (Eintr.-Route 1). — Nach

(122 km) **Halberstadt** (S. 39; *Bahnrestaur.*); ☞ Wagenwechsel für die Zweigbahn (19 km) nach **Blankenburg** (R. 4).

☞ Blankenburg ist der bequemste Anfangspunkt für diejenigen, welche den ganzen Harz bereisen, westwärts sich wenden und mit der Roßtrappe und dem Bodethal schließen wollen.

(137 km) Stat. **Heudeber** *(Bahnrestaur.)*; ☞ Wagenwechsel für die Zweigbahn (9 km) über **Wernigerode** (R. 10; in 24 Min.) nach **Ilsenburg** (R. 11; in 1 St.). – Über *Wasserleben*, l. sieht man Wernigerode, dann den Brocken und den ganzen Nordabhang des Harzes.

(159 km) Stat. **Vienenburg** (S. 46), Knotenpunkt mit der Linie Braunschweig — Harzburg (Eintr.-R. VI). ☞ Wagenwechsel dahin. — Dann über (136 km) *Oker* (S. 122) nach

(173 km) Stat. **Goslar** (S. 128), wo r. die Bahn von Hildesheim (Eintr.-R. V) mündet, während sich unsre Linie über (179 km) *Langelsheim* (S. 144) nach (196 km) **Seesen** (S. 46) fortsetzt.

V. Eintrittsroute: Von (Bremen) Hannover und aus Westfalen über Nordstemmen und Hildesheim nach Goslar (Vienenburg, Harzburg etc.).

Eisenbahn von *Hannover* nach (92 km) *Goslar* in 3 St. für I. 7,36, II. 5,52, III. 3,68 M.; — (113 km) *Harzburg* in 3¾ St. für I. 9,04, II. 6,78, III. 4,52 M.

Sommerbillets s. im Kursbuch. Die Bahn bildet die Zugangsroute aus Westfalen (über Löhne — Nordstemmen) und dem nordwestlichen Hannover nach dem Harz.

Die Bahn geht von *Hannover* im Leinethal aufwärts, vorbei an den kleinen Stationen *Wülfen, Rethen, Sarstedt, Barnten* nach

(26,4 km) Stat. **Nordstemmen,** Bahnknotenpunkt, wo r. die Bahn aus Westfalen (Löhne — Hameln) mündet. Event. Wagenwechsel! R. (westl.) drüben auf dem Schulenburger Berg die im mittelalterlichen Stil erbaute schöne **Marienburg*, Eigentum der verwitweten Königin Marie aus dem Haus Hannover. — Weiter über *Emmerke* nach

(37 km) Stat. **Hildesheim** (89 m; *Hôtel d'Angleterre; Hildesheimer Hof*, neu; *Wiener Hof;* Restauration *Domherrenschenke; Union* [alte gotische Kirche]) mit 29,386 Einw., das norddeutsche Nürnberg, ist die hervorragendste Vertreterin deutscher Holzbaukunst (*Knochenhauer-Amtshaus, Wedekindsches Haus an der Judenstraße, Kaiserhaus etc.) und als Bischofsitz reich an schönen Kirchen: *Dom mit Kunstwerken des Bischofs Bernward (993—1022), vielen Kunstschätzen und dem 1000jährigen Rosenstock; *Godehardikirche (1133 bis 1171); *Michaeliskirche (einzige romanische Klosterbasilika in Deutschland, welche noch eine gerade, bemalte Holzdecke hat). Museum, Abguß des berühmten *Hildesheimer Silberfundes. — Hildesheim verdient eine Unterbrechung der Reise.

Über *Düngen* nach (57 km) Stat. *Derneburg* (Schloß des Grafen Münster, deutschen Gesandten in Paris), Kreuzung mit der Bahn Braunschweig — Seesen (S. 47), *Baddekenstedt* nach

(73 km) *Ringelheim* (S. 46), Kreuzung mit der Bahn Braunschweig — Kreiensen, und *Othfresen* nach (87 km) **Grauhof,** Domäne, ehemaliges Augustiner-Mönchskloster, mit 170 Einw. und

katholischer Pfarrkirche; in der Nähe quillt der weitverbreitete »Harzer Sauerbrunnen«. – Dann folgt (92 km) **Goslar** (R. 15).

Die Fortsetzung der Bahn nach (105 km) **Vienenburg** (S. 46), Wagenwechsel nach (7 km) **Harzburg** (R. 12), und nach *Wernigerode, Halberstadt, Blankenburg, Thale;* vgl. Eintr.-Route IV.

VI. Eintrittsroute: Von Hannover, Bremen oder Hamburg über Braunschweig nach Harzburg.

Eisenbahn: Von **Hannover** nach (104 km) *Harzburg* in $2^1/_2$–$3^1/_2$ St. für I. 8,60, II. 6,50, III. 4,30 M.; — nach *Wernigerode* $3^3/_4$ und $4^3/_4$ St. für I. 10,60, II. 8,10, III. 5,30 M.; — nach *Blankenburg* 4 und 5 St.; — nach *Thale* $4^1/_4$–$5^1/_2$ St. für I. 13,25, II. 10,10, III. 6,70 M.

Von **Braunschweig** $1^1/_4$–$1^1/_2$ St. kürzere Fahrt und I. 5,00, II. 3,80, III. 2,30 M. weniger als von Hannover.

Von **Hamburg** (Venlooer Bahnhof) nach *Harzburg* in 5 und $7^1/_2$ St. für I. 21,50, II. 15,90, III. 11,10 M.; — nach *Wernigerode* in $6^1/_2$ und 9 St. für I. 23,80, II. 17,70, III. 12,30 M.

Von **Bremen** nach *Harzburg* in $5^1/_2$ u. 7 St. für I. 19,60, II. 14,50, III. 10,10 M.; — nach *Wernigerode* in 7 u. $8^1/_2$ St. für I. 21,90, II. 16,30, III. 11,30 M.

Rundreisebillets und Retourbillets s. im Kursbuch.

Die Züge von *Hamburg* und die von *Bremen-Hannover* vereinigen sich in *Lehrte* und fahren über *Peine* nach

Braunschweig (74 m; *Bahnrestaur.*), Hauptstadt des gleichnamigen Herzogtums mit 95,000 Einwohnern.

Gasthöfe. I. Ranges: *Schraders Hotel.* — *Deutsches Haus.* — *Kaiserhof*, am Bahnhof, neu. — *Blauer Engel* (gelobt), Kaufleute, Reisende. — *Hôtel de Prusse*, auf dem Damm. — II. Ranges: *Hotel St. Petersburg*, am Kohlmarkt. — *Frühlings Stadt Bremen*, nahe dem Bahnhof, billig.

Sehenswürdigkeiten: Das herzogliche Residenzschloß, ein Prachtbau nach dem Plan Ottmers, mit einer »Brunonia« geziert. — Das Neue Theater; — das Museum mit Bildergalerie; — das städtische Museum im Neustadt-Rathaus; — das Altstadt-Rathaus; — das Gewandhaus und andre mittelalterliche Bauten; — die wiederhergestellte (d. h. neuerbaute) Burg Dankwarderode; — der Heinrichsbrunnen am Hagenmarkt; — der Dom; — die Martini- und Brüderkirche; — der eherne Löwe; — die Denkmäler Lessings, der Herzöge Friedrich Wilhelm und Karl Wilhelm Ferdinand (S. 127), Schills, Gauß'; — das neue Polytechnikum etc. — Garnison: 1. und 3. Bat. Braunschw. Inf.-Reg. 92, 17. Hus.-Reg., Stab der 40. Inf.-Brigade.

Eisenbahn von Braunschweig in $1^1/_2$ St. nach (45 km) *Harzburg*, I. 3,60, II. 2,70, III. 1,80 M.; — (75 km) *Seesen* in $3^1/_2$ St. für I. 6,00, II. 4,50, III. 3,00 M.; — (50 km) *Goslar* in $1^1/_2$–$1^3/_4$ St. für I. 4,10, II. 3,10, III. 2,10 M.

(12 km) Stat. **Wolfenbüttel** (*Erbprinz; Löwe; Knusts Hotel*, billig und gut), braunschweigische Stadt mit 13,453 Einw. An der herzoglichen Bibliothek (geöffnet an Wochentagen von 10–12 Uhr vorm. und 2–4 Uhr nachm.) war Lessing 1770–81 Bibliothekar. —

Über *Hedwigsburg*, (24 km) *Börssum* (S. 46; Kreuzung mit der Bahn Magdeburg — Seesen), *Schladen* nach

(37 km) **Vienenburg** (S. 46). ☞ Abzweigung r. nach (50 km) *Goslar* (S. 128), l. nach *Halberstadt* (Eintr.-R. IV). — Die Bahn hat nun 100 m Steigung bis

(45 km) **Harzburg** (S. 114). Endpunkt der Bahn.

VII. Eintrittsroute: Von (Frankfurt a. M.) Kassel nach Nordhausen oder über Kreiensen nach dem Nordharz.

120 km **Eisenbahn** von *Kassel* nach *Nordhausen* 4mal in 2½–4 St. für I. 10,90, II. 8,10, III. 5,70 M. — Reisende nach dem Nordharz gehen über *Göttingen*, *Kreiensen* und *Seesen* (S. 46) nach *Goslar*, *Vienenburg* etc. wie Eintr.-R. IV.

Kassel (135 m), Hauptstadt der preußischen Provinz Hessen-Nassau mit 64,083 Einw., an der Fulda, in schöner Gegend. — **Bellevuestraße*, **Karlsaue* mit Orangerie, **Marmorbad*. *Museum*. **Bildergalerie* (Niederländer). Theater. Maschinenfabriken.

Gasthöfe: *Hôtel du Nord*, hohe Preise. — *Hôtel Royal*, mit besuchtem Restaurant; beide am Bahnhof. — *Kasseler Hof*. — *Prinz Friedrich Wilhelm*, mit Gartenrestaurant. — *Deutscher Kaiser*, Bahnhofstr. — *König von Preußen* und *Schirmers Hotel*, beide am Königsplatz. — *Ritter*, in der Mittelgasse, II. Ranges, für Touristen; Omnibus am Bahnhof. — *Stücks Hotel*. — *Hotel Golze*, Obere Gasse, ebenso. — *Hahns Hotel*, III. Ranges, bürgerlich, billig.

Restaurationen: *Bahnhofsrestauration*. — *Stadtpark* (Konzerte). — *Palais-Restaurant*. — *Wiener Café*. — *Hohenzollern-Restaurant*. — *Schaubs Garten*. — *Café Wulp*, Bier.

¾ St. von Kassel liegt ***Wilhelmshöhe** (*Hotel Schombardt*; *Restaurant und Pens. Wilhelmshöhe*, für Durchreisende), großartigster Waldpark Norddeutschlands, Wasserwerke (spielen im Sommer Sonntag 3 und Mittw. 3½ Uhr nachm.); Bahn und Dampf-Tramway in ½ St. dahin.

Eisenbahn. Die Bahn überschreitet die Fulda und erreicht

(24 km) **Hannöversch-Münden** (120 m), am Zusammenfluß der Fulda und Werra reizend gelegene Stadt mit 7053 Einw. — Altertümliche Bauwerke: Kirche *St. Blasii*, Rathaus, altes Schloß der Herzöge von Grubenhagen. — *Forstakademie*.

Gasthöfe: *Hessischer Hof*. — *Goldener Löwe*. — **Restaurationen:** *Andrees* Berggarten (auch Pension), ¼ St. vor der Stadt; T. d'h. 1 Uhr, 2 M.

Die **Eisenbahn Kassel - Hannover** (für Reisende nach dem Nordharz) führt von *Münden* über Stat. *Dransfeld* (Braunkohlen u. Basaltbrüche) nach

(58 km) **Göttingen** (*Gebhards Hotel*, nahe am Bahnhof; *Krone*, in der Stadt), bekannte Universitätsstadt mit 21,561 Einw.

Folgen Stat. *Bovenden*, r. Ruine *Plesse*, und *Nörten*, zwischen beiden Ruine *Hardenberg*.

(78 km) Stat. **Northeim** (*Sonne*), alte Stadt mit 6052 Einw. Abzweigung nach (r.) Nordhausen und (l.) Ottbergen. — Nun über *Salzderhelden* nach

4*

(97 km) Stat. **Kreiensen** (gutes *Bahnrestaurant*), Bahnknotenpunkt. Hier gabelt die Bahn l. nach (164 km) *Hannover* (Eintr.-Route IX), r. über *Seesen* nach *Goslar, Vienenburg, Harzburg* etc. (Eintr.-Route II u. IV).

Eisenbahn nach Nordhausen. (32 km) Stat. *Hedemünden*, dem Lauf der Werra folgend, über das Eichsfeld. — Stat. *Witzenhausen*, Obstgegend. Für einige Augenblicke r. sichtbar die Ruine *Hanstein* mit drei Türmen. — Folgt

(47 km) Stat. **Eichenberg;** hier kreuzt die Bahn *Göttingen-Bebra*, beste Eintrittsroute für Reisende von Bebra-Fulda her. — Dann Stat. *Ahrenshausen.* Vor der nächsten Station l. Ruine »Alte Burg«. — Stat. *Heiligenstadt*, alte berühmte Stadt des Eichsfeldes

(78 km) Stat. **Leinefelde,** wo r. die Verbindungsbahnen *Gotha-Leinefelde* und *Leinefelde-Niederhohne* einmünden. — Über Stationen *Gernrode, Sollstedt, Bleicherode, Wolkramshausen*, wo die Bahn *Nordhausen-Erfurt* (Eintr.-Route X) einmündet, nach

(120 km) **Nordhausen** (S. 189).

Wer den **Kyffhäuser** besuchen will, fährt weiter über Stat. *Heringen* nach Stat. *Berga* oder nach Stat. *Roßla* (S. 194).

VIII. Eintrittsroute: Von Halle nach Nordhausen.

97 km **Eisenbahn** von *Halle* nach *Nordhausen* in 2–3 St. für I. 7,90, II. 5,90, III. 4,00 M.; Schnellzug I. 8,90, II. 6,60, III. 4,60 M.

Von *Halle a. d. Saale* zweigt die Nordhäuser Eisenbahn erst in südlicher Richtung ab, wendet dann aber in großer Kurve gegen Westen. — Stat. *Teutschenthal*. — Stat. *Ober-Röblingen* am *Salzigen See*, das einzige salzige Binnengewässer Preußens, nur durch eine Reihe niederer Sandhügel vom sogen. *Süßen See* getrennt.

(38 km) Stat. **Eisleben** (124 m), Hauptstadt des Mansfelder Seekreises mit 23,175 Einwohnern.

Gasthöfe: *Goldner Ring*, gut. — *Goldnes Schiff*. — *Kaiserhof*. — *Goldner Löwe*. — *Goldner Anker*. — *Tanne*. — *Graf Hoyer*, am Bahnhof.

Restaurationen: *Mansfelder Hof*, mit Garten. — *Stadtgraben*, Lusthölzchen mit Aussicht auf die Stadt.

Post: Nach (10 km) Bahnhof *Mansfeld* in $1^1/_2$ St. und $^1/_2$ St. weiter nach (16 km) Stadt *Mansfeld* in 3 St. morg. und nachm.

Eisleben kommt urkundlich schon 899 vor, gehörte bis 1038 den Pfalzgrafen v. Sachsen und kam wahrscheinlich durch Verheiratung der pfalzgräflichen Erbtochter Christina an die Grafen v. Mansfeld; später war es Residenz einer Linie der Mansfelder Grafen und gehört seit 1815 zu Preußen. Das alte Residenzschloß, von dem am »Schloßgarten« noch ein Turm und einige Mauerreste sowie darunterliegende Keller vorhanden sind, wurde im 11. Jahrh. von den Grafen von Mansfeld, althoyerschen Stammes, deren Helmzier (die beiden Schwanenflügel) die Stadt noch heute im Wappen führt, erbaut.

Darin residierte 1082 der »Knoblauchskönig« Hermann von Luxemburg, Gegenkönig Heinrichs IV. An der alten Aufgangstreppe zum Rathaus sowie an der östlichen Seite der Andreaskirche befindet sich als Wahrzeichen der Stadt ein gekrönter Kopf, der diesen sogen. Knoblauchskönig vorstellt. Die Gegner dieses Königs gaben ihm diesen Spottnamen, da er zu Eisleben 1082 von der Fürstenversammlung gewählt war, weil um Eisleben viel Knoblauch gebaut wurde; der Mittwoch nach Pfingsten, wo später ihm zu Ehren ein Fest gefeiert wurde, hieß »Knoblauchs-Mittwoch«. 1601 brannte das Schloß bis auf geringe Reste ab, welche bis auf den Turm dem Neubau des Königl. Gymnasiums (S. 54) haben Platz machen müssen.

Erinnerungen an Luther. Eisleben ist Geburts- (10. Nov. 1483) und Sterbestadt (18. Febr. 1546) des Reformators Dr. Martin Luther. Gleich am Eingang der Dr. Luther-Straße, auf der linken Seite, befindet sich das altertümliche zweistöckige **Geburtshaus Luthers**, kenntlich an dem über der Hausthür befindlichen Relief, dem Brustbild des Reformators. Nur das untere Stockwerk ist alt, das obere brannte 1689 ab und wurde später erneuert. (Der Kastellan des naheliegenden Seminars führt im Lutherhaus umher.) L. vom Eingang befindet sich die *Geburtsstube Luthers* mit mehreren Ölgemälden und zwei Büsten Luthers. Unter erstern der sogen. »Unverbrannte Luther«, welches Bild bei dem erwähnten Brand unversehrt blieb. — Im obern Stockwerk zwei Säle mit Gemälden aus dem 16. und 17. Jahrh. und verschiedenen Altertümern aus der Reformationszeit: Luthers ovaler Tisch mit dem Schwan als Schreib- und Lesepult; eine Kopie seiner Verlobungsringe, von kunstvoller Arbeit; drei eigenhändige Briefe von ihm, einer von Melanchthon, vier Original-Ablaßbriefe aus Rom, aus den Jahren 1497 und 1516; zwei vorlutherische Bibelübersetzungen mit Holzschnitten sowie die erste Ausgabe des Lutherschen Neuen Testaments, Wittenberg 1522. Ferner ein Gemälde, Eisleben vor dem großen Brande darstellend; eine Münzsammlung mit einem Silberling.

Hinter dem Geburtshaus Luthers die *»Lutherschule«*, 1817 von König Friedrich Wilhelm III. für die Armenschule erbaut.

In der Nähe die **Petri- und Paulkirche** von 1489, an deren Stelle vorher die Kapelle stand, in welcher Luther getauft wurde; der Taufstein (im Dreißigjährigen Krieg beschädigt) wird noch gebraucht, an demselben die Inschrift: »Rudera Baptisterii, in quo tinctus est beatus Martinus Luther anno 1483, 10. Nov.« Vorhanden sind ferner: drei Bilder Luthers, auch die seiner Eltern; die von Melanchthon bezeugte Ähnlichkeit zwischen Luther und seiner Mutter ist sofort in die Augen fallend.

Auf der Hallischen Straße, über den »Plan« bis zur Mohrenapotheke, l. auf den *Marktplatz*, wo das am 400jährigen Geburtstag Luthers (10. Nov. 1883) enthüllte schöne ***Lutherdenkmal** von Siemering sich erhebt, den Reformator darstellend, wie er die Bannbulle ins Feuer wirft. Am Sockel vier Reliefs: 1) Allegorie der siegreichen Reformation; 2) Disputation mit Eck; 3) Auf der Wartburg; 4) Luther in der Familie. Am Markt auch **Luthers Sterbehaus**; eine Treppe hoch das Sterbezimmer, wo er in Gegenwart des Dr. Justus Jonas, des Grafen Albrecht VII. von Mansfeld und seiner Gemahlin Anna, gebornen Gräfin von Hohnstein, seinen Geist aufgab. Jetzt sind in diesem Haus einige Klassen der Mädchenschule und ein Altertumskabinett, auch die Wohnung des Kustos der Andreaskirche. Das mit einer Gedenktafel versehene Haus ist Eigentum des Staats.

Luthers Sterbehaus gegenüber, jenseit des Kirchplatzes, liegt das neu umgebaute *alte Gymnasium* (jetzt Städtisch. Realprogymnasium), von Luther kurz vor seinem Tod gestiftet. Einer der berühmtesten Schüler dieser Anstalt war der Dichter v. Hardenberg, unter dem Schriftstellernamen *Novalis* bekannt. Das Königl. Gymnasium befindet sich jetzt in dem stilvollen gotischen Bau des *neuen Gymnasiums* am Schloßplatz (an Stelle des alten Schlosses). — In der Nähe des alten Gymnasiums die *Markt-* oder *Andreaskirche,* die größte der Stadt, in der zweiten Hälfte des 14. Jahrh. im gotischen Stil erbaut, doch zeigt der westliche Teil romanische Spuren; 1877 restauriert.

Der große Altar mit kunstvollen Holzschnitzereien (die Darstellung Mariä wiedergebend) ist 1483 gefertigt. Vor ihm stand Luthers Leiche bis zur Abführung nach Wittenberg. Seit der Reformationsjubelfeier von 1817 standen zu beiden Seiten desselben (jetzt unter dem Orgelchor) die Bronzebüsten von Luther und Melanchthon, ein Geschenk König Friedrich Wilhelms III. von Preußen. — Die größte historische Merkwürdigkeit der Kirche ist die restaurierte *Lutherkanzel,* auf welcher der Glaubenskämpfer seine vier letzten Predigten hielt, die letzte am Tag Matthäi, 14. Febr. 1546. Der rotsamtene Umhang mit kunstvoller Goldstickerei ist ein Geschenk einer Gräfin von Mansfeld. — Brustbild des frommen *Johann Arnd* (S. 214), der 1609—11 an dieser Kirche Pastor war und in dieser Zeit sein »Wahres Christentum« schrieb. — Sehenswert sind auch die Epitaphien mehrerer Grafen von Mansfeld.

Aus der Andreaskirche wieder auf die Hauptstraße und in die *Neustadt,* die Bergmannsvorstadt Eislebens. Am Eingang in dieselbe, neben einem Brunnen, der »Bruder Martin«, Figur eines knieenden Bergmanns. Dieses Denkmal soll sich auf einen Bergmann, der die Wasserleitung der Neustadt regulierte, beziehen; andre meinen, es sei einem der beiden angeblich ersten Begründer des mansfeldischen Bergbaues (Neike und Nappian) gewidmet.

In der Neustadt die **Annenkirche** mit ehemaligen Klostergebäuden; Grabmäler der Mansfelder Grafenfamilie; ebenso in der **Nikolaikirche** (nördlicher Stadtteil) wertvolle Altarbilder und ein kleiner Klappaltar aus der Zeit, wo diese Kirche dem heil. Godehard gewidmet war.

Ecke des Klosterplatzes und der Klosterkirche das aufgehobene Nonnenkloster »Zur ewigen Anbetung des allerheiligsten Herzens Jesu«. 1346 wurde das Nonnenkloster *Helfta* an diese Stelle verlegt und blieb hier bis nach der Reformation (1548) bestehen. Am Klosterplatz ein Kirchhof mit Hallen, unterirdischen Grabgewölben, die sogen. Kronenkirche (sehenswerte Deckengemälde über der Gruft der Patrizierfamilie Bucher).

Ausflüge nach *Mansfeld* und ins Wipperthal nach *Wippra* (R. 36).

Eisleben ist Geburtsort des Erfinders der Buchdruckschnellpresse, *F. G. König* (geb. 1775, Geburtshaus in der Lindenstraße, Denkmal in Vorbereitung), und des Rechtsgelehrten *R. Gneist* (1816). — Ferner ist Eisleben Sitz der Direktion der *Mansfeldischen kupferschieferbauenden Gewerkschaft,* welche bei mustergültiger Verwaltung zu den bedeutendsten Unternehmungen der deutschen Montan-Industrie gehört. Dieselbe beschäftigt in ihren Berg- und Hüttenwerken 18,656 Beamte und Arbeiter. Die Produktion betrug 1887: 13,223 Tonnen Kupfer (= 13,223,000 kg), 75,204 kg Feinsilber, 16,313,826 kg Schwefelsäure. — Die Besichtigung der *Schächte* und *Hütten,* z. B. der nahe bei Eisleben gelegenen ausgedehnten

Krughütte, ist gestattet, und es werden die hierzu erforderlichen Fahrscheine von der Direktion im Bergamt (der Andreaskirche gegenüber) erteilt; ausgenommen hiervon ist die Entsilberungsanstalt auf Gottesbelohnungshütte bei Hettstedt. Die Werke sind elektrisch beleuchtet, man erblickt, abends vorbeifahrend, die weithin leuchtenden Lampen nördl. von der Bahn.

Eisenbahn. Jenseit Eisleben in starker Steigung über (46 km) Stat. *Blankenheim*, wo r. die Bahn Berlin-Wetzlar (Eintr.-Route XI) mündet; dann durch einen Tunnel nach (53 km) Stat. *Riestedt* (mit Braunkohlenbergwerken).

(59 km) **Sangerhausen** (217 m; *Thüringer Hof*, in der Bahnhofstraße), preußische Kreisstadt mit 10,188 Einw. und der romanischen *Ulrichskirche*, in welcher die Bildnisse der schönen Adelheid und ihres Gemahls, Ludwigs des Springers, sich befinden. Post nach (34 km) *Harzgerode*, nachm. — Hier beginnt die **Goldene Aue**, eine teils in Preußen, teils im Schwarzburgischen gelegene, in einem der großen Keuperbecken Mitteldeutschlands abgelagerte ungemein fruchtbare Ackerbaugegend, die bis Nordhausen sich erstreckt. — Über Stat. *Wallhausen* nach

(76 km) Stat. **Roßla** (153 m), Pfarrdorf mit Residenzschloß der gräflich Stolberg-Roßlaschen Linie (Näheres S. 194).

Aussteigen für die **Tour** auf den **Kyffhäuser** (R. 29); für Fußgänger eine Seitentour von $^1/_2$ Tag. — **Post** (bis zur Eröffnung der Bahn Berga-Rottleberode, S. 201) 1mal nach (20 km) *Stolberg*, nachm.

(79 km) **Berga-Kelbra**, Station für das $^1/_2$ St. südl. gelegene *Kelbra* (S. 194) und Ausgangspunkt der Zweigbahn (1889 noch im Bau) nach *Rottleberode* (für *Stolberg*); vgl. S. 201. — Dann über Stat. *Heringen* nach (97 km) **Nordhausen** (S. 189); Forsetzung der Bahn nach *Kassel* s. Eintr.-Route VII, nach *Northeim-Hannover* s. Eintr.-Route IX, nach *Erfurt* s. Eintr.-Route X.

IX. Eintrittsroute: Von Hannover über Kreiensen und Northeim nach Nordhausen.

155 km **Eisenbahn** von *Hannover* nach *Nordhausen* in $4^3/_4$–$6^1/_4$ St. für (Schnellzug) I. 13,60, II. 10,10, III. 7,00 M.; (Personenzug) I. 12,70, II. 9,50, III. 6,40 M. — Verbindung von Hannover mit dem Südharz.

Von *Hannover* bis (24 km) *Nordstemmen* s. S. 49; von hier weiter über die Stationen *Elze, Banteln, Alfeld, Freden* nach (67 km) **Kreiensen** (S. 52), Bahnknotenpunkt. Kreuzung mit der Linie Berlin-Aachen. — Dann weiter über *Salzderhelden* nach

(86 km) **Northeim** (S. 51), wo die Hauptlinie über Göttingen nach Kassel abzweigt. Hier Wagenwechsel! — Unsre Bahn läuft über die Stationen *Katlenburg* (Domäne), *Hattdorf* nach

(113 km) **Herzberg** (235 m); Bahnhof 1/4 St. von der Stadt (Näheres S. 173). Hier mündet die Bahn *Herzberg-Osterode-Seesen* (S. 47).

(118 km) Stat. **Scharzfeld** (256 m), wo l. die Zweigbahn über *Lauterberg* nach *St. Andreasberg* (R. 25) abzweigt.

Über Stat. *Osterhagen* nach Stat. *Tettenborn* (ordentl. Bahnrestaur.; 3 km nördl. liegt *Sachsa*, S. 183). — Dann Stat. *Walkenried* (S. 185). — In dieser Gegend durchschneidet die Bahn die Kalksteinberge, welche von Osterode bis in die Gegend von Nordhausen dem Harz südl. ebenso charakteristisch vorliegen wie die Sandsteinfelsen (Teufelsmauer) dem Nordrand des Harzes. Kurzer Tunnel durch die Felsen, eine Höhle (S. 185). — Stat. *Ellrich* (S. 189), Stat. *Nieder-Sachswerfen* (*Post* 5mal nach [5 km] *Ilfeld*, S. 197, in 45 Min.).

(155 km) Stat. **Nordhausen** (S. 189).

X. Eintrittsroute: Von Erfurt nach Nordhausen.

80 km **Eisenbahn** von **Erfurt** nach **Nordhausen** in 2 1/3 St. für I. 6,60, II. 5,00, III. 3,30 M. Retourbillets 3 Tage gültig.

Hinter *Erfurt* zweigt die Nordhäuser Bahn l. von der nach Weimar gehenden Thüringischen ab, geht am (r.) *Steinsalzbergwerk Ilversgehofen* vorbei, gegen den *Rothenberg* zu und folgt nun dem Lauf der Gera über die reichen preußischen Dörfer *Gispersleben, Walschleben* und *Ringleben*. Nahebei das sehr alte Städtchen *Gebesee* (2162 Einw.), schon in Urkunden des 8. Jahrh. genannt.

(26 km) Stat. *Straußfurt*, Dorf mit 1400 Einw., wo r. die Saale-Unstrut-Bahn mündet. — Über die Grenze ins Sondershausensche.

(35 km) **Greußen,** freundliches Städtchen an der Helbe, 3489 Einw.; berühmte Bierbrauereien. — Folgen die Stationen *Wasserthalleben* und *Hohenebra*. Hier muß die Bahn die *Hainleite* (ein bewaldetes, etwa 35 km langes und 7 km breites, bis zu 425 m sich erhebendes Plateau) überwinden und geht dann durch das »Geschling« (ein enges Thal, in welchem 933 ein Teil des Ungarnheers geschlagen wurde) nach

(59 km) **Sondershausen** (*Tanne*, am Markte; *Deutsches Haus; Münch*), 6336 Einw., Haupt- und Residenzstadt des gleichnamigen Fürstentums, in angenehmer Gegend. Das Schloß erhebt sich auf einer Anhöhe, von schönen *Parkanlagen umgeben.

In dem *Kunst-* und *Naturalienkabinett* wird der Püstrich, ein inwendig hohles bronzenes, angebliches Götzenbild, gezeigt, das in der Schlacht bei Riade an der Unstrut besiegten Ungarn 933 abgenommen worden sein soll und später in der Kirche auf der Rothenburg aufgestellt war, um von abergläubischen Wallfahrern Gaben zu erpressen (?). Auch Waffensammlung mit der Rüstung Günthers von Schwarzburg, des vergifteten deutschen Kaisers. — Im Sommer jeden Sonntag nachmittags öffentliches Konzert (vortreffliche Leistungen) der fürstlichen Kapelle im *Loh*.

Umgebung: Der *Fürstenberg*, gute Aussicht. — Die *Spatenburg*, Ruinenreste einer von Kaiser Heinrich IV. 1073 erbauten Burg. — Der ***Possenturm** (461 m), 47 m hoch, mit Aussicht; nahebei im Wald ein fürstl. Lustschloß. (Man steige in *Hohenebra* aus und gehe über den Possen nach Sondershausen.) — Zwischen Possen und Sondershausen das *Rondell*, tiefer das *Waldschlößchen*, beide mit Aussicht; interessante Flora, z. B. Melampyrum nemorosum, Thesium montanum, Bupleurum falcatum, Epipactis atrorubens etc. — *Jechaburg* mit dem 367 m hohen *Frauenberg* (1/2 St.).

Über Stat. *Klein-Furra* und Stat. *Wolkramshausen* (wo die Halle-Kasseler Bahn einmündet) nach (79 km) **Nordhausen** (S. 189).

XI. Eintrittsroute: Von Berlin auf der Berlin-Wetzlarer Bahn nach Nordhausen (oder nach dem Nordharz).

245 km **Eisenbahn** von *Berlin* nach *Nordhausen* Schnellzug in 5 St. für I. 22,70, II. 16,90, III. 11,90 M.; Postzug in 6 St. für I. 19,60, II. 14,70, III. 9,80 M. Diese Linie ist die beste Verbindung Berlins mit dem Südharz (Nordhausen) und kann auch zur Reise nach dem Nordharz benutzt werden; man steigt in Stat. *Güsten* um und erreicht über *Aschersleben: Ballenstedt* in 6 1/4 St., *Thale* in 6 1/2 St. für I. 18,60, II. 13,80, III. 9,00 M., *Blankenburg* in 6 1/4 St., *Halberstadt* in 5 1/4 St., *Wernigerode* in 6 1/4 St., *Harzburg* in 8 3/4 St., *Goslar* in 9 St. — **Abfahrt** vom Potsdamer Bahnhof oder von den Stadtbahnhöfen.

Die Bahn ist eine Teilstrecke der (strategischen) Linie Berlin-Metz; sie geht an *Lichterfelde* und dem *Schlachtensee* vorüber, berührt viele kleine Stationen (an den meisten hält der Schnellzug nicht), kreuzt bei (117 km) Stat. *Güterglück* die Bahn Magdeburg-Zerbst, geht vor (126 km) Stat. *Barby* über die Elbe, schneidet bei Stat. *Kalbe* die Bahn Halle-Magdeburg und erreicht (153 km) Stat. **Güsten**, wo Reisende nach dem Nordharz auf die Linie nach Aschersleben übergehen und auf deren Fortsetzung nach Ballenstedt, Thale, Halberstadt etc. gelangen (vgl. Eintr.-Route IV). Auf (169 km) Stat. *Sandersleben* wird die Linie Halle-Aschersleben gekreuzt, dann folgen die Stationen *Hettstedt* (S. 216), *Mansfeld* (Post nach der 6 km entfernten Stadt, S. 216), *Blankenheim* und (200 km) Stat. *Riestädt*, wo die Bahn in die Linie Halle-Nordhausen (vgl. Eintr.-Route VIII) mündet, auf deren Bahnkörper sie über *Sangerhausen* (245 km) **Nordhausen** (S. 189) erreicht.

Harz-Routen.

I. Route: Von Thale durch das Bodethal auf die Roßtrappe, nach Treseburg und über den Hexentanzplatz zurück.

Siehe beiliegende Karte.

☞ Eine Lieblingsroute, an Sonntagen im Hochsommer zu meiden, weil dann die Extrazüge große Menschenmengen auszuladen pflegen, die den Aufenthalt im Bodethal nicht verschönern.

Fußtour von 6–7 St. Die Reihenfolge, in welcher man unter immer sich steigernden Eindrücken die Höhenpunkte besucht, ist: *Blechhütte, Waldkater* und *Bodekessel* im Thal, dann (1/2 St. steigen) über die *Schurre* auf den *Roßtrappefelsen* und zum (1 St.) *Gasthof zur Roßtrappe;* dann Chaussee über *Herzogshöhe* zum *Wilhelmsblick*, durch den Tunnel desselben zur *Krügershöhe* und auf dem an Abwechselung reichen *Dobblerstieg* hinab nach (3 St.) *Treseburg*. — 1/2 St. Steigen auf den *Weißen Hirsch*, weiterhin Fahrstraße, l. *Pfeils Denkmal*, dann zum (5 1/2 St.) *Hexentanzplatz* (Gasthaus). 1 St. hinab zum Bahnhof.

Wagentour. Mit Wagen über *Hubertusbad*, Aktienbrauerei zum *Waldkater*. Dann zu Fuß über *Königsruhe* nach dem *Bodekessel*. Zu Fuß zurück zum *Hotel Waldkater*. Mit dem Wagen wieder hinaus über *Thale* auf der neuen Chaussee, mit mäßiger Steigung, zum Gasthaus zur *Roßtrappe*. Zu Fuß (10 Min.) auf den *Roßtrappefelsen*. Zurück zum Gasthof. — Mit Wagen zum *Wilhelmsblick*, aussteigen und durch den *Tunnel* zur *Krügershöhe* auf dem *Dobblerstieg* nach *Treseburg*, oder mit Wagen nach *Treseburg*. Durch den *Tiefenbach* auf die Höhe. Aussteigen und zu Fuß zum *Weißen Hirsch*, dann zum Wagen zurück, zum *Hexentanzplatz (Hotel)*, durchs *Steinbachthal* hinab nach *Thale*.

Thale, Bahnhof (S. 45) 175 m ü. M.; das preußische Dorf mit 4500 Einw., 1/4 St. entfernt, hat ein großes Eisenhüttenwerk mit Maschinenfabrik und Fabrik emaillierter Geschirre, bedeutende Zementfabrik (Aktiengesellschaft) und jod- und bromhaltige Kochsalzquellen mit Badeanstalt *Hubertusbad* (S. 61). Oberförsterei.

Gasthöfe: *Hotel Zehnpfund*, am Bahnhof, mit der *Bahnrestauration* verbunden, in hübscher Lage. 170 Zimmer mit 300 Betten. T. d'h. 2,50 M.; Pension; — *Hotel Hubertusbad* (S. 61), am Eingang des Bodethals, 6 Min. vom Bahnhof; — *Hotel Waldkater* (S. 61), im Bodethal, 1/4 St. vom Bahnhof; alle drei gut eingerichtete, auch größern Ansprüchen genügende Häuser. — Einfacher sind: *Ritter Bodo*, oberhalb Zehnpfund, T. d'h. 2 M.; — *Wiehles Hotel und Pension zur Heimburg*, am Park, T. d'h. 2 M.; — *Gebirgshotel*, gleiche Preise; — *Prinzeß Brunhilde;* alle diese am Eingang in das Bodethal. — *Königsruhe* (S. 62), im Bodethal, 1/2 St. vom Bahnhof. — Im Dorf Thale: *Gasthof zur Forelle*, an der großen Brücke, nicht teuer; Kulmbacher Bier. — *Forsthaus*, auch nicht übel. — *Hotel*

BODE-THAL
von
Thale bis Treseburg.
Maßstab 1:40000.
Höhen in Metern.
Touristenwege.
Der Tappenstieg
Chaussee nach Blankenburg
Der Pfennigscheisser
Klausho
Steinköpfe
Jagdschloß
Todtenrode
die Tresewege
nach Altenbrak
Birkenholz
395
Kriegshöhe
Lindenthäler
Gewitter Klippen
Rehthäler
Bode
Heuscheune
Krügers Höhe
Die Kiefen
Mittel Köpfe
Holzschleif
Präceptor Klippe
Alten Treseburg
Weisser Hirsch
379 m
Treseburg
270
nach Stiege
Dambachsthal
Rabenstein
Kastenbach
Kl. Dambachs Kopf
B R A U N S C H W E
P R

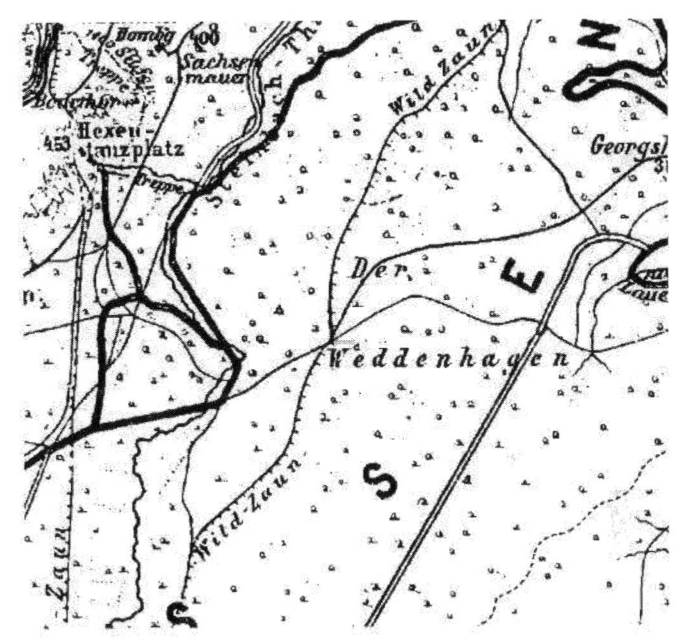
Hexen-
tanzplatz
453
Sachsen
mauer
408
Wild Zaun
Georgsh
Der
Weddenhagen
Wild-Zaun
Zaun

zur Wolfsburg, 15 Min. vom Bahnhof, am Weg nach Blankenburg, hübsch gelegen; Pens. von 3,50 M. an.

Auf dem *Hexentanzplatz* (S. 66), 1 St. von Thale. — Auf der *Roßtrappe* (S. 63), 1 St. von Thale.

Privatlogis in der Nähe des Bahnhofs, in mehreren neuen Häusern und »Villen«. Nachweisung beim Bahnhofsvorstand und beim Postverwalter Herrn *Schulze*.

Restaurants: In sämtlichen S. 58 genannten Gasthöfen. — Ferner: *Bahnrestaurant*, gutes Bier. — *Aktien-Bierbrauerei*, am Eingang des Bodethals, Restauration, T. d'h. 1 Uhr.

Konditorei: *H. Salomon*, gibt auch Wohnung.

Wellenbäder: In der Bode, in der *Dorfmühle*, zwischen Blechhütte und Thale, Bad 25 Pf. — Hubertusbad, Wannenbäder 1,25 und 1,50 M.

Wasserheilanstalt des Dr. *Bode* (Kur und Pens. für den Tag 6–7 M.).

Lesezimmer: Im Bahnhof.

Harzklub, Zweigverein Thale; Auskunft bei Herrn Postverwalter *Schulze* und Herrn Buchdruckereibesitzer *Grupe*.

Post (Abgang vom Bahnhof) nach (11 km) *Blankenburg* morgens in 1½ St. — **Telegraph**.

Omnibus nach *Blankenburg*.

Eisenbahn über Quedlinburg nach *Suderode* (s. S. 45).

Drahtseilbahn aus dem Bodethal nach dem *Hexentanzplatz* und der *Roßtrappe* im Bau; vgl. die Karte.

Wagen in den Gasthöfen und auf dem Halteplatz hinter dem Stationsgebäude, in Thale (am billigsten). Taxe (exkl. Chaussee- und Trinkgeld): Für 1 Tag außerhalb des Gebirges Einspänn. 10, Zweispänn. 15 M.; ½ Tag 5 und 7,50 M.; nach *Suderode* und zurück 5 und 7,50 M.; *Stubenberg* und zurück 6 und 9 M.; *Gernrode, Stubenberg, Mägdesprung, Stubenberg* und zurück 13,50 u. 20 M.; *Viktorshöhe, Alexisbad, Mägdesprung, Stubenberg* und zurück 12 und 18 M.; *Mägdesprung* und *Alexisbad* und zurück 10 und 15 M.; *Viktorshöhe* und zurück 7 und 10,50 M.; *Lauenburg* und zurück 5 und 7,50 M.; *Hexentanzplatz* und zurück 5 und 7,50 M.; *Roßtrappe* und zurück 5 und 7,50 M.; *Blankenburg* und zurück 5 und 7,50 M.; *Blankenburg, Ziegenkopf* und zurück 6 und 9 M.; *Hexentanzplatz, Treseburg, Roßtrappe* und zurück 10 und 15 M. — Trinkgeld an den Kutscher: für ½ Tag 1 M., für 1 Tag und bei Touren von mehreren Tagen tägl. 1,50 M., — bei letztern außerdem Übernachten 1,50 M. für die Nacht an den Fuhrherrn. ☞ Vorher jedoch immer zu akkordieren (da zuweilen auch unter der Taxe gefahren wird)!

Maulesel (inkl. Führer u. Futter): ½ Tag 3 M., 1 Tag 5 M.

Führer (für die hier beschriebenen Touren ganz überflüssig) am Bahnhof; man mietet sie nur noch als Träger; Preis genau zu vereinbaren! Der Lohnsatz schwankt bis zu 4 M. tägl.

☞ Länger in Thale Weilenden sind die vom Ingenieur Cr. v. Clausbruch gezeichneten Karten: »*Touristenkarte von Thale und Umgegend*« (1 : 25,000) und »*Spezialkarte von Thale und Umgebung*« (1 : 10,000) und die vom Bahnmeister *Dathe* herausgegebene »*Karte von Thale und Umgegend*« (1 : 30,000) zu empfehlen. Sie sind für 50, bez. 60 und 30 Pf. in Thale (in der Buchhandlung am Bahnhof) zu haben.

Buchhandlung mit Leihbibliothek von *Otto Persecke*, am Bahnhof.

Spaziergang in 15 Min. auf dem schattigen Weg (zur Roßtrappe) zu dem Plateau der **Wolfsburg**, in hübscher Waldumgebung; oben *Gasthaus* und ein den 1870/71 Gefallenen des 7. Kürassier-Regiments von einem Patrioten, Herrn Hermann (Begründer der Zementfabrik), errichtetes Kriegerdenkmal. — Weitere Spazierwege auch vom Waldkater und Hubertusbad aus (S. 61). — Hübsche Promenade am *Lindenbergskopf* oberhalb des Steinbruchs; Ruhebänke, schöne Aussicht.

Sämtliche Promenadenwege sind durch Blechschilder genau bezeichnet im Anschluß an die oben erwähnte Karte von *Dathe*.

Ausflüge von Thale:

1) Direkt zur **Roßtrappe** (¾ bis 1 St.) drei Wege: a) Schattig, über *Blechhütte*, dann über die Bode r. in den Wald. Nach 10 Min. nicht r. zur *Wolfsburg*, sondern l. oft ziemlich steil im Wald empor. — b) Bequemer, aber weiter, zweigt l. ab und führt im Zickzack auf die Höhe. Wegweiser.

— c) Jenseit des Gasthauses Königsruhe an der steilen Bergwand in Zickzacklinien (»Schurre«, S. 63) auf die Höhe zwischen dem Hotel zur Roßtrappe und dem Roßtrappefelsen. — Drahtseilbahn aus dem Bodethal auf die *Roßtrappe* im Bau.

2) Direkt auf den **Hexentanzplatz** (S. 66); Drahtseilbahn im Bau. Die Fahrstraße (1 St.) windet sich in weitem Bogen an den östlichen Bergabhängen des Steinbachthals empor und vereinigt sich dann mit der alten Straße. — Die *alte* Straße geht am Hotel Zehnpfund vorbei (südl.), quer über die ins Bodethal führende Chaussee, in eine Obstbaumallee. Diese geleitet zu der Kunststraße, welche im Steinbachthal emporsteigt. — Der Tourist wählt den neuen **Fußweg** (3/4 St.): Vom Bahnhof durch den Park beim Hotel Zehnpfund, der Weg kreuzt die Fahrstraße und wendet sich dann in gerader Richtung dem alten Promenadenweg zu, der am Waldrand in wenigen Minuten nach der kleinen, den Steinbach überspringenden Brücke führt; kurz vor derselben beginnt r. der neue Fußweg, der im Zickzack bequem hinaufführt. Überall Schilder.

3) Nach der **Georgshöhe** (1 St.). Vom Hotel Zehnpfund durch die Poststraße ins Steinbachthal bis zum Kirschenhäuschen. Jetzt nicht r. mit der Straße, sondern geradeaus und bei dem Granitwegweiser in das Niederholz. 5 Min. Wegeteilung, Wegweiser. Die neue Chaussee nach dem Tanzplatz zweimal im spitzen Winkel überschreiten. Ziemlich starke Steigung des Waldpfades bis zu einer Quelle. Von hier über ein Hochplateau, an einem Wegweiser (nach dem Tanzplatz) vorüber, sich l. haltend, bald auf den Weg zur Lauenburg und in 5 Min. zur *Georgshöhe* (S. 223).

4) Vom Bahnhof *Thale* über *Georgshöhe* oder *Stecklenburg* direkt nach (8 km) **Suderode** (S. 219) oder der **Lauenburg** (S. 221). In einem an dieser Stelle gelegenen Gipskalkbruch, in dem Forste des Herrn v. d. Busche-Streithorst, fand man 1872 das ***Skelett eines Mammuts,*** welches nach Lage der Knochenteile etwa 5 m Länge und 3 m Höhe gehabt hat. Erhalten sind vier Zähne von je 3–4 kg Schwere und zwei stark gekrümmte Stoßzähne, die übrigen Knochenteile sind mehr oder minder zerbrochen. Da schon früher bedeutend abgeräumt worden, so mögen diese antediluvianischen Reste etwa 25–30 m unter der Erdoberfläche gelegen haben. Übrigens sind sowohl auf den Höhen (Roßtrappe) als im Thal manche Altertümer, namentlich germanische, ausgegraben worden. Für Historiker nennen wir in dieser Hinsicht noch die *Siebenspringe*, südl. vom Dorf Thale, sieben Quellen am Fuß eines Hügels, der germanische Gräber birgt. — Die *Lauenburg* kann man auch mit der Eisenbahn über Quedlinburg bis Suderode (1 St.) oder von Stat. *Neinstedt* (S. 45) aus in 1 St. erreichen.

5) Von Thale nach (11 km) **Blankenburg** s. S. 72. Post und Omnibus.

Entfernungen vom *Bahnhof Thale: Dorf Thale* 1 1/2 km nördl., *Hubertusbad* 1/2 km, *Waldkater* 1 km, *Bodekessel* 2 1/2 km, *Treseburg* 8 km. — Vom *Dorf Thale: Blankenburg* 10 km (Fußweg etwas näher), *Krügers Höhe* 8 km, *Wilhelmsblick* 8 km, *Treseburg* 9 km, *Suderode* 9 km, *Hasselfelde* 21 km.

Von Thale ins Bodethal. Vom *Bahnhof Thale* oder *Hotel Zehnpfund* nach der (5 Min.) **Blechhütte,** Hüttenwerk, um 1770 von einem Grafen Redern angelegt, gelangte acht Jahre später in den Besitz König Friedrichs d. Gr. von Preußen, der neben den bis dahin bestandenen Hochöfen und Zainhammer noch eine Hütte für Schwarz- und Weißblech anlegen ließ, woher der Name stammt. In demselben werden Stabeisen (einschließlich Eisenbahnschienen), rohe und fertige Achsen, Schwarzblech, Dampfkesselplatten, schwarzes und emailliertes Kochgeschirr, Bau- und Schiffsnägel sowie

Blankschmiedewaren gefertigt. Aktiengesellschaft. — Die daneben gelegene *Bierbrauerei* (mit Restauration, Mitt. 1,75 M., Abonn. 1,50 M.) liefert ein weithin beliebtes Bier.

(6 Min.) **Hubertusbad**, auf einer Insel der Bode liegend. Die reichlich strömende Solquelle war schon im frühen Mittelalter bekannt, und 1594 wurde ein Augsburger Bürger, Balthasar Becker, privilegiert, daselbst eine Saline anzulegen. Der Versuch mißlang. 1836 errichtete ein Forstmann Solbäder über der in der Minute 100 Lit. spendenden, mit Chlorcalcium und Chlornatrium stark gesättigten, völlig klar durchsichtigen Quelle.

Hotel mit 80 Zimmern; T. d'h. um 1 Uhr 2 M., um 5 Uhr 3 M., Wein von 2 M. an; Pension von 6 M. an. Sol-, Mineral- und Fichtennadelbäder.

Hier betritt man das schon von weitem durch seine fast senkrecht aufsteigenden, oft abenteuerlich gestalteten Felsenwände imponierende ****Bodethal**, das durch seine grotesken Gesteinsmassen der Glanzpunkt des Harzes ist und in den andern deutschen Mittelgebirgen (mit Ausnahme des Schwarzwalds) nicht seinesgleichen hat.

Geognostisches. Das Bodethal besteht vom Ausgang an bis zum Roßtrappefelsen aus Granit, weiter aufwärts ist Grünstein in Verbindung mit Hornfels, vom Kessel aufwärts jaspisartiger Kieselschiefer. Als Übergemengteil kommen in demselben Schörl und Magneteisenstein vor. Im Hornfels der Schurre kommen Granate vor. Im Bodethal selbst treten häufig Quarzgänge auf, in welchen Kupferkiese (bei La Vières Höhe), Magnet- und Roteisenstein aufsetzen und zu bergmännischen Versuchen Veranlassung gegeben haben; mehrfache Spuren davon im Bodethal. Der Granit des Steinbachthals wird viel verarbeitet zu Mühl-, Trottoir- und Pflastersteinen, Pferdekrippen etc.

Der Fahrweg nach dem Waldkater läuft am *rechten Ufer* der Bode hin. Beim Hubertusbad ist der Fluß überbrückt. Gegenüber der Brücke führt l. ein Zickzackweg aufwärts, welcher in den Promenadenweg vom Waldkater nach dem Steinbachthal (s. unten) mündet. Jenseit der Brücke r. geleitet ein reizender, schattiger Fußpfad am linken Ufer der Bode thalaufwärts zur *Schallhöhle*, welche, 16 m tief, Flüchtlingen zeitweilig schon zum Versteck gedient hat. Nun hart am linken Ufer der Bode weiter thalaufwärts bis (10 Min.) *Hotel Königsruhe* (s. S. 62) oder wieder zurück und über die Brücke zum

(15 Min.) **Hotel Waldkater** oder dem *Großen Waldkater*, mit neuem großen Logierhaus, in sehr schattiger, kühler Lage, viel besucht. Omnibus am Bahnhof Thale.

T. d'h. 1½ Uhr 2,50 M., Pens. für die Woche 42-50 M. — Restauration; auch im Freien unter schattigen Bäumen.

Ein **Promenadenweg** führt von hier gleich hinter den Gebäuden, die Hexentreppe mehrfach kreuzend, eine kurze Strecke aufwärts, dann in meist horizontaler Lage l. nach dem **Steinbachthal** mit den Felsgruppen *Hexengroßmutter* und *Pabst* oder r. nach dem (10 Min.) **Bodethor.** Die früher vom Waldkater auf den Hexentanzplatz führende 1100-stufige, äußerst beschwerliche **Hexentreppe** ist seit Anlage des Wegs von der Königsruhe durch den Hirschgrund (S. 62) überflüssig geworden und überdies polizeilich geschlossen.

Vom Waldkater thalaufwärts steigert sich die Großartigkeit der Gebirgslandschaft. Viele der durch Verwitterung ausgesägten und zu den sonderbarsten Figuren umgestalteten Granitzacken haben wegen ihrer Ähnlichkeit mit irgend welchen Gegenständen im Volksmund bezeichnende Namen erhalten, so z. B. gleich hinter dem Kleinen Waldkater der *Mönch* mit seiner Kapuze, weiter das *Bodethor* und die *Bergkanzel*. Eine Stelle in der Bode wird der *Kronensumpf* genannt (vgl. die Sage S. 63). An beiden Ufern führt ein Weg aufwärts: r. über die Brücke an das linke Ufer der Bode und hart an dieser entlang; oder am rechten Ufer bleibend, weiter und nach 10 Min. l. am *Hirschgrund* vorbei, durch welchen ein Zickzackweg (s. unten) hinauf zum Hexentanzplatz führt, r. über die *Jungfernbrücke* ans linke Bodeufer zum *Gasthaus Königsruhe*.

Zwischen Waldkater und Königsruhe sieht man die Anlagen (Abholzungen) für die Z a h n r a d b a h n e n, welche r. nördl. auf die *Roßtrappe*, l. südwärts auf den *Hexentanzplatz* führen sollen (zur Zeit im Bau) und wahrlich nicht zur Verschönerung des Bodethals beitragen.

(25 Min.) **Gasthaus Königsruhe**, der frühern »Konditorei« (man kann auch Bier im Speisesaal bekommen); an heißen Sommertagen ein angenehmer und, da alle Besucher des Bodethals den Platz passieren müssen, unterhaltender Aufenthalt. Im Blick über die Brücke begegnet das Auge wieder einer Felsenpartie, die täuschend den Ruinen einer alten Ritterburg ähnlich sieht.

Zum **Hexentanzplatz** (S. 66). Dem Gasthaus Königsruhe gegenüber, auf dem andern Ufer der Bode, führt ein neuangelegter schattiger und mit Ruheplätzen und Höhenangaben in Metern versehener, mehrfach Aussicht bietender, sehr romantischer Weg durch den **Hirschgrund** in ¾ St. empor zum Hexentanzplatz. Kurz vor Erreichung der Höhe zweigt r. ein Weg (Wegweiser) nach dem *Kaiserblick* und der *Prinzensicht* ab, beide gewähren wechselvolle *Blicke in das Bodethal und bei klarem Wetter auf den Brocken. — L. hinauf kommt man über *La Vières Höhe* nach dem Hexentanzplatz.

Gleich hinter dem Gasthaus ein Denkmal: »Dank dem Menschenfreund, dem Edlen *v. Bülow*, der zuerst im Jahr 1818 den Pfad uns bahnte zu diesem Tempel der Natur«. Die Granitkulissen gewinnen immer mehr an Großartigkeit; man umwandert den Felsenfuß der Roßtrappe. An belebten Tagen wird der Tourist durch das Pistolenschießen und das dadurch hervorgerufene Donner-Echo hier schon aufmerksam gemacht, daß er sich einem der Lieblingspunkte des Bodethals nähert. — (35 Min.) *Teufelsbrücke;* dann zunächst an der Schurre vorbei, über die Bode zum ***Bodekessel**, wo die Bode zwischen Granitmauern, welche bis zu 200 m ansteigen und das Thal gänzlich zu schließen scheinen, einen Wasserfall bildet, dessen brausende Wasser einen tiefen Kessel in den Boden gewühlt haben. Die durchsichtige Bode mag hier reichlich 5 m tief sein und alles wirbelnd in ihren Abgrund hinabziehen.

Die Magdeburg-Halberstädter Eisenbahn ließ von hier durch das Bodethal bis *Treseburg* einen 2 St. langen, wunderschönen, höchst lohnenden *Weg (nur im Sommer geöffnet) anlegen, der, am rechten Ufer der Bode durch prächtigen Wald hinführend, die schönsten Partien des Thals erschließt und es den dort länger weilenden Fremden möglich macht, die schönen Partien der Gewitterklippe, Rabenstein u. a. bequem zu besuchen. Von Zeit zu Zeit Ruheplätze.

Sage. Auch diese Gegend hat ihr gespenstiges Ungetüm, nämlich den Thalzwerg, der als grollender Herrscher dieser Gegend den Reisenden in der Metamorphose einer riesigen Brummfliege anschnurrt.

Wir kehren vom Bodekessel über die Teufelsbrücke zurück und schlagen den l. am Berg in unendlich vielen Kurven sich emporwindenden, mit Kastanien bepflanzten Weg, die **Schurre**, ein; er führt in ½ St. mäßigen Steigens auf den Gipfel des oben abgeplatteten, 174 m über dem Bodespiegel sich erhebenden

(1 St.) ***Roßtrappe-Felsens** (375 m), einer der großartigsten Felspartien in Deutschland diesseit der Alpen und des Schwarzwaldes. Wie der flankierende Turm eines befestigten Werkes springt der kolossale Granitpfeiler ins Thal vor und gewährt dadurch Niederblicke thalauf, thalab. Der Scheitel der Roßtrappe besteht aus ebenen, abgeschliffenen Platten, und in eine derselben ist jene fabelhafte kolossale Spur eines Pferdehufeisens vertieft eingedrückt, welche dem Felsen seinen Namen gab.

Es sind schon viele Mutmaßungen über den Ursprung dieses jedenfalls sehr alten Mals aufgestellt worden; namentlich haben Archäologen angenommen, daß Druiden auf dem Felsen geopfert und ein Zeichen ihrer Mysterien bezüglich des heiligen weißen Rosses hier eingegraben hätten. Daß hier eine Kultusstätte der Germanen war, erhellt daraus, daß beim Aufbau des jetzigen Gasthauses eine Menge Urnen innerhalb einer alten Umwallung gefunden worden sind. Der ganze Berggipfel ist eine befestigte germanische Kultusstätte gewesen, die durch einen 5–8 m hohen, 3–5 m breiten, aus Erde und Steinen aufgeführten Wall namentlich gegen die zugänglichere Westseite geschützt war. Auffallend ist, daß der Felsenvorsprung der Roßtrappe selbst noch wieder durch Gemäuer und Gräben abgeschlossen und zugleich auch eine Totenstätte gewesen ist, wie die dort ebenfalls gefundenen Urnen bezeugen.

Die **Volkssage** weiß über den Ursprung folgendes zu erzählen: In den Urzeiten bewohnten Hünen und Zwerge den Harz. Auf einem Kriegszug kam der wilde Böhmenkönig Bodo hierher und verliebte sich leidenschaftlich in die Tochter des Riesenfürsten. Brunhildis, von der ungestümen Begehrlichkeit des Böhmen gedrängt, entfloh auf einem Roß. Der Wüstling folgte ihr. Plötzlich schreckt das Pferd zurück; es steht an jener Stelle, wo die Hexen ihre nächtlichen Feste zu feiern pflegten (dem jetzigen Hexentanzplatz), und grausiger Abgrund gähnt die Flüchtige an. Schnaubend bäumt sich das Roß empor, immer näher kommen die Verfolger. Da drückt das Hünenkind ihrem Tier die Fersen in die Weichen und wagt den gräßlichen Sprung nach dem gegenüberliegenden Felsen. Er gelingt; von dem gewaltigen Aufschlagen des Hufs blieb im Felsen das Zeichen zurück. Die Krone aber hatte die Prinzessin im Flug über den Abgrund verloren; sie war in die Wellen des Bergstroms gefallen. Der Böhme, welcher gleichfalls den Entsetzenssprung in wilder Raserei wagte, stürzte in die Tiefe, und zu ewigem Gedächtnis wurde nach seinem Namen das Wasser die *Bode* genannt.

Bei der unmittelbar angrenzenden, mit einer Galerie umschlossenen Felsenpartie, *Raßmannshöhe* genannt, schießt ein Mann (bis abends 7 Uhr) Pistolen ab. Die Wirkung ist eine drastische; 7—8mal werfen die Felsenwände den Schall zurück, einigemal mit solchem Krachen, als ob die Felsenfesten prasselnd zusammenstürzten. Trompetentöne und musikalische Figuren von einem halben Dutzend Tönen kehren melodisch zurück. Da man in der Regel zweimal schießen läßt, so vergütet man hierfür 25 Pf. Das Hinabwerfen von Steinen ist streng untersagt. Ein andrer naher Aussichtspunkt heißt die *Ölbergshöhe*. Von diesen Punkten sieht man hinüber nach dem Hexentanzplatz (79 m höher) und La Vières Höhe. — 10 Min. Waldpfad mit Wegweiser nach dem *Gasthaus zur Roßtrappe* (400 m).

Gasthaus zur Roßtrappe: 36 Zimmer zu 2 und 3 Betten, T. d'h. 2,50 M. Warme Speisen nur im Speisesaal, wo kein Bier verabreicht wird.

Von hier ist der Blick in das felsige Bodethal verschlossen. Desto herrlicher liegt die Ebene da, am Horizont vom Huy (nördl.) und von den Hakelbergen (östl.) abgegrenzt. Näher eine Fortsetzung der Teufelsmauer, gegen NO. Quedlinburg. Vom **Aussichtsturm** auf der *Winzenburg* (hinter dem Gasthaus), 1889 errichtet, treffliche Rundschau.

Der Weg nach der **Bülowshöhe** (schöne Aussicht ins flache Land), welchen man sich zeigen lasse, geht von der Terrasse des Hauses direkt r. hinunter; l. hinab nach der Blechhütte, Hubertusbad, Bahnhof. Man kann auch vorn vom Gasthaus herumgehen, dann halte man sich möglichst r., mit Vermeidung allzu steiler Wege.

Vom *Bahnhof Thale* direkt auf die *Roßtrappe*, s. S. 59.

Von der Roßtrappe nach *Blankenburg* 2 St. (S. 73).

Von der Roßtrappe nach Treseburg (2 St.) folgt man 15 Min. einem Waldfahrweg, bis man auf die Chaussee kommt; auf diese l. eingeschwenkt (r. geht es nach Thale hinab, geradeaus nach Blankenburg, Wegweiser): preußisch-braunschweigische Grenze. Nach abermals 1/4 St. l. **Herzogshöhe** (auch *Herzogin-Bank* oder *Wilhelmsruhe* genannt), ein schöner Punkt mit herrlichem Blick ins Bodethal. Die Chaussee läuft meist im offenen Wald fort (wenig Schatten); Meilenstein und Gabelung der Chaussee: r. hinab nach Wienrode, geradeaus Waldweg nach Altenbrack (auf dem man auch, Altenbrack l. lassend, über Todtenrode in 1 3/4 St. nach Hüttenrode gelangen kann), l. nach Treseburg. Nach 3/4 St. r. Aussichtspunkt **Wilhelmsblick** (zu Ehren des Herzogs von Braunschweig so genannt). Durch den Felsen ist ein 22 m langer *Tunnel* getrieben; nach Durchwanderung desselben (nicht zu versäumen!) erschließt sich ein völlig neues landschaftliches Bild: ein schönes, einsames, ungemein ansprechendes Waldthal liegt vor uns, durch welches die Bode in einem gewaltigen, fast in sich zurückkehrenden Bogen (vgl. die Karte) dahinströmt. Steinerne Stufen führen von der Westseite des Tunnels aufwärts zu *Krügers Höhe* (365 m), so genannt zur Erinnerung an den Kreisbaumeister

Krüger, der diese reizenden Punkte dem Wanderer erschloß. Hier ist es, wo die wunderbaren Krümmungen der Bode recht vor Augen treten, so daß man den Fluß an sechs verschiedenen Stellen erblickt. — Von Krügers Höhe auf einem der schönen romantischen Fußsteige zum Bergkegel, auf welchem einst die »Alte Treseburg« stand, und über die *Dobbelers-Höhe* (de Dobbeler hieß der Kreisdirektor, der zur Verschönerung dieses Punktes Anregung gab) hinab nach

(3 St.) **Treseburg** (270 m), braunschweigischem Dorf mit 200 Einw., in prächtiger, malerischer Lage an der Mündung der Luppbode in die Bode; ein außerordentlich besuchter Punkt.

Gasthöfe: *Hotel zum Weißen Hirsch*, schön gelegen, Garten, Forellen 2,50 M., Pension; Omnibus nach Thale (1,50 M.), Rübeland (2 M.), Blankenburg (1,50 M.). — *Hotel zum Wilhelmsblick*, in beiden derselbe Wirt und dieselben Preise. — *Forelle* (E. Haberlands Nachf.), hübsche Aussichtsveranda, gelobt; Forellen 2,50 M. — Für bescheidene Touristen: *Deutsches Haus*, einfach; Garten und Kegelbahn. — *Carl Müller*, bescheiden und billig. **Wellenbäder.** — **Harzklub**, Zweigverein Treseburg; Auskunft bei Herrn Gemeindevorsteher *Schomberg* und Herrn *L. J. Reechwaldt*.

Früher wurde hier Hüttenindustrie betrieben, jetzt ist dieselbe erloschen, und an deren Stelle sind zwei Holzschleifereien getreten. Interessant ist bei Treseburg das Vorkommen von Asbest und Axinit im Grünstein des Burgfelsens; ersterer bildet, verwachsen mit Quarz, das unter dem Namen Katzenauge bekannte grünlich schillernde Fossil.

Ausflüge: Nach (20 Min.) *Wilhelmsblick*, dann auf die *Krügers-Höhe*, weiter auf dem Bergkamm entlang zur »Alten Treseburg« und wieder hinab nach Treseburg, ca. 3/4 St., sehr lohnend; vgl. oben. — **Von Treseburg nach Blankenburg** 12 km Fahrstraße über *Wienrode* (Zur grünen Tanne) und *Kattenstedt*. Ein guter Fußweg nach Blankenburg geht l. da ab, wo die Chaussee hinter dem Tunnel einen Bogen macht. Er geht zunächst immer im Wald, später durch das Feld, deshalb sonnig. — Von Treseburg über *Altenbrak* (S. 68) nach Blankenburg, 3½ St.; ein lohnender Umweg, wobei man das Forsthaus Todtenrode besuchen kann.

Von **Treseburg** nach **Rübeland** (18 km) über *Altenbrak*, vgl. R. 2.

Der ***Weiße Hirsch** (375 m) wird eine hoch oberhalb Treseburg im Wald gelegene, kanzelartig am Berg vorspringende Stelle genannt, die ein zwar beschränktes, aber sehr schönes Waldgemälde in Vogelperspektive zu des Wanderers Füßen erschließt. Man geht südwärts über die Bode, dann den zweiten Fußweg l. ab auf einem Steg über die Luppbode, dann l. steil bergan. Treseburg liegt scheinbar so vertikal unter diesem Standpunkt, daß man die Dächer mit einem Steinwurf glaubt erreichen zu können. ☞ Man lasse sich aber nicht verleiten, direkt hinunterzugehen, der scheinbare Weg verliert sich bald!

Wer vom Hexentanzplatz kommt und vom Weißen Hirsch nicht nach Treseburg hinab, sondern durch das Bodethal nach Thale zurück will, geht 200 Schritt bis zur Wegteilung zurück, dann l. den Waldweg ins Dambachsthal hinab und, dieses l. verfolgend, bis zur Ausmündung ins Bodethal. (Nur bei trocknem Wetter zu empfehlen.)

Hinabweg nach **Treseburg** (für solche, die vom Hexentanzplatz kommen). Vom Weißen Hirsch 200 Schritt zurück. Hier biegt scharf r. ein ganz neuer Fahrweg nach dem schönen *Tiefenbachthal* ein, der bald die Chaussee im *Luppbodethal* erreicht. Diese r. verfolgend, ist man nach 10 Min. in Treseburg. — Auch der weit kürzere Fußweg vom Weißen Hirsch nach Treseburg, der steile *Rennsteig*, auf dem man fast nur laufen, nicht langsam gehen kann, zweigt nach etwa 200 Schritten r. ab von dem nach dem Tanzplatz zurückführenden Weg. Der erste Fluß, über welchen man unten geht, ist die Luppbode; sie vereinigt sich noch vor Treseburg mit der Bode. Nun hält man sich r., um nach Treseburg zu kommen.

Den Rückweg nach Thale nimmt man dann über die Roßtrappe (S. 63) und von da, wenn man noch nicht am Bodekessel war, die »Schurre« hinab, durch das Bodethal. Oder ganz durch das Bodethal, über die Brücke erster Fußweg l.

Von Treseburg zum Hexentanzplatz (2 St.). Fahrweg. Zu Fuß kann man mit der Tour den Besuch des *Weißen Hirsches*, von *Pfeils Denkmal*, dem *Prinzenblick* und *La Vières Höhe* (von hier auch durch den Hirschgrund in das Bodethal hinab) verbinden; überall Wegweiser. Wer auf dem Tanzplatz übernachten und am andern Tag die Ausflüge von dort machen will, thut am besten, dem Fahrweg (Weißer Hirsch — Tanzplatz) zu folgen.

Vom Weißen Hirsch etwa 1/4 St. bis hinaus auf die breite Fahrstraße; in diese l. einbiegend, verfolgt man dieselbe; nach einer kleinen Viertelstunde, l. abbiegend in den Wald hinein über das Dambachshäuschen auf 10 Min. langem Rasenweg zu dem poetischen **Denkmal Pfeils* (s. S. 67), dessen Besuch niemand versäumen sollte, ein Kunstwerk inmitten der schönsten Natur; 4 Min. westl. das *Dambachshaus* (S. 67; Restauration). — Zurück zur Straße und auf dem l. neben dieser laufenden Waldweg 1/2 St. weiter, bis ein Fußweg l. bei einem Wegweiser durch den Wald nach dem Tanzplatz einbiegt, den man in 1 1/4 St. vom Weißen Hirsch aus erreicht. Übrigens ist der Weg mit Blechschildern genau bezeichnet.

Der * **Hexentanzplatz** (454 m), ein Aussichtspunkt von mächtiger Wirkung, besonders für diejenigen, welche (ohne zuvor vom Bodethal etwas gesehen zu haben) durch den Wald hierher kommen und plötzlich die zerspaltene Felsenwelt zu ihren Füßen liegen sehen, die unvermittelt aus der lachenden Ebene emporstarrt.

Frickes Gasthaus zum Tanzplatz (Pens. 6 M. tägl.), Sonntags sehr belebt. Hält Wagen. Die Aussicht aus den meisten Fenstern ist prachtvoll. ☞ Als Zeichen, daß noch Unterkommen zu finden ist, wird abends 7 Uhr an der nordwestlichen Hausecke eine rote Laterne aufgezogen, welche vom Bahnhof Thale aus sichtbar ist.

Der Tanzplatz (ca. 250 m über der Bode) ist einer der am höchsten gelegenen Aussichtspunkte des nördlichen Vorharzes. Durch seine fast senkrechte Lage oberhalb der Eintrittspforte ins Bodethal und dadurch, daß er 79 m höher als die Roßtrappe ist, eröffnet er nicht bloß einen sehr übersichtlichen instruktiven Blick in die Felsengebilde des Bodethals, sondern zugleich eine ungemein lachende Aussicht hinaus in das Flachland sowie nach W. auf den

Brocken und seine südlichen Trabanten, den Großen und Kleinen Winterberg und den Wurmberg. — Von hier besucht man am besten folgende südwestl. vom Tanzplatz gelegenen Aussichtspunkte.

Ausflüge:

1) ***La Vières Höhe**, $^1/_4$ St., unmittelbar der Roßtrappe gegenüber, ohne Führer zu finden, wenn man scharf am Gebirgsrand bleibt. Der Punkt wurde nach dem Staatsrat **La Vière** benannt, der sich große Verdienste um die Verschönerung der Anlagen und Wege auf dieser Höhe erwarb. Der Einblick ins Bodethal ist wesentlich verschieden von dem, der auf dem Hexentanzplatz sich erschließt.

2) Der **Kaiserblick**, mit *Aussicht auf die *Heuscheune*, und der **Prinzenblick** bieten wechselvolle Aussicht in das Bodethal und nach dem Brocken, beide zusammen $^1/_2$ St. vom Tanzplatz, immer in schönem Buchenwald, bei dem aus dem Hirschgrund einmündenden Weg (S. 62) Wegweiser.

3) Die sogen. **Winde** (10 Min.) nordöstl. vom Hotel, auf welcher die wenigen Reste der ehemals gefürchteten *Homburg* vollends zerfallen, wegen des erweiterten Ausblicks in die Ebene besuchenswert; besonders malerisch die Schlösser von Blankenburg und Ballenstedt.

4) Vom **Hexentanzplatz** nach dem **Weißen Hirsch** ($1^1/_4$ St.). Auf dem Fahrweg weisen an allen wichtigen Kreuzungen beschriebene Granitsteine, außerdem viele Schilder des Harzklubs zurecht. Fußgänger folgen vom Hotel aus dem Weg bis zur La Vières Höhe und dem Hirschgrund, dort Wegweiserstein, nicht r. hinab, sondern geradeaus durch hohen Buchenwald, die Bäume gezeichnet. Nach wenigen Minuten kreuzt man die Fahrstraße zur Prinzensicht, immer geradeaus etwas bergab durch eine kleine Senkung, r. Blick nach dem Brocken, bis zur Fahrstraße; diese gehe man rechts (l. führt die Chaussee nach Treseburg), nach einigen Minuten erscheint das schöne ***Denkmal Pfeils**, auf einer von sechs alten Buchen umgebenen Waldlichtung, errichtet zu Ehren des verdienten Gründers der Neustadt-Eberswalder Forstlehranstalt. Dasselbe besteht aus einem Granitsockel, auf welchen ein mächtiger grauer Marmorblock gestellt ist, der auf den Schmalseiten die Inschriften: »Die deutschen Forstwirte dem verdienstvollen Lehrer, 1865« und »Friedrich Wilhelm Leopold Pfeil, geb. 28. März 1783, gest. 4. Sept. 1859« trägt; auf der einen Langseite ist das bronzene Bildnis des Gefeierten eingelassen, auf der Rückseite stehen die sinnigen, von Pfeil selbst gedichteten Strophen:

»Tief in des Buchenwaldes Schweigen,
Da liegt ein kleines, enges Haus
Und schaut, umschirmt von alten Eichen,
Weit in die blaue Fern' hinaus.

Kühn hebt der Stamm sich aus den Bäumen,
Zu Füßen liegt der Wälder Grün,
Die Bode hört man unten schäumen,
Die Berge sieht man abends glühn.

Das birgt in seinen engen Räumen
Die schönste, reinste Jägerlust,
Und wenn ich mich dahin kann träumen,
Schwellt mir die Sehnsucht oft die Brust.

Hier ist der Welt Geräusch verklungen,
Hier leb' ich dir allein, Natur;
Bis hierher ist kein Streit gedrungen,
Hier herrscht der tiefste Friede nur.

Hier spricht der Wind mit Geisterlauten,
Und was er meint, versteh' ich wohl;
Sag' ich auch nicht, was sie vertrauten,
Ist mir das Herz doch davon voll.

Du kleines Haus voll süßem Frieden,
Versag mir niemals ein Asyl,
Und biete einst dem Lebensmüden
Ein stilles Grab als letztes Ziel.«

(Folgt noch eine *apokryphe* Strophe.)

Auf dem hohen Marmorblock liegt ein prächtiger lebensgroßer Hirsch, nach einem Kureckschen Modell in Mägdesprung (vgl. S. 205) in bronziertem Eisen ausgeführt. Das Ganze ist ein vollendetes Kunstwerk, so poetisch erdacht wie die Pfeilschen Verse, und stimmt vortrefflich zu dem lieblichen Waldidyll der Um-

5*

gebung. — Ein 4 Min. langer Rasenweg führt zu dem einsamen, von Pfeil einst bewohnten Försterhaus, dem sogen. **Dambachshäuschen** (jetzt Jagdhaus des Prinzen Heinrich von Preußen, im Sommer kleine *Restauration* im Freien), und, dasselbe r. lassend, in 5 Min. wieder auf die Straße. Von da ins *Dambachsthal* über den kleinen Dambach und wieder am Berg in die Höhe. Nun kommt ein breiter Weg. Wo sich die beiden Wege vereinigen, wende man sich r., so daß man l. Laubholz und r. Nadelholz hat. Nochmals folgt ein Punkt, wo auf einem Kreuzweg ein Granitwegweiser nach dem Weißen Hirsch zeigt.

5) Auf die *Georgshöhe*, nach der *Lauenburg* und nach Stat. *Suderode* s. R. 37.

6) Nordöstl. vom Hexentanzplatz liegt die *Homburg*, eine germanische vorhistorische Wallburg.

Der Hinabweg vom *Tanzplatz* durch den Hirschgrund (S. 62) ins *Bodethal*, oder nach *Thale* (3/4 St.) auf dem neuen Fußweg, oder auf der Chaussee durch das *Steinbachthal* ist nicht zu verfehlen.

---

2. Route: Von Treseburg über Altenbrak nach Rübeland.

18 km **Fahrweg** von *Treseburg* über *Altenbrak* und *Hüttenrode* nach *Rübeland*. — Fußgänger schlagen einen schönern (auch fahrbaren) Weg ein, wenn sie von Altenbrak immer im *Bodethal* aufwärts über *Wendefurt* nach *Rübeland* gehen (s. S. 69); von Treseburg 4 St.

1) Fußweg von *Treseburg* über *Wilhelmsblick* nach *Altenbrak*.

☞ Wanderer, die vom Tanzplatz und Weißen Hirsch (S. 65) kommen und den Aussichtspunkt Wilhelmsblick (S. 64) noch nicht kennen, mögen von Treseburg auf der Chaussee dorthin gehen und durch den Tunnel über Krügershöhe an dem Abhang der Bode entlang gegen S. nach der frühern Blankschmiede, jetzt Deikeschen Holzschleiferei, sich wenden, hier auf schmalem Steg die Bode überschreiten, um auf dem *rechten* Ufer derselben den Weg nach Altenbrak aufzusuchen. Besser geht man zur Brücke von Treseburg zurück, dann r.

2) Direkt von *Treseburg* nach *Altenbrak* geht man schon neben dem *Gasthof zur Forelle* über die Hauptbrücke auf das rechte Ufer der Bode und dann auf herrlichem Weg (r.) immer thalauf die Fahrstraße nach Wendefurt. Die schöne Stelle, wo der Weg durch ein Geländer eingefaßt ist, und wo auch die über die Deikesche Holzschleiferei kommenden Wanderer bereits wieder zurückgekehrt sind, heißt nach einem dort verunglückten Lehrer die *Präzeptorklippe*. Nach einigen Minuten führt ein neuer Weg r. ab, man halte sich aber links!

(5 km) **Altenbrak** (310 m), schön an der Bode gelegenes, aber armes Dorf, dessen 400 Bewohner seit dem Eingehen der dortigen Hüttenwerke meistens als Hüttenarbeiter nach Thale gehen; Oberförsterei. Schöner Buchenwald. Zweigverein des Harzklubs.

Gasthöfe: *Weißes Roß*, II. Ranges, gelobt; Fische (auch Forellen) nicht teuer; Pens. 4 M. Gärtchen mit Veranda. Fuhrwerk. — *Zum Braunen Hirsch*, ebenso, gelobt; Gärtchen, Fuhrwerk; Badeanstalt. — *Zur Schönburg*, hübsches Gartenplätzchen.

Altenbrak ist einer der ältesten Harzer Hüttenorte, der mehrmals durch Feuersbrünste und Überschwemmungen zerstört, beim ersten Wiederaufbau verlegt, endlich aber 1448 doch wieder auf dem

»alten Brak«, d. h. auf dem alten Trümmerhaufen der ersten Ansiedelung, erbaut wurde. *Badeanstalt* des Gasthofs zum Braunen Hirsch. Von Sommerfremden, die hier ein bescheidenes, aber preiswürdiges Unterkommen finden, wird der Aufenthalt gelobt und besonders Rekonvaleszenten, Nerven- und Lungenleidenden empfohlen. — Hinter Altenbrak die eingegangene *Ludwigshütte*.

Altenbrak ist reich an schönen Punkten: *Hohe Sonne*, herrliche Aussicht; — *Brandkopf*, Blick nach dem Brocken; — ***Bielstein;*** — die sagenreiche *Schönburg*, hübscher Blick auf die Bodekrümmungen; — *Falkenklippe*, nach Treseburg zu, mit imponierender Aussicht, der *Rodenstein* (Porphyr), daneben der *Böse Klef*, mächtige Felsklippen, zu denen ein primitiver Weg hinaufführt; gegenüber am Bodeufer die *Teufelskanzel;* — Jagdschloß **Todtenrode**, $1/2$ St.; Erfrischungen beim Förster und im Forsthaus auf dem *Stemmberg*, 1 St.; in der Nähe des letztern der *Rote Stein*, Blick nach dem Oberharz und dem Brocken.

Entfernungen: Treseburg 1 St. — Blankenburg, Fußweg $1^1/_2$ St., Chaussee 10 km. — Thale, durchs Bodethal, 3 St. — Roßtrappe $1^1/_2$ St. — Tanzplatz $2^1/_2$ St. — Wendefurt $4^1/_2$ km. — Rübeland 13 km.

Fahrweg (Touristen nicht zu empfehlen): Von *Altenbrak* bis zu der Straßenkreuzung auf dem *Armesfelde;* dann geradeaus (r. geht es nach Blankenburg, l. nach Wendefurt) Chaussee durch Wald nach ($12^1/_2$ km) *Hüttenrode* (S. 82) u. von da nach (18 km) **Rübeland** (S. 82).

Fußgänger gehen den schmalen Fahrweg von Altenbrak immer am *rechten* Bodeufer aufwärts (von Treseburg kommend, braucht man event. gar nicht nach Altenbrak hineinzugehen), in prächtiger Landschaft in 1 St. nach (8 km von Blankenburg)

Wendefurt (338 m; *Gasthaus zu Wendefurt*), braunschw. Weiler, nur aus der Försterei, Mühle und Blankschmiede bestehend. Der historisch alte Ort liegt schön in einem Thalkessel der Bode. — Weiter am rechten Ufer aufwärts an einem hübschen Wasserfall (l.) vorüber kommt man (nach $3/4$ St.) an die Mündung der Rappbode in die Bode; man folgt der erstern am rechten Ufer bis zur ersten Brücke (20 Min.), überschreitet dieselbe und genießt alsbald bei einer Ruhebank ein schönes Landschaftsbild. Weiter der Chaussee Stiege-Rübeland r. folgend (scheinbar zurück), das Thal der Rappbode verlassend, halblinks ansteigend; bei der nächsten großen Straßengabelung r. ab durch Wald (Blick l. auf den Brocken), dann allmählich bergab nach (20 km von Treseburg) *Rübeland* (S. 82).

Von Wendefurt kann man auch über das Dorf **Neuwerk** nach Rübeland gelangen, am rechten Bodeufer entlang (der hochromantische Fußsteig am linken Ufer ist leider sehr verwachsen; die Tafel »Verbotner Weg« soll jedoch kein Hindernis sein): Von Wendefurt zunächst über die Brücke dann r. auf der Rübelander Chaussee wie oben durch Wald und an Wiesen vorbei bis zu einer doppelten Gatterthür; auf einer Holzbrücke über die Rappbode, dann r., den *Langehals* überschreitend, und l., immer am rechten Bodeufer aufwärts, bei den Diebessteinbrüchen vorbei nach (1 St.) **Neuwerk** (375 m; *Gast- u. Logierhaus Krause*); überall Wegweiser. Von Neuwerk direkt über die Berge oder über die *Marmormühle* (S. 82) in $1/2$–$3/4$ St. nach Rübeland (S. 82).

3. Route: Aus dem Bodethal nach dem Südharz.

A. Von Treseburg über Güntersberge oder Stiege nach Stolberg.

25 km Fahrstraße über *Güntersberge*, 27 km über *Stiege* (Fußgänger 5½–6 St.). Diese Route ist die kürzeste Verbindung des Bodethals mit dem Südharz und auch für Fußgänger zu empfehlen, da sie meist durch Wald führt; am lohnendsten über Stiege. Keine Post, Wagen etwa 10 M.

Von *Treseburg* (S. 65) geht die Chaussee über die Bode, dann im Thal der l. in die Bode mündenden *Luppbode* an deren linkem Ufer durch Wald aufwärts. Nach 1½ km geht l. die Chausee nach dem Hexentanzplatz ab, auf welcher man auch über (9 km) *Friedrichsbrunn* (S. 210) nach (16 km) *Güntersberge* gelangen kann. Die Hauptstraße geht südl. an der Luppbode weiter. Bei 4,5 km Straßengabelung: **A.** L. nach Güntersberge. **B.** R. nach *Stiege* (s. unten).

A. Links an der Luppbode weiter über (7,7 km) **Allrode** (450 m), braunschweigisches Dorf mit 715 Einw. und Oberförsterei. (Fußgänger gehen hinter dem Dorf sogleich r. von der Chaussee ab den Feldweg südwärts, mit Aussicht auf den Brocken, nach Güntersberge, 2 km kürzend.) Dann über die anhaltische Grenze und ein kahles Plateau nach dem roßlaschen Gute (10 km) *Bärenrode* und nach

(13,2 km) **Güntersberge** (410 m; *Goldner Löwe; Schwarzer Bär*), zwischen Bergen eingebettetem anhaltischen Städtchen mit 842 Einw., in dessen Nähe die Ruinen der *Güntersburg*. Zweigverein des Harzklubs, Auskunft bei Herrn *E. Becker*. Südl. der Stadt der hübsch bewaldete *Martinsberg* und jenseit des Wäldchens ein trigonometrisches Signal in 501 m Seehöhe, von dem weite Aussicht, im S. der Auerberg.

Fußgänger können von hier direkt südl. auf schmaler Straße in 2 St. nach Stolberg gelangen oder vom Signal südwestl. direkt nach Breitenstein absteigen.

Weiter am Güntersberger Teich vorbei, den die junge Selke durchfließt (er wird auch als ihr Ursprung angesehen), dann l. ab nach (17 km) **Breitenstein** (470 m; *Gastwirtschaft*), Dorf mit 800 Einw., zu Stolberg-Roßla gehörig; Glashütte (Hohlglas). R. mündet hier die Straße von Stiege ein. — Dann südwärts auf der alten Poststraße nach dem (20 km) **Tannengarten** (499 m; S. 203), wo früher ein gräflich Stolbergsches Jagdschloß stand; ein Waldwärter (Erfrischungen, Bier) findet sich dort. Von hier geht man am besten zu Fuß auf köstlichen Promenadenwegen durch herrlichen Laubwald hinab, zuletzt am Schloß vorbei nach (25 km) **Stolberg** (S. 202).

B. Rechts von der Weggabelung folgt man der Chaussee, welche fortgesetzt durch herrlichen Buchenwald, den *Wildgarten*, führt, bis

(11,5 km) **Stiege** (482 m; Gemeindeschenke zum *Burgstieg*; frühere Schloßbrauerei), braunschweigischer Flecken mit 1356 Einw.,

Postamt, Holzwarenfabrik und Kohlenbrennerei; eine Wetter- und Sprachenscheide. Zweigverein des Harzklubs; Auskunft bei Hrn. G. Köster. Stiege ist der Hauptort, woher die kleinen Harzkäse in den Handel kommen. Merkwürdige Sitten. Ende Juni auf einem schönen hohen Platz Freischießen. Hinter der Schenke der »Stieg« nach dem Schloß, von den Grafen von Blankenburg-Regenstein erbaut, jetzt vom herzoglichen Forstmeister bewohnt. Malerische Lage von Schloß und Kirche, indem man um den Dorfteich herumgeht. (Fälschlich hat man den Namen »Heidenstieg«, ein andrer Name für die »Kaiserstraße« [S. 17], auf den Ort Stiege bezogen.) In der Nähe von Stiege sind bei Ausgrabungen die Grundmauern der einst in der Nähe der Selkequellen gelegene Selkekirche bloßgelegt worden.

4 km nordwestl. von Stiege liegt *Hasselfelde* (s. unten). — Von Stiege Waldweg über *Birkenmoor* nach *Ilfeld* (S. 197), $2^3/_4$ St., Fußgängern empfohlen.

Von Stiege in südöstlicher Richtung auf der alten Harzschützenstraße, nur teilweise durch Wald nach dem kleinen, nur aus wenigen Häusern bestehenden bernburgischen Ort (17 km) *Friedrichshöhe* (500 m). Dann das anhaltische Land sogleich wieder verlassend, auf stolbergischem Gebiet nach (19 km) *Breitenstein* (S. 70), wo l. die Straße von Güntersberge einmündet. (Fußgänger können auch von Stiege direkt durch den Wald, Friedrichshöhe l. liegen lassend, nach Breitenstein gehen; Weg aber schwer zu finden.) Nun wie oben unter A beschrieben weiter nach (27 km) **Stolberg** (S. 202).

B. Poststraße Blankenburg — Hasselfelde — Ilfeld — Niedersachswerfen.

Post von *Blankenburg* über *Wendefurt* nach (17 km) *Hasselfelde* (in $2^1/_2$ St.) und weiter über (34 km) *Ilfeld* nach (39 km) *Niedersachswerfen* (in $3^1/_4$ St.) an der Bahn Nordhausen — Northeim, 6 km von Nordhausen. Die Fahrt bietet nicht viel.

Die Straße von *Blankenburg* (234 m) läuft über (2,5 km) *Kattenstedt,* braunschweigisches Dorf mit 650 Einw., dann über ein kahles Plateau, später durch Wald ansteigend. Am (6,5 km) *Armesfeld* (425 m) Kreuzung mit der Straße Hüttenrode — Altenbrak, dann hinab durch Wald in das Thal der Bode (335 m), die wir bei (8 km) *Wendefurt* (S. 69) überschreiten. Jenseits wieder aufwärts durch Wald, später über kahles Plateau nach

(17 km) **Hasselfelde** (452 m; *König von Schweden*, am Markt; *Krone; Deutscher Kaiser*), braunschweigische Stadt mit ca. 2500 Einw. Freundlicher Marktplatz mit Kirche (nach einem Plan vom Baumeister *Ottmer*), 1845—51 aus dem Sandstein der Gegend erbaut. 2 Oberförstereien, Amtsgericht, 2 Ärzte. Nach Dr. *R. Blasius* in Braunschweig »zeigt das auf der Hochebene gelegene Hasselfelde, die höchste Stadt des Herzogtums, die bei weitem geringste Sterblichkeit aller Städte am Harz, geringer als viele andre hochgepriesene

Luftkurorte«, wonach sich der Ort für Lungen- und Nervenschwache eignen würde. Neue Wasserleitung. Badeanstalt. Zweigverein des Harzklubs (Auskunft bei Herrn Apotheker *Bischof* und Herrn Kaufmann *G. A. Ludwig*).

Post: Von *Hasselfelde* nach (17 km) *Blankenburg* in 2½ St.; — nach (22 km) *Niedersachswerfen* in 3¼ St.; — nach (11 km) *Tanne* in 1½ St. — **Telegraph.**

Im Mittelalter blühte hier Bergbau auf Silber und Kupfer; 500 Bergknappen waren beschäftigt, und der Ort hatte eigne Münzgerechtsame. Der Sage nach soll die unüberlegte Büberei einer Anzahl Bergknappen, die im Rausch das nahegelegene *Gertrudenkloster* überfielen und die Nonnen schändeten, zu des Papstes Bann und des Kaisers Achtspruch geführt haben und das sich wehrende Städtchen vom Exekutionsheer samt der ganzen Einwohnerschaft niedergemacht worden sein. Kaiser Heinrich III. hatte im 11. Jahrh. in Hasselfelde ein Jagdschloß. Graf Heinrich von Regenstein gründete 1277 in Alt-Hasselfelde (Hasselfelde bestand damals aus drei selbständigen Orten des Namens) ein Marienknechtskloster »Paradies« Augustinerordens, welches noch 1295 hier existierte, aber 1298 nach Halberstadt verlegt wurde.

Ausflüge: Spaziergang nach dem *Rabenstein* und dem *Kaiserberg*, dem *Karlshause*, *Rothensteine*, *Stemmberge* und weiter im schönen *Buchenwald* zu manchen hübschen Aussichtspunkten. — Nach Rübeland 1½, Altenbrak 1¼, Treseburg 1¾, Roßtrappe 3, Wendefurt 1½, Tiefenbacher Mühle 1½, Ilfeld 3 St.

Post von Hasselfelde nach (5 km) **Trautenstein**, braunschweig. Dorf mit 605 Einw. und hoch gelegener Holzkirche (455 m). Post. Im Pfarrgarten liegt der sogen. »*Drudenstein*« (heidnischer Opferaltar?), von dem der Ort den Namen haben soll. Nach einer andern Meinung verdankt der Ort seinen Namen dem nahen Gertrudenkloster, das hier eine Kapelle hatte.

Die Post fährt weiter nach (11 km) **Tanne** (S. 87), Endpunkt der Harzbahn.

Die Poststraße geht von Hasselfelde in südwestl. Richtung weiter, tritt wieder in den Wald, senkt sich dann hinab in das hübsche *Bährethal* (S. 198) und geht hier auf preußischem Gebiet (Provinz Hannover) an der (28 km) *Eisfelder Thalmühle* und dem *Nonnenforst* (Straßenknotenpunkt), r. oben der *Netzberg* (420 m), vorbei nach (34 km) **Ilfeld** (S. 197) und von hier im offenen Thal hinaus nach (39 km) **Niedersachswerfen** (S. 56) an der Bahn Nordhausen — Northeim.

4. Route: Blankenburg.

Von Thale nach Blankenburg.

11 km Post auf der Chaussee über das Dorf Thale, (5 km) *Timmenrode*, (7 km) *Wienrode* (Gasthaus zur grünen Tanne; Gasthaus zum Harz), braunschweigisches Dorf mit 548 Einw. u. (8½ km) *Cattenstedt*, braunschweigisches Dorf. — Touristen benutzen diesen Weg nicht mehr, sondern folgen der neuen direkten Chaussee (9 km). Dieselbe geht zunächst wie bisher nach (4½ km) *Timmenrode*, dann an den letzten Häusern r. durch Feld bis an den Fuß der Teufelsmauer und an dieser entlang; das Profil Ludwigs XVIII. am Ludwigsfelsen erkennt man von Timmenrode aus (leider ist die Nase abgeschlagen), die Felsensäule *Großvater* erst später. 1 km von Blankenburg mündet sie in die Poststraße,

beim Hirschthor, durch welches der Weg nach dem mit Anlagen und Ruhebänken versehenen *Vogelherd* (natürlich sollen auch hier Heinrich I. die Reichskleinodien beim Vogelstellen überreicht worden sein) führt. Man kann diese schöne Partie und den Besuch des Schlosses sogleich vor Betreten der Stadt abmachen.

Ein Fußweg geht auch von Thale nach der Blechhütte (S. 60), über die Steinbrücke (oder wer vom Waldkater kommt, über den Steg, S. 61) an das linke Bodeufer und dem Lauf des Flusses 5 Min. folgend. Anfangs lichter Wald, dann Wiese; Waldweg, steil hinauf; tief unten r. die Bode. Dann Wendung l. längs des Waldrandes (l. Wildzaun, r. Feld). — Lehmiger Hohlweg. Wo derselbe von einem andern aus dem Wald kommenden Weg durchschnitten wird, folgt man r. dem letztern. Von hier bergan und auf der Höhe weiter, die Chaussee überschreitend, r. an dem Dorf *Wienrode* vorüber nach *Kattenstedt* und **Blankenburg.**

Von der Roßtrappe nach Blankenburg.

Zunächst den Fahrweg, bei der Wendung desselben den abkürzenden Fußweg geradeaus, der nach 40 Min. beim Wegestein 6,3 auf die Chaussee führt; bald darauf wieder Fußweg l., nach 20 Min. beim Stein 4,8 aus dem Gatter auf die Straße. Man sieht Wienrode, Kattenstedt, Teufelsmauer und kann nicht mehr irren. Sa. 2 St.

Von Halberstadt nach Blankenburg.

19 km **Eisenbahn** mit Sekundärbetrieb (tägl. 5 Züge in 48 Min. für I. 1,60, II. 1,20, III. 0,80 M. Retourbillets: I. 2,60, II. 2,10, III. 1,30 M.). Im Anfang l. die *Spiegelsberge* (Haltestelle), weiter seitlich die langgestreckten Thekenberge mit den Sandsteinfelsen »Gläserner Mönch« und dann der *Hoppelnberg*. Dazwischen die kleinen *Zwieberge*, (10 km) Stat. *Langenstein* (s. S. 42), (Zweigbahn nach [6 km] Derenburg). Die Bahn windet sich nun in Form eines S zwischen den drei Felsenketten Hoppelnberg, Regenstein und der Teufelsmauer hin. In dem langen, klippigen Sandsteinrücken l. uralte menschliche Wohnungen. — (15 km) *Börnecke;* dann r. am Regenstein vorbei nach — (19 km) **Blankenburg.** Auf dem Bahnhof hübsche Aussicht, l. die Felsenkette des Regensteins, r. die Teufelsmauer mit dem Großvater, im Rücken Schloß und Stadt, r. von diesen der Ziegenkopf.

Blankenburg (234 m, Bahnhof 198 m), 6010 Einw., reizend gelegene Hauptstadt des braunschweigischen Kreises Blankenburg, mit schönen Promenaden um die Stadt und in der Umgegend; als klimatischer Kurort (mittlere Jahrestemperatur 9,55° C.) besonders von Nervenkranken besucht. Kreisdirektion, Amtsgericht, Forstmeisterei, Oberförsterei, Gymnasium. Garnison des Füsilier-(Leib-)Bat. Braunschweig. Inf.-Regts. Nr. 92.

Gasthöfe. *Weißer Adler*, altdeutsches Weinzimmer, kleine Gartenanlage, gute Fahrgelegenheit. — *Krone*, kleiner Garten. — *Gebirgshotel*, mit Garten, Pension tägl. 5-6 M. — *Fürstenhof*, Garten, Veranda, Theatersaal. — *Zum Heidelberg*, auf dem Heidelberg, s. S. 76. — *Stadt Braunschweig*, mit gutem Restaur. (Bier). — *Goldener Engel.* — *Forsthaus*, unweit der Bahn, billig, gelobt. — *Logierhaus Sonnenberg*, in der Nähe der Bahn.

Restaurationen: *Richard*, gutes Bier, auch Konditorei; Honoratioren, Offiziere. — *Thewes* (s. Fichtennadelbad), ebenso. — *Damköhler*, am Markt. — *Großvater*, am Fuß der Teufelsmauer (im Sommer auch Gasthof), Aussicht. — *Bahnhofsrestaurant.*

Badeanstalt auf dem Thie, auch für Damen. — **Fichtennadelbad** (*Thewes*), gegen Rheumatismus und Gicht; Restauration (besuchter Garten). — Die *Heilanstalt* des Dr. *Müller* und Dr. *Rehm* für Nervenleidende (drei Gebäude mit 50 Logierzimmern, Badeanstalt, Garten und Parkanlagen) wird namentlich von Ausländern besucht. Monatliche Pension inkl. Behandlung, Bäder etc.: I. Kl. 240–270 M., II. Kl. 200 M. Auch Privatlogis kann genommen werden. Epileptische, Geisteskranke etc. werden nicht aufgenommen. — Dr. *Eyseleins Pension* in der Gartenstraße, ebenfalls für Nervenleidende, ähnliche Verhältnisse, — hübsch gelegenes Erziehungsinstitut für junge Mädchen bei Fräul. *Martini*.

Freischießen. Anfang Juli (früher auf dem *Thie*, einer großen, mit Lindenbäumen umgebenen alten Dingstätte).

Harzklub, Zweigverein Blankenburg; Auskunft beim Herrn *Bahnhofsvorstand* und bei Herrn Stadtrat Bankier *Glaser*, Langestraße 1.

Lohnfuhrwerke tägl. 13½–15 M.

Post: Nach (17 km) *Hasselfelde* in 2½ St. (von wo weiter über *Ilfeld* nach *Niedersachswerfen*, vgl. R. 3); — nach (11 km) Bahnhof *Thale* in 1½ St., vorm. — **Karriolpost** (für 2 Personen) nach (12 km) *Benzingerode* und (11½ km) *Treseburg*.

Eisenbahn über *Rübeland* und *Elbingerode* nach *Tanne* s. R. 6.

Entfernungen: Von Blankenburg (Stadt) bis Altenbrak 10 km, Benzingerode 12 km, Hasselfelde 17 km, Thale 10 km, Treseburg 11½ km, Wendefurt 8 km, Wernigerode 17 km, Ziegenkopf ½ St.; — über den Ziegenkopf nach dem Eggeroder Brunnen 9 km, Hartenberg 13 km, bis Wernigerode 18 km.

Sehenswürdigkeiten: Das altertümliche *Rathaus*, erbaut 1233, renoviert 1568. Die neugebaute schöne *Kaserne* mit dem welfischen Löwen. Das Eckhaus an der Tränkestraße, in welchem während der Jahre 1796–97 der Graf von Artois (nachmaliger König Ludwig XVIII. von Frankreich) als Flüchtling wohnte. In der *Stadtkirche* wurde 1880 eine Reihe von Grabsteinen der Grafen von Regenstein aus dem 14. Jahrh. aufgefunden. — Das *Kriegerdenkmal* auf dem nahen Schnappelberg mit Anlagen und Rundsicht. — Die *Umgebung* ist reich an interessanten Punkten. Das Hüttenwerk der vereinigten Harzwerke steht mit den Eisensteingruben in Eisenbahnverbindung. — Drei in ihrer Ausdehnung imposante Sandsteinbrüche liefern weithin Steinprodukte. — Viele Gruben, sogen. Lappen, aus denen Erdfarben gewonnen werden.

Das ***Schloß Blankenburg**, 337 m ü. M., ca. 100 m über der Stadt, der Sage nach einst Residenz der sächsischen *Gaugrafen* im »Hartingow«, ist eins der schönst gelegenen und historisch interessantesten im ganzen Harzgebirge.

Die Burg Blankenburg ist im Anfang des 12. Jahrh. vom Kaiser Lothar erbaut worden. Er gab um 1130 Burg und Grafschaft an einen Verwandten seiner Gemahlin, den Grafen Poppo, den Ahnherrn des Geschlechts der Grafen von Blankenburg und Reinstein, welche in der Folge Lehnsleute Herzog Heinrichs des Löwen und seiner Nachkommen waren. Kaiser Friedrich I. ließ 1181 die Blankenburg, »die Alleintreue« des Löwen, belagern und dann zerstören. Ein Poppo war der erste 1130 und der letzte 1343 dieser Linie. Eine andre Linie hatte den Regenstein und die Heimburg im Besitz und erhielt nach dem Erlöschen der Hauptlinie die Grafschaft Blankenburg. Nach Aussterben des ganzen Geschlechts fielen diese Besitzungen 1599 an das braunschweigische Herzogshaus; vorübergehend nahm Wallenstein, der die Grafschaft für ausgelegte 50,000 Thlr. Kriegskosten vom Kaiser zum Pfand bekam, Besitz davon, und Braunschweig mußte behufs Wiedererlangung derselben wirklich auch jenes Geld zahlen, konnte auch nicht verhindern, daß dabei der Regenstein in andre Hände, zuletzt an Brandenburg kam. — Beide, Stadt und Burg, haben eine an Schicksalen reiche Geschichte, so die Zerstörung (1181) durch Kaiser Friedrich I., die Plünderung und Verwüstung durch den Grafen Dietrich von Wernigerode (1386), die Einäscherung des Schlosses am 19. Nov. 1586, bei welcher die Gräfin von Blankenburg verbrannte, und die Belagerung durch Wallenstein (1625), von der die eingemauerten Kanonenkugeln noch Zeugnis ablegen. Im 18. Jahrh. war hingegen das Schloß Schauplatz des glänzendsten Wohllebens. Durch Vermählung einer Tochter dieses Hauses mit Kaiser Karl VI. (1708) wurde die Grafschaft zu einem Fürstentum erhoben; jene Prinzessin Christine Elisabeth von Blankenburg wurde nachmals die Mutter der berühmten Kaiserin Maria Theresia. Die jüngere Schwester, Charlotte Sophie, deren Bildnis im Billardzimmer noch gezeigt wird, hatte das Schicksal, an den rohen Cäsarewitsch Alexis (Sohn Peters d. Gr.) 1711 vermählt und von ihm so mißhandelt zu werden, daß ihre Vertrauten einst den Augenblick, als der Wüstling die schwache Frau durch Faustschläge zu Boden geschmettert hatte, der (als falsch erwiesenen) Sage nach benutzten, sie für tot ausgaben, eine Puppe beerdigten, ihr aber zur Flucht nach Amerika verhalfen. Nach ihres wüsten Gatten Tod vermählte sie sich mit einem Chevalier d'Aubert und starb, nur von wenigen gekannt, 1770 in Brüssel. Jetzt ist das Schloß zur Jagdzeit Residenz des Regenten von Braunschweig, der dann wohl hohe Gäste hier bewirtet.

Sehenswürdigkeiten: Die verschiedenen Audienz-, Speise-, Kaiser- (Marmorstatuen) und Schauspielsäle und Zimmer mit Albrecht Dürerschen (eignes Porträt), Lukas Cranachschen Bildern, van der Werffs, Teniers', Wouwermans, Quintin Massys' (Wucherer); Porträte von Egmont, Ludwig XVI., Maria Theresia, der beiden oben erwähnten Prinzessinnen, und im Audienzzimmer das der gespenstigen »weißen Frau«, die hier wie im Schloß zu Berlin unheilverkündend umgeht. Waffen, alte Trinkgeschirre und sonstige Antiquitäten; Künsteleien etc.; Marmorstatue: Susanna im Bad, von Pozzi. In der Schloßkirche die Nachbildung eines von Michelangelo in Elfenbein geschnitzten Kruzifix und eine versifizierte Schilderung des Schloßbrandes von 1546. Der Kastellan erhält von einer Person 1 M., von 6 Personen an je 50 Pf. — Vom Billardzimmer aus hat man prächtige Aussicht.

Hinter dem Schloß beginnt der *Tiergarten*, der herzogliche *Wildpark*, mit einem verfallenen Jagdschloß, der »Luisenburg«, herrlichen Waldwegen und einer Anzahl von Hirschen, die in starken Rudeln häufig sichtbar sind (Eintritt für 50 Pf. an den Wildwärter). Zweckmäßig ist es, durch den Tiergarten, Herzogsweg, Bielstein nach dem *Ziegenkopf* (s. unten) und von dort am *Staufenberg* nach der Waldmühle bei Kloster Michaelstein (S. 78) zu gehen.

Man geht entweder am Ziegenkopf hinunter und am Rande des Waldes hin, so daß der Staufenberg l. bleibt, oder über den Bielsteintunnel die alte Chaussee nach Hüttenrode bis dahin, wo sie sich senkt und mehrere Wege abgehen; hier den vom Harzklub gebesserten Fuß- und Holzweg (nicht Fahrweg) scharf r. in den Wald, nun bergab in den *Silberbornsgrund* bis vor die Farbenhütte, dann l. die Anhöhe hinauf, wieder hinab, endlich durchs Wildgatter nach der *Waldmühle Michaelstein* (S. 78) oder nach der *Klosterschule*; durchweg deutlich erkennbarer Fußweg von 1 St. im ganzen, auf dem der Staufenberg r. bleibt.

1) Zum (50 Min.) ***Ziegenkopf** (403 m), einem schönen Aussichtspunkt, gelangt man die zum Tränkethor hinausführende und in vielen Windungen ansteigende (neue) Straße nach Elbingerode bis zum Wegweiser verfolgend; dann r. hinauf. Ein etwas steiler Fußweg, die Straße mehrfach schneidend, kürzt um 20 Min., doch ist die

Straße bequem und bietet fortwährend wechselnde Aussichten. Die schönste Aussicht hat man vom offenen Garten der hier befindlichen *Restauration*, zu dem man aber nur Zutritt hat, wenn man dort etwas verzehrt; will man dies nicht, so ist vor dem Eintritt zu warnen!

Herrliches *Panorama, besonders schön am Spätnachmittag; man überschaut von seiner Spitze die Josephshöhe bei Stolberg, die Viktorshöhe, Roßtrappe nebst Hexentanzplatz, Georgshöhe, Gernrode nebst Stubenberg, Ballenstedt nebst Schloß, Gegensteine, Bernburg, Quedlinburg, Magdeburg mit seinen stattlichen Türmen, Halberstadt und tief am Horizont das Elmgebirge. Im Vordergrund die Heimburg, den Hoppel- oder Sargberg, den Gläsernen Mönch, den Regenstein, die Teufelsmauer mit dem Großvater und am Fuß Blankenburg mit seinem malerischen Schloß, dem Wildpark und Luisenschloß.

Man kann vom Ziegenkopf den Weg r. von der neuen Chaussee ab direkt nach dem *Eggeroder Forsthaus* (1 St.) und von da auf dem S. 79 beschriebenen Weg nach *Wernigerode* gehen.

2) Die **Teufelsmauer** (15 Min. vor der Stadt beginnend) heißt der ganze felsige Höhenzug aus Sandstein, welcher südöstl. von Blankenburg streicht, nach einer 3 km langen Unterbrechung in abenteuerlichen Formen bei Thale und Neinstedt wieder zum Vorschein kommt und nach abermaliger Unterbrechung zwischen Gernrode und Ballenstedt als »Gegensteine« endigt. Am Fuß derselben ein Wäldchen, der *Heidelberg*, mit hübschen Promenadenwegen und Restauration, *Heidelbergs-Hotel*, mitten im Wald gelegen (T. d'h. 1 Uhr, Pens. 5–6 M.). — Von hier führt ein bequemer Waldweg (in 25 Min. vom Bahnhof) zu dem Aussichtspunkt, der **Großvater* (319 m), an dessen Fuß der *Gasthof zum Großvater* liegt. Der ganze Höhenzug (4 km lang) ist ein zersägter, ausgezackter Klippenkamm, von üppig wuchernder Strauchvegetation bekleidet. Der höschste Punkt der ganzen Teufelsmauer liegt einige hundert Schritt hinter dem Großvater; man sieht von hier aus den Brockengipfel, darum ist angeregt worden, diese Spitze »Brockenblick« zu nennen und auf ihr einen Pavillon zu errichten. Ein interessanter Weg, der *Löbbekensteig*, jetzt auch für Damen und Kinder ohne Gefahr passierbar, läuft auf dem Kamm der Teufelsmauer hin bis zum *Sautrog*, einer dunkeln Thalschlucht, angeblich ehemals eine Feimenstätte. Der Löbbekensteig ist besonders denen zu empfehlen, die über Timmenrode nach Thale wandern. Jenseit des Sautrogs noch schöne Anlagen, wie die *Hohe Sonne*, der *Heinrichs-* und *Ludwigsfelsen*, der *Kleine Sautrog* etc.

3) Der ***Regenstein** (295 m) oder *Reinstein* (Besuch sehr empfehlenswert), 3 km nördl. von der Stadt, guter Fahrweg bis hinauf. Die Ableitung von Rêge, Reihe, ist naheliegend, weil die genannten Sandsteinfelsen in einer langen Reihe liegen; jedoch scheint das altdeutsche *ragin* = raten diesen Felsen zu einem Versammlungsort der Germanen zu stempeln (?). — Zwei Fußwege (3/4 St.), leicht zu finden, zuerst durch das Feld und zuletzt im Wald scharf bergan,

führen dorthin. Oben ein *Wirtshaus* (Pension tägl. 3 1/2—7 M; Birkenwasser die Flasche 1,50 M.). In einer Kasematte Sammlung von Fundgegenständen. Schlüssel zu den Ruinen *den Gästen* unentgeltlich.

Die Ruine Regenstein ist eine der merkwürdigsten natürlichen Befestigungen des frühsten Mittelalters. Die sagenhaften Gründer benutzten entweder vorhandene Höhlungen an den hohen Felsen, oder ließen solche ausmeißeln, so daß ein großer Teil der Gemächer dieser einst umfangreichen Burg unzerstörbar war. Die Burg wurde um 1160 durch die Grafen von Blankenburg erbaut und diente seitdem Nebenlinien dieses Geschlechts zur Residenz. Sie war ursprünglich welfisches Lehen, wurde aber später von Halberstadt als Lehnsgut angesprochen.

Diese Grafen von *Reinstein* ragen in allen mittelalterlichen Fehden dieser Gegend hervor, und die Sage knüpft an den alten Burgturm, an die dunkeln Felsgemächer und Gefängnisse manche Erinnerung an diese kriegerischen Ritterleute, namentlich an den Grafen Albert von Reinstein (Julius Wolfs »Raubgraf«), der von 1323 an in fortwährenden Kämpfen mit den Städten und der Geistlichkeit von Quedlinburg lag; einer dieser Kriegszüge (erzählt die Sage) gegen Quedlinburg brachte ihn 1336 in lange Gefangenschaft, an welche noch (S. 44) auf dem Rathaus zu Quedlinburg der Käfig erinnert, in welchem er geschmachtet haben soll. Zum Tod verurteilt und am 20. März 1338 bereits zum Schafott (?) geführt, gewann er gleichwohl noch einmal durch Abtretung der Lauenburg (s. daselbst) seine Freiheit; mitten im Frieden verlor er das Leben, indem Rudolf von Dorstatt, halberstädtischer Hauptmann, ihn bei Dannstedt erstach und dann den Leichnam schimpflich aufhängen ließ. — Das Schloß kam 1343 an die jüngere Linie, an die Grafen von Heimburg. Als auch diese (1599) ausstarben, fiel Reinstein an die Herzöge von Braunschweig zurück. Nach wechselvollen Zwischenfällen nahm das Kurhaus Brandenburg Besitz von der Grafschaft, legte auf dem Reinstein eine Festung an und ließ den Adler (noch jetzt sichtbar) in einen Felsen unter dem Pulverturm als Wappen einmeißeln (darunter die Reinsteiner Hirschhörner von 1662), und so blieb das Felsennest eine preußische Enklave im braunschweigischen Land.

Im Siebenjährigen Krieg eroberten es die Franzosen und triumphierten in Paris, indessen die Preußen es schon wieder genommen hatten, weil der erste Kanonenschuß das Brunnenrad getroffen und die Festung trocken gelegt hatte. Die Preußen zerstörten 1758 daran so viel, als sich eben niederreißen ließ. Inschrift vom Jahr 1090 (?) am Eingang in eine vor einigen Jahren vom Schutt befreite Kasematte (unterirdischer Gang nach dem Blankenburger Schloß?). 20 m tiefes Burgverlies; kann besucht werden (Trinkgeld für Begleitung und Licht). Eine Stelle auf vorspringendem Fels, der schönste Aussichtspunkt auf den ganzen Harz, von der Konradsburg bei Ermsleben bis nach der Kattenäse bei Harzburg, wird der *Verlorne Posten* genannt, weil eine Schildwache, vom Sturm über die jähe Wand hinabgeschleudert, dennoch wohlbehalten unten angekommen sein soll. — Neben diesem Punkt blickt man in die Überreste eines ehemaligen Burgverlieses, von dem die Sage erzählt, daß unter den Raubgrafen einst ein Fräulein von Heimburg hier gefangen gehalten worden sei, das jedoch mit dem Ring ihres Geliebten eine Öffnung in den Felsen geschabt und durch dieselbe glücklich, trotz des jähen Abgrundes, entflohen sei. Auf der Nordseite unter dem Felsen ist ein weißes, von schmutzigen Streifen durchzogenes *Sandfeld*, das einem von Moränen bedeckten Gletscherfirn täuschend ähnlich sieht. — Wer Zeit hat, möge auf dem Rücken des Felsenkammes südöstl. bis zum ersten tiefen Einschnitt noch weiter wandern. 8 Min. vom Regenstein die *Kleine Roßtrappe*, interessante Felsenpartie.

5. Route: Von Blankenburg nach Wernigerode.

Vgl. die Karte »Umgebung von Wernigerode«.

18 km **Chaussee.** Von *Blankenburg* bis *Michaelstein* $3^1/_2$ km (auch Eisenbahn s. R. 6), bis *Heimburg* 7 km, bis *Benzingerode* 12 km, bis *Wernigerode* 18 km. Fußwege sind angegeben. — ☞ Wer die *Baumannshöhle* (R. 6) nicht besuchen will, für den bildet der unten beschriebene Weg über *Volkmarskeller*, *Eggeroder Forsthaus* und *Hartenberg* — oder auch der Weg über den *Ziegenkopf*, Eggeroder Forsthaus, Hartenberg — die genußreichste Verbindung zwischen *Blankenburg* und *Wernigerode*; sie sind beide dem nächsten Chausseeweg über Benzingerode vorzuziehen. Auch von *Rübeland* kann man noch auf diesen Weg einlenken.

In Blankenburg zum Tränkethor hinaus; entweder auf der Chaussee oder zwischen den Gebäuden der Domäne l. die Chaussee nach dem Ziegenkopf, bis wo diese sich l. wendet; hier geradeaus, um das Krankenhaus, Herzog Wilhelm-Hospital, herum geradeaus bis zu einem Brückthor der Harzbahn; hinter diesem entweder geradeaus bis zum Wege nach der Bast und dann erst l., später r., bez. an den Teichen vorbei oder, l. der Eisenbahn folgend bis zum Holze, in dem ein schattiger Promenadenweg auf den Bastweg führt. Überall Wegweiser.

($3^1/_2$ km) **Michaelstein** (260 m; die Bahnstation 15 Min.), Dorf mit 88 Einw., ehemaliges Cistercienserkloster, 1146 durch die Äbtissin Beatrix von Quedlinburg bei dem Volkmarskeller gegründet, 1167 nach dem heutigen Standort verlegt (s. unten), 1544 luther. Freischule bis 1717, dann Predigerseminar bis 1721, später lediglich Kollegiatstift, jetzt Domäne. Schöne Kreuzgänge. Das reizend gelegene *Hotel Waldmühle* (freundliche Bewirtung, Sommerfremde) ist ein beliebter Nachmittagsspaziergang der Blankenburger und dient im Sommer vielfach Malern zum Aufenthalt, die von hier aus Ausflüge zu ihren Studien machen. — Wenige Minuten von der Waldmühle entfernt der *Mönchmühlenteich* mit uralten riesigen, schönen Eichen, Wasserfällen und einer malerisch an die Felsen gebauten Mühle. — Künstliche Forellenzucht in Michaelstein.

Von Michaelstein nach Benzingerode geht man besser den nähern Weg auf der Heimburger Chaussee bis dahin, wo der Wald wieder anfängt und die Straße sich senkt; hier l. durch Wald und Wiesenthal. Man überschreitet dann die Chaussee nach Elbingerode (Kalkhügel r. zu besteigen wegen schöner Aussicht auf Heimburg, Blankenburg, Halberstadt) und sieht Benzingerode vor sich. Von hier nach Wernigerode, langweilige Chaussee (6 km), man kann mit einigen Umwegen auch am Waldessaum entlang gehen.

Von Michaelstein Chaussee am (l.) *Bärenstein* vorbei nach

(7 km) **Heimburg** (260 m; *Deutsches Haus*), Dorf mit 1024 Einw. und braunschweigischer Domäne, mit welcher die zu Michaelstein verbunden ist. Über dem Dorf die Reste der im Mittelalter viel umstürmten *Heimburg* (Besuch vom Besitzer auf vorherige Anfrage

gestattet). Von Heinrich IV. vor 1073 erbaut(?), in den Kämpfen zwischen ihm und den Sachsen mehrfach zerstört und wieder aufgerichtet, fiel sie im Bauernkrieg der Vernichtung anheim.

Von Heimburg führt eine schöne Straße zunächst über den *Ziegenberg* mit schönem Blick auf den Regenstein und Heimburg, durch das seiner schönen Baumformen wegen besuchenswerte **Dreckthal** (am Weg häufig Schwarzwild) nach dem ($1^3/_4$ St.) *Eggeroder Forsthaus* (s. unten) oder bei dem Forsthaus Hartenberg an die (2 St.) Straße von Elbingerode nach Wernigerode.

Von *Heimburg* Chaussee über (12 km) *Benzingerode* nach (18 km) *Wernigerode* (R. 10).

Hübschester Weg zwischen Blankenburg und Wernigerode.

Weiter als der oben beschriebene, aber der interessanteste Weg von Blankenburg nach Wernigerode ist derjenige über die *Waldmühle, Volkmarskeller, Eggeroder Forsthaus* und *Hartenberg* (4 gute Stunden), welcher oft auch als bloßer Abstecher von Michaelstein aus besucht wird, und der auch als Weg nach Rübeland und zur Baumannshöhle (40 Min. vom Eggeroder Forsthaus) zu empfehlen ist. Von der ($^3/_4$ St.) *Waldmühle* (s. S. 78) über die Ruinen des Klosters *Alt-Michaelstein;* am *Silberteich* oberhalb des Priorteichs vorbei, dann auf neuer Waldchaussee an dem den *Silberteich* bildenden *Rippenbach* (vom Volk das *Klosterwasser* genannt, weil er unter dem *Volkmarstein* aus dem *Volkmarsbrunnen* kommt) aufwärts; nach ca. $^3/_4$ St. r. durch Ölfarbe die Stelle bezeichnet, wo r. in einem kleinen Seitenthal der **Volkmarskeller** (Marmor), dessen Eingang aber hoch und versteckt liegt. Nach Bekehrung der Sachsen wurde auf der Höhe über dem Volkmarskeller, auf der die harzgauischen Sachsen wohl den schwerttragenden Kriegsgott Ziu verehrt hatten, ein Kirchlein zu Ehren des schwerttragenden Himmelsfürsten Michael erbaut. In einer Klause daneben lebte im 9. Jahrh. die Einsiedlerin Liutburg. Im 11. Jahrh. höhlte sich der Einsiedler Volkmar den Volkmarskeller als Wohnung aus. Nach seinem Tod lebten hier die »Volkmarsbrüder« als Einsiedler. 1146 richtete die Äbtissin Beatrix von Quedlinburg die Einsiedelei zum Cistercienser-Mönchskloster ein, welches 1152 nach dem weiter unten im Thale liegenden Hof Evergodesrode, dem heutigen Michaelstein, verlegt wurde. In den letzten Jahren wurden die alten Grundmauern des Klosters und der Kapelle aufgedeckt. Die Grotte ist jetzt verschlossen.

$^1/_2$ St. westlich vom Volkmarskeller liegen über der Heimburger Chaussee die spärlichen Ruinen eines alten kaiserl. Jagdschlosses, aus welchem der Sage nach eine Kaiserstochter geraubt worden ist. (Im Frühjahr 984 eroberten die Anhänger Kaiser Ottos III. Graf Ekberts Burg Ala und führten, wie der Bischof Thietmar von Merseburg berichtet, Adelheid, die siebenjährige Schwester Ottos III., welche hier erzogen wurde, mit sich fort. Sie wurde später Äbtissin von Quedlinburg, Gandersheim und Gernrode.)

Vom Volkmarskeller geht man am Klosterwasser zurück bis zu der Stelle, wo es das Knie bildet. Hier vereinigt es sich mit dem *Forsthauswasser,* dessen Richtung man von diesem Punkt an folgt. Der Weg geht nun auf dem linken Ufer des Forsthauswassers hin zu dem

($1^3/_4$ St.) **Forsthaus am Eggeroder Brunnen** (467 m), das sogen. *Alte braunschweigische Forsthaus,* interessant durch seine künstliche Forellenzucht sowie durch das Wildschweingehege. Hierher kann man auch von Blankenburg über den *Ziegenkopf* (S. 75) gelangen; $1^3/_4$ St.

Von diesem Forsthaus wendet man sich, um nach *Rübeland,* bez. zur *Baumannshöhle,* 40 Min., zu kommen, l. über die Wiese; um nach *Wernigerode* zu gelangen, läßt man Försterei und Brunnen l., das Haus eines Holzhauers mit hohem Tritt r. liegen, sucht hinter diesem Haus den zweiten, nordwestl. abgehenden Weg auf und verfolgt ihn nach

(2½ St.) **Hartenberg** (521 m), Forsthaus und Gastwirtschaft, 8 km von Wernigerode. In dem gräflich stolberg-wernigerodischen Marmorbruch daselbst wird nur, wenn große Bestellungen auf Säulen etc. einlaufen, gearbeitet. Seit dem Bau der Friedenskirche zu Potsdam erfolgten solche Bestellungen nicht wieder; es wurden so viele Blöcke vergeblich losgebrochen, daß sie noch überall umherliegen. Das *Zechenhaus*, Restauration, welches vorzugsweise Hartenberg heißt, rührt noch aus der Zeit her, wo der Eisensteinbergbau hier oben im Gange war.

Vom Hartenberg führt eine nicht zu verfehlende Chaussee durch den *Eisergrund* nach der gräflich stolbergschen (3 St.) **Voigtsstiegmühle** (310 m; Sägemühle mit Restaurant), früher *Marmormühle* genannt. Von der Mühle und dem *Mühlthal* aus nach (4¼ St.) **Wernigerode** kann man auch r. den Umweg durch das *Christianenthal*, den *Tiergarten* und über das Schloß machen. Sehr lohnend.

---

6. Route: Eisenbahn von Blankenburg über Rübeland und Elbingerode nach Rothehütte und Tanne.

Eisenbahn 4mal tägl. nach (13,5 km) *Rübeland* in 1 St. 40 Min. für I. 1,10, II. 0,80, III. 0,60 M.; — (17,3 km) *Elbingerode* in 2 St. für I. 1,40, II. 1,10, III. 0,70 M.; — (23,7 km) *Rothehütte-Königshof* (Station für den Brocken) in 2½ St. für I. 1,90, II. 1,40, III. 1,00 M.; — (30,5 km) *Tanne* in 2¾ St. für I. 2,50, II. 1,90, III. 1,20 M. — Retourbillets billiger.

Bahnanlage. Die mit der erstmaligen Anwendung der dreiteiligen Zahnstange »System Abt« erbaute »vereinigte Adhäsions- und Zahnradbahn« überwindet die Unebenheiten des Terrains bei wechselndem Gefälle bald mit dem gewöhnlichen Mittel einer normalspurigen Adhäsionsbahn, bald, und zwar bei stärkern Steigungen, unter Zuhilfenahme einer in der Mitte zwischen den Schienen eingelegten Zahnstange. Die Berglokomotive besitzt dem entsprechend einen Doppelmechanismus, d. h. 2 Maschinen unter einem Kessel; eine gewöhnliche Maschine und eine Zahnradmaschine, welche ganz unabhängig von der erstern arbeiten kann. Die 23 km langen Strecken ohne Zahnstange haben als stärkste Steigung 1 auf 40, oder 25 auf 1000 (Gotthardbahn 27, Arlbergbahn 31,4 auf 1000); die 7,5 km langen Strecken *mit Zahnstange*, welche in 11 Abteilungen von je 227—1522 m Länge mit den Adhäsionsstrecken abwechseln, haben als Maximalsteigung 1:16,66 oder 60 auf 1000 (Viznau-Rigi-Bahn 250 auf 1000). Auf allen Steigungen mit Zahnstange unterstützt die Zahnradmaschine die Adhäsionsmaschine, indem sie mit 2 gekuppelten Zahnrädern in die Zahnstange eingreift. Interessant ist der automatisch erfolgende Übergang von einer Adhäsions- in eine Zahnstangenstrecke und umgekehrt; er geht mit großer Leichtigkeit ganz ohne Stoß und ohne weiteres Zuthun des Lokomotivführers von statten. Das erste und letzte Ende der einzelnen Zahnstangenstrecken ist nämlich beweglich und ruht auf Spiralfedern. Wenn also die Zahnräder der Lokomotive auf die Zahnstange auflaufen, so wird dieses bewegliche Anfangsstück der Zahnstange nach unten gedrückt, und der Eingriff ist sofort hergestellt.

Die in Eßlingen gebauten Lokomotiven kosten jede 57,000 M. und besitzen in Sa. 620 Pferdekräfte. Eine solche Maschine befördert einen Zug von acht beladenen Güterwagen mit 12 km Geschwindigkeit in der Stunde. Bei jeder Bergfahrt befindet sich die Lokomotive hinter dem Zug, den sie vor sich herschiebt, während sie bei der Thalfahrt stets an der Spitze des Zuges ist, um denselben mit ihrem bedeutenden Eigengewicht bremsen zu können. Daher auf jeder Station Platzwechsel der Maschine. Dieser Umstand und die zu überwindenden Steigungen erklären die im Verhältnis zur Strecke etwas lange Fahrtdauer, wobei jedoch immerhin viel erreicht wird, indem z. B. auf der Strecke Blankenburg–Hüttenrode in 50 Min. eine Höhe von 279 m überwunden wird. Da die Zahnstange nicht wie auf dem Rigi einteilig, sondern dreiteilig ist (es liegen 3 schmale Zahnstangen nebeneinander), so ist die Betriebssicherheit eine sehr große. Die Bahn ist eingeleisig mit Sekundärbetrieb, aber durchweg normalspurig gebaut, so daß sie mit allen Vollbahnen in direkten Güterverkehr treten kann. Die Bahn ist vom braunschweig. Eisenbahndirektor *Schneider* in Blankenburg gebaut, dem das Verdienst der ersten praktischen Anwendung des Systems Abt gebührt. Die Linie wurde 1886 eröffnet.

Die ganze Bahnanlage bietet nicht allein für Techniker, sondern auch für Touristen hohes Interesse, da sie bis ins Herz des Harzes eindringt.

Die Fahrstraße Blankenburg-Elbingerode-Rothehütte wird wohl von den meisten Reisenden zu gunsten der Eisenbahn unbenutzt bleiben und mit Recht, da sie selbst dem leidenschaftlichsten Fußgänger, ihrer Einförmigkeit wegen, nicht anzuraten ist. Sie führt in Blankenburg zum Tränkethor hinaus und den ***Ziegenkopf** (schöne Aussicht, Näheres s. S. 75) in vielen Windungen hinauf. (L. von der Chaussee in 5 Min. zu einer Restauration auf der Höhe des Berges.) Ein steiler Fußweg, welcher die Straße mehrfach schneidet, kürzt um 20 Min., doch ist die letztere bequemer. Dann weiter und nach Übersetzung des Bielsteins in das Braunesumpfthal (Fortsetzung s. unten).

Von *Blankenburg* (198 m; s. S. 73) wendet sich die Bahn erst nördlich und beschreibt dann nach S. zu einen großen Bogen um die Stadt bis zu den *Hüttenwerken,* von welchen sie sich in einer nach N. offenen Kurve nordwestlich wendet und, den *Ziegenkopf* (s. S. 75) l. liegen lassend, in den Wald tritt. Bei den Hüttenwerken beginnt das Zahnrad seine Arbeit und ist fast ununterbrochen bis Hüttenrode thätig; in technischer Hinsicht die interessanteste Strecke der Bahn. Das Steigungsverhältnis beträgt gleich anfangs 1 : 16,6 (das Maximum); dann 1 : 40, 1 : 28 und endlich wieder auf 525 m Länge 1 : 16,6 bis

(5,6 km) Stat. *Bast-Michaelstein* (323 m), kleines, in schattigem Buchenwald gelegenes Stationshaus, nach dem 1 km entfernten Dorf (S. 78) benannt. Kopfstation, Umspann der Lokomotive. — Die Trace ändert ihre Richtung nach S. und steigt wiederum, eine kleine horizontale Strecke ausgenommen, im Verhältnis von 1:16,6, indem sie zwischen dem *Staufenberg* und dem *Eichenberg* auf den *Bielstein* zugeht. Unter demselben durchbricht die Linie die Wasserscheide nach dem »Braunen Sumpfthal« mit Benutzung eines alten Stollens, welcher erweitert und ausgebaut wurde, dem (7,6 km) *Bielstein-Tunnel.* Vor diesem hört die Zahnstange auf, die Bahn durchläuft den 480 m langen Tunnel und erreicht gleich hinter demselben

(8,2 km) Stat. *Braunesumpf* (412 m), einfaches, in einem kleinen Waldthal, dem *Braunesumpf-Thal,* gelegenes Stationshaus. Hier trifft der Fahrweg von Blankenburg über den Tunnel hinziehend mit der Bahnstrecke zusammen und läuft r. neben derselben her bis zu einem Wärterhäuschen, wo er das Geleise schneidet und l. von demselben im Wald nach (7 km) Hüttenrode (s. unten) hinaufzieht.

Eisenbahn. Bald hinter der Station beginnt das Zahnrad wieder seine Thätigkeit, der Zug steigt 786 m lang 1:16,6, 110 m lang 1:40 und 309 m lang 1:16,6 und gelangt so nach

(9,9 km) Stat. **Hüttenrode** (477 m; *Grüne Tanne; Braunschweiger Hof*), 279 m über dem Ausgangspunkt der Linie; nahebei (3 Min.) das gleichnamige braunschweigische Dorf mit 1150 Einw. In der Nähe Eisensteingruben und Schieferbruch. Guter Aussichtspunkt bei der Kirche. Von dem malerischen *Krokstein* oberhalb der Marmormühle lohnende Niederblicke ins Thal.

Die **Fahrstraße** gabelt außerhalb des Ortes l. nach Hasselfelde und Altenbrak (S. 68), r. nach Rübeland. — ¼ St. hinter Hüttenrode geht l. ein Fußweg von der Chaussee ab auf prächtiger Bergwiese nach der **Marmormühle**. Dann wieder auf den Hauptweg zurück. Letzterer läuft bis auf eine abwärts führende Biegung, bei welcher man den Bahnstrang aus den Augen verliert, l. neben demselben her. Bei dem Bismarcktunnel (s. unten) umgeht die Straße den Felsvorsprung und gelangt, hinter dem Tunnel das Geleise kreuzend, nach (12 km) **Rübeland** (s. unten).

Von Stat. Hüttenrode genießt man eine herrliche Aussicht: das ganze Brockengebirge mit den deutlich erkennbaren Gebäuden auf dem Gipfel; davor der Renneckenberg mit den Zeterklippen; l. der Große Winterberg, der Wurmberg (Wormberg), der zweithöchste Gipfel des Harzes; im westlichen Hintergrund die Hohneklippen (S. 108), der Erdbeerkopf etc. — Die Lokomotive, welche bisher den Zug geschoben hat, setzt sich nun vor denselben, welcher jetzt abwärts (1:40) geht bis 0,4 km vor dem *Garkenholz* (einem kleinen Hügel, welchen die Bahn in einer Hohle durchsetzt), wo die Zahnstange wieder beginnt und in einem Steigungsverhältnis von 1:18, dann 1:16,6 abwärts bis vor den 188 m langen *Bismarcktunnel* führt (er wurde in der Nacht vom 31. März zum 1. April durchgeschlagen). Diesen durchläuft die Bahn in einer Kurve und gelangt beim Austritt in das Bodethal (Thalsohle 378 m) nach

(13,5 km) Stat. **Rübeland** (378 m; *Bahnrestaurant*), braunschweig. Hüttenort mit 700 Einw., dessen Namen man von »Röveland«, d. h. Raubland, ableitet, weil im Mittelalter längs der Bode bis hinaus nach Thale nicht weniger als zehn Raubburgen gestanden haben sollen. Station für den Besuch der Baumanns- und Bielshöhle, interessant für jeden, der noch keine derartigen Naturgebilde gesehen hat. — Hier ist die schönste Partie der ganzen Tour: die felsigen mit Nadel und Laubwerk bewachsenen Berge, welche das schmale Thal bilden, gewähren einen malerischen Anblick.

Gasthöfe: *Grüne Tanne*, zunächst vom Bahnhof, gegenüber der Hütte. Forellen 2,50 M., Gärtchen. — Weiter: *Goldener Löwe*, gelobt. Forellen. Garten. Verkauf von Marmor- und Gußwaren. Wagen zu haben. — *Goldenes Roß*, von den Höhlen entlegener, nach Elbingerode zu.

Das früher herzogliche Eisenwerk, zu dem auch die Werke zu Zorge (S. 127) gehören, ist, seitdem es in Privathänden, wesentlich erweitert worden; bedeutende Retortenverkohlung, um die Nebenprodukte, Holzessig und Holzgeist, zu gewinnen. (Dinge, die bei längerm Aufenthalt den Naturgenuß etwas beeinträchtigen.)

Eine Explosion des chemischen Laboratoriums am 1. Juni 1872 war von einer entsetzlichen Wirkung, indem dieselbe 17 Häuser des Ortes mehr oder weniger zertrümmerte, Balken und Steine Hunderte von Fuß bis auf die Höhe der Felsenwände schleuderte und vier Personen, unter diesen den englischen Chemiker Dr. Shapman, so in Stücke zerriß, daß nur geringe Reste derselben wieder aufgefunden werden konnten.

Der *Schwarz-Marmorbruch* dicht hinter der Eisengießerei. Neben demselben, an der Brücke, wurden in großer Anzahl die Knochen und Zähne des Höhlenbären (Ursus spelaeus) gefunden, Mineralien und Eisengußwaren sind im Gasthof zum Löwen käuflich zu haben.

Aussichten. Man besteigt auf dem rechten hohen Ufer der Bode den Platz der Ruine Birkenfeld, wo jetzt ein Schießhaus erbaut ist. Prächtige Aussicht ins Bodethal und auf die umliegenden Höhen. Auf Promenadenwegen bis zu den Wolfsklippen oberhalb des Forsthauses.

Die weitaus größte Menge der Thalbesucher kommt jedoch wegen der **Baumanns- und Bielshöhle,** welche den kleinen Ort Rübeland berühmt gemacht haben. In der Regel wird nur die erstere besucht (1 St. Zeit), obwohl die letztere (2 St. Zeit) schönere Tropfsteingebilde aufzuweisen hat und deshalb lohnender (z. Z. aber nicht mehr fahrbar) ist; die Baumannshöhle ist aber großräumiger.

Zur Notiz! Im Gasthof und vor den Höhlen sind Führer für die Höhlen meist anwesend. Dem Führer ist Folge zu leisten. Gebrechliche Leute dürfen nicht in die Höhle; sonst auch für Damen und Kinder ohne Beschwerde. Damen mögen aber nicht mit Zeugschuhen einfahren, Herren nicht mit hohen Hüten. Abkühlung vor der Höhle.

Taxe für den Besuch der Höhlen, für Führung und Beleuchtung (einschl. 3 bengalischer Flammen): Grundtaxe 1 M., dazu 25 Pf. Zuschlag für jede der gleichzeitig einfahrenden Personen (bei Schulkindern nur 5 Pf.). — Nach dem Besuch Waschgelegenheit (Trinkgeld).

☞ Die Höhlen sind sehr schmutzig und verräuchert, und die Beleuchtung durch Öllampen, welche die Luft verderben, ist so mangelhaft, daß der Besuch der Höhlen bisher ein sehr zweifelhaftes Vergnügen war und schon manchen enttäuscht hat. 1889 sind die Höhlen von den Harzer Eisenwerken in Rübeland in Pacht genommen worden, welche diesen Übelständen abhelfen, die Höhlen elektrisch beleuchten und wohl auch eine Änderung in der Führung vornehmen werden.

Beide sind Hohlräume im schwärzlichen Marmor, reich mit Tropfsteingebilden (dicht, fest, etwas durchscheinend, im Bruch oft glänzend weiß, aber außen herum rauchgrau) geschmückt.

Die **Baumannshöhle,** die größere, näher gelegene, öffnet 44 m über der Thalsohle ihren Eingang, mißt in ihrer durchwanderbaren Ausdehnung gegen 260 m Länge und in der bedeutendsten der sieben Hauptwölbungen 10 m Höhe. Es tiefen sich jedoch noch eine Menge von nicht aufgeräumten, noch unbekannten Seitengängen ab. Fortwährend tropft kalkhaltiges Wasser hernieder und baut und

6*

formt an den Stalaktiten weiter. Die Führer haben für die einzelnen Gruppen spezielle, freilich oft ziemlich gesuchte Ähnlichkeitsbezeichnungen, wie z. B. das Meer, die Orgelpfeifen, die Türme etc.; das schönste Stück ist unbedingt die sogen. *Klingende Säule* ($2^1/_2$ m hoch), welche, angeschlagen, fast in einem Metallton erklingt. Mit der Beleuchtung werden zuweilen allerlei Effekt-Kunststückchen, z. B. das Auslöschen der Grubenlampen beim Ertönen eines versteckten Gesangsquartetts, verbunden. — Die Baumannshöhle war nachweislich schon im 16. Jahrh. als »Bumannsholl« bekannt; was die Führer von einem Bergmann Baumann erzählen, der (etwa um 1670) hineingekrochen sei, um Erze zu entdecken, sich dann aber, nachdem seine Lampe verlöscht, verirrt habe und endlich nach dreitägigem leidensvollen Umherirren zwar wieder ans Tageslicht gekommen, aber bald darauf gestorben sei, ist, wenn es sich darum handelt, ihm die Entdeckung und Benennung zuzuschreiben, ein Märchen; Herzog Rudolf August ließ sie 1668 gangbar machen.

Die **Bielshöhle,** erst später (um 1672 bei Gelegenheit eines Waldbrands) aufgefunden, liegt noch etwa $^1/_4$ St. weiter westl.; zugängig gemacht wurde sie jedoch erst durch den Steiger Becker im Jahr 1788, und da auf diesem Felsenjoch in urgermanischen Zeiten ein dem Götzen Biel (?) geweihter Altar gestanden haben soll, nach ihm genannt. Diese Höhle hat 15 zugängliche Abteilungen und ist reicher als die Baumannshöhle ausgestattet mit Stalaktitenbildungen, unter denen die sogen. »Einsiedlergrotte«, das »Wellenschlagende Meer«, der »Springbrunnen«, die »Betende Jungfrau«, der »Thron«. Die Höhle wird z. Z. nicht mehr befahren.

Eine dritte Höhle, die *Sechserlingshöhle* nach dem Spitznamen des Entdeckers, jetzt **Hermannshöhle** genannt, enthält Reste vorweltlicher Tiere (Höhlenbär, Ursus spelaeus) und schöne weiße Tropfsteingebilde, ihr oberer Teil ist durch einen am 23. Juli 1888 durchgeschlagenen Stollen zugänglich gemacht und wird der Zutritt dem Publikum wohl bald gestattet sein. Schlüssel in der Oberförsterei.

Vom *Bielstein* (über der Bielshöhle) Blick ins Bodethal und auf die gegenüberliegende *Christinenklippe*.

Zweigbahn von Rübeland nach dem Eisenhüttenwerk *Neuwerk*, doch nur für den Transport von Steinen vom *Diabassteinbruch* hinter Neuwerk.

Von Rübeland nach Treseburg und Thale. Der Weg steigt an der südlichen Thalwand der Bode in einigen Windungen auf guter Straße an, die in 1 St. ins Thal der *Rappbode* führt. Man biegt nach Überschreitung derselben gleich hinter der Brücke l. ein und gelangt auf den schönen Weg nach *Wendefurt-Altenbrak-Thale*, vgl. R. 2, S. 68.

Von Rübeland nach Wernigerode Eisenbahn nach (5 km) Elbingerode, von da 10 km Fahrweg (Post). — Angenehmer ist der Weg über den *Hartenberg* nach *Wernigerode* (S. 79 und 80); man lasse sich vom Wirte den Weg zeigen. — Von der *Baumannshöhle* über den Berg auf schmalem Fußpfad direkt nördl. in $^1/_2$ St. zum Vorwerk *Kaltethal* und von da über Hartenberg nach *Wernigerode.*

Von Rübeland nach dem Brocken kann man auch einen andern Weg einschlagen, im Bodethal aufwärts über *Susenburg, Königshof* nach (ca. 2½ St.) *Rothehütte*, allerdings keine Partie für Touristen, sondern nur forschenden Freunden der deutschen Geschichte als Tagestour (bis auf den Brocken) zu empfehlen. Führer empfehlenswert, doch bei Annahme desselben Beweise zu verlangen, daß er die Wege genau kennt. *Weg:* Von Rübeland am linken Ufer der Bode aufwärts, doch so, daß die *Christinenklippe* (dem Bielstein und der Bielshöhle gegenüber) l. bleibt. Nun auf eine aus drei Stangen (ohne Geländer) improvisierte Brücke zu (welche über die Bode führt), *ohne dieselbe zu überschreiten.* Also auf gleichem Ufer ¼ St. flußaufwärts, dann am Berg empor bis zu einem glatten Weg, der nach l. zu den mächtigen Felsen zu verfolgen ist. Ein wenig zur Seite gehend (die Stelle ist kenntlich durch das Waldzeichen Nr. 47 an einem Stein) zur

Susenburg. Von den Trümmern derselben nichts mehr sichtbar als einige in den Felsen getriebene Vertiefungen. Studienrat *Dr. Müller* aus Hannover, welcher Nachgrabungen angestellt hat, fand weder eine Spur von Mauerwerk noch Gerät, doch wird noch im 16. Jahrh ein Bergfried erwähnt; die Lage des Punktes auf einer fast ganz von der Bode umschlungenen Bergzunge ist schön. Falschmünzer trieben in den 30er Jahren hier ihr Wesen.

Von hier ein Stück Weg wieder zurück bis zu einer sogen. Forstlinie (breiter Weg), die r. zum Holz hinaus bis zur »*Sandkuhle*« zu verfolgen ist; hier l. der Fußsteig, der, von Elbingerode kommend, nach Königshof führt. ¼ St. von hier l. über Wiesen (Passage ist verboten) stand einst *Dorf* und *Kirche* **Bodfeld.**

Auf der wüsten Dorfstätte hat sich das vereinsamte Kirchlein noch länger erhalten und wurde auch noch von einem Priester aus Elbingerode bedient; es war aber die Gegend so unsicher, daß 1285 der Bischof von Halberstadt demjenigen einen zehntägigen Ablaß versprach, der dem Priester zum Schutz mitgehen wollte. Das Kirchlein ist noch 1870 Gegenstand der Altertumsforschung gewesen; Ausgrabungen haben aber nichts als Mauerreste, Brandschutt, Sarg- und Knochenteile, Schlüssel etc. zu Tage gefördert; von einer frühern Jagdpfalz an dieser Stätte keine Spur.

Das kaiserliche **Jagdschloß Bodfeld** war die wüste Burg über dem jetzigen Königshof (s. unten; nach Ansicht andrer stand es dicht beim Dorf Bodfeld) und ist geschichtlich sehr interessant; hier erkrankte Heinrich I. und starb bald darauf in Memleben (936). Die Ottonen hielten oft hier Hoflager; Otto I. 944, 945, 952; Otto II. 973, 975, 979, 980; Otto III. 990, 992, 995; Konrad II. 1025. Kaiser Heinrich III. unterzeichnete hier viele Urkunden und starb 1056 in Bodfeld plötzlich, während Papst Viktor II. bei ihm zu Besuch war, in dessen Armen, wie es heißt infolge reichlichen Genusses von einer Hirschleber, resp. in Aufregung über die Niederlage seines gegen die Wenden gesandten Heers. Der Papst hatte eben das neue kaiserliche Stift in Goslar eingeweiht. Hier in Bodfeld stürzte Heinrich der Löwe vom Pferd und brach das Bein, als er nach Saalfeld wollte, um sich mit dem Kaiser zu versöhnen; er ließ sich behufs seiner Heilung nach dem Kloster Walkenried bringen, da das Jagdschloß wohl keine wohnliche Stätte mehr war. Die aus Bodfeld herrührenden Urkunden sind aus der Jagdzeit in den Monaten August bis Oktober Beweis dafür, daß es nur Jagdschloß gewesen; 1258 war es schon Ruine.

Weiter nach **Königshof** (S. 87) und **Lukashof** (S. 87) auf dem oben genannten Fußweg.

Die Eisenbahn durchfährt Rübeland, die Bode l., den Fahrweg r. lassend; gleich hinter der Station l., dicht an dem braunschweigischen Hüttenwerk vorbei, über dieses hinweg hübscher Blick auf die romantischen, mit Buschwerk durchwachsenen Felsen der *Hohen*

Klef. — Bald geht die Bahnlinie, das malerische Bodethal verlassend, unter Eingreifen des Zahnrades, mit kurzer Steigung (207 m lang 1:16,6, dann 1:40, 1:18) r. in das reizlosere *Mühlthal*, in welchem sie aufwärts läuft. Kurz vor Elbingerode sind r. im *Kaltenthal* (oder *Schwefelthal*, nach seiner schwefelhaltigen Quelle) nach neuester Konstruktion gebaute große Kalköfen im Betrieb (tägl. 5000 Ztr.).

(17,3 km) Stat. **Elbingerode** (442 m; *Bahnrestaurant*), 5 Min. von der Station die preuß. Stadt mit 3185 Einw., durchflossen vom Rohrbach. Die ganze Gegend ist von höchstem geschichtlichen Interesse.

Gasthöfe: *Schützes Hotel Blauer Engel*, altes Haus. — *W. Königs Hotel.* — *Goldener Adler.* — *Glück auf*, bei Nagel. — *In den Birken*, angenehme Restauration, ¼ St. westl. der Stadt.

Zwei Ärzte im Ort. — **Apotheke** mit *Badeanstalt, Molken-* und *Kefirkur.* **Post:** Nach (11 km) *Wernigerode* in 1¼ St., 2mal. — **Wagen** nach dem *Brocken* 15–20 M. und Trinkgeld.

Elbingerode ist von holsteinischen (nordalbingischen) Familien, die im 11. Jahrh. sich nach dem Harz flüchteten (also von der *Elbe* kamen), gegründet worden (S. 20). Das freundliche Städtchen mit breiten Straßen liegt geschützt in einer Mulde des Mittelharzer Hochplateaus inmitten ausgedehnter Acker- und Wiesenflächen (nächster Wald 5 Min.). Seine Einwohner treiben Bergbau, Ackerbau und Rindviehzucht (reine Harzrasse). Der Ort hat eine hübsche neue gotische Kirche und eine Schloßruine. Der (¼ St.) *Gräfenhagensberg* ist ein offenes Eisenstein-Bergwerk, von schönem Baumwuchs umkränzt, sehenswert. — Oberförsterei. Kalk- und Pflastersteinbrüche. 5 Min. oberhalb der Stadt ein Aussichtspavillon (Blick auf Brocken, Hohneklippen, Wurmberg).

Ausflüge: Zur *Susenburg*, dem *Bodfeld*, *Königshof* s. S. 85.

Fußweg Elbingerode-Schierke. Von Elbingerode führt ein Fußweg ca. 50 Schritt vor dem Wegweiser (welcher den alten Fahrweg markiert), 20 Min. westl. vom Ort von der Poststraße r. abbiegend, nach (2½ St.) *Schierke* (wie auch ½ St. vor Schierke wieder l. abbiegend, nach *Elend*, das man nicht zu berühren braucht); es ist dies ein an Abwechselung und Aussichten auf die Brockengruppe reicher Rasenfußweg. Die Gegend wird rauher und ernster. Grenze zwischen Laub- und Nadelholz, welch letzteres sich von hier über den ganzen Oberharz erstreckt. Der Fußweg, in geringer Entfernung der Fahrstraße folgend, behält den Brocken, als bis dahin einzigen, aber sichern Wegweiser, stets in gerader Linie vor sich, verläßt nach 1½ St. den nach Elend hinabführenden Forstweg und wendet sich r. (bei einem Wegweiser) direkt nach (2½ St.) **Schierke** (S. 89).

Fußweg Elbingerode-Brocken. Man geht die Fahrstraße, welche an den Birken vor Elbingerode vorbeizieht, dann nach 1 St. westlicher Richtung sich mit dem r. von Wernigerode kommenden Weg (den der Brocken-Omnibus befährt) vereinigt, beim Wegweiser »Brocken« (¼ St. vor der *Hohne*) l. abbiegt und in 2½–3 St. nach *Schierke* führt. Von hier auf der Brockenstraße (S. 92) in 2 St. auf den *Brocken* (R. 8); von Elbingerode 5 St. — Vom Forsthaus *Hohne* über die Klippen a. d. Brocken (s. S. 109).

Die Fahrstraße Elbingerode-Rothehütte führt l. am Kleinen Hornberg vorbei, die Bahn kreuzend und den *Großen Hornberg* (der herrlichen Rundblick bietet) sowie Neue Hütte r. liegen lassend, dann steil hinab nach (5 km) *Rothehütte* (S. 87).

Die Eisenbahn gewinnt, vermittelst Zahnrades an der Seite des Kleinen Hornberges hinansteigend, das Hochplateau des *Großen Hornbergs* (539 m) u. hier die höchste Stelle der Bahn (mit 503 m ü. M.). Bei einem Wärterhäuschen Umspann der Lokomotive vor den Zug. — R. erblicken wir gerade vor uns den Wurmberg (S. 126), r. daneben die Hohneklippen (S. 108); Brocken nicht sichtbar. — Nun ziemlich steil abwärts, Maximalneigung 1:16,6, letzte Thätigkeit des Zahnrades. Bei *Neue Hütte*, zwei Frischfeuer und Zehnthütte, tritt die Bahn in das Thal der *Kalten Bode* (434 m), welche vom Brocken über Schierke und Elend herabkommt. Die Bahn setzt auf einer steinern Brücke über den Fluß, behält ihn zur Linken u. erreicht

(23,7 km) Stat. **Rothehütte-Königshof** (430 m; *Bahnrestaurant*). Von hier billigste Fahrgelegenheit auf den Brocken durch Omnibus (an der Station); Näheres R. 7. — R. von der Station liegt **Rothehütte** (*Goldenes Roß; Deutscher Kaiser*), fiskalische Eisenhütte mit 443 Einw., zwei Hochöfen (Roheisen ca. 50,000 Ztr., Gußwaren ca. 7000 Ztr., Eisenfabrikation ca. 3000 Ztr., im Gesamtwert von ca. 600,000 M.; beschäftigt werden etwa 280 Arbeiter), Frischfeuer. — L. von der Station liegt **Königshof** (*Goldener Löwe; Melcher*), Hüttenort mit 670 Einw. am Zusammenfluß der *Warmen* und *Kalten* Bode. Eine alte Warte ($5^1/_2$ m im Durchmesser bei 2 m Mauerstärke und 9 m Höhe) ist der Rest der ehemaligen Königs- und Jagdburg der sächsischen und salischen Könige, *Bodfeld* (S. 85), hier starb 1056 Kaiser Heinrich III.; der Turm ist restauriert. — Nahebei am rechten Ufer der Kalten Bode liegt **Lukashof**, zusammen mit Königshof 670 Einwohner.

Die Eisenbahn nach Tanne ist gewöhnliche Adhäsionsbahn. Sie führt an *Königshof* und *Lukashof* und dem Zusammenfluß der Kalten und Warmen Bode vorbei und tritt l. in das Thal der letztern, dessen liebliche Wiesengründe sie, stets r. von der Straße bleibend, durchfährt. 2 km hinter Königshof tritt die Linie in den Wald und zieht sich am Rande desselben oberhalb der Straße bis

(30,5 km) Stat. **Tanne** (460 m; *Bahnrestaurant*), braunschweig. Dorf (*Gasthaus zur Harzbahn* von *C. Page* in der Dorfstraße l.) mit 891 Einw., an der Warmen Bode, Endstation der Harzbahn. Hüttenbetrieb. Für Mineralogen interessantes Eisensteinrevier.

Post von Tanne nach (10 km) *Braunlage* in $1^1/_2$ St. und weiter nach (22 km) *St. Andreasberg* in $3^3/_4$ St.; — über (4 km) *Benneckenstein* nach (17 km) *Ellrich* und nach (23 km) *Niedersachswerfen*.

Die Poststraße Tanne — Benneckenstein — Ellrich (17 km) geht zunächst nach

(34,5 km) **Benneckenstein** (533 m; *Ratskeller; Kronprinz; Stadt Braunschweig; Herzog; Goldner Stern*), Städtchen einer preußischen Exklave mit 3200 Einw. (Holzarbeiter, Nagelschmiede etc.), auf einem Hochplateau im flachen Thalkessel, umgeben von Fichtenwaldungen, durchflossen von der Rappbode. Eisengruben. Oberförsterei, Post und Telegraph. Fahrgelegenheit. Arzt. Der Boden besteht aus Hauptkieselschiefer, zum Teil auch aus Grauwacken-Einlagen im Wiederschiefer und liefert aus einem alten Stollen mittels Röhrenleitung ein fast chemisch reines Trinkwasser. Flußbad von Dr. med. Richter angelegt. Die hohe Lage und die durch nichts nachteilig beeinflußte harzige Gebirgsluft lassen den Ort als Sommerfrische geeignet erscheinen. Billige Privatwohnungen sind zu haben. Zweigverein des Harzklubs.

Von Benneckenstein südwärts. Am Straßenknotenpunkt (38 km) *Jägerfleck* geht l. die Straße über (40 km) *Rothesütte* (610 m), Dorf mit 275 Einw., nach (48 km) **Ilfeld** (S. 197) ab; unsre Straße geht südwärts weiter über *Sülzhayn* (455 Einw.), dann r. ab nach (36 km) **Ellrich** (S. 189) und hinaus zur (37 km) Station der Bahn Nordhausen — Northeim (S. 56).

---

7. Route: Von Rothehütte über Schierke auf den Brocken.

Vgl. auch die Karte »Brocken«, S. 90.

18 km vortreffliche **Fahrstraße** über *Mandelholz, Elend* und *Schierke* bis auf den Gipfel des Brockens. Beim Aufstieg von Schierke aus hat man nur geringe Steigung (S. 92). — Von Station Rothehütte fahren tägl. 2mal im Anschluß an die Hauptzüge der Harzbahn von der Bahnverwaltung unterhaltene vier- und zweispännige **Eisenbahnomnibus** in $3\frac{1}{2}$ St. auf den Brocken; Preis 3 M., zurück 2 M., hin und zurück 4,50 M. Diese Omnibus werden event. durch andre Wagen vermehrt, so daß die Bahnverwaltung unbedingte Personenbeförderung garantiert. Die Billets können schon in Halberstadt, oder in Blankenburg, oder erst bei Ankunft in Rothehütte selbst gelöst werden; auch ist diese Omnibusfahrt von Rothehütte auf den Brocken in den Verkehr der kombinierbaren Eisenbahn-*Rundreisebillets* aufgenommen worden.

Privatwagen (Zweispänner) von Rothehütte auf den Brocken 15 M.

Von *Rothehütte* (S. 87) führt die Straße nordwestlich nach (1 km) *Neue Hütte*, Frischfeuer und Zehnthütte. Später die *Basthütte*. — (2 km) *Mandelholz*, früheres Hüttenwerk. Die Gegend wird waldig.

(6 km) **Elend** (500 m), preußisches Dorf an der Kalten Bode und am Fuß des Barenbergs mit 141 Einw., hat noch Laubwaldung neben Nadelholz; aber weil hier der Granit des Brockengebiets eintritt, so beginnt auch wieder das Romantische, die Roßtrappen-Natur.

Gasthöfe: *Zur deutschen Eiche;* Forellen 2 M. Nimmt auch bescheidene Sommerfremde (3–4 Familien). Lohnfuhrwerk. — *Grüne Tanne.* — **Sommerwohnungen** auch in der Sägemühle und bei den Förstern.

Ausflüge (auch von Schierke): *Braunlage* 6 km. — Auf den *Barenberg*, Treppenfußsteig, hier die *Schersthorklippen* oder *Sürsthor* (ob etwa Thorsthor, an den germanischen Donar erinnernd, der solche Felsen mit seinem Hammer gespalten?). — Promenadenweg im Zickzack, mit Aussichtspavillon, zu den *Schnarcherklippen* (S. 89) und *Mauseklippen* und hinab nach *Schierke* (s. unten); leichter von Schierke aus. — *Großer* und *Kleiner Winterberg* (s. unten), 1½ St.; — dahinter der *Wurmberg* mit schönem Panorama (vgl. S. 126). — An der Ostseite der Bode: Zur *Kapelle*, 1 St., unweit der *Feuersteinklippe;* — dahinter der *Jakobsbruch* (S. 109). — Zur *Kanzel*, 1½ St., nordwestl. über die Meierei zur Schluft, an der südöstlichen Seite des *Königsbergs* (Königstanne).

Von hier an wird der Weg immer waldwilder und gebirgshafter; die Kalte Bode rauscht in schäumenden Fällen uns entgegen, die Luft wird frischer, die Steigung bemerkbarer. R. von der Straße, auf einem isolierten Kegel von Kieselschiefer, die wenigen Reste der *Elendsburg*, die wohl nur ein Zufluchtshaus für Pilger war (s. Einleitung); von Gemäuer ist keine Spur vorhanden, möglich, daß die Elendsbrüder dort nur einen einfachen Holzbau errichteten.

(10 km) **Schierke** (600—610 m; gräfl. *Gasthaus*, jetzt erweitert, Table d'hôte, Fuhrwerk), stolberg-wernigerodisch, das einzige Dorf im eigentlichen Brockengebiet, auch als Sommerfrische besucht, mit hübscher, neuer Kirche und 400 Einw., die sich mit Steinarbeiten und von Waldbau ernähren, da dem Boden die Ackerkrume fehlt. Alabasterwerkstätten. Oberförsterei. Die niedrigen Holzhäuser sind meist mit Schindeln gedeckt. Das enge, wilde Thal der Bode ist mit vielen Felsblöcken besäet. — Hier beginnt der Bergcharakter des Brockens sich zu zeigen; ringsum, in Wald und Wiese, liegen bemooste Felsentrümmer. Schönes Vieh auf der Weide mit harmonischem Geläute. — Südl., ein wenig durch Tannen verwachsen, liegen die beiden Granitzacken der *Schnarcherklippen* (welche bei Südostwind Töne verursachen, die an das Schnarchen eines Schlafenden erinnern) auf dem (½ St.) *Barenberge* (682 m). Die östliche ist 1888 durch den Harzklub von Schierke aus besteigbar gemacht worden. Die Klippen sind 26 m hoch und physikalisch dadurch merkwürdig, daß die Magnetnadel auf ihrer Höhe dekliniert; man schreibt diese auf mehreren frei stehenden Granitspitzen des Harzes vorkommende Erscheinung dem eingesprengten Magneteisenstein zu. Dahinter die *Schersthorklippen* (S. 88). — Weiterhin gewähren (l. am Weg) die *Mauseklippen* (1888 besteigbar gemacht) eine fast gleich schöne Aussicht. — Gegen NO., ½ St. vom Gasthaus, liegen die granitenen **Feuersteinklippen* (Wege bez.), am Weg nach dem *Jakobsbruch* (S. 109). Sie bestehen zum Teil aus schwarzblauen, basaltähnlichen, glasartig glänzenden Steinen, die wie Feuersteine Funken geben, und gehören landschaftlich zu den malerischsten Gestalten der Brockenumgebung. Die westl. von Schierke in die Augen fallenden Berge sind: zu äußerst r. der *Königsberg* (1029 m) mit der nach S. steil abfallenden *Kanzelklippe;* gegenüber, ganz kahl, der *Große Winterberg* (902 m), l. daneben der *Wurmberg* (968 m), der am bequemsten von Braunlage aus bestiegen wird (S. 126). Vor beiden letztern erstreckt sich der langgezogene, bewaldete *Kleine Winterberg* (835 m).

Oberhalb Schierke zieht die neue Fahrstraße, von Wernigerode kommend, nach dem Brocken. Hier finden wir den Namen des Erbauers derselben, »Otto Graf zu Wernigerode«, in Stein gemeißelt, bald darauf einen Wegweiser, der uns belehrt, daß wir noch 2 St. bis zum Brocken wandern müssen. Weiteres S. 92.

Hier rauscht das Wasser unter den Granittrümmern, die in kolossalen Blöcken durcheinander gewürfelt sind; es ist die Gegend, von der Goethe in der Walpurgisnacht sagt:

Mephistopheles: Verlangst Du nicht nach einem Besenstiele?
Ich wünschte mir den allerbesten Bock.
Auf diesem Weg sind wir noch weit vom Ziele.

Faust: Solang' ich mich noch frisch auf meinem Beine fühle,
Genügt mir dieser Knotenstock. — —
Seh' die Bäume hinter Bäumen,
Wie sie schnell vorüberrücken.
Und die Klippen, die sich bücken,
Und die langen Felsennasen,
Wie sie schnarchen, wie sie blasen! —
Und die Wurzeln, wie die Schlangen,
Winden sich aus Fels und Sande,
Strecken wunderliche Bande,
Uns zu schrecken, uns zu fangen;
Aus belebten, derben Masern
Strecken sie Polypenfasern
Nach dem Wanderer.

Unter den Algen zieht besonders das Veilchenmoos (Chroolepus hercynicus) die Aufmerksamkeit auf sich, es überwuchert die Granitblöcke und läßt die Steine rötlich erscheinen; reibt man einen solchen »Veilchenstein«, so gibt er einen angenehmen Veilchengeruch.

8. Route: Der Brocken.

Vgl. die beifolgende Karte.

Der **Brocken** (1142 m), im deutschen Volksmund (nicht im Harzer) *Blocksberg* genannt, in der preußischen Grafschaft Wernigerode gelegen, ist nicht nur der höchste Gipfel des Harzgebirges, sondern auch des ganzen nördl. vom 51. Breitengrad gelegenen Deutschland (Näheres S. 96). Ein großes Gasthaus (auch im Winter bewirtschaftet) steht auf seinem Kulm. Zu diesem führen:

Fahrstraßen, breit, gut gehalten:

1) Von *Schierke* aus (8 km) hinauf 2¼ St., hinab 1½ St. Vom Eisenbahnomnibus Rothehütte - Brocken (S. 88) befahren.

2) Von *Ilsenburg* (15 km) hinauf 3¾ St., hinab 3 St. — Beides sehr angenehme, bequeme Wege, welche bei einem Granit-Wegweiser, dem »Handweiser am Brockenbett«(910 m), zusammentreffen und dann westl. einbiegend in ¾ St. zum Brockenhaus führen.

Außerdem **Fuß**- und **Reitwege**:

3) Von *Harzburg* über das Molkenhaus und Scharfenstein in 3½–4 St.

4) Von *Wernigerode* über Hasserode, die Steinerne Renne und den Abhang des *Renneckenbergs* (neue Schutzhütte des Harzklubs), auf die Fahrstraße von Ilsenburg u. Schierke in 4–5 St.

5) Von *Oderbrück* und dem *Torfhaus* in 2 St. Die geringste Steigung, aber sehr bruchiger und sumpfiger Weg.

6) Von *Ilsenburg*, erst auf der Chaussee, dann durch das *Schneeloch*, 3 St., hinab 2¼ St. Oder vor dem Schneeloch am zweiten Wegweiser r. abbiegend, die Straße nach den Hermannsklippen und wenige Schritte weiter in den Harzburger Weg; empfehlenswerter Weg, 20 Min. weiter.

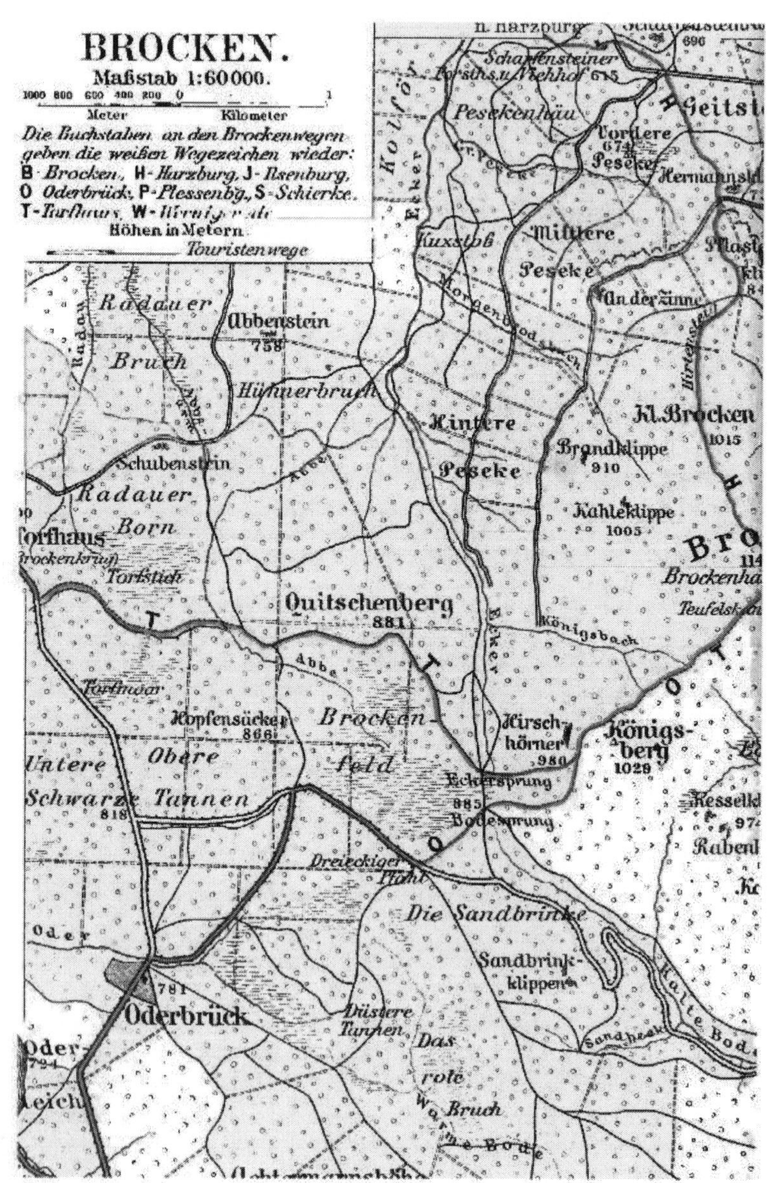
BROCKEN.
Maßstab 1:60000.
1000 800 600 400 200 0 1
Meter Kilometer
Die Buchstaben an den Brockenwegen geben die weißen Wegezeichen wieder:
B-Brocken, H-Harzburg, J-Ilsenburg,
O Oderbrück, P-Plessenbg., S-Schierke.
Höhen in Metern
Touristenwege
Radauer Bruch
Abbenstein
758
Hühnerbruch
Schubenstein
Radauer Born
Torfstich
Quitschenberg
881
Torfmoor
Kopfensäcke
866
Obere
Brocken-feld
Untere Schwarze Tannen
818
Tannen
Dreieckiger Pfahl
Oder
781
Oderbrück
Die Sandbrinke
Sandbrink-klippen
Düstere Tannen
Das rote Bruch
Pesekenhäu
Vordere
674
Peseke
Mittlere Peseke
An der Zinne
Hintere Peseke
Kl. Brocken
1015
Brandklippe
910
Kahleklippe
1005
Königsbach
Hirsch-hörner
980
Eckersprung
885
Bodesprung
Königs-berg
1029
Kalte Bode
Ecker
Abbe
Kuxstoß
Scharfensteiner Forsths. u. Viehhof
615
690

723
Öhrenklippe
Bucht
Hannecken-
bruch
Kl. Holtemme
Landmannsklippe
Höllenklippen
Drei Jungfe

Von *Harzburg* aus steigt man ca. 896 m, von *Ilsenburg* 904 m und von *Wernigerode* 910 m, von *Schierke* aus ca. 550 m und vom *Torfhaus* oder *Oderbrück* her nur 342, bez. 361 m. Sämtliche genannten Fußwege haben ihre besondern Reize und geben beim Aufstieg höchst interessante Rückblicke auf den sich stetig vergrößernden Gesichtskreis der Landschaft, der Vorberge und der Randgebirge. Am interessantesten ist der von *Wernigerode* durch die *Steinerne Renne*. Von *Ilsenburg* her ist die Fahrstraße ein sehr angenehmer Weg; der Weg durch das *Schneeloch* (s. S. 93) ist etwas beschwerlicher.

Wagen: Von *Harzburg* (S. 115) über *Ilsenburg* (S. 110) s. daselbst die Taxe, wobei ein zweistündiger Aufenthalt auf dem Brocken mit eingerechnet ist, wenn man auch zurückfährt. — In *Schierke* nicht immer, in *Rothehütte* meistens Wagen zu haben (S. 88).

Omnibus im Sommer von Wernigerode und von Ilsenburg je 1mal, von Rothehütte täglich 2mal auf den Brocken. s. S. 88, 104 u. 111.

Bergpferd und **Maulesel** mit Führer von Ilsenburg (S. 110) und Harzburg (S. 116).

Notiz für Brockensteiger. ☞ **Man suche nicht zu spät am Nachm. anzulangen, um noch sicher ein Bett zu bekommen; am sichersten telegraph. Bestellung mit Rückantwort event. nach einer tourwärts gelegenen Telegraphenstation. An Sonn- und Festtagen empfiehlt es sich, nur in den vormittägigen Dienststunden (8 – 9 Uhr) zu telegraphieren.** — Bei nebeliger Witterung gehe man ohne Führer nicht zu weit vom Haus weg. Lag Nebel über Nacht auf dem Gipfel, so verlasse man denselben nicht vor 10 Uhr vorm.; um diese Zeit entscheidet sich das Wetter. Zeigt sich die Luft wesentlich erwärmt gegenüber der Temperatur des vorigen Tags, so ist um so mehr Hoffnung, daß Aufhellung eintreten werde, während größere Kälte und Rauheit der Luft ein längeres Anhalten der Bewölkung wahrscheinlich machen. — Die günstigste Zeit für Brockenreisen ist im Juli und August; Juni und September sind im allgemeinen ungünstiger, Mai fast günstiger als Juni. Der Oktober ist sehr fraglich (z. B. das große Feuer, welches früher alljährlich am Abend des 18. Okt. zur Feier der Schlacht bei Leipzig auf dem Brocken angezündet wurde [jetzt am Sedantag], konnte in 17 Jahren nur sechsmal von unten gesehen werden; in den übrigen Jahren verbargen es die Wolken). Im Winter hat eine Besteigung des Brockens auch ihre Reize, ist aber bei ungünstigen Schneeverhältnissen recht beschwerlich; man ist auch dann oben ordentlich verpflegt. Nur gehe man nicht allein (von Harzburg aus sogar Führer nötig). Liegt Schnee, dann geht man am leichtesten von Schierke aus hinauf.

Geschichte der Brockenreisen. Der Berg war das ganze Mittelalter hindurch bekannt und wird in Urkunden genannt, aber niemand ging hinauf; die Zugänge zu seinem Kulm mögen danach gewesen sein. Der erste Nachweis von der Kenntnis seines Gipfels findet sich in einer Abhandlung »De origine Saxonum, Erfurt 1460«, wo zu dem im Text stehenden »Montes Brockensberg« von fast gleichzeitiger Hand bemerkt ist: »Hic mons est prope Werniucherode altissimus, habens fontem in summo cacumine«. Der erste Brockenbesucher, von dem man schriftliche Nachrichten hat, war der Nordhäuser Arzt und Botaniker Joh. Thalius, der vor dem Jahr 1583 oben gewesen sein muß; er nennt Pflanzen, die »copiose in summo Broccenbergi jugo« vorkommen. — Der nächste Besuch, von dem berichtet wird, war ein zahlreicher und vornehmer: Herzog Heinrich Julius von Braunschweig, der 1591 seine junge Gemahlin Elisabeth von Dänemark einen großen Teil seines Landes mit Einem Blick wollte übersehen lassen. Ein Weg war für diesen Zweck durch den Wald ausgehauen worden, indes in der Mitte des 17. Jahrh. schon wieder ganz verwachsen. — Humoristisch ist die Brockenfahrt, welche eine Schülerschar des Quedlinburger Gymnasiums im Sommer 1634 glücklich ausführte. Dieselben wissen sogar von Löwen zu erzählen, durch welche sie beunruhigt wurden. — Wiederum wagte sich 1649 ein Fürst, Friedrich von Anhalt-Bernburg, mit seinen

Vettern und Gefolge und 15 Pferden hinauf. Damals muß indes der Weg schon begangener gewesen sein, denn der Berichterstatter erwähnt, daß sie nächst der Höhe eine große Quelle guten Wassers und dabei an »einer eisernen Stange eine eiserne Kelle, mit Kette befestigt«, angetroffen hätten. — Zar Peter d. Gr. besuchte 1697 den Brocken. — Goethe war 1777, 1783 und 1784 oben. Die Hexensagen des Harzes gaben ihm reiches Material zu seinem »Faust«, der bekanntlich 1790 zuerst ohne Walpurgisnacht und 1808 mit derselben erschien. — Die erste Kultivierung des Bergs datiert aus den ersten Jahrzehnten des vorigen Jahrhunderts; Graf Christ. Ernst zu Stolberg-Wernigerode ließ die beiden ersten Fahrwege von Wernigerode und Ilsenburg aus anlegen sowie 1736 ein aus Stein erbautes »*Wolkenhäuschen*« zum Schutz der Besucher errichten, welches heute noch steht. Von diesem Zeitpunkt an wuchs der Besuch alljährlich, wovon die alten Brockenbücher Kunde geben. Das älteste Brockenstammbuch datiert von 1753; in diesem Jahr waren 198 Personen oben. 1779 zählte man 421, im Jahrzehnt von 1809–18 durchschnittlich 1130, im folgenden 1920 Besucher. — Am 30. Mai 1805 war König Friedrich Wilhelm III. von Preußen mit der Königin Luise, am 8. und 9. Aug. 1811 der König und die Königin von Westfalen mit zahlreichem Gefolge auf dem Brocken, am 19. Juni 1821 der Prinz von Preußen (der spätere Kaiser Wilhelm I.), am 1. und 2. Okt. 1865 das kronprinzliche Paar von Preußen. — Der frühere Brockenwirt *Nehse* hat aus der Zeit von 1753 bis 1850 eine Zusammenstellung der Fremdenbücher herausgegeben (Sondershaus. 1850). Eine neuere empfehlenswerte Sammlung findet sich in »*Harweck-Waldstedt*, Brockenbuch«, Harzburg bei Stolle, 1887. — Die Zahl der jährlichen Brockenbesucher wird jetzt auf 40,000 geschätzt.

Wege auf den Brocken (s. die Karte »Brocken«, S. 90):

☞ Der jetzige Brockenwirt hat im Bereich des ganzen Brockens auf allen Touren durch *weiße Buchstaben an den Felsen* die Wege so genau gekennzeichnet, daß man nicht irre gehen kann. Alle nach dem Brocken aufwärts führenden Wege sind mit **B** bezeichnet, die abwärts führenden mit den entsprechenden Anfangsbuchstaben der Orte, zu denen sie führen; z. B. **I.** = Ilsenburg, **H.** = Harzburg, **O.** = Oderbrück, **T.** = Torfhaus, **S.** = Schierke, **W.** = Wernigerode, **St. R.** = Steinerne Renne, **P.** = Plessenburg. Übrigens folgt hier Wegbeschreibung, so daß für diese Wege ein Führer durchaus überflüssig ist.

1) Von **Schierke** 8 km Fahrweg, zu Fuß in 2¼ St., der bequemste, weil nur 550 m Steigung. Bequeme Omnibus fahren tägl. von Wernigerode und von Rothehütte über Schierke auf den Brocken (s. S. 88). Führer unnötig. Bald hinter Schierke auf der »Dunkeln Brücke« über einen Zufluß der Kalten Bode; hinter dem Wegestein 17,1, gabelt der Weg: r. geht die alte, etwas steilere Brockenchaussee, l. die neue bequeme Brockenchaussee und der Fußweg durchs Eckerloch (s. unten) ab. Wir folgen zunächst dem erstern. R. die kahlen *Arendsklinter Klippen*. Der Weg steigt im Wald an. Der zweite l. abgehende, etwas vom Kohlentransport geschwärzte Fahrweg ist ½ St. länger und nur denen zu empfehlen, welche die Köhlerei des Harzes kennen lernen wollen. Der eigentliche breite Fahrweg r. ist nicht zu verfehlen. Nach 1½ St. beim Wegstein 9,7 ein *granitener Wegweiser* (910 m) am *Brockenbett* (die Stelle wird »Am Handweiser« genannt), wo die Straße von Ilsenburg (s. Nr. 2) mündet und die zum Brockenhaus (noch ¾–1 St.) rechtwinkelig l. zwischen Torf-

mooren hindurch (Brockenbett) abzweigt. Die eigentliche Brockenstraße macht nun einen großen Bogen in anfänglich südwestlicher, dann nordwestlicher Richtung um die *Heinrichshöhe* (1044 m), auf welcher einst das erste Brockenhaus stand, herum und schwenkt schließlich scharf nordöstl. zur eigentlichen (2¼ St.) Brockenkuppe ab. Fußgänger schlagen an diesem Bogen einen freilich steinigen, l. abzweigenden Fußweg, den Telegraphenstangen nach, durch niederes Gestrüppe direkt zum Brockenhaus ein.

Der *Fußweg von Schierke durch das Eckerloch (2 St.), sehr empfehlenswert, zweigt von der neuen Brockenchaussee etwa ½ St. von Schierke, unweit des l. sichtbar werdenden Viehhofs *Schluft*, jenseits der Brücke über das Schluftwasser (oder Schluftbode) r. ab, steigt an dessen rechtem Ufer aufwärts, schneidet die Chaussee nochmals unweit eines alten Köhlerplatzes (1 St.) und zieht zur Seite des forellenreichen Baches zwischen Königsberg und Heinrichshöhe in wildem, hochromantischem Thale zum *Eckerloch* (Bodesprung), wo die Schluftbode auf schmalem Steg überschritten wird, dann r. steil ansteigend (großartiger Rückblick) auf die um die Heinrichshöhe herumführende große Brockenstraße. Der Weg ist durch Schilder des Harzklubs reichlich bezeichnet.

2) Von **Ilsenburg** (vgl. auch Karte S. 114): a) 15 km Fahrweg, aber auch zu Fuß lohnend, da er die ersten 2½ St. durch den schönsten Wald führt; in 3–3¾ St. ohne Führer, für Bequeme und Damen der angenehmste Weg auf den Brocken. Chaussee im Thal hinauf, Restauration zur Prinzeß Ilse (¼ St.), Ruhebank unter Buchen (3 km), *Zanthierplatz*, mit *Blick auf den *Ilsenstein*. — R. der *Meineberg* (545 m) mit der *Westernklippe*. — Die Brockenstraße steigt der Ilse entgegen, diese mehrmals überbrückend (¾ St.). R. der *Rohnberg* mit den *Rohnklippen*, l. zweigt (bei 4 km) der Weg nach der *Plessenburg* (S. 114) ab. Die Chaussee nimmt entschieden westliche Richtung (nach r.) an, immer die Ilse zur Rechten. — R. Eingang ins *Sandthal* und *Tiefenbeek* (Weg nach dem Scharfenstein); wir wenden uns l., die Ilse überschreitend, zu den malerisch eingerahmten (6 km) *Ilsefällen*, bescheidenen Kaskaden. — Wieder ans rechte Ufer der Ilse. Hinter der Brücke r. Fußweg durch das Schneeloch nach dem Brocken (s. unten). Weiterhin r. Abzweigung einer Fahrstraße, in welche weiter oben dieser Fußweg nach dem Schneeloch einmündet. Weiter die Ilse stets r. neben der Straße, in 1 St. zum (2½–3 St.) *granitenen Wegweiser* (S. 92) »Am Brockenbett«, wo die von Schierke heraufkommende Straße mündet und der Brockenhausfahrweg (r.) rechtwinkelig abzweigt. Von hier wie bei Brockenweg 1) S. 92. — b) Fußweg durch das Schneeloch, 3 St., hinab 2¼ St. (vgl. S. 91): er zweigt bei der Brücke oberhalb der Ilsefälle r. ab durch niedrigen Tannen-

wald und erreicht bald eine schnurgerade Fahrstraße. Nach 10 Min. Wegweiser (über die Hermannsklippen) l. durch das Schneeloch nach dem Brocken. Diesem l. folgend zum muldenförmigen, von klippigen Bergrücken, den Pflasterstoßklippen, umgebenen *Schneeloch.* Dann nicht mehr zu fehlen, meistens sehr steil. — c) Weit bequemer, nur 20 Min. weiter, ist der Weg über die Hermannsklippen: bei dem Wegweiser vor dem Wege durchs Schneeloch (s. oben) r. ab, die Fahrstraße allmählich bergauf. Nach 20 Min. r. am Wege die Hermannsklippen, mit hübscher Aussicht, dann l. bei dem Granitwegweiser (l.) in den Harzburger Weg und über den Kleinen Brocken nach dem Brockenhaus.

3) Von **Harzburg** (vgl. auch Karte »Harzburg—Ilsenburg«, S. 114) Reitweg durch Wald, direkt 3½—4 St. Führer nicht notwendig. Maultier mit Führer (vgl. R. 12). Von *Harzburg* über das Molkenhaus und die Muxklippe in das Eckerthal bis zur *Dreiherrenbrücke* 1½ St. Hier über die *Ecker* an deren rechtes Ufer. L. oben der *Zilliger Wald.* 3 Min. längs des Flusses, dann den schmalen, neuangelegten Reitweg l. aufwärts; nach dem *Scharfensteiner Forsthaus* (Wirtschaft) noch ½ St. Von hier unter dem (r.) *Pesekenkopf* und der *Hermannsklippe* (einige Schritte l.) vorüber, eine Chaussee durchkreuzend, und über den *Kleinen Brocken* zum *Brockenhaus.* Die Wege sind mit »B« und »H« bezeichnet.

4) Von **Wernigerode** über die *Steinerne Renne,* Fußweg, in 4—5 St. (der Fahrweg führt über Hasserode, Dreiannen und Schierke und wird tägl. von einem Omnibus befahren; S. 104), interessanter, wenn auch etwas beschwerlicherer Weg; vgl. R. 9. Der Weg geht durch *Hasserode* bis zu den dortigen Hotels, dann r. im *Breitenthale* am Ufer der Holtemme aufwärts zum (1 St.) *Silbernen Mann;* bis hierher kann man fahren. Dann Fußweg ziemlich steil durch die *Steinerne Renne* (S. 102) zur Brücke und jenseits zur (1½ St.) *Restauration an der Steinernen Renne.* (Bis zu dieser Restauration [und weiter bis an den Fuß des Renneckenbergs] kann man auch auf höher ziehender Waldchaussee [Bielsteinchaussee] fahren, sieht aber nicht so viel von der Steinernen Renne.) Von hier besucht man in 10 Min. (die Bäume sind mit »R. Kl.« bezeichnet) die **Renneklippen,* fälschlich auch *Wodansklippen* genannt (586 m; Aussicht auf Wernigerode), und geht wieder hinab bis zur Chaussee, die weiterhin bis unter den Renneckenberg führt; diese verfolgt man bis dahin, wo sie dicht vor dem Berg aus dem Walde tritt und scharf nach r. einbiegt; hier schwenkt man l. in der Richtung nach der Thalschlucht *Hölle* ab und steigt auf bald deutlich werdendem Fußweg den jetzt kahlen Abhang des Renneckenbergs ziemlich steil hinan. Auf der Höhe des *Renneckenberges* (929 m) wird vom Harzklub 1889 eine Schutzhütte erbaut, von welcher man einen über-

raschend schönen Ausblick genießt. (Von dieser in 10 Min. zur Kapelle auf dem Pferdekopf.) Weiter führt der Weg r. abzweigend nach 1/4 St. (im Vorblick erscheint der Brocken, l. Wurmberg und Winterberg) zum *granitenen Wegweiser* (910 m) an der Brockenstraße Ilsenburg-Schierke (S. 93), von wo man dem Brockenweg 1) (S. 92) folgt und in 3/4—1 St. den Gipfel erreicht.

☞ Kräftigen Touristen sehr zu empfehlen ist es, mit der Tour von Wernigerode auf den Brocken den Besuch der äußerst lohnenden *Hohneklippen (S. 108) zu verbinden; am besten mit einem kundigen Führer! Dann füllt die Tour einen ganzen Tag aus.

5) Weg von **Oderbrück** und dem **Torfhaus** (von *Altenau* R. 19, *Klausthal* R. 16 oder aus dem *Okerthal* R. 13). *Gastwirtschaft* im Forsthaus, s. S. 125. Fußweg (sumpfig) in 2 St. Neben dem Forsthaus Oderbrück (nördl.) über die Brücke längs der Oder Fahrweg, der in 20—25 Min. auf die Chaussee (vom Torfhaus l., von Schierke r.) führt. Wegweiser. Wir gehen auf derselben r. 15 Min. Da, wo r. in Tannen eine dreiseitige Granitsäule, »Dreieckiger Pfahl« genannt (Nr. 1 K. II), steht, der gerade fortlaufende Fahrweg aber mit Bäumen bepflanzt ist, befindet sich auch eine größere (braunschweigische) Säule aus unbehauenem Granit, welche sämtliche Wegrichtungen anzeigt. Unser Fußweg (»O«) führt l. durch niedere Tannen, moorig; im Vorblick oben die beiden *Hirschhörner* auf dem Königsberg. Dieser Weg schneidet nach 10 Min. einen Holzabfuhrweg (Wegweiser), auf welchem man entlang geht, bis er den l. vom Torfhaus kommenden Fußweg aufnimmt (Wegweiser); mit diesem vereint nun r. den *Königsberg* hinan; nach etwa 20 Min. sind wir bei den *Hirschhörnern* (wenige Schritte l. hinter Tannen verborgen) auf dem Königsberg, denen man einen Besuch macht; die kleinere Felspartie der Hirschhörner ist leicht zu ersteigen und sehr lohnend. Dann 15 Min. lang abfallend auf sehr primitivem Knüppeldamm und urweltlichem Pflaster (große Steine auf moorigem Grunde); nun beginnt die letzte Steigung auf die Brockenkuppe, die in 25 Min. erreicht ist; in Summa 2 St.

Wer vom *Torfhaus* (S. 125) ausgeht, schlägt 5 Min. südl. von demselben bei den Tannen den Fußweg (»T«) ein, den ein Wegweiser bezeichnet, und der sich am Brockenfeld mit dem obigen vereinigt; 2 St. Da diese Wege über die Wasserscheide zwischen Oder, Ecker und Bode gehen, moorig, naß und schlüpfrig sind, so ist hier wasserdichtes Schuhwerk besonders zu empfehlen.

Das Brockenhaus. Wie bereits S. 91 erzählt, wurde 1736 die erste Steinhütte, das »*Wolkenhäuschen*«, auf dem Gipfel erbaut. Sieben Jahre später (1743) wurde auf der *Heinrichshöhe* ein dürftiges Wirtshaus, zunächst für die Torfgräber, erbaut, das 1799 abbrannte, während man an der Errichtung des ersten eigentlichen Brockenhauses arbeitete. Im Sommer 1800 ward das erste Brockengasthaus eröffnet; es war einstöckig und hatte den Aussichtsturm auf dem Dach. 1859 wurde das Gebäude ein Raub der Flammen, und seitdem steht das neue dreistöckige gegenwärtige Haus. 1835 wurde gegenüber vom Haus ein hölzerner Aussichtsturm errichtet; der jetzige **Brockenturm**, 17 m hoch, wurde 1855 erbaut.

Brocken-Hotel (gräflich stolbergisch), von Gustav Schwanecke trefflich geführt. 150 Betten zu 2,50–3 M. (einschl. Bed.), Matratze und Decke (nur wenn die Betten besetzt sind) 1 M.; T. d'h. 1–3 Uhr 2,50 M., abends (7–9 Uhr) 2 M. Außer dieser Zeit auch à la carte. Wein von 2 M. an, Bier das Glas 25 Pf.

Wegen der großen Unruhe im Brockenhaus (Kommen u. Gehen der Wanderer) ist in der hohen Reisezeit, wo das Haus meist überfüllt ist, an ungestörten Schlaf nicht zu denken. — Wenn der Sonnenaufgang sichtbar ist, wird 1/4 St. vorher geläutet.

Telegraph (vom 15. Mai bis 1. Okt.): Geöffnet von 7–12, 1–3 u. 5–8 Uhr; Sonnt. von 8–9, 12–1 und 5–8 Uhr.

Omnibus im Sommer tägl. 2mal von Stat. *Rothehütte* in 3½ St., herauf 3, hinab 2 M.; — von *Wernigerode* in 4½ St., herauf 4, zurück 3 M.; — von *Ilsenburg* in 3 St., herauf 3, zurück 2 M. — **Postverbindung** durch den Ilsenburger Omnibus. — Man erhält Postkarten mit dem Bilde des Brockenhauses (als testimonium praesentiae).

Verkauf von Strümpfen, Pantoffeln, Unterjacken, Harz-Erinnerungen.

Höhe. Nach den Messungen des preußischen Generalstabs ist der Gipfel des Brockens 1142,2 m = 3639 preußische (rheinl.) Fuß (3516 Pariser Fuß), die Galerie des Turms 1159 m hoch. Also ist der Brockenkulm 540 m über Schierke, 910 m über Wernigerode, 904 m über Ilsenburg und 896 m über Harzburg erhaben.

Um gelegentlich einige Höhenvergleiche zu geben, notieren wir:

Zugspitz (Oberbayern)	2960 m
Schneekoppe (Riesengebirge)	1605 -
Feldberg (Schwarzwald)	1494 -
Hohe Arber (Böhmisch-Bayrischer Wald)	1476 -
Sulzer Belchen (Vogesen)	1426 -
Schneeberg (Grafsch. Glatz)	1424 -
Fichtelberg (Erzgebirge)	1213 m
Brocken (Harz)	1142 -
Schneeberg (Fichtelgebirge)	1062 -
Beerberg (Thüringer Wald)	984 -
Inselsberg (do.)	914 -
Feldberg (Taunus)	881 -
Meißner (hess. Bergland)	760 -

Der Harz nimmt daher bez. seiner Höhe unter den Gebirgen im Deutschen Reich die achte Stelle ein.

Die Aussicht vom Turm ist eine außerordentlich umfangreiche; die beiden entgegengesetzt entferntesten sichtbaren Punkte (von der Rhön bis Brandenburg — und von der Weser bis Leipzig) mögen ca. 250 km voneinander entfernt liegen, so daß man nach einer Berechnung etwa den 200. Teil von Europa überblickt. An ganz heitern Tagen soll man 89 Städte und Flecken und 668 Dörfer ganz oder teilweise sehen können. Vgl. das Panorama.

Panorama.

Gegen Norden: auf der Kuppe des Brockens das Wolkenhäuschen, darüber: die Rabenklippen, Kattennäse, die Asse, Wolfenbüttel, Braunschweig; am Horizont die Lüneburger Heide. Weiter immer r. mit dem Auge wandernd, im Vordergrund der Hexenbrunnen, darüber r. der Ilsenstein und Ilsenburg, das Schauensche Holz, Großer u. Kleiner Fallstein (dazwischen Stadt Osterwiek), der Elm, davor Schöppenstedt, Schöningen, am Horizont die Zichtauer und Dolchauer Berge, weiter r. die Stadt Gardelegen, Huywald, darüber Oschersleben. Am Harzrand: Wernigerode, ferner Halberstadt, Gröningen; l. am Horizont Magdeburg und r. am Horizont der Hagelsberg bei Brandenburg.

Gegen Osten: der Hohnstein, darüber am Harzrand Quedlinburg, näher l. der Regenstein bei Blankenburg. Weiter r. höchst vorliegender Berg: die Hohneklippen, daran l. Elbingerode, Hüttenrode, fern die Gegensteine bei Ballenstedt, am Horizont der Petersberg bei Halle, darunter der Ramberg mit Viktorshöhe. Im Vordergrund die Heinrichshöhe, daran l. die Arendsklinter Klippen, r. die Schnarcherklippen, darüber Hasselfelde, der Auerberg, r. der Kyffhäuser, Ettersberg, die Goldene Aue.

Gegen Süden: auf dem Brockenkulm selbst das Hexenwaschbecken, Teufelskanzel und Hexenaltar; darüber: der Große und Kleine Winterberg und Wurmberg, der Possen und Hainleite, Erfurt, der Thüringer Wald mit Kickelhahn, Schneekopf, Inselsberg. Wieder im Vordergrund der Gerlachbrunnen, darüber l. am Harzrand: der Ravensberg, die Ohmberge, Eichsfeld, am Horizont das Rhöngebirge. Mehr r. die Achtermannshöhe, darüber am Horizont: der Meißner, nach r. Kaufunger Wald, Göttinger Wald, der Seeburger See, Wilhelmshöhe bei Kassel, Habichtswald.

Gegen Westen: der Große Bruchberg mit dem vorliegenden Brockenfeld, darüber r. am Horizont der Bram-, Reinhards- und Sollinger Wald mit dem Moosberg; r. am Bruchberg das Torfhaus, darüber Klausthal und Zellerfeld; am Horizont der Vogler, Hils, Ith, Porta Westfalica, Süntel, Deister.

Gegen Nordwesten über dem Kleinen Brocken liegt Harzburg; darüber fern l. Hannover; über Harzburg r. der Harlyberg und Oderberg, r. davon Wolfenbüttel.

Gipfelfamilie des Brockens. Orographisch unterscheidet man den *Brocken* im engern Sinn als Bergindividuum vom *Brockengebirge* als gemeinschaftliche Erhebungsmasse. Geognostisch kann keiner der hervorragenden Berge des Harzes (also auch der Brocken nicht) als *zentrale* Erhebungsmasse betrachtet werden. Drei am Brocken entspringende Flüsse grenzen den eigentlichen Berg von seiner Sippschaft ab: die Kalte Bode im S., — die Ecker im W. — und die Ilse im O.; demnach gehören nur die *Heinrichshöhe* (1044 m), der *Königsberg* (1029 m) mit den *Hirschhörnern* und der *Meinekeberg* (578 m) zum engern Brockensystem. Im weitern Begriff gehören der Brockenfamilie noch an: gegen N. der *Scharfenstein* (696 m), der *Sandthalskopf*, — gegen NO. der *Gebhartsberg* (685 m) und die das Ilsethal (R. 11) einschließenden Höhen, — gegen O. der *Renneckenberg* mit seinen wilden *Zeterklippen* (929 m) und die südöstl. gelegenen *Hohneklippen* (902 m), *Erdbeerkopf* (857 m) und *Barenberg* mit den *Schnarcherklippen* (682 m), — gegen S. der *Kleine* und *Große Winterberg* (902 m), der *Wurmberg* (968 m), die *Achtermannshöhe* (926 m), — gegen W. das Brockenfeld: die *Schwarzen Tannen* (858 m), *Quitschenberg* (881 m) und die *Abbensteine* (758 m).

Charakter des Bergs. Der Brocken ist in der untern Region mit Nadelwald bekleidet; je mehr man sich dem Gipfel nähert, desto zwerghafter wird der Baumwuchs, bis er schließlich in verworrenes, nur am Boden kriechendes Krüppelholz, ähnlich der Legföhre der Alpen, übergeht. Der eigentliche Scheitel des Bergs ist ganz entblößt, nur ein Chaos von Granittrümmern mit niedern Gräsern, Kräutern und Moosen. Der Hochwald hört in einer Höhe von 960 m auf (vgl. S. 12), was für den Harz eine auffallend niedere Baumgrenze bekundet (am Riesengebirge geht dieselbe bis 1400 m ü. M., und im Engadin, infolge der südlichern Lage, trifft man Tannen noch in 2000, Arven [Zirbelkiefern] sogar noch in 2500 m Meereshöhe).

Steigt der Wanderer den Berg hinan, so ist der erste Gürtel, welchen er noch in der Waldregion direkt oder im Vorbeigehen zu passieren hat, ein Felstrümmergebiet, das in den stehen gebliebenen Ruinenzacken der Jäger-, Sonnen-, Zeter-, Hohne- und Arendsklinter Klippen, der Feuersteine und beiden Schnarcher sowie der Schubenstein-, Abbenstein- und Scharfensteinklippen seinen bedeutendsten Ausdruck erhält. An manchen Stellen, wie z. B. in der Hölle, ist die Zertrümmerung eine so bedeutende, daß auf große Strecken hin Granitscherbe an Granitscherbe liegt. Zwischen diese haben nun zwar hier und da finstere Tannen die Riesenfinger ihrer Wurzeln eingeklammert, Brombeeren und Himbeeren umranken die bemoosten Trümmer, Vaccinien (Heidel- und Preißelbeeren) überwuchern mit ihrem glänzenden Laub den Boden, wo etwas Erde sich angehäuft hat, und Eriken (Heidekraut), Anemonen und Hieracien heitern das Düstere der Umgebung ein wenig, aber nur dürftig auf. Nach etwa einstündigem Weiteremporsteigen betritt der Brockenreisende den zweiten, engern Gürtel, den der *Torfmoore* oder *Brücher*, deren umfangreichste Partie das 10 km lange und etwa 6 km breite sumpfige *Brockenfeld* ist. Diese von trügerischen Moosdecken überzogenen, schwammigen, schwankenden Brücher können für den unkundigen Wanderer bei nebeligem Wetter oder zur Nachtzeit gefährlich werden, wenn er vom Weg abkommt. Sie sind aber anderseits eine Wohlthat und wertvolle Vermittler, indem sie wie Schwämme die um die Brockenkuppe lagernden Wolken aufsaugen und unten als Quellen der Flüsse zu Tage treten lassen.

Der innere Knochenkörper des Bergs ist *Granit*, vom Volk Brockenstein, auch Heidenstein genannt, sowie der in kleine Stückchen zerbröckelte Granit (gemeinhin »*Hexensand*«). Die früher verbreitete Meinung, der Brocken berge unberechenbare Schätze an edlen (sogar gediegenen) Metallen, hat sich bei Untersuchungen durch tüchtige Fachmänner als völlig grundlos erwiesen.

Klimatisches. Die höchste Temperatur erreichte bisher ca. +25,5° C., die tiefste —28,0° C. — Der herrschende und heftigste Wind ist der SW. Der oft einem Orkan ähnliche Sturm ist des Brockens und seiner Bewohner größter Feind, besonders im Winter. Unglaublich große Schneemassen holt derselbe aus den Thälern und treibt sie auf der Brockenfläche von einer Stelle zur andern und zwar so schnell, daß da, wo am Abend eine große Schneebank lag, am folgenden Morgen nichts mehr zu sehen, dagegen mehrere hundert Schritte davon ein neuer Schneewall errichtet ist. Der Sturm hat da oben solche Gewalt, daß er schon schwere Bauholzstücke aufhob, zerbrach und mehrere hundert Fuß weit hinabschleuderte, die Blitzableiter wie Strohhalme umbog. Nur selten ist es auf der etwa ½ St. im Umkreis messenden Gipfelfläche ganz windstill, im ganzen Jahr oft kaum während 20 Tagen.

— **Der Wind hat den direktesten Einfluß auf das Wetter; mit Bestimmtheit ist anzunehmen, daß SW. Regen, Schnee oder Nebel, der NW. kalten und rauhen Nebel bringt.** Bei ersterm bleibt das ungünstige Wetter so lange, bis Windwechsel eintritt; bei letzterm dagegen steigt oder fällt der Nebel oder zerteilt sich nicht selten in Wolkengruppen und klärt sich des Morgens zwischen 9 und 10 Uhr auf. — Die besten Winde sind ONO., — O., — OSO. bis SSW.; sie bringen helles Wetter. Auffallend schnell entstehen beim Windwechsel Nebel, selbst wenn vorher kein Wölkchen zu sehen war; gewöhnlich, wenn auch nicht immer, sind dies Vorboten von ungünstigem Wetter, und die Thalleute sagen dann: »Auf dem Brocken wird gebraut« oder »Der Brocken hat eine Mütze auf«. — Oft erscheint er morgens ganz bedeckt und klärt sich zum Abend noch vollständig auf; ist er aber morgens schon hell, so bleibt er es in der Regel nur bis zum Abend. **Ist der Brocken morgens heiter und unbewölkt, um sich gegen Abend zu beziehen, dann folgt regelmäßig schlechtes Wetter. »Morgens blau, abends grau, ist des Brockens Regenschau.«** — Selten ist Regen oder Schnee ohne Nebel, letzterer häufig so dick, daß man am Tage kaum 3–4 Schritt weit sehen kann. Bei solchem Nebel ist dem Brockengast dringend zu raten, sich nicht zu weit vom Haus zu entfernen. — Auffallend kühl sind die Abende, Nächte und die Morgen, weshalb fast regelmäßig im Haus geheizt wird.

Der Brocken ist für meteorologische Beobachtungen einer der wichtigsten Punkte Norddeutschlands. Zuerst beobachtete der Brockenwirt Nebse 1836–53, seit Dezember 1847 im Auftrag des preuß. meteorolog. Instituts. Sein Nachfolger beobachtete von 1853–57 und 1866–67. 1880 wurde die Station von neuem eröffnet, aber, da die Beobachtungen durch Privatpersonen kein zuverlässiges Material lieferten, wieder aufgegeben. Inzwischen ist die Beobachtung mit Unterstützung des Dr. Aßmann, Vorstand der Wetterwarte in Magdeburg, wieder aufgenommen. Folgende Übersicht zeigt die Schwankungen, welchen die Temperatur hier oben unterworfen ist. Die mittlern Extreme (C°) geben an, welche höchste, bez. niedrigste Temperatur in den einzelnen Monaten am wahrscheinlichsten ist.

Temperatur auf dem Brocken (in C°)	Monatsmittel	Mittlere Extreme		Absolute Extreme	
		Maximum	Minimum	Maximum	Minimum
Januar	– 5,4	1,6	– 18,0	7,5	– 28,0
Februar	– 5,0	2,4	– 15,0	7,2	– 23,1
März	– 3,6	4,5	– 14,0	12,0	– 21,8
April	0,8	10,5	– 8,5	17,5	– 13,1
Mai	5,3	15,7	– 4,0	25,5	– 7,9
Juni	8,6	20,6	0,4	20,4	– 4,1
Juli	10,7	21,6	3,1	24 8	0,5
August	10,1	20,6	3,1	24,8	0,4
Sept.	8,1	17,2	– 0,1	20,6	– 4,1
Oktober	4,0	12,3	– 4,3	17,2	– 11,2
Nov.	– 1,0	7,8	– 10,7	15,8	– 17,2
Dez.	– 3,8	3,9	– 13,6	8,2	– 23,6

Über die Abstammung des Namens haben ältere Schriftsteller die gesuchtesten und lächerlichsten Behauptungen aufgestellt. Bald findet man ihn lateinisch »Mons Bructerorum«, bald »Mons Proculus«, griech. »Melibokos«, deutsch »Prockelsberg, Bruckersberg, Blockesbarch« geschrieben, weil man ihn von fern (»procul«) sehe. Prätorius behauptet sogar, der Berg habe ehedem »Hellbock« geheißen, weil die Hexen auf Böcken zur Walpurgisnacht hinaufritten. Die älteste Form (Wernigeroder Urkunde von 1490) ist wohl »Brackenberg«; Bräk, Bräken bedeutet untaugliches, zu Nutzungen nicht verwertbares Holz, also hier ein verwachsenes, schwer zugängliches Dickicht.

Der Brocken ist, wie jeder höhere Berg, reich an atmosphärischen Erscheinungen. Man hat hier (im Gegensatz zu andern Bergen) nach langjähriger Beobachtung öfter einen genußreichen *Sonnenaufgang* als einen ungetrübten *Sonnenuntergang* zu erwarten. Wird ersterer durch Nebel verhüllt, so entsteht nicht selten ein andres, einigermaßen entschädigendes Schauspiel, nämlich: daß der *Nebel* gegen 7 oder 8 Uhr niedergedrückt wird und wie ein Milchmeer über dem ganzen Land liegt, aus dem nur hier und da eine bedeutende Bergkuppe wie eine Insel aufragt. Lebendig zu werden scheint die Landschaft, wenn der Nebel ganz fällt oder völlig verdunstet und nach und nach die ganze Landschaft zum Vorschein kommt. — Zu den großartigen Genüssen gehört es ferner, ein *Gewitter* betrachten zu können, das tiefer als das Brockenhaus geht, unten sich entladet, während zu häupten des Fremden blauer Himmel und goldige Sonne lachen, oder auch wenn ein Gewitter über den Kulm fegt, Blitz und Donnerkrach in Einem Moment erfolgen und nach wenigen Minuten das ganze wilde Wetter vom Sturm verweht ist. Die berühmteste atmosphärische Erscheinung jedoch ist das sogen. *Brockengespenst*, eine Schattenspiegelung in der Luft, die man zu allen Jahreszeiten, sowohl beim Sonnenauf- als Niedergang, erleben kann, wenn auf der der Sonne entgegengesetzten Seite unweit des Brockengipfels eine Nebelwand steht, auf welche die Schatten des Brockenhauses und aller auf dem Kulm sich bewegenden Personen fallen. Diese Schattenbilder vergrößern und verkleinern sich, je nachdem die auffangende Nebelwand näher kommt oder sich entfernt.

Den weitest verbreiteten Ruf hat der Brocken, vulgo Blocksberg, durch seinen angeblichen *Teufels-* und *Hexenspuk* erhalten. Namentlich war der Glaube weit verbreitet, daß in der Walpurgisnacht (vom letzten April zum 1. Mai) alle, die mit dem Satan im Bund ständen, besonders die »Hexen«, auf Ofen- oder Heugabeln, alten Muttersauen oder Böcken oder auf Besenstielen durch die Luft auf den Blocksberg ritten, allwo der Höllenfürst einem großen Unzuchtgelage präsidiere, von der *Teufelskanzel* (s. unten) Anreden an den wirren Spuk halte, aus dem *Hexenwaschbecken* die Versammlung besprenge und das Ganze mit einem infernalischen Tanz ende. Goethe hat, wie bekannt, diese Mythe in seinen »Faust« eingeschaltet. Der Ursprung dieses Volksglaubens ist in jenen Zeiten zu suchen, in welchen das Christentum zwangsweise bei den Volksstämmen Deutschlands eingeführt wurde und die noch an ihren heidnischen Gebräuchen hangenden Germanen sich mit ihren religiösen Zeremonien, Jubelfeuern und Opfertänzen, namentlich zum Frühlingsfest der Göttin Ostara, auf entlegene Höhen flüchteten.

Das **Hexenwaschbecken,** ein flacher, ovaler, ausgemuldeter Stein, der gewöhnlich vom Tau und Regen mit Wasser gefüllt ist, liegt nahe beim Haus, wenn man zur Thür hinausgeht, etwa 50 Schritt r. In ziemlich gleicher Richtung, einige hundert Schritte weiter, finden sich die **Teufelskanzel** und der **Hexenaltar,** übereinander geschichtete Granittrümmer. Westl. von diesen liegt der *Gerlachsbrunnen* (wenig ergiebig, deshalb nicht mehr benutzt); der Bedarf an Wasser für die Wirtschaft wird vorzugsweise dem nordöstl. in der Nähe des Wolkenhäuschens gelegenen *Hexenbrunnen* entnommen. Wie sehr hier oben alles dämonisiert ist, geht daraus hervor, daß sogar häufig vorkommende Pflanzen ungeheuerliche Namen vom Volk erhielten; so werden z. B. die zottigen Fruchtschöpfe der Anemone alpina (Brockenblume) »Hexenbesen«, Circaea alpina »Hexenkraut« und Lycopodium »Hexenmoos« genannt.

Brockenflora: Anemone alpina (Brockenblume), Lichen islandicum (Brockenmoos), Lycopodium (Bärlapp) inundatum (Heinrichshöhe), complanatum (Hirschhörner), annotinum, clavatum, Selago und Selaginoides, Linnaea borealis (selten), Eriophorum (Wollgras) vaginatum, Betula nana (Zwergbirke) etc. – Zu den am Brocken fast nur über 1000 m hoch und sonst nirgends anderswo am Harz vorkommenden subalpinen Pflanzen gehören: Pulsatilla alpina, Geum montanum, Hieracium alpinum (Habichtskraut), Thesium alpinum, Rumex arifolius, Salix bicolor (zweifarbige Weide), Carex (Riedgras) rigida, Carex vaginata, Lycopodium alpinum, Selaginella spinulosa und Asplenium alpestre. (Botaniker verweisen wir auf *Hampes* »Prodromus florae Hercyniae« oder *Schatz*' »Flora des Harzes« und *Sporleders* »Verzeichnis der in der Grafschaft Wernigerode wild wachsenden Phanerogamen u. Gefäßkryptogamen«.)

---

9. Route: Vom Brocken durch die Steinerne Renne nach Wernigerode.

Vgl. die Karten Seite 90 und 103.

3–3½ St. **Fußweg** (aufwärts 4–5 St.), an einigen Stellen etwas steil, ohne Führer zu finden. Vgl. den Brockenweg 4) auf S. 94. — **Omnibus** über Schierke abwärts 3 M. bis Wernigerode. — ☞ Fußtouristen sehr zu empfehlen ist es, mit dieser Tour den Besuch der äußerst lohnenden ***Hohneklippen** zu verbinden, doch ist hierzu ein kundiger Führer ratsam (Weg S. 109). Die so erweiterte Partie erfordert dann 7–8 St. Zeit.

Wer auf dem Wege vom Brocken durch die Steinerne Renne nach Hasserode die vom Harzklub zugänglich gemachten **Zeterklippen** (929 m) besuchen will, verfolgt die Chaussee nach Ilsenburg bis zwischen Wegestein 8,2 u. 8,1, wo r. (Wegweiser) ein Fußpfad dorthin führt. Oben hübsche Aussicht. Der Abstieg geschieht auf der Ostseite nach der *Hölle* zu, Weg bezeichnet. Wer die Tour umgekehrt machen will, verläßt die nach der Hölle führende Straße da, wo diese aus dem Walde tritt. R. Wegweiser »Zeterklippen, Molkenhaus«.

Vom Brocken den Fahrweg hinab bis zum (¾ St.) granitenen Wegweiser »Am Handweiser« (S. 92), der nach Ilsenburg l., nach Schierke r. zeigt. Man gehe 30 Schritt auf dem Weg nach Schierke, bis l. (Wegezeichen »W« und »B«) der Fußweg abzweigt, der zuerst durch Wald, dann außerhalb desselben nach 5 Min. l. bei einem Pfahl (r. nach Schierke, Jakobsbruch und Hohneklippen) zur *Schutzhütte des Harzklubs* auf dem *Renneckenberg* (929 m) führt. Nun den kahlen Abhang des Renneckenbergs steil abwärts, auf halber Höhe die Chaussee Ilsethal-Hölle quer überschreitend, bis zum Fuß des Berges, wo der Fußsteig in den Fahrweg einmündet, der, in nördlicher Richtung weiterführend, in etwa 5 Min. erreicht wird. Hier Wegweiser: l. nach Molkenhaus, Zeterklippen, Ilsethal, — r. nach Steinerne Renne, Hasserode, Plessenburg, Ilsenburg. Nach etwa $^1/_4$ St. zweigt eine Chaussee r. ab, welche nach dem Hohnstein und *Försthaus Hohne* führt. Man bleibe auf der Straße geradeaus, immer im Wald bis zur Teilung der Straße (Wegweiser nach Plessenburg und Hohne), dann l. auf der Plessenburger Chaussee wenige Schritte weiter bis zu der nächsten r. abzweigenden Chaussee, auf welcher man in etwa 8 Min. zu der r. abwärts gelegenen ***Steinernen Renne,** dem terrassiert jäh absinkenden felsigen Flußbett der Holtemme, gelangt, in welchem, streckenweise zu Schaum aufgelöst, das Wasser in Kaskadellen herabfällt. Es sind freilich bei Wassermangel nur bescheidene Wasserfälle, aber malerisch eingerahmt. Bei dem obersten Wasserfall ($1^3/_4$ St.) *Restaurationslokal* (des Wirts vom Hotel Hohnstein; Bier, Kaffee, Thee, Butterbrot etc.). (Man besuche hier die **Renneklippen*, s. S. 94; oder die Hohnsteinklippen beim Karlshaus, S. 108 r.). — Zum Hinabweg von der Steinernen Renne wählt man entweder die *Renne-Chaussee* (der freien Aussicht wegen) oder einen der Fußwege auf beiden Ufern des Flusses neben den Wasserfällen bis zur nächsten Brücke. Dann auf dem rechten Ufer steil abwärts, event. auch durch die am linken Ufer gelegene, im Sommer 1888 neu aufgeschlossene, höchst romantische **Kleine Renne,* bis der Fußweg, in das *Kleine Breitethal* (Quarzfelsen »Der silberne Mann«) auslaufend, ebener wird. Nach 25 Min., beim Heraustreten aus dem Thal:

($2^1/_2$ St.) **Hasserode-Friedrichsthal** (292 m), preußisches, 3 km langes Dorf mit 2545 Einw., gräfl. stolberg. Oberförsterei, Erziehungsanstalt für schwachsinnige Mädchen, Papier-, Filztuch-, Schokoladefabriken, Sägewerke, Brauereien etc.; Post u. Telegraph.

Gasthöfe: *Zum Hohnstein*, gutes Haus; Bier; Fuhrwerk. Omnibus zur Bahn; Briefkasten im Hotel. — *Hotel zur Steinernen Renne*, mit Garten, ebenfalls gut. Omnibus nach der Stadt und zum Bahnhof; Badegelegenheit. — Bescheidener: *Gasthof zum Hofjäger*. — *Deutscher Kaiser*, in der Mitte von Hasserode. — In den genannten Gasthöfen und vielen benachbarten Privathäusern finden sich wegen der Nähe des Waldes empfehlenswerte Sommerwohnungen.

Spaziergänge: *Ratskopf* (319 m) mit Wirtschaft. — *Himmelpforte*. — *Schwengskopf* (488 m).

Die Fahrstraße führt durch *Friedrichsthal*, mit Hasserode zu einer Gemeinde verbunden, eine 1768 angelegte Kolonie, an welche fast unmittelbar sich ($3^1/_2$ St.) **Wernigerode** (R. 10) anschließt.

☞ Wer nicht die belebte, 3,3 km lange Chaussee benutzen will, wählt die zu beiden Seiten des Ortes führenden Promenadenwege: r. oberhalb des Hotels Hohnstein hinauf und auf einem vielfach gewundenen, immer im Walde hinführenden schönen Wege (überall Schilder), — oder l. am Holtemmeufer und Mönchsstieg entlang.

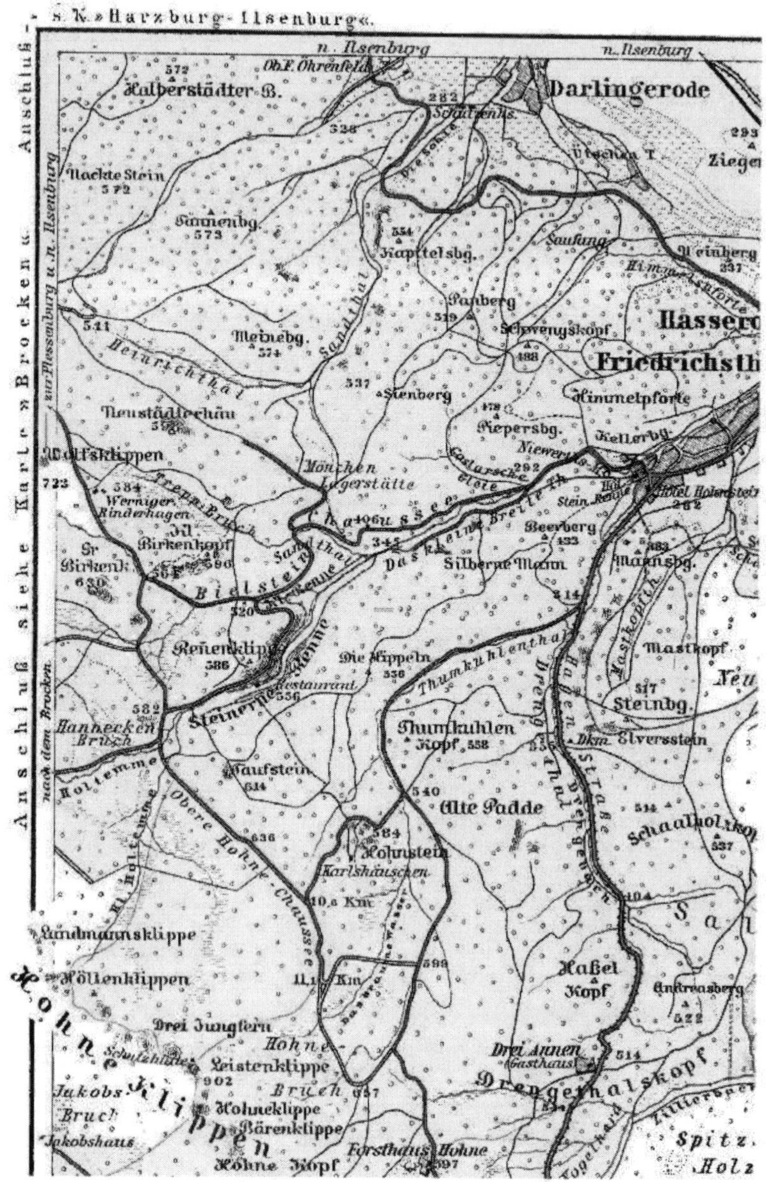
n. Ilsenburg
n. Ilsenburg
Darlingerode
Halberstädter B.
Nackte Stein
Sonnenbg.
Kapitelsbg.
Sauftang
Weinberg
Panberg
Schwengskopf
Hasserode
Friedrichsthal
Meinebg.
Heinrichthal
Stenberg
Himmelpforte
Neustädterhau
Piepersbg.
Kellerbg.
Wolfsklippe
Mönchen Lagerstätte
Goslarsche Cleie
Hotel Hohnstein
Steinerne Renne
Beerberg
Wernigeröder Rinderhagen
Birkenkopf
Sandthal
Silberne Mann
Mannsbg.
Bielstein
Das kleine Breite Th
Mastkopf
Die Hippeln
Thumkuhlenthal
Steinbg.
Hanneckenbruch
Holtemme
Thumkuhlen Kopf
Elversstein
Obere Hohne Chaussee
Alte Padde
Drengethal
Hohnstein
Karlshäuschen
Landmannsklippe
Höllenklippen
Haßel Kopf
Andreasberg
Drei Jungfern
Hohne Bruch
Leistenklippe
Drei Annen
Gasthaus
Drengethalskopf
Jakobs Bruch
Hohneklippe
Bärenklippe
Jakobshaus
Hohne Klippen
Forsthaus Hohne
Hohne Kopf
Spitz.
Holz
Anschluß siehe Karte »Brocken«
Anschluß s. K. »Harzburg-Ilsenburg«.

UMGEBUNG
VON
WERNIGERODE

Maßstab 1:60000

0 ½ 1 Kilometer

Höhen in Metern.

Touristenwege

332

Ziegelbg

Aussichtseiche

Wolfs Holz

10. Route: Wernigerode.

Vgl. die beifolgende Karte.

Die **Grafschaft Stolberg-Wernigerode** bildet als Standesherrschaft mit eignen Landesfarben (rot u. weiß) und in mehrfacher Hinsicht eigner Verwaltung den preußischen Kreis Wernigerode im Regierungsbezirk Magdeburg. Sie umfaßt 278 qkm (5,05 QM.) mit 26,481 Einw. in 1 Stadt, 2 Flecken, 12 Dörfern, 5 Rittergütern und 11 gräflichen Landwirtschaften mit 11,000 ha Harzforsten. Das ganze Brockengebiet gehört zur Grafschaft (vgl. die Grenze auf der Karte), die sich durch ihre wohlgepflegten Fahrstraßen auszeichnet. — *Regierender Graf* ist *Otto*, geb. 30. Okt. 1837, kaiserl. Oberstkämmerer, preuß. Generalmajor à la suite, Kanzler des Johanniterordens, erbliches Mitglied des preußischen Herrenhauses und der Ersten Kammer der Stände des Großh. Hessen; er folgte seinem Großvater, dem Grafen Hänrich, am 16. Febr. 1854. Vermählt mit der Prinzessin *Anna Elisabeth* von Reuß jüng. Linie (geb. 9. Jan. 1837).

Geschichtliches. Die *Grafen von Wernigerode* stammen aus dem schwabengauischen Dynastengeschlecht derer von Arnstedt (Arnstein und Biesenrode, welches wohl mit dem der Ballenstedter oder Anhaltiner, Falkensteiner, Amersleber, Plötzkauer und Mehringer dem Stamme der Heklinger entsprossen ist). Der Ahnherr Adelbert erscheint 1103–18 als Graf in Heimar (bei Hildesheim) und seit 1121 als »Graf von Wernigerode«. Der Ort, an dessen Namen sich die Grafschaft anlehnte, existierte allerdings schon früher, ist also älter als die Burganlage; die Grafschaft, in der Diözese Halberstadt gelegen, war kein unmittelbares Reichslehen und gewann erst nach den Kämpfen mit den Regensteiner Grafen im Jahr 1343, als solche für die Regensteiner unglücklich ausfielen, ihre Gestalt um Wernigerode. Der Besitz der Wernigeroder Grafen scheint wesentlich dadurch gesichert zu sein, daß Graf Konrad 1268 sein freies Allodialgut den askanischen Markgrafen von Brandenburg zu Lehen antrug. Der letzte Graf dieses Geschlechts starb 1429; seine Grafschaft fiel infolge Erbverbrüderung an den Grafen Botho von Stolberg (s. R. 31), dessen Geschlecht bei der Teilung 1645 eine neue Grafenlinie Stolberg-Wernigerode begründete, welche die kriegerische Periode abschloß und der Grafschaft von da den Segen des Friedens gab.

Die Stadt **Wernigerode** (232 m), an der Holtemme, gewöhnlich »Wernigerode am Harz« genannt, mit 9397 Einw., ist Hauptstadt der mediatisierten Standesherrschaft der Grafen Stolberg-Wernigerode unter preußischer Hoheit und einer der lieblichsten Orte am Harz. Station der Bahn von Heudeber über Wernigerode nach Ilsenburg (S. 48). Landratsamt, Amtsgericht, Gymnasium, ziemlich rege Gewerbe. Scheinbar ein Teil des Städtchens sind der unmittelbar angrenzende Ort *Nöschenrode* und das Dorf *Hasserode* (S. 102).

Gasthöfe: *Weißer Hirsch*, am Markt; komfortabel; etwas höhere Preise, gut. — *Deutsches Haus*, Burgstraße; T. d'h. 2 M. — *Knaufs Hotel*, Burgstr.; Bier und Billard, Restauration mit hübschem Garten (Aussicht nach dem Brocken); T. d'h. 1,75 M. — *Goldener Hirsch*, in Nöschenrode; T. d'h. 1,75 M. Bier und Billard. Pension. — *Gotisches Haus*, am Markt, interessanter Bau. — *Preußischer Hof*, Burgthor; Aussicht aufs Schloß. Pens. 4–5 M. — *Wiener Hof*, Bes. Briest, Marktstraße. — *Weißer Schwan*, Breite Str. — *Hotel Mühlenthal*, im Mühlenthal, Bäder; Pens. 5 M. — *Hotel zur Steinernen Renne* und *Zum Hohnstein*, s. S. 102.

Hotels und Pensionen. I. Ranges: *Hotel Lindenberg*, herrliche Lage auf dem Lindenberg, dem Schloß gegenüber. — *Müllers Hotel am Salzberg*, neu. — *Küsters Kamp*, ebenfalls reizende Lage.

Bierstuben und Restaurationen: *Ahrends* (bayrisches Bier), Breite Str., Gärtchen.— *Marwitz*,»Café National«, Breite Str. — *Gesellschaftshaus*, Westernthor. — *Brandts Kurhaus*, Flutrenne. — *Schüßler*, unter den Eichen im Mühlenthal.— *Wagenschein*, Burgstraße, auch Wohnung.

Sommer-Wohnungen zu den verschiedensten Preisen; Stube und Kammer mit 2 Betten etwa 30–90 M. für 1 Monat. Auskunft erteilen die Hotelbesitzer.

Marmor- und Alabaster-Arbeiten bei *Rose* am Burgthor. Ferner: *Kunst-Gußeisenwaren* aus *Ilsenburg* bei *Jüttner*, Westernstr.; einige *Mineralien* u. *Petrefakten* bei Buchbinder *A. Borchert*.

Kunstguß-Fabrik von *W. Lüders*, am Bahnhof. Niederlage bei *L. H. Schwanecke*, Westernstraße.

Landschafts-Photographien: *G. Rose*, Mühlenthal. — *A. W. Ebeling*, Markt. — *F. Mäßer*, Burgthor. — *Keddy*, Hasserode.

Bade-Anstalt: *Brandts Kurhaus* (T. d'h. 1 Uhr), kalte und warme Bäder zu jeder Tageszeit; auch *Fichtennadelbäder* und künstliche *Mineralbäder*. — *Rust*, Schwimm- und Badeanstalt, im Teich vor dem Westernthor; Zellenbäder, auch für Damen. — *Gerickes Badeanstalt*, Ilsenburger Straße, Wannenbäder. — *Hotel Mühlenthal*. — *Hotel Steinerne Renne*, in Hasserode. — *Hotel Hohnstein*.

Harzklub, Zweigverein Wernigerode; Auskunft erteilt der Vorstand desselben, welcher solche auch in Form eines kleinen Heftchens zu 15 Pf. im Druck hat erscheinen lassen.

Post (am Nikolaiplatz; von 1890 ab im Neubau, Marktstraße): Nach (11 km) *Elbingerode*.

Telegraph: Am Bahnhof und in der Post, Nikolaiplatz.

Eisenbahn (Bahnhof 1/4 St. entfernt): Nach *Heudeber*, tägl. 9 Züge in 24 Min. (S. 48); nach *Ilsenburg* (S. 110) 5mal in 23 Min.

Omnibus der Hotels bei Ankunft eines jeden Zugs am Bahnhof. — Nach dem *Brocken* über Schierke, im Hochsommer 1mal tägl., in 4 1/2 St. für 4 M., Retourbillets 7 M.; Gepäck 1 M. — Nach dem *Hasseröder Hotel* (auch bis zum »Silbernen Mann«, S. 102) bei jedem Zug in 3/4 St. für 40 Pf., von der Stadt ab 25 Pf.

Wagen (gut): Nach der Steinernen Renne bis zum Silbernen Mann 5 M., bis oben zur Restauration 9 M. hin und zurück; — weiter über Plessenburg nach Ilsenburg 12 M.; — Ilsenburg, Harzburg 15 M.; — Büchenberg 9 M.; — Rübeland 10 M.; — Ziegenkopf, Blankenburg, Michaelstein 15 M.; — Brocken 18 M. hin und zurück; — Treseburg 18 M.; — Roßtrappe 15 M.; — Thale 15 M. Außerdem Trinkgeld.

Sehenswürdigkeiten bei gemessener Zeit: Das *Rathaus*; das *Gymnasium*; die Höhe des *Lindenbergs* und der **Schloßberg* (Agnesberg, Falkenbank). Aufgang in der Stadt, Rückweg am Marstall vorbei, durch den Lustgarten.

Entfernungen vom Marktplatz in *Wernigerode:* Blankenburg 17 km; — bis Bolmke am Büchenberg 5 1/2 km (Bergtour, bis r. zum Büchenberg noch 1 km), bis Hartenberg (s. S. 80) 7 km; — Elbingerode 11 km; — Hotel Steinerne Renne 3 1/2 km; — Silberner Mann 6 km; — Drei Annen 8 km; — Schierke 15 km (Bergtour); — Ilsenburg, direkt, 9 km.

Die herrliche Lage inmitten der Waldgebirge, das milde Klima (es gedeiht hier sogar die eßbare Kastanie, Fagus Castanea *L.*, in Bäumen bis 13 m Höhe), die wohlgepflegten Straßen und Promenaden sowie die mannigfachen Verkehrsmittel durch Eisenbahn, Omnibus und Fuhrwerk machen dieses Städtchen zu einem besonders angenehmen Sommeraufenthalt für Gesunde und Rekonvaleszenten. Vielfach durch große Brände heimgesucht, hat Wernigerode die meisten in alter Holzkonstruktion gebauten Häuser verloren und besitzt davon nur das um 1500 ausgebaute *Rathaus* mit Schieferdeckung (und dem Denkspruch über der Thür: »Einer acht's, der Andre verlacht's, der Dritte betracht's, was macht's?«), am Markt, das Gerlitzsche Haus in der Neustadt, mit Holzbildern, und das Faulbaumsche sogen. *Neustädter Rathaus,* Breitestraße 78. — Unter den vielen Neubauten sind bemerkenswert: das neue *Gymnasium,* ein schönes gotisches Gebäude von Frühling und Bösser; — das St. Georgii-Hospital; — das *Kriegerdenkmal* (Sandstein) von 1870/71 in der Stadt und das von 1866 oben beim Lustgarten, kolossaler Granitblock, auf dessen Spitze ein vergoldeter preußischer Adler. Sehenswert sind ferner: *Liebfrauenkirche* mit einem schönen Christus am Kreuz, von Bernhard Rohde; — die 1881—86 renovierte und wieder mit stattlichem Turm gezierte *St. Sylvestrikirche* mit Grabdenkmälern der Grafenfamilie; — *St. Theobaldikapelle* (Nöschenrode); — *St. Johanniskirche* mit Glasmalereien.

Der Fahrweg zum Schloß führt durch den Lustgarten über den gräflichen Marstall (prächtige Einrichtung) auf das 120 m über der Stadt gelegene, weithin sichtbare ***Schloß Wernigerode,** das Stammschloß der Grafen von Stolberg-Wernigerode, wohl die schönst gelegene aller Harzburgen. Das früher sehr einfach und nüchtern geformte Schloß hat durch die vom regierenden Grafen Otto angeordneten Bauten äußerlich und innerlich sich reicher gegliedert, die alten Schloßteile sind unter Beibehaltung der stilvollen Bauteile durch reiche gotische Bauten ersetzt, neue Anlagen gemacht, so daß diese Residenz in Bau und Lage eins der schönsten Bergschlösser ist. Sehenswert: die neue Haupttreppe und der Rittersaal, die *Schloßkirche (Kirchenbesucher, Sonnt. ½10 Uhr vorm., können frei auf Schloßhof und Terrasse herumgehen), die Terrasse, Wendeltreppe, Waffensaal, Wohnzimmer.

Dem Publikum ist die Besichtigung des Schlosses und das Betreten der innern Höfe, des Walles wie der Terrassen nur in Begleitung des Aufsicht führenden Dieners (Meldung im Hauptportal r.) gestattet. Der Besuch der wunderschönen Promenaden im Tiergarten mit reichlichen Aussichten und des sehenswerten Lustgartens mit reichbesetzten Gewächshäusern stehen dem Publikum frei. (In Abwesenheit der gräflichen Familie kann man auch wohl die innern Räume besichtigen.)

Auf der Schloßterrasse zwei alte kunstvolle *Kanonen* mit Inschrift.

Der **Lustgarten**, in dessen früherm Orangerie-Gebäude die wertvolle gräfliche **Bibliothek** (95,000 Bände; hervorragend altdeutsche Litteratur, Geschichte, Bibel, Gesangbuch) sowie das gräfliche Archiv aufgestellt sind. Bibliothekar Archivrat Dr. *Jacobs,* Schriftführer des Harzvereins für Geschichte und Altertumskunde (Mittw. und Sonnabd. 2–4 Uhr für Fremde geöffnet; Bibliothek und Antiquitätensammlung jenes Vereins befinden sich ebenfalls hier). Gewächshäuser, neues sehenswertes Palmenhaus. — Vor dem Lustgarten, am Ende der von der Stadt dahin führenden Allee, steht das vom regierenden Grafen Otto den im Krieg von 1866 gefallenen Söhnen der Grafschaft errichtete Denkmal (s. oben).

Im östl. Teil des **Tiergartens** eine Anzahl *Rotwild.* — Der Wall in der Umgebung des Schlosses bietet schöne Aussicht. — Der **Weingarten,* ein kleiner, besonders eingezäunter Teil des Walles, mit Aussicht auf den Brocken und Hasserode. Eine Thür führt aus dem Wall in den Tiergarten. Man gelangt nach einigen Minuten Steigung vom Schloß aus auf verschiedenen neuen Promenadenwegen nach der **Agnesberg-Höhe** (391 m), malerisches Bild von der altertümlichsten Seite des Schlosses im Vordergrund und vom Brocken und seinen umliegenden Bergen. Auf dem Kamm des Agnesbergs, einem grasigen, schattigen Fußweg folgend, kommt man in etwa 10 Min. auf die sogenannte Aussichtseiche mit einer Treppe; herrliche Aussicht ins Mühlenthal. Der Weg führt nun bald nach r. etwas abwärts auf den *Kaiserweg*. Diesen nach l. verfolgend, berührt man die *Falkenbank* (Aussicht ins Christianenthal) und gelangt weiter durchs *Gebrannte Eichenthal* ins liebliche ***Christianenthal** (gute Restauration bei *H. Brinkmann*), das in seiner neuen (1889) großartigen Umgestaltung selbst bei gemessener Zeit einen Besuch verdient. — Setzt man oberhalb des »Gebrannten Eichenthals« den Kaiserweg noch 15 Min. fort, so hat man r. am Wege von einer Spitze, »**Triangel**« (465 m) nochmals eine schöne Aussicht und gelangt von hier abwärts ins *Friederikenthal*. Man kann auch direkt von der Stadt, bei der Theobaldikirche durch, in ½ St. ins Christianenthal kommen. Im Tiergarten überall Wegbezeichnungen.

Ausflüge. A. Richtung nach Elbingerode (südl.):

1) Spaziergang durch das vom *Zillier Bach* durchflossene ***Mühlenthal** hinauf am *Hotel Mühlenthal* bis zur (1¼ St.) *Voigtstiegmühle* (S. 80). — Angenehmer als die Chaussee führt im Mühlenthal oberhalb des Theobaldivereinshauses ein schattiger Promenadenweg hinter den Mühlen am linken Ufer des Zillier Bachs nach *Hotel Mühlenthal*, bis zum Eingang des Kaltethals fortgesetzt.

2) Vom Burgthor durch *Nöschenrode*, am Ende des Ortes r. über den Bach, um hinauf nach **Küsters Kamp** (*Restauration*, Hotel, Pension und Sommerwohnungen) zu kommen, der zwar etwas kahl, aber doch prachtvoll, gerade dem Schloß Wernigerode gegenüberliegt.

Im *Pulvergarten*, unweit von Küsters Kamp, zweigt ein neuer Promenadenweg ab, welcher oberhalb des Bollhasenthals am Hang des **Jägerkopfs** 441 m) hinzieht und weiter zu den Zwölfmorgen führt.

Von Küsters Kamp aus in 20 Min. zu der **Harburg** (440 m; einfache Restauration, gut). Aussicht auf Stadt, Schloß und Brocken. — Von der Harburg in 10 Min. nach den gegenüber gelegenen **Zwölfmorgen** (480 m), auf deren Scheitelpunkt mit überraschender Aussicht 1888 eine Schutzhütte des Wernigeroder Verschönerungsvereins entstanden ist. — Von dieser r. in ¼ St. zum **Armeleuteberg** (475 m), einem isolierten, steil nach allen Seiten abfallenden Kieselschieferkopf mit großartigem Panorama (kleiner Brocken!). — Südöstlich von den Zwölfmorgen in 15 Min. zum **Scharfenstein** (466 m), ein jäh über dem *Kaltenthal* hervorspringender Porphyrfels, lieblicher Thal- und Waldblick, und weiter nach dem **Astberg** (482 m), mit schattigem Buchenwald, an dessen Fuß das *Hotel Mühlenthal* liegt.

3) Den beliebtesten und bequemsten Aussichtspunkt in unmittelbarer Nähe der Stadt (10 Min.) bietet der **Lindenberg** mit dem *Hotel Lindenberg*, komfortables Pensionshotel; auch Restaurant. Von allen Richtungen aus führen Fahr- und Promenadenwege hinauf. — Der *Lindenbergskopf* (311 m) ist mit dem Gasthaus durch einen Weg verbunden. Ferner führt von hier ein Promenadenweg an den Hängen des *Ameleungskopfes* (377 m) und *Markhardtsberges* (421 m) nach dem Armeleuteberg (s. oben). ☞ Der Scharfenstein, Küsters Kamp, Harburg, Lindenberg, Salzberg, Armeleuteberg sind durch Promenadenwege (fast immer im Wald und überall Wegweiser) verbunden. Nach W. hin setzen sich dieselben bis oberhalb Hasserode fort und führen beim Hotel Hohnstein auf die Straße (vgl. S. 102).

4) Das östl. vom Mühlenthal im Wald liegende, zu Benzingerode gehörige (1 St.) *Neue braunschweigische Forsthaus* (z. Z. ohne Restauration); von da etwa zum *Henkersberg* (479 m) mit schöner Aussicht.

5) Eine für Geognosten lohnende Tour: Verfolgt man von der Voigtstiegmühle (s. oben Nr. 1) an die Chaussee nach Elbingerode weiter aufwärts, so kann man später r. unweit des Weghauses die Seitenchaussee nach

dem schön gelegenen ($1^1/_2$ St.) ***Büchenberg** (523 m) einschlagen. Enorme Eisensteingruben, in einer Mächtigkeit von ca. 40 m zu Tage ausgehend *(Pingenbau)*, die größten am Harz. Dichter Roteisenstein, Eisenglanz, ockeriger Brauneisenstein, grüner Quarz und sogen. grüner Marmor. Der Betrieb ruht zur Zeit. Im *Zechenhaus Restauration;* dahinter Aussicht auf den Brocken.

6) Nach **Blankenburg** über *Benzingerode* oder über *Hartenberg* und das *Eggeroder Forsthaus* s. R. 5; es empfiehlt sich auch, von Hartenberg aus die Elbingerode-Heimburger Straße nach Heimburg einzuschlagen, das herrliche **Dreckthal*, durch welches diese führt, entschädigt für den Umweg (vgl. S. 79).

7) Nach **Rübeland** (14 km): Von der Voigtstiegmühle l. Chaussee nach dem *Forsthaus Hartenberg* (S. 80); von hier an den Wiesen östl. weiter, dann schneidet man die Chaussee Heimburg-Elbingerode, geht r. einen Fahrweg immer am braunschweigischen Wildgatter entlang, dann über Wiesen und zwischen Feldern bei dem Vorwerk *Kaltethal* vorüber zur ($2^1/_2$ St.) *Baumannshöhle* (S. 83) und hinab nach ($2^3/_4$ St.) Rübeland.

B. Richtung nach Hasserode (dahin Omnibus der Hotels).

8) Im Salzbergthale, der Oberförsterei gegenüber einige Stufen ansteigend, gelangt man auf dem Blockshornbergweg mit wechselndem Panorama zum ($^1/_2$ St.) **Blockshornberg** (320 m). — Oberhalb des *Papenthals* zweigt vom Hauptwege r. durchs Gatter ein Weg zu dem jetzt abgeholzten **Kapitelsberg** (402 m) ab, dessen einzeln stehende Fichte mit Fahne einen weithin bemerkbaren Augenpunkt abgibt. — Der Hauptweg führt weiter zum *Försterplatz;* hier Wegteilung: l. zum Armeleuteberg (s. S. 106), etwas abwärts am *Schützenberg* entlang abwechselnd durch jungen Laubwald und durch Thalgründe zum obern Teil von *Hasserode* (Bezeichnung: »Albg.« = Armeleuteberg). — R. ansteigend vom Försterplatz zieht der jetzt nicht mehr zu verkennende Weg über den *Neucheeg* zu dem durch sein Gebirgspanorama bekannten **Steinberg** (517 m) mit dem *Elversstein*, von wo Abstieg nach *Hasserode* auf bequemem, neuem Pfad. — Der Fahrweg vom Försterplatz in südlicher Richtung wendet sich bald am Rasselberg westl. und führt auf den durch das städtische Forstrevier »Salzberg« hinziehenden Waldweg nach der **Dreianne** (514 m; *Restauration* im Chausseehaus). Vom Rasselberg das Thal quer durchschneidend und auf der gegenüberliegenden Seite steil ansteigend, gelangt man zum **Hilmarsberg** (518 m); hier liegt in versteckter Waldeinsamkeit das »Jägerhäuschen auf dem Hilmarsberg« (unbewohnt). Weiterer Waldweg, derselben Richtung folgend, bis ins *Zillier Bachthal* unterhalb des *Petersteins* (interessant für Botaniker). Die Chaussee im Zillier Bachthal führt in das Mühlenthal, während ein bezeichneter Fußweg durch das Stollenthal nach dem Büchenberge bringt (vgl. Nr. 5).

9) Zur ***Steinernen Renne** (3 St. hin und zurück), einer der Hauptausflüge, s. S. 101. Man fährt mit Omnibus (S. 104) bis zu einem des Hasseroder Hotels oder bis zum Felsen Silberner Mann. Von den Hotels aus dann zu Fuß hinter Niewerths Mühle l. durch schönen Buchenwald (dem Umweg auf der Straße vorzuziehen!) in 1, bez. $^1/_2$ St. an der Steinernen Renne hinauf bis zur ($1^1/_2$ St.) *Restauration* an der **Steinernen Renne** (S. 94). Eine neue Chaussee, vom Rennethal hinaufführend, ermöglicht es, die Steinerne Renne von Wernigerode her zu Wagen zu erreichen; sie bringt bis unmittelbar über die oben erwähnte Restauration. Von hier Fußweg (10 Min.) zu den **Renneklippen** (586 m); vgl. S. 94.

Auf dem Rückwege nach Wernigerode besucht man vielfach den Felsen *Hohnstein* (S. 108 r.), $^1/_2$ St. von der Renne. Der Weg führt gegenüber der Restauration am andern Flußufer anfänglich steil bergan, dann bald auf engem Waldpfade immer derselben Richtung folgend; gut bezeichnet. Zurück durch das Thumkuhlenthal nach Hasserode. — Oder auch mit folgendem Ausflug zu verbinden, Weg dahin bei R. 11, oder wie folgt:

10) **Von der Steinernen Renne über die Wolfsklippen zur Plessenburg** (1½ St.) **und nach Ilsenburg** (2¼ St.). Von der Restauration in 1 Min. auf die oberhalb ziehende Chaussee, dieser l. aufwärts folgend, nach 5 Min. granitener Wegweiser, dann r. durch das Wildgatter; nach 30 Min. (Chausseestein 6,8) der *Wernigeröder Rinderhagen* (Milch, Bier, Kaffee); von hier auf derselben Chaussee einige Minuten weiter zweigt l. der Fahrweg nach den ***Wolfsklippen** (½ St.), durch Wegweiser gut bezeichnet. Auf der Höhe unterhalb der höchsten Klippe (734 m) liegt die *Wolfshütte*, die erste Schutzhütte des Harzklubs, 1887 errichtet. Großartiger Gebirgsblick von der Spitze über den Harz vom Hexentanzplatz, Auerberg, Hohnezug, Brocken bis Harzburg. — Abwärts auf sehr steilem Pfade in 25 Min. zur (1½ St.) *Plessenburg*. — Wer die Wolfsklippen nicht besuchen will, geht beim Rinderhagen in ursprünglicher Richtung auf schattiger Waldchaussee in 25 Min. bis zur (1 St.) **Plessenburg** (Näheres S. 114).

Von Hasserode direkt (ohne die Renne zu berühren) führt aus dem Rennethal die »Bielstein-Chaussee« (10 Min. von den Hasseröder Hotels beginnend, 2 St.) zur Plessenburg.

Von der Plessenburg auf der Chaussee nach Ilsenburg weiter, nach einigen Minuten aus einem Gatter tretend, verläßt man die Chaussee nach r. und gelangt auf neuem Fußweg an den Paternosterklippen vorbei nach dem **Ilsenstein* (S. 112) und direkt hinunter zur Restauration und nach (2¼ St.) Ilsenburg.

11) **Auf den Brocken über die Steinerne Renne:** 4-5 St., Fahrweg bis zur Hölle, s. R. 9. — **Der Fahrweg auf den Brocken** (Omnibus) geht über Hasserode, auf der Hagenstraße durch das Drengethal am *Forsthaus Dreiannen* (S. 109) vorbei nach (18 km) *Schierke* (S. 89) und von hier auf den (26 km) *Brocken*; vgl. S. 92.

12) Die ***Hohneklippen** sind ein von NW. nach SO. sich erstreckender Bergzug mit wilden, unzugänglichen Felspartien und Brüchern und gehören zu den schönsten Harzpartien. Die Hauptgipfel sind der Hohnekopf mit der Bärenklippe; die Leistenklippe (902 m), die höchst und meist besuchte Erhebung (Weg weiß bezeichnet), die Polterklippen, die Drei Jungfern und die Höllenklippen. Für den Besuch des ganzen Felsenrückens ist ein kundiger Führer nötig, obwohl einige Wege bezeichnet sind; der Ausflug erfordert 1 Tag Zeit und ist sehr zu empfehlen; etwas Mundvorrat mitzunehmen, ist ratsam. Man kann bis zum Forsthaus Hohne (2½ St.) fahren. — Zwei Wege:

A. Durch das **Thumkuhlenthal**, wird jetzt als der nächste und beste Fußweg empfohlen. Das von den Hasseröder Hotels südl. aufsteigende Thal verzweigt sich nach 1 km r. in das *Thumkuhlenthal* und l. in das *Drengethal* (s. unten). Durch ersteres zieht unser Weg am Braunen Wasser aufwärts. Bei Chausseestein 6,4 auf der Höhe des Thumkuhlenkopfes zweigt die Chaussee r. nach dem (1¾ St.) **Hohnstein** (581 m) ab, dann Fußweg bei 6,9 l. in den Wald hinein zum Hohnstein. Von den beiden Felsen ist nur der zurückliegende zu besteigen und gewährt weite Fernsicht. Sodann an dem südwestl. am Fuße der Felsen gelegenen Jagdhause **Karlsburg** und den in gleicher Richtung höher hinauf liegenden drei Felsgruppen vorüber zur obern Hohnechaussee, welche sich unmittelbar am Fuße des Hohneklippenkammes hinzieht; dieselbe wird etwa bei Stein 10,6 erreicht; auf derselben bis 11,1, wo die Thumkuhlenthalchaussee mündet. Hier r. auf schmalem, felsigem Fußpfade (Beerenstieg) einige Minuten über ein kahles Hai und eine schmale Waldchaussee in den Hochwald. Angeplätzte Bäume bezeichnen nun den nicht zu verfehlenden Weg bis zum Kamm der (3¼ St.) **Hohneklippen.**

Der Aufstieg zu der **Leistenklippe** (902 m), der höchsten Spitze des Hohnekammes, ist jetzt sehr erleichtert (auch für Damen gangbar); unterhalb der Spitze (r. um die Klippe) steht seit 1888 eine Schutzhütte des Harzklubs. Oben herrliche Rundsicht auf den Brocken, die Achtermannshöhe, Wurmberg, das Jakobsbruch, den ganzen Unterharz (Kyffhäuser, Josephshöhe, Hexentanzplatz), in die Ebene bis zum Petersberg bei Halle etc.

B. Durch das **Drengethal**: von Wernigerode durch *Hasserode* (S. 102); beim Hotel Hohnstein l. südwestl. hinaus: nach 1/4 St. **Wegteilung**: r. geht's ins Thumkuhlenthal, l. führt unser Weg die Hagenstraße durchs *Drengethal* südl. zum Weghaus (2 St.) **Dreiannen** (514 m; einfache Wirtschaft). Schon von hier führt ein kürzender Fußweg nach der Hohne, sicherer verfolgt man die Chaussee bis zur *Signalfichte* (Stein 9,2) und wendet sich hier r. zum

(2½ St.) **Forsthaus Hohne** (597 m; ordentliche Wirtschaft, auch Pens.).

Auf der Westseite der eingegatterten Hohnewiese ist der Aufstieg zum *Hohnekopf* mit Buchstaben und weißen Strichen bezeichnet. Zuerst durch Hochwald, den ersten Fahrweg schneidend, den zweiten wenige Schritte verfolgend, dann r. steil aufwärts zum **Hohnekopf**. Oben schon vor dem Wald von der r. liegenden *Bärenklippe* (die häufig fälschlich als die Leistenklippe angesehen wird) herrliche Aussicht auf den Unterharz (bis zum Kyffhäuser) und die nördliche Ebene. Von hier führt der bezeichnete, betretene Weg auf dem Kamm durch junge Fichten in den r. liegenden Hochwald (Zeichen an den Bäumen) bis zur (4 St.) **Leistenklippe** (s. oben).

Anstatt durchs Thumkuhlenthal hinabzusteigen, kann man auch einen zwischen diesem und den *Hohnsteinfelsen* (am Nordostfuß das Karlshäuschen) einsetzenden Fußweg nach der Steinernen Renne (Führer) einschlagen und von da zurückkehren. Man braucht dann 1 St. mehr.

Über die Leistenklippe nordwestl. noch weiter vorzudringen, ist für gewöhnliche Touristen ohne Führer nicht ratsam; dagegen ist die Bezeichnung eines vom Hohnekopf nach Schierke führenden Weges für 1889 vom Harzklub beabsichtigt.

[☞ Nur für ganz kundige Touristen! Wer von der Plessenburg oder Renne aus die Hohneklippen am westlichen Ende besteigen will, lenkt über der Renne von der Plessenburger in die obere Hohne-Chaussee ein, verläßt diese aber sehr bald, nachdem er die zweite Brücke überschritten, und wendet sich r. auf einem deutlichen Weg der Höhe zu. Durch Stangenholz (Brückners Stieg) steigt man bis zum Kamm der Hohneklippe hinan. Hier aber thut man wohl, sich nicht l. der Leistenklippe, sondern r. den *Höllenklippen* zuzuwenden, deren letzte, die *Landmannsklippe*, mit etwa gleicher Mühe sich erklimmen läßt. Man lernt auch hier den wilden Charakter des Höhenzugs kennen und wird die Aussicht auf den Brocken, die Felsgruppen der Hölle, die Wolfsklippen, die nördl. ausmündenden Thäler und die Ebene bis an die Roßtrappe sehr lohnend finden.]

☞ Norddeutschen Malern können die Hohneklippen nicht genug empfohlen werden; sie rivalisieren, jedoch eigenartig, mit der Roßtrappe. Photographen können kaum Fuß fassen, doch sollten sie eine Aufnahme vom Jakobsbruch aus versuchen.

13) **Von der Steinernen Renne über die Hohneklippen nach dem Brocken.** (Der ganze Weg ist bei einiger Aufmerksamkeit und gutem Wetter ohne Führer zu finden.) Vom Restaurant zur Steinernen Renne auf der Chaussee nach der Hohne bis zum Kilometerstein 11,0. Zwischen diesem und dem Stein 11,1 führt der bei Nr. 12 A erwähnte Fußweg r. hinauf zur *Leistenklippe* (S. 108), an den Bäumen bezeichnet. Von der Klippe aus führt ein durch weiße Striche bezeichneter Weg an der *Bärenklippe* vorbei in ca. 10 Min. an eine Lichtung. Dort wendet man sich durch die niedrigen Tannen, die Klippe l. liegen lassend, dann auf gebahntem Waldweg (l.) scharf abwärts, hier die in spitzem Winkel einmündende Fahrstraße (»Glashüttenweg«, Bezeichnung an den Bäumen) r. fort. (Das **Jakobsbruchhaus**, ein unbewohntes Jagdhaus, zur Auerhahnjagd benutzt, bleibt r.) Vor dem Jakobsbruch kann man einen Fußweg r. einschlagen, welcher etwas abkürzend in ½ St. wieder den auf Fahrweg führt. Er ist zur Jagdzeit verboten. Ein Fahrweg geht r. ab in ein Seitenthal und ist zu vermeiden.

— Weiter kommt man an den jetzt durch Leitern zugänglich gemachten (Schutzhütte des Harzklubs in der Nähe) l. **Ahrensklinter Klippen** (792 m) vorbei. Von der einen ersteigbaren Klippe interessante Aussicht auf den Brocken, Achtermannshöhe, Wurmberg, Schnarcher, Elend und die Schluft; in steiler Tiefe *Schierke* (S. 89), nur Kirche mit Turm sichtbar, aber auf deutlichem Fußweg von hier zu erreichen. — Nach ca. 3 St. (von der Leistenklippe ab) gelangt man auf den Weg, der, von der Steinernen Renne über den Reneckenberg kommend, nach dem Brocken führt (S. 94 u. 95). — Wer diesen Weg umgekehrt, vom Brocken kommend, machen will, verfolgt die Brockenchaussee bis zum Wegweiser am Brockenbett, dann den Pfad nach dem Renneckenberge bis an den Pfahl mit der Aufschrift »Hohne« und nun r. den Glashüttenweg fort bis zum Aufstieg nach der Leistenklippe oberhalb der Hohne, wo an einer Tanne (l.) das Zeichen »H. K.«; vom Brocken etwa 3 gute Stunden.

—

11. Route: Ilsenburg und das Ilsethal.

Vgl. die Karten bei S. 114, 90 und 103.

Von Wernigerode nach Ilsenburg.

9 km **Eisenbahn** in 23 Min. für 80, 60, 40 Pf., folgt zunächst der Chaussee und durchschneidet dann das Pfarrdorf **Altenrode** (300 Seelen). Hier sind die *Sieben Kaisersteine* merkwürdig, welche kaum noch über die Erde hervorragen; sie liegen l. vor dem Dorf auf einem Kirchhof, der früher Acker war. Im Mittelalter soll jeder Verfolgte, der sich zu ihnen flüchtete, frei geworden sein.

Von Altenrode nördl. vorbei an (5 km) Stat. **Drübeck** *(Gemeindekrug)*, Dorf mit 865 Einw., die alte Klosterkirche, im sächsischen Basilikenstil mit einer Krypta (gegründet 877 [?]), ist sehenswert; den Namen hat es von »dri Beken«, drei Bächen. — (9 km) **Ilsenburg.**

Angenehmer als Bahn und Chaussee sind zwei andre Wege:

1) Über *Hasserode*, Steinerne Renne, Plessenburg und Ilsenstein nach *Ilsenburg* ($3^1/_2$ St.), vgl. R. 9 und Schluß dieser Route, S. 114.

2) Waldweg über die Försterei **Öhrenfeld** (schönes Echo), $2^1/_2$ St. Zunächst nach *Hasserode*. Hier beim Gasthof zum Deutschen Kaiser r. über die Holtemme, den chaussierten Jagdweg, von welchem mehrfach gut bezeichnete Fußpfade abzweigen, verfolgend.

Ilsenburg (238 m), preußischer Marktflecken an der Ilse mit 3644 Einw., Eisenbahn-, Post- und Telegraphenstation. Oberförsterei.

Gasthöfe: *Zu den Roten Forellen*, gut geführtes Haus I. Ranges, mit komfortablem Logierhaus (für längern Aufenthalt), Badehaus und hübschem Gartenaufenthalt; Teich mit Gondeln. T. d'h. (1 Uhr) 2,50 M., im Abonnement 2 M., Forellen 2,50 M.; Lohnfuhrwerk. — *Grotheys Hotel*, gutes Haus mit moderner Einrichtung, hübschem Garten (Spielplätze für Kinder), Veranda mit Aussicht, Mittagessen 2 M. (im Abonnement 1,75 M.); auch für längern Aufenthalt geeignet, wird gelobt. — *Deutscher Hof*; T. d'h. 1,50 M.; Lohnfuhrwerk. — *Zum Ilsethal*, einfach, aber billig und ordentlich. — *Lindenhof*, Garten; Kegelbahn. — *Stadt Stolberg*, für Landleute. — $^1/_4$ St. entfernt am Berge: *Waldhöhe* von Köhler, hübsche Aussicht, gelobt; als Pension (4–5 M. tägl.) geeignet.

Restaurationen: *Prinzeß Ilse*, im Ilsethal (25 Min.), unter dem Ilsenstein in reizender Lage; vgl. S. 112.

Sommerwohnungen sind zahlreich und zu allen Preisen vorhanden. Nachweisungen bei den Wirten und beim Vorstand des Verschönerungsvereins, Herrn Rentier *C. Ruhberg*.

Bäder: Warme Bäder aller Art in der Badeanstalt *Ilsebad*. — **Arzt** Dr. *Stephan*, welcher auch Besitzer einer *Heilanstalt für Blutarme und Wieder-*

genesende ist, am Fuß des Schlosses, mit großem Garten.

Kunstgußniederlage: Erzeugnisse der Ilsenburger Hütte, sehr gute Nachahmungen antiker und moderner plastischer Kunstwerke (z. B. die Gefäße des Hildesheimer Silberfunds), beim Kaufmann *Max Kursch* zu Originalfabrikpreisen.

Post: Nach (13 km) *Harzburg*, in 2 St. — **Telegraph.**

Eisenbahn nach (9 km) *Wernigerode* 3-4mal tägl. in 20 Min.; s. oben.

Omnibus: auf den Brocken tägl. 1mal für 3 M., zurück 2 M.

Fuhrwerk (amtliche Taxe): Nach dem *Brocken* 18 M. und zurück 21 M. — Steinerne Renne 9 M. und zurück 12 M. — Über die Steinerne Renne nach Wernigerode 15 M. — Ilsefälle und zurück 6 M. — Plessenburg 6 M. und zurück 9 M. — Harzburg 9 M., mit Burgberg 15 M. — Eckerthal, Molkenhaus, Rabenklippen, Burgberg, Harzburg 21 M. — Zu diesen Preisen kommt noch Chaussee-, Wege- und Trinkgeld.

Harzführer (unnötig). Taxe.

Entfernungen: Prinzeß Ilse 2½ km; Ilsefälle 6 km; Plessenburg 5 km; Steinerne Renne 9 km; Ilsenstein 1 St.; Brocken 3¾ St.; Harzburg 13 km, Fußweg 2½ St.

Ilsenburg ist wegen seiner reizenden Umgebung und wegen seiner berühmten Eisenhüttenwerke zu den ausgezeichnetsten Punkten des Harzes zu zählen. Für denjenigen, der einen Gesamtüberblick der Eisenindustrie zu gewinnen trachtet, würde Ilsenburg mit seinen Hochöfen und Gießereien, Hammer- und Walzwerken, Blankschmieden und Maschinenwerkstätten die beste Gelegenheit bieten, doch ist die Besichtigung der Hüttenwerke nur ausnahmsweise auf nachzusuchende Erlaubnis beim Dirigenten gestattet. — Außerdem arbeiten noch verschiedene größere Mahl- und Ölmühlen, ein Kupferhammerwerk, mehrere Sägemühlen teils im Ort selbst, teils am Eingang des romantischen Ilsethals. — Im Orte die Domäne *Marienhof*, Witwensitz der Mutter des regierenden Grafen, und ein Krankenhaus (»Emmastift«).

Das **Schloß Ilsenburg**, auf einem Felsenvorsprung, einst kaiserliche Burg, ist wahrscheinlich von Heinrich I.

Kaiser Otto III. hielt sich 995 hier auf, und Heinrich II. schenkte die Burg 1003 dem Bischof Arnulf von Halberstadt, der eine Benediktinerabtei daraus machte. Burkhardt II. (Buko) von Halberstadt wurde hier begraben (s. Goslar). — Neben dem Kloster kommt später noch Burgvolk vor, welches die Klosterleute plagt, bis die Bergfeste zerstört wird. Gegen Ende des 11. Jahrh. war sie eine der besuchtesten Klosterschulen für den sächsischen Adel. Nach dem Bauernkrieg kam das Kloster (letzter Abt war Henning Dithmar) 1572 an die Grafen von Stolberg-Wernigerode, welche es in eine Residenz umwandelten (s. Stolberg).

Den schmucken neuen Teil des Schlosses, *Botho-Bau*, von dem regierenden Grafen Otto zu Stolberg-Wernigerode 1861 in romanischem Stil umgebaut, bewohnte bis zu seinem Tode (1881) der Graf Botho (geb. 1805), Oheim und Vormund des regierenden Grafen; jetzt ist das Schloß unbewohnt. Der sehenswerte, ausgedehnte *Schloßpark* ist Mittwochs und Sonnabends nachmittags dem Publikum geöffnet; Eingang vom Schloßhof. Aussicht ins Ilsethal und auf den Ilsenstein. — Neben dem neuerbauten Schloß die Überreste der alten *Abtei* Ilsenburg, welche der Graf Botho im Geiste des ursprünglichen Baustils hatte restaurieren lassen. Das 11. Jahrh. ist durch ein Mittelschiff und ein Seitenschiff, das 12. Jahrh. durch den byzantinischen Stil des südlichen Teils des Klosters (Refektorium, Kapitelsaal) vertreten. Graf Botho (1805—81), ein eifriger Geschichtsforscher und Präsident des Harzer Historischen Vereins, hat hier eine interessante Sammlung von Altertümern, Urnen, Waffen etc. aufgestellt (2—4 Uhr zu besichtigen).

Ilsenburg ist als Sommerfrische sehr beliebt; die Zahl der Sommerfremden beträgt ca. 1200; man lebt hier etwas billiger als in Harzburg, dabei ruhiger und weniger geschraubt.

Um die Schönheiten des bei Ilsenburg beginnenden ***Ilsethals** kennen zu lernen, sollte man auf der Landstraße das Thal aufwärts bis zu den *Ilsefällen* ($1^1/_2$ St.) durchwandern, auf dem Rückweg von der Straßengabelung am *Paternosterberg* an zum *Ilsestein* emporsteigen und auf der Höhe (über das Schloß) zurückkehren. Das Ilsethal hat in dieser Gegend Wald- und Felsengruppierungen, die zu den malerisch wirkungsvollsten Szenen des ganzen Harzes zählen.

☞ Wer aber von Ilsenburg her nach dem *Brocken* oder der *Steinernen Renne* reist und den Ilsenstein nicht auslassen will, geht beim Schlosse schon auf die Höhe und wendet sich nach dem Besuch des Ilsensteins, sofern er das untere *Ilsethal nicht ausfallen lassen will, auf steil abfallendem Weg wieder dem Ilsethal (oberhalb der Restauration Prinzeß Ilse) zu, um dann die Tour nach dem Brocken fortzusetzen; ein bequemerer Weg führt südl. abwärts auf die Thalchaussee.

Auch derjenige, welcher vor der Wanderung nach der *Steinernen Renne* erst die hübschen Ilsefälle sehen will, nimmt denselben Weg und geht 10 Min. oberhalb der Ilsefälle l. von der Brockenstraße ab, dann den zweiten Weg l. bis zur *Plessenburg*. — Andernfalls wie unter Ausflügen (Schluß dieser Route) angegeben.

Der ***Ilsenstein** (460 m), 1 St. vom Schloß, ist ein etwa 150 m über die enge Thalsohle sich erhebender isolierter Granitkoloß, dessen Zinne ein großes eisernes Kreuz schmückt, zum Andenken seiner in den Jahren 1813 und 1815 gefallenen Kameraden von Graf Anton von Stolberg-Wernigerode errichtet. Schwindelfreie können zu dieser aussichtsreichen Warte gefahrlos emporsteigen. Auf dem Sattel des vorspringenden Felsen neue Schutzhütte des Ilsenburger Verschönerungsvereins. Auf diesem Granitfelsen weicht die Magnetnadel bald östl., bald westl. ab und springt beim Kreuz rasch durch die Ostseite nach S., eine Erscheinung, welche bei ähnlichen Granitspitzen des Brockens häufig vorkommt. Am Fuß des Ilsensteins die hübsch gelegene *Restauration zur Prinzeß Ilse* (auch Wohnung); steiler Fußweg hinab.

Man kann von Ilsenburg aus den Weg nach dem Ilsenstein über den Schloßhof nehmen oder oberhalb des Schlosses vom Thal aus und dann auf dem neuen mit Wegweisern versehenen Weg hinaufsteigen. Auch von der Restauration zur Prinzeß Ilse führen zwei Wege dahin: ein Fahrweg über die Brücke l., welcher später in den vom Schloß kommenden Weg einmündet, und direkt ein sehr steiler Fußweg.

Neuere Sage von Prinzessin *Ilse.* Der Ilsenstein soll vor vielen tausend Jahren mit der gegenüberliegenden Westerklippe zusammen einen großen Berg gebildet haben, auf dem ein stolzes, festes Schloß stand. Das hatte König Ilsung gebaut, der mit seinem zauberhaft schönen Töchterlein, der Prinzessin Ilse, oben wohnte. Unten aber bei Ilsenburg, wo jetzt das Schloß steht, hauste eine alte Zauberin mit ihrer grundhäßlichen, rothaarigen, riesenmänligen Tochter Trute. Da kam eines Tags der Ritter Rolf, ein fahrender Abenteurer, aber schön wie ein junger Gott, des Wegs daher in das Zauberrevier der alten Hexe. Trute, die noch keinen so herrlichen Mann gesehen hatte, verliebte sich so heftig in den Ritter, daß die Alte ihn behexen mußte und er Buhle der greulichen Trute ward. Eine Zeitlang umklammerten die Schlingen und Banden der Teufelskünste den jungen Mann; dann aber verloren sie ihre Macht, und mit starkem Willen riß er die Fesseln entzwei und entfloh den Zauberkreisen, ehe das Weib aufs neue ihn bannen konnte. So kam er waldauf vor Ilsungs Schloß und erblickte das reizende Königskind. Nun war es aber wirklich um sein Herz geschehen, und da auch Ilsens Liebe ihm feurig entgegenlohte, so konnte der greise König nichts Gescheiteres thun, als Ritter Rolf zu seinem Eidam zu machen. Das aber sahen Trute und ihre Zaubermutter mit wütendem Haß. Als darauf die Walpurgisnacht gekommen war, bewirkte die Hexe mit des Satans Gewalt, daß vom Brocken eine Wasserflut herniederbrach, so furchtbar wie einst die Sündflut. Sie unterwühlte alle Felsen und auch den, auf welchem das Königsschloß stand. Er barst inmitten entzwei, und das Schloß versank samt Vater und Ritter Rolf. Nur Ilse vermochte sich zu retten, dort oben an dem äußersten Gipfel, wo jetzt das Kreuz steht. Seitdem wandert sie, von Liebesschmerz getrieben, umher, den ertrunkenen Liebsten zu suchen. Der, welcher den rechten Strauß Blumen zu binden weiß und denselben am Maitag um Mitternacht zum Ilsenstein bringt, erlöst die schöne Prinzessin und wird unermeßlich reich; wer aber am Tag im Wald umherschleicht und die Prinzessin überrascht, wenn sie in dem nach ihr genannten silberklaren Bergbach badet, den verwandelt sie zur Strafe für die Neugier in alte, zottige Tannen. Die da herumstehen, sind alle solche.

Nach der *Ottobank* geht man vom Ilsenstein $1/4$ St. aufwärts; nicht mehr lohnend, weil die Aussicht verwachsen.

Auf dem Rückweg vom Ilsenstein bleibe man auf der Höhe, am Abhang des *Stumpfrückens;* man kommt l. von den Gärten des Ilsenburger Schlosses erst dicht vor Ilsenburg wieder ins Ilsethal.

Ausflüge: 1) Zunächst das ***Ilsethal** bis zu den *Ilsefällen* (1 St.), eins der lieblichsten Thäler des Harzes. Zunächst rechtes Ilse-Ufer bis vor die *Restauration Prinzeß Ilse* (S. 112), dann aufwärts am linken Ufer.

2) Auf den ***Westerberg** (1 St.), am linken Ilse-Ufer. Aussicht noch umfassender als auf dem gegenüberliegenden Ilsenstein. Neuangelegter Weg, mit Wegweiser. Erst auf dem Weg zum Blauen Stein (s. unten), dann l. auf der Fahrstraße, später wieder l. zu den beiden Klippen durch junge Tannen aufwärts.

3) Der **Blaue Stein** und *Bäumlersklippe,* die Verlängerung der Westerbergsklippen gegenüber dem Ilsenstein, linkes Ilse-Ufer. Entweder direkt aus dem Ilsethal, oder bei der Oberförsterei auf gutem Weg hinauf.

4) Von der Harzburger Chaussee, bald hinter Grotheys Hotel l. ab ins **Suenthal.** Nach Eintritt in den Wald l. herrlicher Promenadenweg am Berghang nach dem *Blauenstein, Westerburg* und ins Ilsethal.

5) Nach (1 St. südöstl.) **Öhrenfeld,** Försterei, mit schönem Echo (hinter dem großen Speicher von der Bank), r. von der Poststraße nach Wernigerode (S. 110).

6) **Zur Plessenburg und nach Wernigerode** (3 St.): Vom Ilsenstein nach S. (»P.« als Wegzeichen), auf angenehmem, mäßig ansteigendem

Promenadenweg in schattigem Wald an den Berghängen, an der *Paternosterklippe* (mit lohnender Aussicht) vorüber in ³/₄ St. zur

***Plessenburg** (529 m), ein gräflich Wernigerodisches Jagdschloß, von dem strahlenförmig Gänge in den Wald auslaufen. Man zeigt das Geweih eines 24-Enders, der von einem Wolf erlegt wurde. Neben dem Jagdschloß die *Restauration* eines Försters (einfache Wirtschaft, im Notfall auch Nachtlager). Beliebter Nachmittagsspaziergang. Der Dichter der »Bezauberten Rose«, *Ernst Schulze,* lebte hier in den Jahren 1809, 1810 und 1815. Seinen Aufenthalt in der Familie des damaligen Forstaufsehers (veranlaßt durch Schulzes leidenschaftliche, aber nur schwach erwiderte Liebe zu der schönen Pflegetochter) hat der Dichter durch mehrere sehr tief empfundene Elegien verherrlicht.

Weiter zur *Steinernen Renne* auf der Fahrstraße (Wegweiser, »St. R.« bezeichnet); nach ¹/₂ St. Straßengabelung, bei Chausseestein 7,5 l. die Bielsteinchaussee nach Hasserode, wir gehen r.; nach 12 Min. hinter dem Chausseestein 8,5, Wegweiser l., zur Steinernen Renne. Eine Steinsäule, gezeichnet »St. R.«, »B.« und »H.«, bezeichnet die Steinerne Renne, Brocken und Hohne. An der **Steinernen Renne** eine *Sommer-Restauration,* S. 102. Abwärts ca. 30 Min., über eine Brücke, abermals eine Brücke, dann Fahrweg, auf welchem man in 25 Min. *Hasserode* erreicht. Bis zum Markt in *Wernigerode* noch ¹/₂ St. (S. 103).

7) Nach den **Wolfsklippen** (723 m), in die Tour von der Plessenburg zur Steinernen Renne einzufügen: Von der Plessenburg an 5 Min. auf der genannten Fahrstraße, r. Wegzeichen »Ws. K.«, von hier an in ¹/₂ St. zur *Wolfshütte* u. den *Wolfsklippen* (S. 108).

8) **Auf den Brocken** s. S. 93.

---

12. Route: Harzburg.

Vgl. beifolgende Karte.

Von Ilsenburg nach Harzburg.

1) 13 km **Post**, tägl. 1mal in 2 St., über (5 km) **Stapelburg** (721 Einw.), wernigerodisches Dorf mit Schloßruine (seit dem 18. Jahrhundert), und dann noch 8 km durch den *Schimmerwald* oder die neue Waldchaussee über *Eckerkrug* und durch den Schimmerwald nach (13 km) *Harzburg.* — **Omnibus** tägl. über *Eckerkrug.*

2) **Fußweg** über den **Eckerkrug,** 2¹/₂ St., sehr zu empfehlen: Anfangs ¹/₄ St. Chaussee (in der Richtung nach Stapelburg), dann, vor dem Wald l. ab, durch schöne parkartige Buchenbestände und über frische Wiesenmatten; von der Höhe malerischer Rückblick auf die Schlösser Ilsenburg und Wernigerode; Schweizer Vieh mit schön gestimmtem Geläute; in 1 St. nach dem Forsthaus **Eckerkrug** (Bier und Kaffee) u. zum *Gasthof zum Eckerthal,* einfach, aber gut u. billig. Auch gute Sommerwohnungen. Hier über die *Ecker,* gleich darauf l. durch ein Gatterthor, 1 St. lang dicht am Wildzaun hin, immer im Wald. Beim Ausgang am *Stübchenbach* (nicht l. ins *Stübchenthal* hinein!) führen zwei Wege nach Harzburg: a) (zum Teil durch Wald, bei feuchtem Wetter sehr schmutzig) durch das Gatter am Bach hinab. Man kommt kurz vor der Restauration zum Wolfsstein auf die Ilsenburg-Harzburger Chaussee und auf dieser hinab nach **Harzburg**; — b) (freier, aber guter Weg) über die Chaussee und mittels Steg über den Stübchenbach, dann halbrechts den Berg hinan. Man gelangt vor Schulenrode auf den Fahrweg Harzburg-Burgberg und hinab nach **Harzburg.**

☞ Es läßt sich jedoch vom Eckerkrug aus gleich einer der genußvollsten *Ausflüge mit dem Weg nach Harzburg verbinden, wenn man auf der Chaussee ins **Eckerthal** hineingeht, hierauf über die Brücke ans linke Flußufer bis zum Eingang ins (r.) *Große Stötterthal* (an den Bäumen mit »St.« bezeichnet), dann auf die **Rabenklippe,** von dieser über den

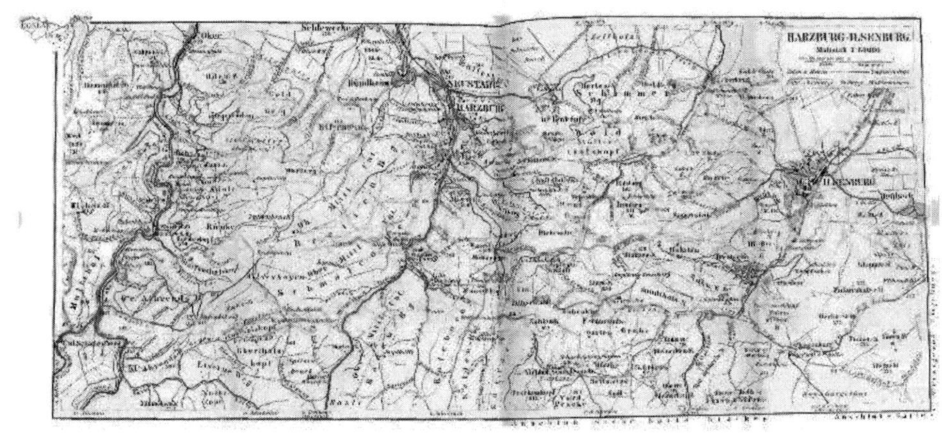
HARZBURG-ILSENBURG
HARZBURG
ILSENBURG

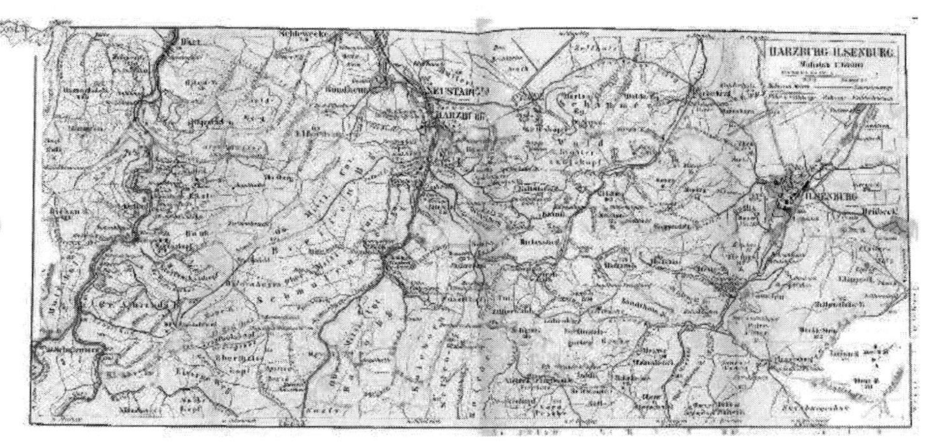
HARZBURG-ILSENBURG
NEUSTADT
HARZBURG
ILSENBURG

Kaltenthalskopf nach dem *Kaiserweg* (mit »B. M.« bezeichnet) und auf diesem den *Großen Burgberg* hinauf zu den Resten der Harzburg (Sa. 3 St.).

3) **Fußweg.** Über die **Rabenklippen** (S. 120) nach *Harzburg* geht man auch so wie 2) nach dem Eckerkrug zu, aber nur bis zur Höhe der Wiese, nicht ganz bis dahin, wo der Pfahl »Fußweg nach dem Eckerkrug« steht. Dicht davor vom Hauptweg ab nach l. durch die Wiese, auf wenig betretenem Weg bis ans Holz, Grenzstein »E.« Im Wald, immer der Richtung des Pfades folgend, durch ein Gatter scharf bergab, einigemal über kleine Waldwasser. Nach 3/4 St. durch ein zweites Gatter auf die Eckerthal-Chaussee. 5 Min. Holzschleiferei. 20 Min. r. (Wegweiser) ins Stötterthal, dem »St.« (an Bäumen) folgend. Serpentinenweg nach oben »K.R.«, man geht in der Richtung nach »R.«, nach den Rabenklippen. — Weiterwanderung wie oben. Sa. bis Harzburg 3 St.

Harzburg (246 m) ist eigentlich nur ein Kollektivname für die zusammenhängenden braunschweigischen Orte *Neustadt, Bündheim* und *Schlewecke* mit 5066 Einw., Endstation der Eisenbahn von Braunschweig (S. 51). Amtsgericht, Forstmeisterei, Hauptgestüt.

Gasthöfe. I. Ranges: *Kurhotel Juliushall* (S. 117), in welchem sich die Solbäder befinden (nur hier), am Fuß des Burgbergs, bei den Eichen, komfortables, vornehmes Haus; T.d'h. 2,50 M. (Mai und Juni 2 M.), Kinder 1,50 M., Bed. 50 Pf. Pens. 5,50–9 M.; Park. — *Hotel Belvedere*, oberhalb Juliushall, komfortables Haus, in schöner Lage; T. d'h. 2,50 M. — *Hôtel Bellevue*, Herzog-Juliusstraße, komfortabel, schön gelegen. T. d'h. 2,50 M. — *Aktienhotel* (zum Kurhaus gehörig, S. 117), schön gelegenes, elegantes, gut geführtes Haus am Schmalenberg. T. d'h. 3 M. (im Abonnement 2,50 M.), Kinder 1,50 M.; Pension; mehrfach gerühmt. — *Löhrs Hotel*, Herzog-Wilhelmstr.; T. d'h. 3 M. (Abonnement 2,50 M.); auch Pension von 5 M. an; komfortabel. — *Hotel zum Burgberg*, auf dem Burgberg, mit prachtvoller Aussicht; 1 St. vom Bahnhof; T. d'h. 2,50 M., Wagen am Bahnhof; Pension 8 M. — *Wolferts Hotel*, an der Straße nahe bei den »Eichen« und dem Kurhaus; T. d'h. 2,50 M. — *Hotel Radau*, nahe bei Juliushall, Mittag 2,25 M., Pens. von 5 M. an. — *Hotel Ludwigslust*, am Papenberg, in aussichtsreicher Lage; Mittag 2–2,50 M., Pension. — *Hotel zum Lindenhof*, in der Nähe des Bahnhofs, weitab vom Badeverkehr; T. d'h. 2 M.; altes Haus mit erneuerter Einrichtung; im Hof eine 1573 gepflanzte Linde. — *Hotel Braunschweiger Hof*; Bahnhofs-Hotel und -Restauration. — *Schmelzers Hotel und Pension*, modern eingerichtetes Haus mit Veranda; nahe dem Bad. — *Bockmanns Hotel*, neu und gut eingerichtet.

II. Ranges: *Stadt Hamburg*, dem Bahnhof gegenüber; Mittag nach der Karte, Pens. 5 M., Billard. — *Englischer Hof*, Herzog-Juliusstraße, Mitte des Orts; Pens. 4,50 M.; Restauration, Sommertheater, Billard, Kegelbahn. — *Viktoria-Hotel*, Herzog-Wilhelmstraße, Mittag 2 M., Restauration, Billard, Kegelbahn. — *Burgkeller*, am Marktplatz, Mittag 1,75 M., Pens. 5 M. — *Hotel Silberborn* (S. 121), nach Romkerhalle zu.

Ferner: *Gasthof Stadt London*, Herzog Wilhelmstr., Mittag 1,25 M.; Anspruchslos, Touristen empfohlen. — *Gasthof zur Linde*, Herzog Juliusstraße, Mitte des Orts; Mittag 1,50 M., Kegelbahn. — *Zum Deutschen Haus*, unweit des Bahnhofs (Bündheim).

Pensionen: *Eggelings Hotel und Pension*, Garten mit Veranda, Pens. von 5 M. an. — *Bockemanns Pensionat*, für junge Damen zur weitern Ausbildung und Erlernung des Haushalts. — *Pensionat Odebrecht*, für wissenschaftliche u. wirtschaftliche Ausbildung. — *Feises Pension*, nahe dem Bad Juliushall; gut eingerichtet.

Privatheilanstalten: Dr. *Dreyer*, Villa Dreyer, Bäckerstr., für Frauen- und Nervenkrankheiten. — *Heilanstalt für skrofulöse Kinder*, Vorwerkstraße; Vorsteher Pastor Eyme, Arzt Dr. Franke. — *Haus Felicitas*, Heilanstalt für Nerven- und Blutleidende des Dr. Franke. Elektrotherapie.

Höhere Privatschule (staatlich beaufsichtigt), in welcher Kinder

8*

aufgenommen werden, die längere Zeit in Harzburg aus Gesundheitsrücksichten verweilen müssen. Direktor Dr. Barth, der gleichzeitig auch ein Pensionat hält, in dem auch geistig und körperlich zurückgebliebene Kinder Aufnahme finden.

Sommerwohnungen in etwa 150 Häusern, die mehrfach auch zur Selbstbeköstigung eingerichtet sind. Die Wohnungen werden wochen- und monatsweise zu allen Preisen vermietet; für Familien sind Wohnungen bis zu 300, 400 M. im Monat zu haben. Für das Leihen von Tischzeug, Eß- und Trinkgeschirr wird besonders etwas vergütet. Aufwartung für die Person 3 M. monatlich.

Kurkommissariat: Hauptmann a.D. *Kalbe*, Herzoglicher Badekommissar (Mühlenstr. 223), erteilt auch mündlich und schriftlich Auskunft. Es erscheint während der Saison 1mal wöchentlich eine Fremdenliste.

Kurtaxe (bei 7tägigem Aufenthalt) 1 Pers. 6 M., 2–4 Pers. einer Familie 10 M., mehr Personen 12 M.

Badeärzte: Dr. *Dankworth* (Amtsphysikus), Dr. *Dreyer*, Dr. *Franke*,

Harzklub, Zweigverein Harzburg, Auskunft im hzgl. Badekommissariat.

Hofbuchhandlung: *C. R. Stolle*, Herzog Wilhelmstr. 163 und Unter den Eichen, Halle Nr. 10, hält auch Leihbibliothek, Journalzirkel, Schreibmaterialien. Reiche Harzlitteratur. Gibt auch sehr gefällig Auskunft.

Restaurationen u. Bierlokale: Am *Bahnhof*. — *Burgkeller*. — *Unter den Eichen*, beliebtester Sammelpunkt des Badepublikums, hübsche Plätze im Freien; kalte Küche. — *Viktoria-Hotel*. — *Rheingauer Weinhalle*. — *Juliushall*, bayrisch Bier. — (1 St.) Am Wasserfall im *Radauthal*. — (1 St.) *Molkenhaus* (Milchwirtschaft), am Weg nach dem Brocken; saure Milch. — *Bockmanns Hotel*. — *Kaiser-Restaurant*.

Eisenbahn s. Eintr.-Routen II, IV, V, VI. — **Post und Telegraph** Herzog Wilhelmstr. 259.

Post. Tägl. 1mal, vorm., im Radauthal hinauf über Torfhaus und (14 km) Oderbrück nach (23 km) *Braunlage*, in 4 St., morg.; — nach (13 km) *Ilsenburg* in $1^{3}/_{4}$ St., vorm.

Omnibus: Nach *Ilsenburg*, 2mal tägl. Abgang gegenüber Löhrs Hotel

Wagen (amtliche Taxe): für mehrere Tage genommen, tägl. 18 M., 1spänn. 12,50 M.; liegt die Brockentour in der Route, 24 M. Dazu kommen Chausseegeld (in der Grafschaft Wernigerode) und Trinkgeld, 2,50 M., 1spänn. 2 M. Spazierfahrten, die Berge ausgeschlossen, für die Stunde 3 M., 1spännig 2 M.; vom Bahnhof bis Solbad Juliushall 1,50, bez. 1 M.; Aktienhotel 2, bez. 1,50 M. — Nach dem Brocken 24 u. 16 M.; — Burgberg 6 u. 4 M.; — über Burgberg nach Ilsenburg 12 u. 8 M.; — Ilsenburg (direkt) 9 u. 6 M.; — Torfhaus 10 u. 6,50 M.; — Molkenhaus 8 u. 6 M.; — Rehberger Grabenhaus 16 u. 11 M.; — Okerthal 11 u. 7,50 M. — Man vereinbare den Preis genau. Die Rückreise ist ebenfalls zu vergüten.

Reittiere (Ponies) amtliche Taxe. Chaussee- und Futtergeld hat der Reisende zu zahlen; auf mehrere Tage kostet das Tier tägl. 4,50 M., der Führer 2,25 M. Einzelne Touren: Burgberg 1,75 M. und der Führer 75 Pf., zurück noch 50 Pf.; — Burgberg, Rabenklippe, Molkenhaus, Wasserfall 4,50 u. 2 M.; — Elfenstein 2,25 u. 1 M.; — Okerthal, Romkerhall 4 u. 2 M.; — Brocken, direkt, 5 u. 2,50 M.; mit Einschluß von Burgberg, Rabenklippe etc. 6 u. 3 M.

Führer: Polizeilich patentiert, an einem Schild kenntlich, auf dem »Harzführer« steht; sie sind mit Dienstbüchern versehen, Beschwerden können eingeschrieben werden. Bis zu 20 kg Gepäck haben sie gegen besondere Vergütung zu tragen und erhalten für den Tag 2 M., für den Vormittag oder Nachmittag allein 1,10 M., außerdem zur Beköstigung für 1 Tag 1 M., ½ Tag 50 Pf. Man akkordiere genau.

Entfernungen. Brocken $3^{1}/_{2}$–4 St. — Ilsenburg direkt 13 km, über die Rabenklippen und den Eckerkrug 3 St., am Wildgatter hin über Eckerkrug 10 km. — Poststraße bis Torfhaus 11 km; — Oderbrück 14 km; — Braunlage 23 km; — Oker 7 km; — Goslar über Oker 12 km. — Von Oker nach Romkerhall 7 km.

☞ Für längern Aufenthalt ist »*Stolles Führer von Harzburg*« (bei Stolle zu haben), mit Karte, M. 1,25, zu empfehlen; Karte allein 75 Pf. Bei demselben sind noch verschiedene Schriften über Harzburg sowie den Harz erschienen.

Harzburg ist ein Badeort ersten Ranges und die vornehmste und eleganteste, natürlich aber auch die kostspieligste Sommerfrische des Harzes; es bietet in seinen ersten Hotels komfortable, auch den Verwöhnten befriedigende Unterkunft, wie man sie sonst im Harz nicht findet, und ist somit Freunden des high life eines Modebades sehr zu empfehlen. Der einfache Tourist nimmt deshalb in Harzburg keinen längern Aufenthalt, er wird es eben nur als Eintrittspunkt in den Harz benutzen und seinen Wanderstab durch die schöne Umgebung alsbald bergwärts fortsetzen. Harzburg verdankt seinen zahlreichen Besuch von etwa 4000 Badegästen (meist Norddeutsche, dann auch Holländer und Engländer) und 14,000 Durchgangsreisenden teils seinem Solbad Juliushall, teils seinen komfortabeln Einrichtungen, ganz besonders aber seiner Lage in einer wirklich wunderschönen Umgebung, die den Ort zu einem der angenehmsten Sommeraufenthalte macht. Das *Thal der Radau* ist bis zu den Höhen hinauf mit freundlichen, eleganten Landhäusern besetzt, umgeben von Parkanlagen und Gärten. – Harzburg ist durch die entsprechende Wegebezeichnung zum Örtelschen Terrainkurort eingerichtet worden. Auch wird in Harzburg ein gutes Erfrischungsgetränk, der *Juliushaller Sauerbrunnen*, erzeugt.

Den Mittelpunkt des Badelebens bilden das **Kurhaus** mit eleganten Gesellschaftsräumen und das dazugehörige *Logierhaus (Aktienhotel)*, von einer Aktiengesellschaft mit einem Kostenaufwand von 1,700,000 M. gegründet; es gehören dazu noch die Restaurationsgebäude *»Unter den Eichen«*, der Sammelpunkt der Badegäste (vorm. ½10–½2 Uhr und nachm. 4–7 Uhr, wo hier die Badekapelle spielt) nebst Promenaden, und die Schweizerwirtschaft *»Zur Sennhütte«* am Mittelberg, wo von einem Appenzeller Senn Molken bereitet und von Mädchen in Schweizertracht kredenzt werden. In der Nähe der Eichen, Herzog-Wilhelmstraße, eine meteorologische Säule.

Für Unterhaltung der Fremden wird in ausgiebigster Weise gesorgt durch Musik (Badekapelle), Konzerte, Vorträge, Reunions, Waldpartien, Illuminationen, Feuerwerk, Theater, Pferderennen (Juli).

Das **Solbad Juliushall** steht mit dem Kurhausunternehmen in keiner geschäftlichen Verbindung. Herzog Julius von Braunschweig-Wolfenbüttel ließ 1569 die alten Solquellen abteufen, um Salz zu gewinnen; später ging die Quelle in Privatbesitz über, um (1850) durch den frühern Besitzer zu einem Solbad geschaffen zu werden. Die Analyse ergibt auf 1000 Gewichtsteile: Chlornatrium 66,555, Chlorkalium 0,405, schwefelsaure Magnesia 1,100, schwefelsauren Kalk 0,840, Chlormagnesium 0,900, Eisenoxyd Spuren. Die Wirksamkeit des Wassers erstreckt sich nach Aussage der

Badeärzte auf Skrofulose, Rheuma, Gicht, chronischen Bronchial- und Halskatarrh, Magenkatarrh, Plethora, Darmkatarrh, Anämie, Ekzema, Schwindel, Hypochondrie, Hysterie, Fluor.

Die Sole wird zu Bade- u. Trinkkuren verwandt, auch in Glasflaschen versandt. Außer Solbädern auch Fichtennadelbäder (durch Sud der frischen Nadeln) u. alle pharmazeutischen Bäder mit oder ohne Solefundation aus Schwefel-, Malz-, Lohe- u. Kräuterwürze wie auch Kaltwasser-, Sturz-, Douche- und Wellenbäder. Inhalations-Kabinett.

Bade-Ordnung. Die Badezeit währt von 6 Uhr morg. bis 6 Uhr abds., je 3/4 St. für ein Bad. Preise: Solbäder, frische Fichtennadelbäder oder Malzbäder 10 Stück 16,50 M., einzeln 1,85 M. — Warmwasserbäder à 1,25 M., Sturz- oder Wellenbäder 10 Karten 5 M., einzeln 60 Pf. Der Zusatz von Stahlkugeln, Malz, Kräutern oder Schwefel etc. wird zum Einkaufspreis berechnet. Die im Abonnement Badenden erhalten Karten, worauf die Nummer des Kabinetts und die Badestunde bezeichnet sind. In Verhinderungsfällen muß das Bad wenigstens 2 St. vorher abbestellt werden. Wer nicht innerhalb des ersten Viertels einer Stunde badefertig ist, verliert den Anspruch auf das ihm zustehende Bad. — Das *Badehaus* ist gut eingerichtet, hat 40 Badelogen und ein *Dampfbad.*

Mit dem Bade-Etablissement ist ein großes, komfortables **Hotel** (*Juliushall*) verbunden, Restaurant mit bayrischem Bier, Lese-, Konversations- und Musiksalon.

Die *Umgebung von Harzburg, auch *geologisch* interessant, bietet eine Fülle landschaftlicher Schönheiten; fächerartig erstrecken sich meilenweit die bequemsten und schönsten, aufs sorgfältigste unterhaltenen Promenadenwege (etwa 96 km!) auf die Berge, wobei die an Bäumen und Steinen reichlich angebrachten Wegzeichen zum Zurechtfinden wesentlich beitragen. Das Landschaftsbild wird belebt durch die mutwillige *Radau*, die, in der Nähe des Torfhauses, 2 St. vom Brocken 818 m ü. M. entspringend, hier nur noch 245 m ü. M der Ebene zuströmt und der Industrie dienstbar wird.

Bedeutend ist der *Mühlenbetrieb:* Holzschleifereien, Nudelmühlen und Sägemühlen; bedeutend sind auch die Gabbrobrüche (Pflastersteine). — Die Werke der *Mathildenhütte* sind seit 1880 wieder in Betrieb. Konsul H. H. Meyer aus Bremen (schöne Villa unweit des Bades Juliushall) begründete die erste Hüttenanlage im Jahr 1860.

Oben an der Radau (unweit des Torfhauses) kommt der den Serpentinstein übertreffende Schillerstein (Enstatitfels), nach dem Fundort »Bastit« genannt, vor, der sich für Kunst- und Bauzwecke polieren läßt.

Nördlich vom Bahnhof, 1/4 St. entfernt, die Eisensteingrube »*Friederike*«. In den braunen, oolithischen Roteisensteinen, welche mit blauen, zähen Thonen wechseln, finden sich zahlreiche und schöne Versteinerungen (meistens gekielte Arieten), darunter in riesigen Exemplaren Ammonites Bucklandi, ferner Gryphaea arcuata, Avicula, Spirifer etc.

Der von Fremden zunächst besuchte Punkt ist der

*Große Burgberg (484 m) mit den wenigen *Ruinen der Harzburg,* zu welchem vier gute Fußwege in 40 Min. und ein Fahrweg in 1 St. hinaufführen; oben besuchtes, aber nicht billiges *Hotel* (s. S. 115).

Nach gänzlich unverbürgten Überlieferungen soll auf diesem Berg in urgermanischen Zeiten ein Tempel des Saturnus (?), Wuotan oder Donar gestanden haben; später soll er eine Opferstätte des heidnischen Götzen »*Krodo*« gewesen sein, dessen Altar man noch in Goslar zeigt (S. 134); Karl d. Gr. soll denselben zerstört und an dessen Stelle eine kleine christliche Kirche gebaut haben; noch wird ein Teil des Mauerwerks die

Krodohalle genannt. Mit Heinrich IV. tritt die Harzburg authentisch in den Rahmen der Geschichte ein. Jene herrliche Kaiserburg, bequem, geräumig für ein Hoflager, ein Zufluchtsort der Reichskleinodien, mit einem Dom, der seiner Reliquien und seines herrlichen Geläutes wegen berühmt war, und einem Turm für Staatsgefangene, hat Heinrich IV. 1065–69 erbauen lassen. Die wider ihn empörten Sachsen belagerten das Schloß im Sommer 1073, allerdings vergeblich, doch mußte Heinrich mit seinen Schätzen in der Nacht vom 8. zum 9. Aug. 1073 fliehen, und es geht die Sage, daß er mit Hilfe eines treuen Dieners, wahrscheinlich auf der alten Kaiserstraße, durch die Harzwälder entflohen sei, nachdem er seine Krone in den Burgbrunnen geworfen habe. Im März des Jahrs 1074 wurde das herrliche Schloß, schon wenige Jahre nach seiner Vollendung, vom Sachsenvolk gründlich zerstört. Als aber Heinrich in der Hohenburger Schlacht die Sachsen besiegt und wieder gezähmt hatte, baute er die Kaiserburg zum zweitenmal auf und bewohnte dieselbe. Infolge neuer Empörungen mußte der Kaiser, zum zweitenmal flüchtig, seinem Lieblingssitz den Rücken kehren. Da traf ihn auch des Papstes Bannstrahl. Zum zweitenmal sank die Harzburg in Trümmer. Fast 100 Jahre lag sie so da. Der hohenstaufische Kaiser Friedrich I. Barbarossa schenkte die Burg seinem Freunde, dem kühnen Heinrich dem Löwen, nahm sie jedoch wieder, als er diesem ernst die Stirn bieten wollte, ersah die Harzburg zu einem festen Platz aus, und zum drittenmal erhob sie sich (1181) in kaiserlicher Pracht. In ihr starb wenige Jahrzehnte später (1218) der Kaiser Otto IV., Heinrichs des Löwen Sohn, nachdem er bereits längere Zeit zurückgezogen dort gelebt. Wiederum ruhte eine lange Periode interesseloser Existenz auf den berühmten Mauern, als die Grafen von Woldenberg und seit 1269 die von Wernigerode sie innehatten, bis sie 1370 durch Verrat an den braunschweigischen Herzog Otto den Quaden kam, der sie dem Junker von Schwichelt schenkte. Da sank der alte Glanz zum drittenmal; nicht Feuer und Schwert machten diesmal die Mauern dem Boden gleich, sondern die Verworfenheit seiner Bewohner ächtete das Schloß. Aber nicht lange duldeten die wahren Edlen des Landes die Schmach: sie zogen vor die Räuberburg, nahmen sie ein und übergaben dieselbe dem Braunschweiger. Der Harzburg-Ruhm war dahin; allerlei Volk, ehrliches und ehrloses, bewohnte dieselbe, bis sie mehr und mehr zerfiel und zuletzt als Ruine in der Mitte des vorigen Jahrhunderts noch einer Bettlerfamilie als Zufluchtsstätte diente. (Näheres in den Schriftchen von *O. Hohenstein:* »Die Harzburg«, Braunschweig, bei H. Bruhn, 80 Pf., und *Jacobs* »Geschichte der Harzburg«, Harzburg, bei Stolle, 30 Pf.).

Jetzt steht nur noch ganz wenig vom alten Gemäuer. Wenn die Herbststürme über den Wald fegen, daß die Tannen unter ihrer Wucht seufzen, dann fährt *Hackelberg*, der wilde Jäger, mit seinem tobenden Troß, die *Tutursel* (eine verfluchte Nonne als riesige Eule) an der Spitze, von der Harzburg auf funkenschnaubendem Rappen aus mit Hallo und Peitschenknall und »fatscht« nach dem Thüringer Wald hinüber.

Herrliche ***Aussicht** vom Burgberg auf Harzburg. Nach N. weiter Ausblick ins Flachland, südl. in das Waldgebiet zum Brocken.

Im Jahr 1865 wurde Uhland, zum Gedächtnis seines Aufenthalts 1845, hier ein Granitstein gesetzt.

Der ohne Zweifel schon unter Kaiser Heinrich IV. in festem Kieselschieferfels angelegte 57 m tiefe, durch viele Jahrhunderte verschüttet gelegene **Burgbrunnen** wurde 1866 und 1867 wieder aufgeräumt und damit ein kostbares Trinkwasser auf der Höhe des Bergs gewonnen. Eine eiserne Gedenktafel am Brunnenhaus weist darauf hin mit folgenden Versen:

»Es grub ein deutscher Kaiser in festes Felsgestein
Schon vor achthundert Jahren hier diesen Brunnen ein.
Lang lag er dann verschüttet, durch manche trübe Zeit
Voll Kriegs- und andrer Nöten — in Deutschlands Niedrigkeit.

Doch floß er dann aufs neue, als kaum des Reiches Macht,
Wie junge Frühlingstriebe, zu frischem Glanz erwacht.
So wandelbar das Leben, so bunt der Dinge Lauf,
Es kommt, was gut gegründet, doch immer wieder auf.«

Vom Hotel r., an der äußersten Kante des Burgplatzes, für das ganze Harzburger Thal sichtbar, steht der **Bismarckstein,** eine Spitzsäule von Granit, 15½ m hoch, mit der Inschrift: »Nach Canossa gehen wir nicht!« und dem Medaillonbild des Reichskanzlers, der diese Worte am 14. Mai 1872 im deutschen Reichstag sprach. Ihm zu Ehren wurde dieses Denkmal 1877, 800 Jahre nach dem Fußfall Heinrichs IV., eingeweiht. Das Porträt ist von Professor Engelhardt in Hannover, ebenso die zur Seite des Denkmals stehenden beiden Walküren (seit 1883).

Der *Fußweg* vom Großen Burgberg verläßt nach einigen Schritten l. den Fahrweg und führt durch Buchenwald steil hinab in ½ St. nach dem untern Teil von Harzburg.

Ausflüge von Harzburg aus.

☞ Die Entfernungen sind vom Bahnhof aus gerechnet.

Die überall an Bäumen angebrachten Wegweiser bezeichnen durch die Buchstaben den End- oder Knotenpunkt der zahlreichen saubern Promenaden. Jeder Tourist sollte in seine Route die Hauptpunkte aufnehmen, die, von W. aus dem Okerthal (Romkerhalle, Kästenklippe, Elfenstein) nach Harzburg gelangend, innerhalb der Grenzen: *»Radauthal—Molkenhaus — Rabenklippe — Burgberg«* liegen.

1) Zum ***Radaufall,** 1 St. südwärts auf der Nordhäuser Straße oder besser auf dem oberhalb der »Eichen« beginnenden *Philosophenweg* (Zeichen »Ph«). — Ein ebenfalls empfehlenswerter Weg führt über den Schmalenberg, am Aktienhotel durch Zeichen »S« über den *Bärenstein,* schöner *Blick auf die Stadt. — Das künstlich hierher geleitete Wasser des **Radaufalles** stürzt über eine 24 m hohe Felsenbank in malerischen Fällen nieder. Dabei *Gasthof* mit Restaurant. Pens. 6 M. Angenehmer Aufenthalt.

Weiter, ½ St. am Fall hinauf zur *Felsengrotte* und l. den Weg einschwenkend (an den Bäumen die Buchstaben »M R«), zur *Pferdediebsklippe* und zum (2 St.) **Molkenhaus** (520 m), Sennerei mit Gastwirtschaft (Pens. 5–6 M.) und vortrefflicher Milch (auch dicke Milch). Von hier nun a) entweder den Hauptweg am Fuß des *Ettersbergs* zurück (»M«), der Weg über die *Ettersklippen* abwärts sehr zu empfehlen, — oder b) noch zur **Muxklippe** (6 Min.), — oder c) den Weg zum *Echoplatz* (»B M 1«) und in 40 Min. auf die **Rabenklippe** (»Ra«) mit *Schillings Restauration* (auch Wohnung). Schöner Blick nach dem Eckerthal, dem Gierskopf und dem Brocken. — Von da hinab ins *Stötterthal*, am *Hirschkopf* hinauf (»R K«), dann r. nach der ***Schönen Aussicht** (»H«) und ***Kattenäse** (der Schönen Aussicht gegenüber). — Nun zurück über die *Uhlenköpfe* (»K« bezeichnet), an der *Felsenquelle* (auch Liebesquelle genannt) vorüber (»Ka.«), an den Uhlenköpfen entlang und weiter am Eichenberg fort. Rüstige Gänger machen diese Tour in ½ Tag.

2) Über **Kästenklippe** nach **Romkerhalle** 3 St. Zugleich Weiterwanderweg für diejenigen, welche a) durchs Okerthal (R. 13) nach Goslar — oder b) durchs Weißenwasserthal (S. 124) nach Klausthal und Zellerfeld — oder c) durchs Kalbethal zum Torfhaus (S. 125) und von da auf den Brocken wollen. — Je nachdem, wo man wohnte, ist der Weganfang (die erste halbe Stunde) ein andrer. Die, welche auf dem Burgberg oder in Juliushall wohnten, gehen von den *»Eichen«* über die *Radaubrücke* am Hotel Ludwigslust hinauf, um den *Papenberg* (»E2«) zum *Grafenplatz* (»E3«) und nun immer am Rande des Waldes hin, das Wildgatter zur Linken, auf dem Fahrweg fort bis in die Waldecke; nun in das Wildgatter hinein, weiter im Wald hinauf auf einem Promenadenweg bis zur Bank (Wegweiser, im ganzen ¾ St.).

Diejenigen, welche in der Nähe des Bahnhofs wohnen, gehen auf der Chaussee durchs Dorf *Bündheim* bis l. zur Silberbornstraße. Auf dieser an der Kirche vorbei, am Bleichenbach entlang zum Dorfe hinaus. Hier führt eine breite Chaussee bis zum Waldrand. Wegweiser (»Ea«) nach dem **Silberborn,** mit *Hotel* und *Restaurant;* Pens. 5–6 M. Schöner Spaziergang am Papenberg vorbei. — Hinter dem Silberborn führt der Weg zur oben erwähnten Bank. — Wer in der Mitte von Harzburg wohnt, geht durch die Goslarsche Straße bei Löhrs Hotel, dann geradeaus auf einem Wiesenfußweg bei den ersten 4 Telegraphenstangen vorbei durch eine Baumschule, um die Ecke an derselben hinauf und dann neuer schöner Wiesenweg bis auf die von Bündheim kommende Chaussee. In dieser biegt man l. ein und geht bis zum Waldrand, Wegweiser nach dem Silberborn. Vom Silberborn führt direkt ein Weg in den Wald zu oben genannter Bank und Wegweiser nach dem Elfenstein (»E«).

Nun immer den breiten Weg (Wegzeichen »E«), durch schönen Buchenwald den Berg hinan. – Nach 15 Min. der ($1^1/_2$ St.) **Elfenstein,** eine Quarzklippe mit Treppen; gute Aussicht hinaus ins Land. — Zurück zum Wegweiser, dann r.; an einer Blechtafel steht: »Nach der Käste« (Schutzhütte, von Zeit zu Zeit »K«). 10 Min. langer Weg. Über den *Gläsekenbach* immer dem breiten Weg folgend. Der Wald wird lichter; r. große gerodete Stelle, — sie heißt *»In der Tanzig«*. Ausblick aufs Land und auf den Brocken. — L. in den Wald. Der Pfad kreuzt einen breiten Fahrweg; ein Täfelchen orientiert. Der schön geebnete Weg ist zu verfolgen (»K«). — Kurz vor der Käste geht r. der Weg hinab zum *Treppenstein* (Täfelchen); steil hinauf auf die ($2^1/_2$ St.) ***Kästenklippe** (608 m), eine wilde Granittrümmer-Bastei, von der man ins waldige Okerthal niederblickt; r. draußen sieht man einige Häuser von Oker und den Wartturm auf dem *Sudmarsberg,* im Walde die Felsen des *Ziegenrückens* und *Treppensteins.* Ganz tief unten die Oker. — Einige 100 Schritt den gleichen Weg zurück, dann r. einschwenkend (»Ok«). — Nach 5 Min. *Hexenküche,* hohe, übereinander geworfene Granitblöcke, deren oberster der *Hexenschuh* genannt wird. Weg abwärts. — Nach 5 Min. **Mäusefalle,** ebenfalls wieder kolossale Granittrümmer aufeinander gehäuft, von denen ein gewaltiger Brocken bloß durch einen verhältnismäßig dünnen, noch dazu schief stehenden Stein gestützt wird. Man umwandere die ganze Gruppe, um die wie von Riesenhänden gefügte Mauer zu betrachten; hier wird es begreiflich, wie das mit dem Erdzertrümmerungs-Prozeß unbekannte Volk nur dämonischen Kräften die Errichtung solcher gigantischen Bauwerke zuschreiben konnte. —Wieder auf dem geebneten Weg fort. Einige 100 Schritt r. zur *Feigenbaumklippe* (Entstehung des Namens unbekannt). Blick wie von der Kästenklippe. — Wieder zurück, nicht ganz bis zur Mäusefalle, dann hinab in 3 Min. zur ***Grotte** (unmittelbar unter der Feigenbaumklippe), der großartigsten, aber auch unheimlichsten Trümmergruppierung; in noch ganz anderm, Besorgnis erregendem Maß als bei der Mäusefalle wird eine gewaltige Platte hier von drei Pfeilern getragen, so daß Anlagen mit Tisch und Bänken unter derselben angebracht werden konnten; die geringste Veränderung der Granitstützen würde das kolossale Dach zum Fall bringen. — Wieder geebneter Weg bergab. Wo er nach 12 Min. auf die breite Fahrstraße mündet, dient ein Blechtäfelchen am Baume mit dem Wort *»Romkebrücke«* als Wegweiser. Dahin auf der gelben, steinigen Fahrstraße etwa 100 Schritt, dann geradeaus, Fußweg in den Wald, Täfelchen l. — R. Niederblicke auf die Oker. — Kalkschiefergebiet. — 20 Min. bis zur hölzernen Bachleitung für den Wasserfall, einer künstlichen Einrichtung, mittels Sammler und Schleusen eine etwa 60 m hoch herabkommende Kaskade zu veranlassen. Auf steilem Fußpfad 10 Min. hinab zur **Romkebrücke** und zum Gasthaus (3 St.) **Romkerhalle** (S. 123).

3) Von Harzburg nach dem ***Ahrendsberger Forsthaus** (2 St.) sehr lohnender und zu empfehlender Weg (Wegzeichen »A«): am Papenberg die Chaussee kreuzend l. vom Hotel Ludwigslust aufwärts, nach 1 St. auf die Hochfläche des Breiten Bergs, etwas weiterhin l. Blick auf den sich

hier schön präsentierenden Brocken. Der Weg ist neuerdings hergerichtet, und der schöne Waldcharakter macht die Partie zu dem hübsch gelegenen Forsthaus lohnend. Näheres S. 123. — $^1/_2$ St vom Forsthaus die *Ahrendsberger Klippen* (S. 123). — Vom Forsthaus $^3/_4$ St. auf neuem Weg hinab ins *Okerthal* nach *Romkerhalle* (S. 124).

4) Von Harzburg nach **Ilsenburg** s. S. 114.

5) Von Harzburg auf den **Brocken** s. S. 94.

6) Von Harzburg ins ***Okerthal** s. R. 13.

---

13. Route: Von Harzburg oder Goslar durchs Okerthal nach Klausthal.

Vgl. die Karte S. 114.

☞ Die Landstraßen - Strecke Harzburg, bez. Goslar bis nach (7 km) *Oker* am Eingang ins Okerthal legt man besser zu Wagen, bez. auf der Bahn zurück.

28 km **Chaussee** von *Harzburg* (von Goslar 26 km) bis **Klausthal**; — **Wagen** nach (14 km) *Romkerhalle*: Einsp. (hin und zurück) 7 M., Zweisp. 11 M. — *St. Andreasberg* oder *Klausthal* Einsp. 11,50 M., Zweisp. 18 M. Außerdem Chaussee u. Trinkgeld (2,50 M.). — **Maultier** von Harzburg durchs *Okerthal* bis *Romkebrücke* und über *Mäusefalle, Kästenklippe* und *Elfenstein* (S. 121) zurück 4 M., dem Führer 2,25 M. — Nach *Klausthal* direkt in 3, bez. 2 St. auf der Eisenbahn über Vienenburg, Goslar und Langelsheim s. S. 46 u. 141. — (Vgl. *H. Schucht*, »Geognosie des Okerthals«, Harzburg bei Stolle 1889.)

Von *Neustadt-Harzburg* (S. 114) interesselose Poststraße nach (7 km) **Oker** (210 m), braunschweigischem Dorf mit 2313 Einw., Station der Bahn Vienenburg--Goslar (S. 46).

Gasthöfe: *Hotel Läer*. — *Zur hohen Rast*.

Gastwirtschaft von *C. Schütte*. — *Zum Waldhaus* (S. 123), 20 Min. von Oker, am Eingang ins Okerthal.

Eisenbahn s. S. 46. — **Telegraph**. — **Post** tägl. 2mal, **Omnibus** tägl. 1mal nach (20 km) *Altenau* in $2^1/_2$ St. für 1,50 M. Abfahrt vom Bahnhof.

Der **Kommunion-Unterharz** (jetzt nur noch im bergfiskalischen Sinn) ist eine eigentümliche, gemeinschaftliche Besitzung des ehemaligen Königreichs Hannover und des Herzogtums Braunschweig. Er umfaßt das Bergwerk im Rammelsberg, die Hüttenwerke und Schwefelsäurefabriken zu Oker, die $^3/_4$ St. von Goslar gelegene Herzog Julius-Hütte und die Frau Sophien-Hütte. Die Kommunion rührt aus dem Nachlaß des Herzogs Friedrich Ulrich von Braunschweig her. Als derselbe, ohne Nachkommen zu hinterlassen, 1634 starb, entstand über die Beerbung zwischen den damals lebenden sieben Herzögen von Braunschweig und Lüneburg Streit, welcher durch einen 1635 abgeschlossenen Vertrag beigelegt wurde. Nach demselben gingen die Fürstentümer Göttingen und Kalenberg, das Herzogtum Wolfenbüttel und die Grafschaften Hoya, Diepholz, Regenstein, Blankenburg und Hohnstein in persönlichen Besitz der sieben einzelnen Herzöge über; *dagegen blieben denselben gemeinschaftlich* sämtliche zur Erbschaft gehörige ober- und unterharzische Bergwerke und Bergstädte: Zellerfeld, Wildemann, Grund und Lautenthal, Salzwerk Juliushall etc. — Durch Aussterben einzelner oder sämtlicher Glieder einiger Linien gingen deren Anteile an der Kommunion (wie man den gemeinschaftlichen Besitz nannte) 1648 auf Georg Wilhelm (den Stifter der hannöverschen oder neuen lüneburgischen Linie) mit $^4/_7$ Anteil und auf August den jüngern (als Stifter der braunschweigischen Linie) mit $^3/_7$ über. Diese Kommunion blieb bis 1788 unverändert bestehen, in welchem Jahr man zur Vereinfachung der Verwaltung und zur Beseitigung mancher Unzuträglichkeiten einen Teilungsrezeß errichtete, infolge dessen die Bergstädte Zellerfeld, Wildemann, Grund und Lautenthal samt Bergwerken und 4/7 der Forsten Hannover, die Jagd in den sämtlichen vormaligen Kommunionsforsten und 3/7 der letztern Braunschweig anheimfielen. Gemeinschaftlich blieben nur: das Bergwerk im Rammelsberg, die unterharzischen Silberhütten, das »jus metalli fodinarum« im goslarischen Stadtwald, die Eisenhütte zu Gittelde, in Summa das, was jetzt (wie oben aufgezählt) die Kommunion bildet. 1874 hat Braunschweig seine Hoheitsrechte im Kommunionharz an Preußen abgetreten.

Oker erstreckt sich mit seinen großartigen Hüttenwerken fast 1/2 St. in das reizende Okerthal hinein. Freunde der Industrie werden diese Anstalten besuchen; Erlaubnis erhält man im Hüttenamt, gegenüber der Kirche, gegen 1 M. Die bedeutendsten Werke sind: die Schmelzhütte *(Frau Marien-Saigerhütte)* mit der Goldscheidungsanstalt, die Kupferextraktions-Anstalt, die Kupfervitriolsiedereien und die Schwefelsäurefabriken. — Ferner sind im Okerthal selbst 6 Holzstofffabriken, welche die vorhandene Wasserkraft ausnutzen, und bei Oker 2 Kunstdüngerfabriken.

Von Oker weiter ins ***Okerthal**, das schönste Thal des Oberharzes, auch geologisch höchst interessant (»Die klassische Quadratmeile der Geologie«). Die östliche Thalseite besteht aus Granit, der, zum Teil in abenteuerliche Klippen zerspalten, der Phantasie Stoff zu Vergleichungen gibt (so halbwegs nach Romkerhalle bei Wegstein 17,0 eine, welche merkwürdige Ähnlichkeit mit dem Standbild des Großen Kurfürsten in Berlin hat) und groteske Gruppen in den schwarzen Nadelwaldabhängen bildet; — die westliche Thalseite besteht aus lichter Grauwacke. Am bedeutendsten treten l. der *Ziegenrücken* und die *Studentenklippe*, r. die schönen *Kahlbergsklippen*, dann l. der *Treppenstein* und noch weiter hinauf die *Kästenklippe* (S. 120) und die *Ahrendsberger Klippen* hervor. Das Bett der Oker ist mit Felstrümmern gefüllt.

(10 km) **Waldhaus**, *Restaurant*, nicht teuer, gelobt. Von hier interessanter Weg über die Klippen nach Harzburg; s. S. 140.

(14 km) **Romkerhalle**, *Gasthof* (Pens. von 4,50 M. an), gegenüber dem 65 m hohen Kunstwasserfall (im Sommer dürftig) und unmittelbar an der rauschenden Oker.

Seitentour: Auf die (1 1/4 St.) **Ahrendsberger Klippen** (595 m) und zum Forsthaus, sehr angenehme Tour. Weg A: Man geht von Romkerhalle noch 2 1/2 km die Chaussee im Okerthal hinauf. Kurz bevor r. die Chaussee nach Zellerfeld abzweigt, weist l. ein Wegweiser nach dem Ahrendsberger Forsthaus hin, das von dieser Stelle noch 3/4 St. entfernt ist. Von dem Weg nach dem Forsthaus geht sehr zeitig ein Weg l. direkt durchs Wildschützen-Thal nach den Klippen ab. Derselbe ist allerdings bedeutend näher, aber sehr steil. Man geht gewöhnlich zunächst nach dem schön gelegenen **Ahrendsberger Forsthaus** (525 m), Gastwirtschaft. In der Nähe, bei der sogen. Mondscheinbank, schöne Fernsicht u. ein zweifaches Echo. — Vom Forsthaus führt in nordwestl. Richtung ein schmaler Fahrweg (Wegzeichen »A«) in 1/4 St. zu den ***Ahrends-**

berger Klippen (595 m), von denen man einen schönen Blick in das 1000 Fuß unter dem Beschauer liegende malerische Okerthal hat.

Weg B: Vom Hotel Romkerhalle führt auch ein zweiter neuangelegter kürzerer Weg direkt hinauf zum Ahrendsberger Forsthaus. Wegzeichen »R«. [15 Min. von Romkerhalle geht von diesem Wege r. ein Köhlerfahrweg ab, der nachher in einen Fußweg (Jägerstieg) übergeht und in 30 Min. (zuletzt sehr steil) direkt zu den Klippen führt. Leider befindet er sich in schauerlichem Zustand. Er mündet *zwischen* den beiden Aussichtspunkten.]

Vom Ahrendsberger Forsthaus nach *Harzburg* (2 St.), ein wegen seines Waldcharakters zu empfehlender Weg, mit »A« bezeichnet. Vom Forsthaus l., an dem nach den Ahrendsberger Klippen abgehenden Weg vorbei, immer bergan zu einem etwas sumpfigen Platz, dem sogen. *Dreckpfuhl.* Hinter demselben drei Wege; man wählt den r. über die Hochebene des Breiten Bergs, r. schöner Blick auf den Brocken, dann bergab am Papenberg nach Harzburg. Vgl. S. 121 unten r.

Von Romkerhalle nach dem Torfhaus und Oderbrück.

12 km bis zum *Torfhaus*, 15 km bis *Oderbrück*; Fahrstraße. Von Romkerhalle die Zellerfelder Chaussee bis zur ($2^1/_2$ km) zweiten Brücke, über dieselbe und auf der Altenauer Chaussee am *Gemkenthaler Forsthaus* vorüber. Da, wo die Straße die l. herauskommende Kalbe überbrückt, ab von der Straße, l. dem Lauf der Kalbe entgegen, immer steigend im Wald zur (12 km) **Försterei Torfhaus** (800 m), Gasthaus, von dem aus der Brocken in 2 St. zu ersteigen ist (S. 95). — Wer Zeit hat, möge von hier aus die (3 km) *Wolfswarte* (S. 161) besuchen.

Vom *Torfhaus* über (3 km) *Oderbrück* nach (12 km) **Braunlage** s. R. 14.

Weiter nach Klausthal. Gleich r. die *Eichbergsklippe* (geknickte Bänderstruktur der Grauwackelagen). — Nach $2^1/_2$ km Steinbrücke l., über die es in $^3/_4$ St. zum Ahrendsberger Forsthaus geht (s. oben).

Die zweite Brücke (3 km von Romkerhalle), welche bald darauf folgt, führt im *Okerthal* aufwärts über die *Altenauer Eisenhütte* (seit 1871 eingestellt) und *Silberhütte* nach **Altenau** (R. 19).

Wir gehen geradeaus nach ($17^1/_2$ km) *Unter-Schulenberg* (325 m), mit Oberförsterei. Große Sägemühle; über das *Weiße Wasser.* Sehr schönes Waldthal. — Bis ($19^1/_2$ km) *Mittel-Schulenberg* wieder Brücke über den gleichen Bach. — Schutthalden der Gruben *Juliane Sophie* und *Kaiser Heinrich.* — (22 km) *Ober-Schulenberg*, nur wenige Häuser. Auf der Höhe aus dem Wald. Man kann, ohne (26 km) *Zellerfeld* (S. 151) zu berühren, gleich l. über die Wiese, in der Richtung der Windmühle, nach (28 km) **Klausthal** (R. 17) gehen. — Auch von *Mittel-Schulenberg* führt ein Fußweg, ohne *Ober-Schulenberg* zu berühren, direkt durchs Langethal (S. 153) nach Klausthal.

---

14. Route: Von Harzburg über Braunlage nach Ellrich.

Post: Von Harzburg über (11 km) *Torfhaus*, (15 km) *Oderbrück*, (23 km) *Braunlage* in $3^1/_2$ St., (37 km) *Zorge* nach (44 km) *Ellrich* in $6^1/_4$ St.

Von *Neustadt-Harzburg* (S. 114), beim Bad *Juliushall* über die Radau, unter dem Burgberg und *Ettersberg* vorüber ins *Radauthal*, am *Brautstein* und später beim *Radaufall* vorbei. Nun in das Seitenthal des *Tiefenbachs,* unter den *Spitzenbergklippen* vorüber, l. der *Marienteich,* auf die Höhe des *Lerchenkopfes* zum

(11 km) **Torfhaus** (800 m; *Gasthaus,* Nachtlager für vier Personen), Försterei und Postagentur; von hier wird der Brocken in 2 St. bestiegen; vgl. S. 95. — Weiter durch Wald nach

(15 km) **Oderbrück** (781 m), preußischem Forsthaus am untern *Brockenfeld;* Gastwirtschaft und Logis beim Förster (nimmt auch Sommerfremde), nicht billig. In der Nähe die Oderquelle und der Oderteich. Von Oderbrück auf den Brocken (2 St.), s. S. 95.

Ausflug auf die (1 St.) ***Achtermannshöhe** (926 m), Hornfelskegel (während die Umgebung Granit ist) in vulkanischer Form. Ein Aussichtspunkt ersten Ranges, der nur deshalb weniger besucht wird, weil er nicht an der gewöhnlichen Touristenstraße liegt, obwohl von Oderbrück wie von Königskrug gute (bezeichnete) Wege hinaufführen. Vom Forsthaus Oderbrück südl. auf dem Kaiserweg (S. 17) auf der preußisch-braunschweigischen Grenze bis zum Grenzstein Nr. 139 mit der Wegbezeichnung »A«, von hier direkt auf den sichtbaren Bergkegel zu durch junge Fichtenpflanzung bis zum Hochwald, wiederholt »A« an Bäumen, diesen leitenden Buchstaben folgt man bis zur Höhe. (Für den Rückweg die Buchstaben »O«.) — Großartig ist der Blick auf den Brocken und den Wurmberg; gegen S. folgend, umfaßt das Panorama die Hochfläche bei Hasselfelde, den Auerberg, Kyffhäuser, Hainleite, davor Hohegeiß, den Hoheharz bei Zorge, Stöberhai, Ravensberg, Lauterberger Kummel, darüber hinweg die Thüringer Berge, Porta Eichsfeldica bei Bleicherode, im Vordergrund den Rehberg (Grabenleitung), den Acker, Bruchberg, zu Füßen den Oderteich, auf dem Brockenfeld die Hopfensäcke und die Quitschenberger Klippen. (Volkssage vgl. S. 165.) — Den **Abstieg** kann man in $^1/_2$ St. nach *Königskrug* nehmen, von wo ein bezeichneter Weg hinaufführt. Vgl. S. 126.

Von Oderbrück nach Schierke: Lohnender Weg über den *Dreieckigen Pfahl* (s. S. 95) zwischen Königsberg und Wurmberg, zuletzt 1 St. längs der Bode nach ($2^1/_2$ St.) **Schierke** (S. 89).

Entfernungen: Von Oderbrück nach dem Grabenhaus am Oderteich fast 3 km (Fußweg 2 km); — Rehberger Klippen 7 km; — Rehberger Grabenhaus 9 km; — St. Andreasberg 12 km — bis Oderhaus (Oderthal) 12 km — Sonnenberger Weghaus 5 km; — Altenau ca. 10 km.

Von der Poststraße aus Blick auf das r. tief unten liegende Flußbett der Oder und nach oben auf den Rehberger Graben.

Wo die Chaussee zum Oderteich sich r. abzweigt, verfolge man dieselbe etwa 300—400 Schritt, man hat dann nach l. den schönsten *Blick ins Oderthal, mit dem Stöberhai im Hintergrund.

(19 km) *Königskrug* (754 m; Gasthaus, Pens. 4 M. für Sommerfrischler). Von hier besucht man den ($^1/_2$ St.) *Hahnenklee* (762 m). — Dann auf braunschweigischem Gebiet weiter nach

(23 km) **Braunlage** (550 m), braunschweigischer Flecken an der Warmen Bode mit 1500 Einw., von Bergen und Fichtenwaldungen umschlossen. Sommerfremde leben hier billig. Wohnungen für die Woche 5—6 M. (1888: 600 Fremde). Hübsche Spazierwege, für Kranke geeignet. Arzt im Ort. Post u. Tel. Nächste Eisenbahnstation *Tanne* (S. 87), 10 km Post dahin.

Gasthöfe: *Kurhaus*, auch warme, Mineral- u. Dampfbäder. — *Blauer Engel.* — *Stadt Braunschweig.* — *Brauner Hirsch*, an der Chaussee.
Post: Nach (24 km) *Harzburg* in 3¾ St.; — (22 km) *Ellrich* in 2¾ St.; — (10 km) *Tanne* in ¾ St.; — (12 km) *St. Andreasberg* in 1¾ St. — **Wagen** zu haben. — **Harzklub**, Zweigverein Braunlage; Auskunft bei Hrn. Lehrer *Lohmann*.

Wenig Ackerbau wegen der hohen Lage, aber desto bedeutendere Viehzucht, schönes Harzvieh. Sägemühlen. Fabrikation von Kisten, Schwefelholzschachteln und Vogelkäfigen, *Glashütte* (gegr. 1836), Fenster- und Spiegelglas; die Schmelzöfen werden mit Gas geheizt, welches aus Tannenholz bereitet wird. Jährlicher Bedarf an Holz ca. 20,000 cbm. Der Ort ist nach und nach neben Eisensteingruben und einer Hütte im »Brunlohe« (Braunen Wald) entstanden.

Ausflüge: 1) Auf den ***Wurmberg** (968 m) in 1½ St.; bei der Glashütte zu den Klippen, l. am Jagdhaus vorbei, von wo ein bequemer Fußweg von S. her hinaufführt. — Von N. her führt eine Chaussee zwischen Wurm- und Winterberg, und dann ein wenig bequemer Fußweg hinauf. Oben ist 1886 von dem Oberförster in Braunlage ein gezimmerter Aussichtsturm errichtet; Leiter hinauf, oben schöner *Rundblick. Der lohnendste aller den Brocken umlagernden Höhen. Die Basis des Bergs besteht aus Granit, der Gipfel zeigt Hornfels. Zum Kulm führt von der Ostseite her eine noch ziemlich kenntliche, aber von unten aus schwer zu findende (Feldstein-) Treppe, welche die Volkssage mit einem heidnischen Tempel in Verbindung bringt. Der Wurmberg ist nächst dem Brocken der höchste Aussichtspunkt des Harzes und geeignet, einen Totaleindruck von den Massenverhältnissen des Brockens selbst hervorzurufen, da dieser hier aus dem Thal der Kalten Bode ca. 460 m steil aufsteigt.

2) Auf die **Achtermannshöhe** (S. 125); auf der Harzburger Chaussee bis Königskrug, dann bezeichneter Weg hinauf; 1½ St.

3) An der Straße nach Oderhaus-Andreasberg liegt 2 km von Braunlage die auch auf einem Waldwege zu erreichende **Waldmühle** (früheres Blaufarbenwerk), Restaurant (auch Unterkunft für einige Personen) in hübscher Lage mit Berggarten. — Auf der Straße weiter erreicht man (6 km) **Oderhaus** (S. 180), Oberförsterei u. Gastwirtschaft, teuer, liebliche Lage im Oderthal. [Von hier das Oderthal hinauf bis *Oderteich* (1¼ St.), am Endpunkt schöner Blick in das Oderthal bis Stöberhai, zurück, am Oderteich vorbei, nach *Königskrug* (1 St.), von da nach Braunlage immer bergab (¾ St.); Sa 4 St.] — Vom Oderhaus geht man nordwestl. weiter durch Wald nach (12 km) **St. Andreasberg** (R. 22).

4) Nach **Schierke** (S. 89) Fußweg (1¼ St.), durch Wegweiser gekennzeichnet. Fahrweg über *Elend* nach *Schierke* (9 km).

5) Nach dem *Jermerstein* (½ St.) und von hier in 25 Min. nach *Königskrug* (S. 125).

6) **Von Braunlage direkt nach dem Brocken.** Fußweg 2½ St. (Thal der Warmen Bode) zwischen Achtermannshöhe (l.) und dem Wurmberg (r.) nach dem »Dreieckigen Pfahl« s. S. 95 (Weg von Oderbrück nach dem Brocken); nicht schwer zu finden.

2½ km hinter Braunlage gabelt die Straße; l. Fahrstraße nach *Tanne* (S. 87) und *Hohegeiß*, r. die Poststraße nach *Zorge* (S. 127).

Auf der Straße nach Zorge 2 km fortschreitend bis zum *Brunnenbach*, führt uns dann l. ein Fußweg (die alte Poststraße) über den *Kesselberg* (618 m) nach Hohegeiß; auch führt von der Zorger Straße vom sogen. Nullpunkt eine Forstchaussee, von welcher aus sich ein schönes Brockenpanorama darbietet, längs des *Ebersbergs* dahin.

(33 km) **Hohegeiß** (642 m), braunschweigisches Dorf, der höchst ge-

legene Ort im Harz mit 1000 Einw. Gasthof zum *Deutschen Haus*. Trotz der Höhe desselben warmes, gleichmäßiges Klima, so daß hier noch Getreide gebaut wird. Die Temperaturunterschiede zwischen Tag u. Nacht sowie zwischen Sommer und Winter sind hier erheblich geringer als in der Ebene und in den Thälern, wodurch sich Hohegeiß als Luft- und Höhenkurort empfiehlt. Wohnungen 5—6 M. die Woche. Täglich Arzt vom nahen Zorge anwesend. Post und Telegraph. Nächste Eisenbahnstationen sind (6 km) Tanne (S. 87) und (12 km) Walkenried (S. 185). — Wegen der hohen Lage des Ortes hat man überall gute Rundsicht auf den Zentralharz. Aus den Fenstern des Gasthofs erkennt man sogar die Fenster des Brockenhauses. — Im Jahre 1444 wurde in Hohegeiß von den Walkenrieder Mönchen nach urkundlichen Nachrichten eine sogen. »Elendskapelle« (S. 18) errichtet. Ein Steinkreuz, der alten Pfarre gegenüber, mit der unechten Jahreszahl 1350 (in jener Zeit wurden noch keine arabischen Zahlenzeichen angewendet) soll den Ort, wo die alte Kapelle gestanden hat, angeben. Wahrscheinlich ist der Stein ein altes sogen. Mordkreuz. — Der Ort selbst verdankt seine spätere Entstehung dem Bergbau, ebenso wie Zorge und Wieda. — Die Einwohner sind Waldarbeiter, Nagelschmiede und Böttcher; die Weiber hausieren mit Kleinböttcherware und Kurzwaren im Land umher. — Auf dem 3 km nordwestl. gelegenen, leicht ersteigbaren *Ebersberg (687 m) schöne Rundsicht auf einen großen Teil des Südharzes, den Bruchberg, die Achtermannshöhe, den Wurmberg, den Brocken, die Hohne, die Viktorshöhe, den Kyffhäuser bis zum Thüringer Wald mit dem Inselsberg.

Im Zickzack führt die Chaussee hinab durch enge Thäler nach Zorge. Fußgängern sei der Weg durch das *Wolfsbachthal* empfohlen, namentlich aber der kleine Abstecher durch die **Dicken Tannen*, wohl eins der großartigsten Waldbilder im ganzen Harz.

Man geht vom untern Ende des Orts Hohegeiß nach dem vor dem Wald liegenden Schützenplatz und von hier r. auf einem alten Fahrweg weiter bergab, hat dann bald einen hervorragend schönen Einblick in die Thäler und sieht einen aus reichlich 50 m hohen Fichten gebildeten urwaldartigen Bestand vor sich, durch den sich ein Fußpfad in das *Wolfsbachthal* hinabsenkt. Es ist ratsam, dicht an diese Riesenfichten heranzutreten, um deren kolossale Gestalten zu würdigen, die zu umspannen drei Männer kaum vermögen. Durch das Wolfsbachthal führt weiterhin eine schöne Waldchaussee nach Zorge.

(37 km) **Zorge** (356 m; *Braunschweiger Hof*, gut; *Weißes Roß*), braunschweig. Dorf mit 1316 Einw., aus der bereits 1249 bestandenen Kloster Walkenriedschen Erzhütte »Szurgenge« entstanden. Post und Tel., bedeutende Hüttenwerke, Hochöfen und Maschinenwerkstätte für große Artikel, wie Lokomotiven, Dampfmaschinen, Cylindergebläse etc. (Aktiengesellschaft, S. 87). Aus der Gießerei stammt der in Braunschweig auf dem Monumentplatz 1822 errichtete, 23 m hohe Obelisk (864 Ztr. schwer) mit der Inschrift: »Seinen für Deutschland gefallenen Fürsten Ihr Vaterland« (Herzog Karl Wilhelm, infolge seiner bei Auerstädt erhaltenen Wunde gestorben, und sein 16. Juni 1815 bei Quatrebras gefallener Sohn, Herzog Friedrich Wilhelm). — Vom Glockenhäuschen an dem *Hohenharz* (50 Schritt oberhalb der Kirche hinauf), hübsche Aussicht.

Das nun folgende *Zorgethal* ist eng, malerisch schön und bewaldet; namentlich bieten die zahlreichen Nebenthäler mit schönen Waldwiesen im herrlichsten Buchenwald mannigfaltige Landschaftsbilder. Leider verkümmern Lärm und Geruch der Zorger Fabriken den Naturgenuß etwas. — Unterhalb Zorge der Doppelberg *Großer* und *Kleiner Staufenberg*, auf letzterm die unbedeutenden Reste der 1243 von den Grafen von Hohnstein erbauten und nach 1253 bereits wieder niedergerissenen Burg *Staufenberg* (oder *Bistop*).

Durch das Thal hinaus nach (41 km) *Drahthütte*, wo die Straße gabelt: r. durch das *Klosterholz* nach Bahnstat. (44 km) **Walkenried** (S. 185), — l. nach der Bahnstation (44 km) **Ellrich** (S. 189).

---

15. Route: Goslar.

Gasthöfe: *Hotel Kaiserworth*, am Markt, ein architektonisch interessantes Haus (S. 131); — *Hotel Hannover*, am Bahnhof, mit Restaurant. — *Pauls Hotel*, am Bahnhof, mit altdeutscher Bierstube in einem alten Zwingerturm; Wallgarten. — *Hotel Römischer Kaiser*, am Markt; Garten mit Veranda. — *Hannibals Hotel*, beim Markt. — In allen diesen Häusern Pension 4½-5 M.

Einfacher und billiger: *Kronprinz Ernst August*, am Markt; bürgerliches Mitt. 1 M. (ohne Weinzwang); von Touristen gelobt, gute Betten. — *Brusttuch*, westl. von der Marktkirche. — *Deutsches Haus*, Bahnhofsstraße. — *Altdeutsches Gildehaus*, Markt- und Bergstraße. — *Hotel Germania*, neben der Post. — *Zum Kaiserhaus*, neben der Kaserne.

Restaurants und Bierlokale: *Brusttuch*, an der Marktkirche (S. 133); — *Zum Achtermann*, altdeutsche Bierstube in Pauls Turm; — *Altdeutsches Gildehaus*, s. oben. Diese drei von Touristen bevorzugt; Mitt. 1,25 M., auch bayrisches Bier. — *Hannibals Restaurant*, Breitestraße. — *Zum Kaiserhaus* (s. oben). — *Zum schönen Garten*, vor dem Breiten Thor; hübsche Anlagen, Konzerte. — *Felsenkeller*, vor dem Klausthor, am Fuß des Steinbergs. — In der Nähe der Stadt: *Rennenbergs Bleiche* (20 Min.), am Fußweg nach Oker (S. 139); hübscher Blick, gute Küche. — *Klus* (10 Min.), am Klusfelsen (S. 138).

Pension für Sommerfrischler (25-30 M. die Woche): *Frankenberger Kloster*. — *Frau Hirsch*, Bäringer Straße. — *Theresienhof*, 5 Min. von der Stadt, auch im Winter.

Konditoreien: *Conrad*, Bahnhofsstraße. — *Elste*, Breite Straße.

Eisenbahn: Tägl. 4-5mal Verbindung mit allen Harzstationen: vgl. die Eintrittsrouten II, IV—VI.

Post u. Telegraph: Breite Straße und auf dem Bahnhof.

Wagen bei Posthalter *Nause* (Domstraße), bei *Werner* (Frankenbergerstr. 32) und bei *Blumenberg* (Marktstraße), 1 Tag 1spänn. 9 M., 2spänn. 16,50 M. Trinkgeld 2, bez. 2,50 M. Taxe in allen Gasthöfen.

Maultiere: Bei *Hauenschild*, Jakobistr. 1 Tag 6 M.; ½ Tag 3 M.; nachm. bis 9 Uhr 4 M., bei mehreren Tieren à 3 M.; Touren von 1-3 St. 2 M. Der Führer dazu, 1 Tag 3 M., ½ Tag 2 M., 1-3 St. 1 M. Fütterungskosten tragen die Reisenden!

Fremdenführer: Meist Dienstmänner, man akkordiere.

Harzklub, Zweigverein Goslar, Auskunft bei Herrn Buchhändler *L. Koch*.

Bäder: *Bosse*, Marktstraße.

Lampes Kräuterheilanstalt (von einem Arzt geleitet) mit Kurgarten. Pension mit Wohnung 24—30 M. wöchentlich. Kurkosten 18 M. wöchentlich.

Entfernungen von Goslar: Oker 5 km, Romkerhalle 12 km, Altenau 22 km, Klausthal 20 km.

Goslar (260 m), preußische Berg- und Kreisstadt an der Gose und am Fuß des Rammelsbergs mit 12,500 Einw., eine der ältesten und in frühern Jahrhunderten zugleich bedeutendsten Städte Norddeutschlands, der Lieblingssitz der sächsischen und namentlich der fränkischen Kaiser, von den Chronisten als »clarissimum regni domicilium« bezeichnet, bis 1802 kaiserliche freie Reichsstadt, hat mit ihren zahlreichen Kirch- und Befestigungstürmen von außen ein sehr altertümliches Aussehen und verdient wegen ihrer Baudenkmäler und ihres Bergbaues besucht zu werden. Im Innern ist die mittelalterliche Physiognomie von Goslar infolge häufiger Feuersbrünste etwas verwischt. Amtsgericht, Handelskammer, vier evangelische und eine katholische Kirche, Gymnasium und Realgymnasium, zahlreiche milde Stiftungen (das St. Annenhaus, seit 1494, Große und Kleine Heilige Kreuz etc.), Garnison des 10. Jägerbataillons. — Die reichen Erzlager des *Rammelsbergs* (S. 138), der, 636 m hoch, im S. der Stadt gelegen, wohl der merkwürdigste Berg des ganzen Harzes ist, wurden bereits seit 968 bearbeitet, zuerst durch Franken, welche sich die Peter-Paulskirche bauten, und nach denen noch heute der obere Teil von Goslar der Frankenberg heißt. Außer Silber und etwas Gold werden Kupfer, Blei, Schwefel, Vitriol, vor allem viel Schwefelsäure etc. gewonnen. Beschäftigt sind dabei über 600 Personen. — Berühmt war einst die Goslarer Gose, ein Weizenbier, das aber jetzt nicht mehr gebraut wird.

Geschichtliches. *Heinrich I., der Finkler*, wird als Gründer des Dorfes Goslar, »vicum Goslarie construxit«, genannt. Der Name Goslar (von Gose = Gießbach und lar = Stätte, Niederlassung) kommt zuerst in einer von Otto II. 979 für das Stift Aschaffenburg ausgestellten Urkunde vor, an deren Schluß es heißt: »Actum Goslarie feliciter Amen«. Während der Regierungszeit seines Sohns, Kaiser *Ottos I.*, soll das Pferd eines kaiserlichen Jägers, Namens Ramm, 968 eine Silbererzstufe aus dem Erdreich gescharrt haben. Der Kaiser belohnte den Finder mit einer goldenen Kette und 1000 Goldstücken, ließ Bergleute aus Franken kommen (S. 23 u. 22), betrieb den Bau mit Eifer und nannte den Berg zu Ehren des Entdeckers *Rammelsberg*. (Aus Goslar stammen die ältesten Silbermünzen Niedersachsens, die Ottolinen, Dickmünzen mit beiderseitigem Gepräge, die im 12. Jahrh. durch die Brakteaten oder Hohlmünzen verdrängt wurden.) Am 4. Nov. 979 weilte Otto II. in Goslar. Im Jahr 984 war Goslar schon so bedeutend, daß dort eine Reichsfürstenversammlung tagte, welche Otto III. zum Reichsoberhaupt ernannte. Für die Erweiterung Goslars that Kaiser *Heinrich II.* (1002–23), *der Heilige*, viel, erhob den Ort zur Stadt u. hielt mehrere Reichstage daselbst ab. Ebenso lebte der erste salische Kaiser, *Konrad II.*, größtenteils in Goslar. — Die größte Gunst wandte dem immer mehr aufblühenden Städtchen *Heinrich III.* zu, der den Dom (1039) gründete und reich beschenkte. Seine Gemahlin Agnes, welche ihren Haushofmeister in Verdacht hatte, ein wertvolles Geschmeide, das ein Rabe in sein Nest getragen, entwendet zu haben, und ihn dafür unschuldig töten ließ, gründete zur Sühne das Stift St. Peter. Sein Sohn, der unglückliche *Heinrich IV.*, wurde hier geboren, baute den 1065 abgebrannten Palast wieder auf und hielt hier Hoflager. Um diese Zeit fiel auch das gräßliche, blutige Gemetzel im Dom (1063) zwischen Bischof Hezilo von Hildesheim und

Abt Wideradus von Fulda nebst deren Reisigen wegen eines Rangstreits vor, in welchem der Bischof vom Altar aus kommandierte und seine Leute zur Schlächterei anfeuerte. Der Dom blieb drei Jahre geschlossen. Goslars Bürger litten unter den mit den Sachsen geführten Kriegen sehr; in dieser Zeit ward auch der Bischof Buko von Halberstadt, der zu einer Disputation mit Eckbert von Braunschweig hierher gekommen, meuchlings ermordet und im Kloster zu Ilsenburg begraben. 1082 wurde Hermann von Luxemburg durch Erzbischof Siegfried von Mainz in Goslar zum deutschen (Gegen-) König gekrönt. Während der ganzen Kaiserzeit war die Regierungsperiode des letzten salischen Kaisers, *Heinrichs V.*, wegen der vielen Reichsversammlungen wohl die Glanzepoche Goslars. Auch der darauf folgende Kaiser, *Lothar von Sachsen*, hielt seinen Einzug in die Stadt und 1134 eine Reichsversammlung, welcher die unter *Konrad III.* um 1139 und unter *Friedrich I., Barbarossa*, um 1154 folgten. In dem blutigen Streit Heinrichs des Löwen mit dem Kaiser Friedrich I. stand Goslar auf des letztern Seite und erhielt dafür viele Geschenke und Privilegien. 1186 war noch einmal Reichstag hier. Im Kampf der Gegenkaiser Philipp von Schwaben und Otto IV. stand Goslar zu ersterm, wurde vom Papst geächtet, durch Verrat dem Feind überliefert und furchtbar heimgesucht. Von nun an vernachlässigt, schließt die Reihe der hier hofhaltenden Kaiser des alten Deutschen Reichs mit Wilhelm von Holland ab, der 1253 in Goslar war.

Mitte des 13. Jahrh. trat Goslar dem Hansabund bei, welcher Schritt Bürgertum und Innungswesen sowie Handel und Gewerbe mächtig hob, so daß die Stadt materiell sich noch besser befand als zur Kaiserzeit. Die Stadt erhielt um diese Zeit das Münzrecht und ließ die kleinen »Silberpfännchen« mit dem Marienbild (Mariengroschen) und halbe mit dem Bildnis des Schutzpatrons St. Matthias (Matthiesgroschen, »Matthier«) prägen. (Als freie Reichsstadt führte Goslar sonst den einfachen schwarzen Adler im goldenen Feld nebst Helm u. Pfauenfeder.) Die Hebung des Bürgergeistes entwickelte das für jene Zeiten als Vorbild für mehrere Städte dastehende Stadtrecht, und die Sprüche seines Schöppenstuhls galten als Muster rechtskundiger Weisheit. 1494 bis 1517 wurden die Festungswerke mit Türmen und den mächtigen Zwingern gebaut, die heute noch der Zerstörung trotzen.

Dieses goldene Zeitalter währte bis zum Jahr 1552, in welchem es Herzog Heinrich dem jüngern von Braunschweig, der die durch Einführung der Reformation hervorgerufenen Streitigkeiten mit Papst und Kaiser für sich auszunbeuten wußte, gelang, durch einen für ihn höchst günstigen Vergleich sich der Stadt als Erbschutzherr aufzudrängen und dieselbe dadurch in ein Abhängigkeitsverhältnis zu bringen. Nun kam noch der Dreißigjährige Krieg hinzu mit Belagerungen, Brandschatzungen, Bauernunruhen und der öffentlichen Unsicherheit durch Wegelagerer und Schnapphähne. Der Verlust des Städtchens während dieser Periode wird auf 600,000 Thlr. geschätzt, eine kolossale Summe für den Geldwert jener Zeit. Goslar wurde nach und nach zu einer der ärmsten Städte Deutschlands. Durch den Frieden von Lüneville verlor es den Rest seiner ehemaligen städtischen Freiheiten, kam an Preußen, dann 1807 an das Königreich Westfalen und gehörte seit 1814 zu Hannover, bis es 1866 Preußen abermals einverleibt ward.

In neuerer Zeit ist in Goslar viel zur Hebung des Fremdenverkehrs geschehen. Die wertvollen Baudenkmäler romanischer Baukunst sind fast sämtlich würdevoll restauriert. In der Umgebung der Stadt sind schattige Promenadenwege geschaffen, der große Stadtforst (11,000 Morgen) ist mit einem Wegenetz durchzogen.

Zeiteinteilung: Wer nur ½ Tag für Goslar Zeit hat, folge dem in unserm Text gegebenen Rundgang. Bei kurzer Zeit bleibt natürlich das **Kaiserhaus* die Hauptsehenswürdigkeit. — Wer 1 Tag Aufenthalt nimmt, verfährt

Vorm. wie oben; Nachmittag: 1 Uhr Einfahrt in den *Rammelsberg* (S. 138). Um 3 Uhr zurück und über den Felsenkeller auf den **Steinberg* (1 St.). Man kann 7 Uhr abends wieder am Bahnhof sein.

Vom Bahnhof in die Stadt eintretend, hat man l. Pauls Hotel mit altem Zwingerturm; r. die ***Klosterkirche** (11—12 und 5—6 Uhr geöffnet; sonst Glocke auf dem Hof, Trinkgeld), ein ehrwürdiges Denkmal der romanischen Baukunst aus dem Ende des 12. Jahrh. mit kunstvoller romanischer *Kanzel, reichverzierter Apsis und vortrefflichen restaurierten Decken- u. Wandgemälden aus dem 13. Jahrh.

Das Gemälde auf dem Chor stellt in großartiger Auffassung die Himmelskönigin dar. Maria mit dem Jesuskind, die Hände Gottes des Vaters halten den Thron, die 7 Tauben sind die 7 Gaben des Heil. Geistes, die 7 Stufen zum Thron die 7 Stufen der Seligkeit, die 14 Löwenköpfe die 14 Geschlechter von David bis Christus. Daneben der Erzengel Gabriel mit dem Gruß und St. Paulus. — Darunter die Himmelsleiter, Opferung Isaaks, Jephtha und Judith. Vor dem Apsisbogen: Christus segnend, ihm zujauchzend die Cherubim und Seraphim, Patriarchen und Mönche, fürstliche Frauen und Nonnen. Unter dem Triumphbogen die Porträte der zwölf kleinen Propheten.

In der Vierung das Grabmal des Erbauers der Kirche, Reichsvogts *Volkmar v. Wildenstein*.

An der Klosterkirche ein Stück der alten Stadtmauer. — Dann durch die Bahnhofsstraße, r. die *Jakobikirche* (ohne Bedeutung) und die Fischemäkerstraße auf den Markt; hier an der Südseite die

Kaiserworth, 1494 gebaut, einst Zunfthaus der Gewandschneider, jetzt erster Gasthof des Ortes. An der dem Markt zugekehrten Hauptfronte, welche mit einem erkerartig vorspringenden Turm versehen ist, stehen in acht Nischen, zwischen den Fenstern des zweiten Stockwerks, lebensgroße hölzerne Figuren, welche die Kaiser Heinrich I., Otto I., Heinrich II., Konrad II., Heinrich III., IV., V. und Lothar II. darstellen sollen. (*Heinrich Heine* meint in seinen »Reisebildern«, sie sähen aus wie »gebratene Universitätspedelle«.) An der Ostecke Herkules und die Schutzpatronin der Gilde. An der Ostseite der Reichsadler, der Goslarsche Adler und die Kaiserkrone. Man beachte die sonderbaren Figuren der Konsolen, in denen der schalkhafte Geist des Mittelalters sich abspiegelt; hübsche Seitenstücke des Brusttuches (S. 133). — An der Westseite des Markts das

Rathaus, vom Kaiser Lothar 1136 gegründet, 1184 von Friedrich Barbarossa vollendet, gegenwärtig jedoch durch eine Menge geschmackloser Anbauten verunstaltet; das Äußere bietet wenig, um so interessanter ist sein Inneres. Mittags 1—3 Uhr geschlossen.

Eintrittsschein: Auf der Kanzlei im Rathaus. 1 oder 2 Pers. je 50 Pf., die dritte folgende à 25 Pf. Schüler mit Lehrern 6—20 Pers. 2 M., jede weitere Pers. 10 Pf.

An dem gotisch verzierten Plafond des Vorsaals im zweiten Stockwerk zwei Kronleuchter, aus Hirschgeweihen zusammengesetzt, die urkundlich von einem 1349 erlegten Tier stammen. Der eine derselben umschließt ein geschnitztes thronendes Kaiserbild und trägt die das hohe Alter beweisende Inschrift: »O Gosler du bist togedā — dē hilge romehke rike — sunder middel und wan — nit macstu darvan wike«. Höhern Kunstwert haben die beiden messingenen Kronleuchter, die früher im Dom waren und wahrscheinlich aus dem 14. Jahrhundert stammen. In einem Seitengang die sogen. »Beißkatze«, ein hölzerner Doppelkäfig zur Einsperrung böser, im Zank aufgegriffener Weiber. Das **Huldigungs-* oder *Kaiserzimmer* birgt die bedeutendsten Schätze: An den Wänden 11 Kaiser- und 12 Sibyllenbilder, erstere wahrscheinlich die römischen Cäsaren von Augustus bis Domitiandarstellend, schöne Schnitzarbeiten in Holz; in den Fensternischen St. Matthäus und die heil. Anna mit dem Christuskind, Judas Thaddäus und Simon, Kosmas und Damianus, Nikolaus und St. Katharina, — am Plafond 12 Prophetenbilder, die Verkündigung, Geburt, Anbetung und Darstellung Christi im Tempel, sämtlich (wie aus den Kämmereirechnungen ermittelt) von Michael Wohlgemuth (dem Lehrer Albrecht Dürers) zu Ende des 15. Jahrh. gemalt. In der daranstoßenden sogen. *Kleinen Kapelle* ähnliche Bilder. Der *Huldigungsstuhl* mit dem Porträt Franz' I. Wertvolle Urkunden von Otto I. aus dem Jahr 937, von Heinrich IV. aus dem Jahr 1063, vom Papst Adrian IV. aus dem Jahr 1155, eine Urkunde aus dem 16. Jahrh. mit einem von der Kaiserin Agnes gestifteten Ordensband, ein eigenhändiger Brief Luthers von 1529. Außerdem mehrere alte Reichs- und Stadtfahnen, Prägstempel, Waffen, Marterwerkzeuge, das Original des berühmten alten *Goslarer Stadtrechts* (herausgeg. von Göschen, Berl. 1840), die alten Berggesetze, eine Bürgerrolle aus Holz mit eingelegten Wachstafeln, in welche die Namen graviert sind, ein mit prachtvollen Majuskeln geziertes, von Mönchshand schön geschriebenes *Evangelienbuch* (angeblich Geschenk einer Kaiserin) und besonders die aus getriebenem Silber gearbeitete vergoldete *Bergkanne* von 1477, auf welcher in sechs Feldern die Arbeiten des Bergbaues, unten musizierende Figuren, dargestellt sind. Ferner zwei goldene Pokale, ein silbernes Taufbecken und ein irdener Krug aus dem 16. Jahrh., eine Hand von Metall, ein Reliquienbehälter für St. Margaretens Arm, diente beim Schwören.

Auf dem Markt ein großer *Springbrunnen* mit zwei übereinander angebrachten, umfangreichen Metallbecken, welcher der Sage nach ein Geschenk des Teufels ist, wahrscheinlich aber aus der einst berühmten Gießerei Goslars hervorgegangen ist; ein Löwenkopf, noch im romanischen Stil, gibt Zeugnis vom hohen Alter des Werkes

Hinter dem Rathaus die äußerlich stattliche romanische **Marktkirche,** durch Feuer 1844 zerstört, aber wiederhergestellt (im Innern nichts Bemerkenswertes), enthält eine bedeutende Bibliothek (wertvolle Inkunabeln).

Goslar ist, wie mehrere Städte am Harz (auch Hildesheim, Braunschweig), reich an schönen Häusern aus der Zeit der Holzarchitektur (16. Jahrh.). Unter diesen zeichnen sich namentlich aus: das

***Brusttuch** (jetzt Restaurant und Hotel), hinter der Marktkirche, mit auffallend steilem Dach, 1526 erbaut von Magister Thalligk, der seine Gelehrsamkeit durch Schreibung seines Namens mit griechischen Buchstaben und durch Anbringung einer den Pandekten entnommenen Stelle: »Domus. tuta. esse. debet. et. refugium. ff. ad. se. con. clau. l. I.« (die letzten Worte sind aufzulösen in: »senatus consultum claudianum lex I.«) zeigt. Die hohen Fenster sind mit gotischen Verzierungen versehen und mit Glasmalereien geschmückt. Besonders beachtenswert sind die meisterhaft ausgeführten satirischen Holzschnitzbilder, teilweise sehr derblauniger Natur, an den Balkenköpfen und Friesen.

Man betrachte die Bilder von l. ab. Die Konsolen unter den hervortretenden Balkenköpfen zeigen: 1. Bergmann, 2. Mönch, 3. Teufel, 4. Butterhanne (irrtümlich als Wahrzeichen Goslars bekannt, und hinter dieser ein zu böser Lust anfachender Teufel), 5. Hexe, 6. Weiberregiment, 7. Goslarscher Adler (neu), 8. u. 9. Turnier (persifliert), 10.—14. Anbetung der heil. drei Könige. An den Fensterständern von l.: Juno oder Sonne, Saturn seine Kinder verschlingend (Symbol des Zeitenwechsels), Neptun, Mars, Merkur, Diana, Venus, Apollo oder Mond (der Mond wird auf dem Arm getragen). Diese Figuren erinnern an die Repräsentanten der alten Metalle. — Unter den Fenstern: Narrenfigur, Wappen des Erbauers (Lilien und drei Ähren), Amoretten auf Tauben reitend, Amor mit dem Bogen, Tritonen, kämpfende und spielende Amoretten, Tanzbär, Amoretten, Gefäß, Schwein mit Dudelsack, Affe mit Notenpult, Narr.

Im Innern Kaiserbilder, Ansichten von Goslar und vom Dom, eine altdeutsche Stube mit einem gemalten Trinkerzug.

Ferner sind bemerkenswert: das *Altdeutsche Gildehaus (Bäckergildenhaus,* worauf Wappen und Inschriften am Hause hinweisen), an der Ecke der Berg- und Marktstraße, nahe beim Brusttuch und ähnlich gebaut wie dieses, doch mit minder wertvollen Schnitzereien, vom Jahr 1557, jetzt Restauration und Hotel. Im Innern altdeutsche Einrichtung. — [Sodann die Häuser Nr. 30 und 31 in der Glockengießerstraße, Nr. 7 und 8 in der Worthstraße, Nr. 3 an der Ecke der Jakobs- und Mönchsstraße, das sogen. *Mönchenkloster* (mit Zimmer in reiner Holzkonstruktion) u. a. m. — Breite Straße Nr. 95 soll der Marschall von Sachsen (natürlicher Sohn des Königs August des Starken und der Gräfin Aurora von Königsmark) am 28. Okt. 1696 geboren sein.] — Vom Brusttuch südl. durch den *Hohen Weg* zur

***Domkapelle** (Eintrittsgeld: 1—2 Pers. 50 Pf., 3—4 Pers. 75 Pf., 5—6 Pers. 1 M., 7—8 Pers. 1,50 M., Schüler mit ihren Lehrern à 10 Pf.) am Kasernenplatz, der geringe Überrest (einstige Vorhalle) des von Kaiser Heinrich III. 1039 erbauten, von Papst Leo IX. eingeweihten *Doms,* welchen der Magistrat als zu baufällig, und da die Stadt zu mittellos war, das so denkwürdige

Bauwerk zu erhalten, 1820 für 1500 Thlr. zum Abbruch verkaufen ließ (!). Die jetzt restaurierte Kapelle zeigt noch als Überrest der ursprünglichen Architektur eine *Portalsäule*, deren Kapitäl durch reiche, phantastische Skulptur ausgezeichnet ist (Abbildung in *Kuglers* »Kunstgeschichte«, Bd. I, S. 426). Über diesem Eingang in fünf Nischen Konrad II., der Gründer, und Heinrich III., der Vollender des Baues, dazwischen Matthias, Simon und Judas, die Schutzheiligen des Doms, und über diesen in drei Nischen Maria mit dem Christuskind von zwei Engeln angebetet.

Im Innern: der sogen. *Krodoaltar*, ein aus durchlöcherten, ursprünglich mit einem Schmuck von glänzenden Steinen versehenen Erzplatten zusammengesetzter, von vier knieenden Gestalten getragener Schrein, der ein durch die Völkerwanderung nach hier verschleppter heidnischer Opferaltar sein soll und wahrscheinlich seit 1040 als christlicher Altar im Dom benutzt wurde. Nach andrer Ansicht ist er ein byzantinisches Kunstprodukt des 10. Jahrh. und durch Ottos II. Gemahlin Theophano hierher gebracht; — einige *gemalte Fenster* des alten Doms, von denen die kleinern (Reliefmalerei, die Geburt Christi darstellend) aus dem 10. Jahrh. stammen; — die Balustrade des Kaiserstuhls mit einem (1875 für den Besuch Kaiser Wilhelms I.) imitierten Kaiserstuhl; — eine *Tafelmalerei* auf Holz aus dem 14. Jahrh.; — zwei mit gewebten Figuren gezierte *Teppiche* aus dem 13. Jahrh., Altarschreine, Kruzifixe, Holzschnitzwerke und vieles andre mehr.

R. (westl.) von dieser Kapelle dehnt sich das *Kaiserbleek* aus, einst Gerichtsstätte für die reichsfreien Bürger der Stadt, der Platz auf dem im Mittelalter die Turniere abgehalten wurden. An der Westseite liegt die Kaiserpfalz, das

****Kaiserhaus**, der älteste geschichtlich und kunstgeschichtlich wichtigste Profanbau Deutschlands, ursprünglich Königshof oder Königshaus (villa regia, des rikes palenze oder palas) genannt, einzig in seiner Art dastehend, da die Kaiserpaläste zu Seligenstadt, Gelnhausen und Eger bereits mehr oder weniger Ruinen sind. Dagegen ist das Kaiserhaus in Goslar erhalten und in einer seiner Bedeutung würdigen Weise von 1867—80 mit einem Kostenaufwand von über 300,000 M. restauriert. Erbaut wurde der Palast gegen Mitte des 11. Jahrh. durch Kaiser Heinrich III. von dem jungen Kleriker Benno, den er aus Kloster Hirschau, jener berühmten Architektenschule in Schwaben, nach Goslar gerufen hatte.

Als 1056 der Gönner dieses Mönchs gestorben war und die Bauten in Stillstand gerieten, zog Bischof Azelinus ihn nach Hildesheim; hier ward er Dompropst, half den Dom bauen und führte den in seiner Heimat kultivierten Stil der Pfeilerbasiliken in Niedersachsen ein. Er ist als Bischof von Osnabrück gestorben.

Von 1050—1253 haben im Kaiserhaus zehn oder elf nacheinander folgende deutsche Kaiser gewohnt, und 23 Reichsversammlungen sind in demselben abgehalten worden. Nachgewiesen ist ferner, daß Kaiser Heinrich IV. im Kaiserhaus geboren ist und daselbst 1066 das Weihnachtsfest feierte, Heinrich V. dort von einem Blitzstrahl, der neben seinem Lager einschlug und das Reichsschwert schmolz, fast getötet worden wäre, Lothar 1134 längere Zeit darin verweilte, Konrad III. jenen Reichstag 1138 daselbst hielt, auf welchem Heinrich der Stolze seines Landes entsetzt wurde, und daß Friedrich I. hier 1157 längere Zeit Hof hielt. Auch Philipp von Schwaben wohnte in demselben um 1200, und Friedrich II. hielt 1219 hier eine glänzende Versammlung ab, bei welcher ihm durch den Rheinpfalzgrafen die deutschen Reichskleinodien überreicht wurden. Wilhelm von Holland weilte noch 1253 im Reichspalast. Nach ihm hat kein Kaiser des alten Reichs den Palast wieder betreten. 1289 vernichtete ein großer Brand fast das ganze Holzwerk des Gebäudes, wobei wahrscheinlich auch der Flügel, in dem sich die Wohnräume befanden, zu Grunde ging. 1415 kam der Palast an die Stadt Goslar, welche ihn auf kaiserliche Verfügung 1630—32 den Jesuiten einräumen mußte. Später geriet das Gebäude in Verfall und wurde zu verschiedenen entwürdigenden Zwecken, zuletzt als Kornmagazin, benutzt, bis es endlich im Jahr 1866 von der hannöverschen Regierung der Stadt behufs Restaurierung für 3000 M. abgekauft und durch die preußische Regierung wiederhergestellt wurde. Kaiser Wilhelm stattete demselben am 15. Aug. 1875 einen Besuch ab.

Der **Kastellan** (im nördlichen Flügel) führt in das Innere; 9–1, 2 Uhr bis zur Dunkelheit. Wenn der Professor Wislicenus bei seiner Arbeit thätig ist, so wird der Saal vormittags erst um 10 Uhr und nachmittags um 4 Uhr geöffnet, Eintrittsgeld nach Belieben.

Das Kaiserhaus besteht jetzt aus drei Gebäuden: 1) dem eigentlichen **Saalbau**, 2) der neuern **nördlichen Verlängerung** desselben und 3) der kaiserlichen **Hauskapelle**.

Der **Saalbau** hat zwei Geschosse. Am Südende unten ein Einfahrtsthor, oben ein Eingangsvorbau, zu dem zwei Freitreppen hinaufführen. Die Vorderseite des Erdgeschosses ist sehr einfach gehalten; die Fassade des zweiten Geschosses hat eine belebte, großartige Architektur. Im untern Raum sind jetzt sieben nach der Tiefe durchlaufende Spitzbogengewölbe. Anfänglich war hier ein einziger Raum, dessen Decke durch eine Reihe von massiven Arkaden gestützt ward. Im zweiten Geschoß kommt man aus der Kastellanwohnung in den 47 m langen, 15 m breiten und 7 m hohen ****Reichssaal***. Der mittlern größten Arkade gegenüber unter einem Tonnengewölbe (mit den Wappen der deutschen Staaten) auf erhöhtem Platz der alte *Kaiserstuhl*, bis 1820 im Dom aufbewahrt, dann im Besitz des Prinzen Karl von Preußen, der ihn hierher stiftete. Hart an der Hinterwand zwei ungewöhnliche Säulen. Die Holzpfeiler in der Mitte stammen nach den Verzierungen ihrer Kopfbänder aus dem 15. Jahrh. Der Reichssaal erhält eine großartige Ausschmückung durch historische Wandgemälde, ausgeführt vom Prof. Wislicenus und Maler Weinack in Düsseldorf, 1879 begonnen und noch immer nicht vollendet.

Die Hauptgemälde befinden sich an der Westwand. Sechs große Gemälde und ein noch größeres Mittelbild bedecken diese Fläche. In den sechs Bildern soll eine Geschichte des ersten Kaiserreichs geliefert und in dem mittlern das neue Reich und sein Kaiser dargestellt werden. Jene sechs Bilder bilden gleichsam eine Tragödie des ersten Reichs, da sie vorzugsweise die verderblichen Mächte, durch welche sein Untergang herbeigeführt wurde, in den Vordergrund stellen. Diesen Mächten, der Hierarchie, dem Vasallentum, der Entfremdung vom

Vaterland durch die verlockende Herrschaft in Italien, sind die Bilder 1, 3, 4 und 6 gewidmet. Nur auf zwei äußerlich durch ihre Größe sich auszeichnenden Bildern tritt die Macht des Kaisertums in den Vordergrund. Es sind dies das *zweite* und *fünfte* Bild: Heinrich III. führt den gefangenen Papst Gregor VI. über die Alpen, und Barbarossa in der Schlacht bei Ikonion. — Das *erste* Bild bringt die Kaiserkrönung Heinrichs II. durch Benedikt VIII. in der Peterskirche. — Die Macht des Papsttums tritt auf dem dritten Bild hervor, auf welchem der vom Bann bedrückte Kaiser Heinrich IV. Schutz suchend in die reichstreue Stadt Mainz einzieht, während auf dem *vierten* Bilde durch den Fußfall Barbarossas vor Heinrich dem Löwen die höchste Not des Kaisertums gegenüber dem Vasallentum zum Ausdruck kommt. — Auf dem *sechsten* Bilde tritt durch den glänzenden Hof Friedrichs II. zu Palermo die bedauerliche Entfremdung vom vaterländischen Boden hervor.

Das Mittelbild bringt allegorisch die Auferstehung des neuen deutschen Kaiserreichs. Kaiser Wilhelm und der Kronprinz reiten zum Triumphthor heran, wo ihrer l. der Reichskanzler u. Moltke, r. Friedrich Karl und zwei Jungfrauen (Elsaß und Lothringen) mit der Mauerkrone und mit den Modellen der Dome von Straßburg und Metz huldigend warten. Bismarck steht am Säulenfuß eines begonnenen Baues (des Deutschen Reiches) und hält dem Kaiser den Hammer zur Einweihung bereit. L. und r. sieht man durch Seitenthore die sämtlichen regierenden deutschen Fürsten an der Einweihung des neuen Reichs teilnehmen. Über der Gruppe schweben, voran der Genius, welcher die Züge der Königin Luise trägt, die Helden der Freiheitskriege (Blücher und Körner) und die alten deutschen Kaiser. Über dem Triumphthor die frühern Hohenzollernfürsten. Am Fuß des Mittelbildes der Vater Rhein und die Sage.

Gegenüber den beiden größern Feldern (Bild 2 und 5) will dies Hauptbild als *neue* Machtentfaltung und zu den übrigen vier Darstellungen als *Gegensatz* aufgefaßt sein, welcher sich in den Momenten, die dem Mittelbild am nächsten liegen (Heinrich IV. im Bann und Heinrich der Löwe), am schärfsten kennzeichnet.

An den Seiten der sechs Hauptgemälde befinden sich acht Nebenbilder und unter ihnen je zwei Predellen. Man trete l. vor das erste Bild. An der linken Seite 1. Nebenbild: Erbauung der Villa Goslar durch Heinrich II. Darüber: Ritter Ram, darunter: Kaiserjagd im Harz. Die beiden Predellen stellen dar: Erwählung Heinrichs II. zum König von Italien und Wahl Konrads II. zum deutschen Kaiser. — Zweites Bild: L. 2. Nebenbild: Erbauung des Kaiserhauses durch Heinrich III. Darüber: Investitur durch den Kaiser, darunter: Erbauung des Domes. Predellen: Heinrich III. setzt auf der Synode zu Sutri die drei gleichzeitigen Päpste ab und Tod Heinrichs III. auf Bodfeld. — Drittes Bild: L. 3. Nebenbild: Huldigung Heinrichs IV. in der Wiege. Darüber: Raub Heinrichs IV., darunter: Rudolf v. Schwaben verliert seine rechte Hand. Predellen: Heinrich IV. in Canossa und Heinrich IV. im Kerker. R. 4. Nebenbild: Heinrich V. vom Blitz getroffen. Darüber: Investitur durch den Papst, darunter: Heinrichs IV. Leiche auf der Maasinsel. — Viertes Bild: L. 5. Nebenbild: Konrad III. spricht Heinrich dem Stolzen Bayern ab. Darüber: Bernhard v. Clairveaux heftet Konrad III. das Kreuz an, darunter: Streit zwischen Welfen und Hohenstaufen. Predellen: Otto v. Wittelsbach verteidigt sich zu Besançon gegen den päpstlichen Gesandten Roland und Heinrich der Löwe kniet in Erfurt vor Barbarossa. — Fünftes Bild: L. 6. Nebenbild: Barbarossa spricht Heinrich dem Löwen Bayern wieder zu. Darüber: Unterwerfung der Mailänder durch Barbarossa, darunter: Heinrich v. Waldecke singt vor Barbarossa. Predellen: Barbarossa begrüßt seinen Sohn nach der Einnahme von Ikonium und Barbarossas Tod im Kalykadnos. — Sechstes Bild: L. 7. Nebenbild: Friedrich II. versöhnt sich mit Heinrich dem Langen. Darüber: Friedrich II. setzt sich in der Grabeskirche zu Jerusalem die

Krone auf, darunter: Mönche bereichern sich auf dem Kreuzzug an den Schätzen der Moscheen. Predellen: Heinrichs VI. Schreckensherrschaft in Sizilien und Konradins Hinrichtung. R. 8. Nebenbild: Ruinen des Kaiserhauses nach dem Brande. Darüber: Raubritter während des Interregnums, darunter: Sänger und Geschichtschreiber am Grab Friedrichs II. in Palermo.

Zu diesem Schmuck der Hauptwand liefert die Südwand durch zwei Bilder mit Predellen einen Prolog. Hier wird Karls d. Gr. Krönung in Rom und sein Sieg über die Sachsen zur Darstellung kommen. Die Predellen werden reden von der Bedeutung des Kaisers gegenüber dem Ausland, für die Kirche und für die Hebung der Kultur. Als Gegenstück an der Nordwand ein Epilog mit Darstellungen aus der Reformation.

Die Zwickel über den Rundbogenfenstern der Ostseite sind dem Märchen gewidmet. Dornröschens Taufe wird über die Thür in der Südwand kommen. Über den Fenster r. sieht man: 1. Dornröschens häusliche Erziehung, 2. seine Schulerziehung, 3. Minnedienst, 4. den verhängnisvollen Spindelstich. L. ist der schlafende Hofstaat: 1. Sänger, 2. Kanzler, 3. Knappen, 4. Ritterfamilie und Hofnarr. Unter diesen Zwickelbildern sind Situationsbilder aus der erwachenden und schlafenden Natur. Dornröschens Erwachen wird mit an die Nordwand kommen. Märchen und Sage (die Sage gegenüber auf dem Mittelbild neben Vater Rhein) bilden nach der Idee des Künstlers die Brücke, durch welche das Mittelalter mit der Neuzeit verbunden wird.

Der **nördliche Verlängerungsbau** dient jetzt unten zur Wohnung des Kastellans, die obern Zimmer bergen hier ausgegrabene Merkwürdigkeiten.

Die südl. vom Saalbau stehende kaiserliche **Hauskapelle**, die ***St. Ulricikapelle**, neuerdings durch einen Gang mit dem Saalbau verbunden, ist merkwürdig, sowohl als eine der seltenen zweigeschossigen Doppelkapellen als wegen ihrer zierlichen romanischen Architektur. Dem ersten Geschoß liegt die Form eines griechischen Kreuzes zu Grunde. Durch Einspannung von äußern Gewölben wurde für das zweite Geschoß ein Achteck erlangt. Die Kapelle ist eine Nachbildung des Aachener Münsters. Seit 1884 ruht hier in einem Kenotaphion wieder das *Herz Kaiser Heinrichs III.*, welches, im Dom beigesetzt, nach dessen Abbruch ins Welfenmuseum nach Hannover kam. Die Steinfigur auf dem Grabmal (Heinrichs III.) ist dieselbe, mit welcher das Grab im Dom geschlossen war.

Zwischen der Kapelle und dem Saalbau sind die Fundamente der **kaiserlichen Wohnräume** wieder bloßgelegt; leider genügen dieselben nicht, um den ganzen Bau danach wiederherstellen zu können.

Vom Kaiserhaus zurück, an der Domkapelle vorüber ostwärts in die *Glockengießergasse;* man beachte die Häuser Nr. 30 u. 31 (S. 133).

Das **Sankt Annenhaus** (Glockengießergasse 65), Frauenstift, 1494 gegründet, hat eine sehenswerte Kapelle mit gemalter Holzdecke. An der Kanzel alter gestickter Teppich mit der Lebensgeschichte der Kindesmörderin und spätern Heiligen Gertrud. (Gabe in den Armenstock.)

Zurück l. durch die *Kötherstraße,* wo bei *Wecken* eine moderne Kunstuhr (50 Pf.) zu sehen ist, auf der beim Stundenschlag bewegliche Figuren die Leidensgeschichte Christi abspielen, hinaus zum ***Zwinger,** einem alten Festungsturm mit 6½ m dicken Mauern, Restaurant und schöner Aussicht.

Von der alten Befestigung Goslars gibt ein **Spaziergang auf der Wallpromenade* ein anschauliches Bild; man umgehe vom Zwinger die Stadt ostwärts, wobei man hinter der Brücke r. an die Stollenmündung aus dem Rammelsberg gelangt, aus welcher das

Ocherwasser herausfließt, das weiter unten in kleinen Teichen die Okerfarbe absetzt. Dann l. zum *Breiten Thor*, wieder ein Stück alter Befestigung, auf der Wallpromenade weiter und r. hinauf zum Georgenberg (unweit des Bahnhofs), wo die jetzt wieder bloßgelegten Ruinen des **Klosters auf dem Georgenberg* und des *St. Petersstifts*, beide 1527 von den Bürgern unter Zustimmung der Insassen niedergerissen, um zu verhindern, daß Herzog Heinrich der jüngere, welcher die Stadt belagerte, sich darin festsetze. Auf dem Georgenberg sieht man deutlich den Grundriß der Kirche (Oktogon und drei Schiffe) und ihrer fünf Türme. – 5 Min. vor dem Breiten Thor, neben dem Petersberg, der *Klusfelsen* mit der von der Kaiserin Agnes gestifteten *Kapelle* (Schlüssel im Restaurant zur Klus).

Im äußersten Westen der Stadt liegt die ***Frankenberger Kirche**, überwölbte Pfeilerbasilika mit Holzschnitzereien am Altar und an der Kanzel, 1108 als Kirche eingeweiht, seit 1880 im romanischen Stil restauriert und stilvoll ausgeschmückt.

Die sehr alten Wandgemälde sind nur in ihren Konturen aufgefrischt. Am Westende über den 3 Arkaden: Christus (Brustbild) segnend, l. Abraham Isaak opfernd, r. Melchisedek; über dieser Darstellung: Christus als Richter, l. Petrus und Maria, r. Paulus und Magdalena. An der südlichen Langseite: Maria gloriosa mit ganz altem Strahlenkranz, David und Goliath, Salbung Sauls; an der nördlichen: Bischof, Salomo als Richter, Der thronende Salomo.

Der im Seitenschiff stehende und später mit Ram und Gosa beschriebene Grabstein gehört nicht dem Entdecker des Rammelsberger Bergwerks.

In der Schilderstraße das *Gymnasium* und *Realgymnasium*, moderne Bauten im romanischen Stil; am Bahnhof das *Kreisständehaus* im frühgotischen Stil.

Umgebung und Ausflüge.

1) (1/2 St.) **Rammelsberger Bergwerk**, vor dem Klausthor. Wer überhaupt ein Bergwerk besuchen will, muß hier einfahren, weil wegen des Haftpflichtgesetzes die Einfahrt bei den Bergwerken des Oberharzes nicht mehr gestattet ist. Bei einiger Vorsicht auch für Damen und Kinder ungefährlich. Erlaubnisschein im Büreau bei der Einfahrt. Eine Person 1,50 M., jede folgende 1 M., wofür Führer, Kleidung und Waschwasser geliefert werden. Die beste Besuchszeit ist von 8–12 und 1–3 Uhr. Die Fremden werden nur in die oberste Grube geführt, da sich in den etagenförmig unter dieser liegenden zehn Gruben die Einrichtung wiederholt. Den Fremden wird die Erzförderung, die Wasserkunst, die Arbeit mit Hammer und Schlägel und die geräuschvolle Arbeit der Bohrmaschinen gezeigt. Auch lasse man sich die schöne Vitriolgrotte zeigen. — Der Rammelsberg (636 m) versorgt die Schmelzhütten in Oker, Juliushütte und Sophienhütte mit Erz. Gewonnen wird hauptsächlich Blei und Kupfer, ferner Silber, Zink, Alaun, Schwefel und etwas Gold.

2) Auf den (1 St.) ***Steinberg** (479 m), sehr lohnender Ausflug. Vom Vitithor l. auf die Wall-Promenade oder vom Felsenkeller beim Klausthor an aufsteigen. Wegweiser. Die *Aussicht wechselt fortwährend und gewährt oben einen schönen Blick auf die Berge und das flache Land. Oben gute *Restauration;* massiver Turm mit umfassender *Rundsicht, eine der schönsten des Harzes.

3) **Vom Steinberg um den Königsberg nach Goslar** (1 St.). Vom Steinbergshotel die Fahrstraße weiter bergab bis vor den ersten (Königs-)

Berg, am rechten Abhang im Wald weiter (r. liegt der *Königsbrunnen*, Wasser in Flaschen zu bekommen) bis zum Blick in das Granethal. Der Weg führt schließlich durch Wiesen, man läßt den kahlen Berg l. liegen, r. sieht man das Gosethal, den Herzberg und Rammelsberg und kommt beim Felsenkeller an die Stadt.

4) **Vom Steinberg nach dem Schafskopf und der Juliushütte oder vom Schafskopf nach Goslar** (2 St., bez. 1 St.). Vom Steinbergshotel auf der Fahrstraße weiter, gleich r. den Fußweg. Bald l. die Königsbergswiese mit dem *Königsbrunnen*; weiter um den *(Verlorenen) Berg* (Blick ins Granethal); später wieder l. in den Wald zum l. *Schafskopf* (Aussicht); wieder herunter und weiter, l. im Walde der *Weberbrunnen* (Waldquelle mit Bänken, nachmittags Bier zu haben von einem originellen Dichter, einem Weber, der die Anlagen eingerichtet hat); den Fußweg gegenüber am linken Abhange des *(Nord-)Berges* (459 m) weiter nach *Roters Ruhe* und der *Köthe* (hinter dieser Aussichtspunkt auf *Juliushütte*); den Weg bergunter nach *Juliushütte*, von hier um den Nordberg nach Goslar (2 St.). — Oder: Vom Weberbrunnen wieder zurück aus dem Walde, l. weiter an den Schiefergruben vorbei (l. liegt die Nervenheilanstalt *Marienbad*) nach Goslar (1 St.).

5) **Nach Rennenbergs Bleiche** (Restauration mit schöner Aussicht) 20 Min., vom Zwinger oder von St. Annenhöhe Allee durchs Feld. — Von Rennenbergs Bleiche erst Fußweg, dann Fahrweg am Abhang des Rammelsbergs mit schönem Blick auf Goslar nach dem *Maltermeisterturm* (einfache Restauration), Luftschächte und Maschinenhaus des Bergwerks. Schöner Blick auf den Herzberger Teich. — Hinunter l. am Teiche weiter liegt etwas versteckt der *Kinderbrunnen*, l. um den Teich zurück nach Goslar. Zusammen $2^1/_2$ St.

6) **Von Rennenbergs Bleiche über den Rammelsberg nach Romkerhalle** ($2^1/_2$ St.). Rennebergs Bleiche gegenüber an der rechten Seite des Rammelsberges den Fußweg hinauf in $^1/_2$ St., nahe am Gipfel, die *Bastei*, großartiger Blick in die Ebene. Der Fußweg (noch im Bau) weiter bietet schöne Thal- u. Bergpartien, führt auf der Höhe durch den Wald und schließlich ins Okerthal nach *Romkerhalle* (S. 123). Sehr lohnende Partie; hervorragende Aussichtspunkte in den Klippen des Rammelsbergs und am Eichenberg.

7) **Nach der Schalke und über den Steinberg zurück** (ca. 7 St.). — Aus dem Klausthor, beim Rammelsberger Bergwerk vorbei, thalaufwärts, bis (1 St.) das Thal sich gabelt, dann r. (Wegweiser am Baum) ansteigend bis auf die Höhe, weiter bis ans Wildgatter (2 St.), am Gatter entlang bis zum Blockhaus auf der ($2^1/_2$ St.) ***Schalke** (S. 150), Aussichtspunkt ersten Ranges; leider jedoch zum Teil verwachsen. — Etwas zurück l. über die Höhe nach dem (3 St.) **Auerhahn** (621 m; *Gastwirtschaft*), 1 St. von Zellerfeld. Vom Auerhahn (Weg zeigen lassen) nach ($3^1/_2$ St.) **Hahnenklee** (*Gasthaus*), schön gelegenes Gebirgsdorf und beliebte Sommerfrische. Von hier Fahrweg r., Richtung nach Goslar, auf die Kreuzung der alten und der neuen Harzchaussee ($4^1/_2$ St.); l. die alte hinunter bis zur Biegung, hier dem Wegweiser »Nach dem Steinberg« folgen. Nach 15 Min. durch Waldung, über die Jägerwiese, Taubenstieg, am Abhang weiter (nicht ins Thal) bis Wegweiser »Steinberg« ($5^1/_2$ St.). Fahrweg l., dann r. um den Königsberg, oder Fahrweg l. weiter um den Königsberg, beim Königsbrunnen vorbei auf den *Steinberg* (6 St.).

8) **Über den Auerhahn nach Klausthal** ($3^1/_2$ St.). Aus dem Klausthor, Chaussee nach Klausthal bis Chausseestein 5,0. Dann r. Fußweg, schneidet nachher die Chaussee und mündet dicht vor (2 St.) *Auerhahn*. — Von hier gehe man die alte Chaussee. Man schneidet nachher die neue wieder, steigt dann zur *Wegsmühle* hinab und kommt zum Weghause (Restauration). Von hier weiter r. Fußweg um den Teich nach Zellerfeld und Klausthal (S. 146).

(Vgl. die Karte S. 114.)

9) **Fußweg ins Okerthal.** Vom Zwinger oder von der St. Annen-

höhe östl. den mit Bäumen bepflanzten Fußweg, nach 15 Min. liegt r. *Rennenbergs Bleiche,* bis auf die Höhe. Dann r. über den Bach im Walde aufsteigen bis zum Fahrweg, an der *Köthe* vorbei. Dann entweder den bequemen Weg l., oder den interessantern r. ins Okerthal zum ($1^1/_4$ St.) *Waldhaus* (S. 123). Von hier in $^3/_4$ St. nach *Romkerhalle* (S. 123).

10) **Von Goslar nach Harzburg durchs Okerthal und über die Klippen** ($5^1/_2$ St.), sehr lohnende Tour. — Touristenweg nach ($1^1/_4$ St.) *Waldhaus* (s. oben), dann im schönen Okerthal aufwärts bis ($2^1/_2$ St.) *Romkerhalle* (S. 123). Von hier nach dem Wasserfall hinauf, dann noch höher bis (nach 30 Min.) nach der (r.) *Grotte,* über derselben die *Feigenbaumklippe;* weiter zur *Mäusefalle, Hexenküche, Kästenklippe* (S. 121), dann den Waldweg weiter (nicht nach Treppenstein) nach (1 St. von hier) *Elfenstein;* hinunter nach *Silberborn* (Gasthof) und nach ($5^1/_2$ St.) *Harzburg* (S. 115).

11) **Von Goslar ins Okerthal und zurück** mit *allen* besteigbaren Klippen (7–8 St.). Nach dem ($1^1/_4$ St.) *Waldhaus* (s. oben), über die Okerbrücke, dann l. den Fahrweg bis an die Biegung der Oker, dann r. bis in die Waldung (Blechschilder mit Bezeichnung »Waldhaus, Ziegenrücken«), den ziemlich unkenntlichen Fußweg aufsteigend bis an die Felsen *»Ziegenrücken«;* Aussicht. Weiter aufsteigend (Schilder mit »Ziegenrücken – Treppenstein«), erreicht man (l. Fahrweg), r. folgend, nach 15 Min. (100 Schritt r. vom Weg) den ***Treppenstein,** Aussicht ins Okerthal; eine Treppe höher erweiterte Aussicht auf die Granitklippen auf der Westseite; noch eine Treppe: Nordseite mit Ziegenrücken (Moses). Wer schwindelfrei ist, steigt noch eine Treppe bis auf die Platte (wo Reste einer Ansiedelung), hier Rundsicht über das untere Okerthal. Einer der schönsten Punkte des Okerthals. — Zurück zum Weg; diesen überschreitend, gelangt man steil ansteigend auf den Weg von Harzburg nach Romkerhalle. Hier r. *Kästenklippe* (S. 121), weiter Hexenküche, Mäusefalle, Feigenbaumklippe, darunter Grotte, abwärts der Wasserfall, *Romkerhalle,* dann im Thal zurück nach Goslar.

Nördlich aus dem Rosenthor (der Bahnhof bleibt l.): Der *Kuttenberg,* $^1/_4$ St., Versteinerungen.

Der Oberharz.

Für längern Aufenthalt ist die vom Oberförster *Reuß* in Goslar herausgegebene »Karte des nordwestl. Harzes«, 1:40,000, Preis 3 M., zu empfehlen.

Mit diesem Namen wird gewöhnlich der ganze Bezirk der frühern Berghauptmannschaft zu Klausthal bezeichnet. Bodenbeschaffenheit und Klima sind dem Ackerbau nicht günstig; es werden eigentlich nur ein wenig Kartoffeln gebaut, Gemüse und Obst gedeihen nur bei besonderer Pflege. Dagegen ist die Viehzucht nicht unerheblich; beträchtliche Wiesenflächen um die bewohnten Ortschaften und die Weide in den ausgedehnten Harzwäldern begünstigen dieselbe. Von größter Wichtigkeit ist die Forstkultur: ca. 88 Proz. des Bodens sind Forstgrund (von 16,241 Hektar nur 2338 Hektar Wiesen und 134 Hektar Ackerland). Gewerbebetrieb (abgesehen von dem allerdings sehr bedeutenden Bergbau) war bis auf die neuere Zeit wenig vorhanden. Da die Benutzung aller fließenden Gewässer ausschließlich der Berg- werks- und Hüttenverwaltung zusteht und früher gewerbliche Anlagen von der Regierung nicht begünstigt wurden, so mußten die Anlagen von Fabriken unterbleiben; doch finden sich Zündwaren-, Bleiweiß-, Ultramarin- und Wollwarenfabriken. Der Handel mit Kanarienvögeln ist eine nicht unerhebliche

Erwerbsquelle; St. Andreasberg ist der Hauptort für Kanarienvögelzucht. Die übrigen Harzstädte, namentlich Klausthal, nehmen aber auch daran teil. Für St. Andreasberg wird, bei günstigen Jahren, der Erwerb für die betreffende Vogelzucht auf 140,000 M. veranschlagt.

Der **Oberharz** im engern Sinn (die sieben Bergstädte St. Andreasberg, Altenau, Klausthal, Zellerfeld, Wildemann, Lautenthal und Grund und das dazwischenliegende Gebiet, das Brockenfeld, Braunlage und Lerbach umfassend) ist preußisch und braunschweigisch; die Touristenwelt rechnet jedoch auch das preußische Brockenrevier dazu. Es ist als das nordwestliche Viertel des ganzen Harzes vorherrschend ernsten Charakters, hochgebirgsartiger, waldesdichter, einsamer. Landschaftlich bietet die Bereisung dieses Harzteils weniger als die nordöstlichen, östlichen und südlichen Partien. Dagegen entschädigen der Bergbau und das Hüttenwesen denjenigen reichlich, der nicht bloß das Land, sondern auch die Leute kennen lernen will. Im übrigen gibt es für den Fußgänger von den Gipfeln der Berge allenthalben herrliche Fernsichten, wer nur nicht immer vollständig gebahnten Weg erwartet und eine kleine Anstrengung nicht scheut.

Bergbau, Gruben- u. Hüttenwesen.

Dem Oberbergamt Klausthal sind auf dem Oberharz vier Berginspektionen: Klausthal, Grund, Lautenthal, St. Andreasberg, und sechs Hüttenämter: Klausthal, Lerbach, Lautenthal, Altenau, St. Andreasberg und Rothehütte, unterstellt; am Kommunion-Unterharz (S. 122) führt es mit der herzogl. braunschweigischen Kammer die Verwaltung der Kommunion. — Für die Ausbildung von Beamten bestehen in Klausthal eine Bergakademie, eine Bergschule und eine Bergvorschule.

Mit dem Bergbau in engem Zusammenhang stehen die alten großartigen Stollenanlagen und ein ausgebildetes System zum Sammeln der für den Bergwerksbetrieb nötigen Aufschlagwasser. Die 70 Sammelteiche bedecken eine Fläche von über 250 Hektar, die Sammelgräben haben eine Gesamtlänge von 125, die Seitenleitungen von 82 km. Stollenlänge s. S. 143.

Im Jahr 1887 wurden an Erzen gefördert:

A. Auf dem **Oberharz**: 3,637,840 Ztr. Roherze; hieraus und aus etwa 78,600 Ztr. ausländischer Erze wurden gewonnen: Gold 55,01 kg, Silber 54,146,78 kg, Blei 180,140 Ztr., Kupfer 2868 Ztr., Kupfervitriol 17,000 Ztr., Schwefelsäure 31,220 Ztr., Farbe (Bleigelb, Zinkweiß) 2590 Ztr.; Sa. 9–10 Mill. M. Wert. Beschäftigt wurden hierbei 4493 Mann, welche etwa 8600 Angehörige ernähren.

B. Auf dem Unterharz: 1,097,330 Ztr. Roherze; hieraus wurden gewonnen: Gold 38,63 kg, Silber 5251,39 kg, Blei 67,778 Ztr., Bleiglätte 3186 Ztr., Kupfer 14,524 Ztr., Kupfervitriol 28,840 Ztr., Zinkvitriol 22,428 Ztr., Schwefelsäure 361,616 Ztr., Glaubersalz 640 Ztr. Beschäftigt wurden hierbei 1236 Mann, die 2442 Angehörige ernähren.

Die Eisenwerke Lerbach und Rothehütte produzierten: Rothehütte 31,200 Ztr. Roheisen und 20,800 Ztr. Gußwaren; Lerbach 21 420 Ztr. Gußwaren.

An dieser Produktion sind die Hütten zu Klausthal, Lautenthal, Altenau und St. Andreasberg beteiligt, von welchen die erstere die eigentliche Rohhütte ist und den bei weitem größten Teil der auf dem Oberharz selbst gewonnenen Erze verschmelzt, während auf der Lautenthaler Hütte das daselbst sowie das auf der Klausthaler Hütte produzierte Werkblei entsilbert wird. Auf der Altenauer Hütte werden außer einem Teil Oberharzer Erze auch überseeische verschmelzt (ebendaselbst wird auch das dort produzierte Werkblei entsilbert); diese Hütte bietet überhaupt viel Sehenswertes. Hier werden auch Kupfer und Kupfervitriol dargestellt.

Infolge des Unfallgesetzes erteilt die Berginspektion an Touristen keine Erlaubnis mehr zur **Grubenbefahrung** (nur ausnahmsweise an Fachleute). Zum Besuch der fiskalischen Werke bedarf man eines »Fahrscheins«, den man in der Berginspektion zu Klausthal (Osteroder Straße) erhält.

Jeder Schacht hat zwei Abteilungen: den *Fahrschacht* und den *Treibschacht.* Ersterer dient für das Ein- und Ausfahren der Mannschaft; in dem letztern werden die gefüllten Fördertonnen zu Tage gewunden. Wo *Fahrkünste,* d. h. Maschinen, welche die Menschen zu Tage heben, im Gang sind, da befinden sich dieselben in den Fahrschächten. Die Fahrten haben in der Regel eine Länge von $2^1/_2$–3 Lachter (1 Lachter = 2,092 m). Da, wo die Fahrten aufstehen, ist der Schacht mit Brettern zugelegt, und nur eine kleine Öffnung, das *Fahrloch,* vermittelt die weitere Verbindung abwärts. Alle diese so gebildeten Absätze heißen *Bühnen.*

Die Schächte sowohl als die von ihnen ablaufenden Strecken und Stollen sind größtenteils verzimmert, d. h. es sind starke runde Hölzer eingebaut, welche das Zusammenbrechen der innern Räume zu verhindern haben. In neuerer Zeit hat man diese Holzverzimmerung durch Eisenausbau zum Teil ersetzt.

Fast alle Arbeiten bei dem oberharzischen Bergbau werden im *Gedinge* verrichtet. Für die hier angeführten Arbeiterklassen dient deshalb der angegebene *Schichtenlohn* nur als Maßstab für den verdingenden Unterbeamten, was der Arbeiter in seiner Klasse bei mittlerer Geschicklichkeit, Kraft und Leistung verdienen kann. Dies wäre: Holzarbeiter 2,60 M., Ausschläger 2,50 M., Ausrichter 3 M., Kunstwärter 2,40 M., Gedinghäuer 2,40 M., Bohrhäuer 2,20 M., Schützer 2,20 M., Förderleute 2 M. Schichtenlohn. Daneben erhält jeder Bergmann pro Schicht 10 Pf. Geleuchtentschädigung.

Die *Holzarbeiter* verrichten das Verzimmern, wogegen die *Ausschläger* und *Schießer* Gehilfen für die Untersteiger sind. Den *Ausrichtern* liegt die Überwachung der Treibschächte ob; ihre Beschäftigung ist teilweise eine sehr gefährliche. *Kunstwärter* sind Arbeiter bei den Wasserhebungsmaschinen.

Gedinghäuer, Lehrhäuer und *Bohrhäuer* sind die eigentlichen Gesteinsarbeiter; die ersten zwei Klassen werden vorzugsweise bei dem Abteufen der Schächte und bei dem Betrieb der Strecken und Stollen, die letztere Klasse in den Abbauen verwandt. Der *Schützer* hat die Treibmaschine zu lenken, während die *Förderleute* den Transport des gewonnenen Gesteins sowie das Füllen und Entleeren der Fördertonnen zu verrichten haben.

Jeder *verheiratete* Arbeiter erhält allmonatlich 50 kg Magazinkorn zu dem festen Preis von 5,20 M.; der unverheiratete die Hälfte zu der Hälfte des Preises. Die Knappschaftskasse, an welche alle Angehörige derselben Beiträge zu leisten haben, hat eine Verwaltung für sich. Das Oberbergamt führt die Oberaufsicht. Es gewährt die Knappschaftskasse, neben billigem Magazinkorn, ihren Mitgliedern freien Arzt und freie Apotheke, Krankengelder in Krankheitsfällen, Pensionen an Invaliden sowie an die Witwen und Waisen verstorbener Knappschaftsangehörigen.

Die oberharzischen Bergleute sind elastisch, zäh und haben viel Humor. Sie waren früher militärfrei, und noch in der *westfälischen* Zeit genügte ein Attest, daß der betreffende Arbeiter bei dem Bergwerkshaushalt »unentbehrlich« sei, um ihn vom Militärdienst zu befreien.

Das Grubenaufsichtspersonal besteht aus dem *Obersteiger,* dem *Grubensteiger* und dem *Grubenuntersteiger.* Der erstere hat einen Grubenkomplex zu verwalten, und ihm liegt vorzugsweise die Stellung der Gesteingedinge ob. Der Grubensteiger hat nur eine einzelne Grube unter sich, führt daselbst die Aufsicht und verschreibt die Löhne der Arbeiter. Der Grubenuntersteiger ist Spezialaufseher und hat den ganzen Tag in der Grube zu verweilen.

Was dem Grubenpersonal durch den Tod oder durch Invalidwerden abgeht, das wächst ihm alljährlich im Aufbereitungspersonal wieder zu. Aus dem letztern wird die Grubenmannschaft regelmäßig ergänzt. In den Aufbereitungswerkstätten oder *Pochwerken* werden die Erze von den Gruben »zu gute« gemacht, d. h. es wird das unhaltige Gestein von dem reinen Erz getrennt, so daß das Produkt als völlig vorbereitet dem Hüttenprozeß überwiesen werden kann.

Hauptsächlich sind es Bergmannskinder, welche im frühen Lebensalter bei den Aufbereitungswerken als ständige Arbeiter angenommen werden. Sie durchlaufen verschiedene Lohnklassen von 40 Pf.–2,80M. Schichtenlohn. Daneben haben die Pocharbeiter dieselben Vergünstigungen an Magazinkorn und freiem Arzt sowie freier Medizin wie die Grubenarbeiter. Pochknaben werden jetzt erst nach vollendetem 14. Lebensjahr angenommen.

Wir können dies Kapitel nicht schließen, ohne anzuführen, daß seit dem 1. Jan. 1751 bis Ende 1868 nach genau geführten Verzeichnissen bei dem oberharzischen Grubenpochwerks- und Hüttenhaushalt 1223 Personen zu Tode gekommen sind, fast alles junge, kräftige Männer. Wenn aber der Bergmann bei normalem Körper doch nur ein durchschnittliches Lebensalter von 50 Jahren erreicht, so ist dieser Umstand lediglich auf die außerordentlich ungesunde Arbeit zurückzuführen. Die Leute sind knochig, muskulös, doch nie fett und haben meist fahle, eingefallene Wangen. Die Arbeit in feuchter, dunkler Erde, besonders aber die Bleidämpfe in den Hütten, verursachen die eigentümliche »Harzkrankheit«; die Bergleute bekommen die Bergsucht, hochgradiges Asthma, die Hüttenleute die Hüttenkatze (Bleikolik), welche an Händen und Füßen lähmt. Gleichwohl wird der Sohn des Bergmanns in der Regel wieder Bergmann; man kann dies nur daraus erklären, daß die Macht der Gewohnheit stärker ist als das Mühsal und die Gefahr des Berufs.

Ganz getrennt vom eigentlichen Bergbau ist der **Hüttenbetrieb**, d. h. alle jene Arbeit, welche die Aufgabe hat, Metalle und sonstige Präparate aus den rohen Erzen durch Schmelzprozeß oder chemisches Verfahren zu gewinnen. Wer eine Silberhütte besuchen will, erkundige sich, um welche Stunde ungefähr *»geblickt«* wird, d. h. wann beim Abtreiben des *Werkbleies*, nachdem das Blei in *Glätte* (Bleioxyd) verwandelt ist, das reine, ausgeschiedene Silber die letzte Bleioxydhaut zerreißt und mit bläulichem Glanz leuchtet; diese wenigen Augenblicke werden der *Silberblick* genannt; derselbe ist am häufigsten in Lautenthal (S. 144), seltener in Andreasberg, Altenau und Klausthal zu sehen.

Wasserwerke. Unter den Wasserleitungen des Oberharzes, die zur Abführung des Grubenwassers erforderlich waren, war früher der **Georgsstollen** der bedeutendste. 1771 wurde der Betrieb desselben von dem damaligen Berghauptmann *v. Reden* beantragt, und die Ausführung des Stollens rettete damals die Existenz des oberharzischen Bergbaues. Hatte man auch anfänglich nur die Klausthaler Gruben damit lösen wollen, so wurden später doch auch die Zellerfelder Gruben damit in Verbindung gebracht. Der Stollen ist ca. 15 km lang, beginnt in der Bergstadt Grund (S. 153), 284 m ü. M., und bringt bei den östlichen Gruben von Klausthal über 300 m Tiefe ein. Gegenwärtig genügte der Georgsstollen nicht mehr. Man setzte deshalb im Jahr 1851 neben dem braunschweigischen Flecken Gittelde einen um 110 m tiefern Stollen an, nannte ihn **Ernst-Auguststollen** und verband mit demselben die sämtlichen bei Grund, Klausthal und Zellerfeld liegenden Gruben. Dieser Stollen wurde 22. Juni 1864 nach 13jähriger Arbeit vollendet; er beginnt bei der Grube Karolina in einer Tiefe von 392 m und mündet bei Gittelde, 210 m ü. M. In bergmännischen Kreisen wird derselbe als ein Meisterstück angesehen. Später ist derselbe nach den Bockswieser und Lautenthaler Gruben fortgesetzt. Die sogen. tiefe Wasserstrecke dient auf eine halbe Stunde Weglänge zum unterirdischen Transport von Erzen zwischen den verschiedenen Gruben auf großen, flachen Kähnen. Dieser Stollen ist der zweitlängste Tunnel der Erde, seine Länge beträgt 25,915 km, fast 3½ Meilen. (Der Schlüssel-Stollen im Mansfelder Revier, 1809 begonnen, 1880 vollendet, der die Wasser in die Saale abführt, ist 31,060 km lang, der St. Gotthard-Tunnel 14,920 km.)

16. Route: Klausthal und Zellerfeld. Eisenbahn von Goslar nach Klausthal-Zellerfeld.

32 km **Eisenbahn** von Goslar bis *Klausthal-Zellerfeld*, tägl. 4 Züge in 1½–2¼ St. Bis *Lautenthal* II. 1,10, III. 0,80 M.; — *Wildemann* II. 1,50, III. 1,00 M.; — *Silberhütte* II. 1,80, III. 1,15 M. — *Klausthal* II. 2,00, III. 1,30 M. — Von Lautenthal an nur Sekundärbetrieb; hier schiebt die Lokomotive den Zug.

Von *Goslar* (R. 15) über Stat. *Juliushütte* nach (7 km) *Langelsheim;* Wagenwechsel! Hier geht r. die Bahn nach Seesen (E.-R. 2) ab. Dann mündet die Bahn von *Grauhof* (S. 49), lenkt die technisch und landschaftlich interessante Bahn in das sich schroff aufbauende Gebirge ein und folgt allen Windungen der Innerste oft in starken Kurven (bis 190 m Radius).

(17 km) Stat. **Lautenthal** (296 m), preußische Bergstadt mit 2759 Einw., zum Teil obersächsischer Abkunft, im schönsten Teil des Innerstethals gelegen, umgeben von bewaldeten, hohen, steilen Bergen, zwischen denen sich waldige Seitenthäler öffnen. Neuerdings als billige Sommerstation und klimatischer Kurort (mit Fichtennadel-, Seesalz-, Schwefel- und Stahlbädern) von Fremden besucht. Meist ansteigende Spaziergänge. Oberförsterei, Berg- und Hütteninspektion.

Gasthäuser: *Rathaus;* T. d'h. 1,50 M. — *Schützenhaus;* ähnliche Preise. — *Prinzeß Karoline.* — *Busch.*

Bäder in der **Apotheke.** — **Arzt.**

Wohnungen für Sommerfremde, durch das Badekomitee; sehr billig.

Harzklub, Zweigverein Lautenthal; Auskunft bei Hrn. Apotheker *L. Nolte.*

Sehenswert ist die *Silberhütte,* welche die Silbererze der Harzer Gruben zum Feinbrennen bekommt; man besucht (Erlaubnis wird erteilt) zunächst die Schmelzhütte, dann die Kesselhütte und zuletzt die Treibhütte. Auf keiner Hütte ist so häufig der Silberblick (S. 143) zu sehen. Die *Aufbereitungswerke* sind kleiner als bei Klausthal.

Spaziergänge: 1) Von der *Karolinenhalde* (Restauration) über den Pulvergraben nach der romantisch gelegenen (30 Min.) *Sägemühle* an der Chaussee nach Wildemann. Ebener Weg mit wechselnden herrlichen Waldbildern. Zurück auf der Chaussee oder über die *Kuhnase,* bez. *Kuhbrücke.* — 2) (½ St.) *Maaßner Gaipel* (Bier), am Abhang des Kranichsbergs, ins Lautenthal. Herrlicher Blick über Lautenthal in das Innerstethal abwärts. — 3) *Wasserfall am Kranichsberg,* fällt meist nur Sonnabends. — 4) (½ St.) *Bielsteinslaube.* Bequemer Weg vom Bischofsthal aus.

Ausflüge. a) Östlich, am rechten Ufer der Innerste:

1) Vom *Bischofsthal* über die Wiesen des Schulbergs allmählich aufsteigend, entweder: l. nach den *Altarklippen,* schöner Blick über die Berge nach Goslar, oder r. über den *Rinderstall* durch jungen Fichtenbestand nach (1½ St.) **Hahnenklee** (S. 139). Zurück nach Lautenthal entweder Chaussee durchs Thal der Laute, oder, die Chaussee überschreitend, den bequemen Waldweg nach dem Maaßner Gaipel.

2) Am Fuß des *Bielsteins* entlang über den *Sparenberg,* zwischen Eckberg und Riesberg durch nach dem braunschweigischen Dorf (1½ St.) **Wolfshagen,** im weiten Thalkessel malerisch gelegen.

b) Westlich, l. der Innerste:

3) Über den *Steilenberg* (Buchen-

waldung) nach *Spielmannshöhe* (607 m), auf dem Fußweg nach dem *Schwarzenberg* (Jagdhäuschen ohne Wirtschaft). Hinab ins Innerstethal oder weiter über die *Kalte Birke* (früheres Forsthaus) nach den *Lindthals-Köpfen* und hinab nach dem ($1^1/_4$ St.) **Lindthal,** Forsthaus an der Chaussee nach Langelsheim. Gute Wirtschaft, schöne Aussicht.

4) Über den *Steilenberg* nach dem *Necklenberg;* hübsche Seitenbilder und Aussicht über Seesen und ins Leinethal. Zurück entweder über den Großen Bromberg, oder hinab zur (2 St.) *Schildau* (hier eine Köte mit Bier), nebenan die *Hausschildburg* (früher Burg), und auf der Chaussee von Seesen (10 km) nach Lautenthal zurück.

Die Bahn geht von Lautenthal im Innerstethal aufwärts, bald auf hohen Dämmen, bald durch Felseinschnitte, oft in scharfen Kurven, durch einen 316 m langen Tunnel (den einzigen der Bahn) nach

(24 km) Stat. **Wildemann** (422 m), preußisches Städtchen, die kleinste, aber wahrscheinlich die älteste der sieben Bergstädte (1529 von obersächsischen Bergleuten gegründet), von freundlichem Aussehen. Wildemann liegt wie in einem Alpenthal eingeengt zwischen den steilen fichtenbewaldeten und mattenreichen Höhen des Innerstethals und wird wohl als bescheidene Sommerfrische benutzt. Seine 1381 Einw., die sich zumeist von Bergbau und Viehzucht nähren, gehen, da hier nur noch die Grube Ernst-August besteht, größtenteils nach Bergwerks-Wohlfahrt, Bockswiese und Lautenthal auf Arbeit. Vor dem Rathaus sehr alte Linde. Große fiskalische Grauwacke-Pflastersteinbrüche, welche an Private verpachtet sind, und in denen neben Einheimischen ziemlich viel Bayern und namentlich Italiener beschäftigt werden; stattliche Villa unterhalb Wildemann.

Gasthöfe: *Rathaus;* Pens. 3–4,50 M. — *Wilder Mann;* Pens. 3,75–4,50 M. — *Bahnrestaurant,* gut.

Badeanstalt. Dampf- und Wasserbäder aller Art. — **Arzt.**

Sommerwohnungen sehr billig.

Wildemann verdankt seinen Namen wohl der ersten gleichnamigen Grube, womit Heinrich der jüngere 1524 den oberharzischen Bergbau wieder aufnahm; sie ist 1712 mit der Grube »Alter Deutscher« unter dem Namen »Alter deutscher wilder Mann« vereinigt. Der Wilde Mann, der seit 1539 auf *Harzer* Münzen (anderswo schon früher) erscheint, nimmt auch mit dem St. Andreas (S. 166) Abschied; er ist das eigentliche Symbol des Harzes und stellt, mit der Tanne in der Hand, die wilde Urkraft des bewaldeten Gebirges vor; daß er auch Schildhalter des preußischen Wappens ist, ist bekannt. Bei Volksfesten erschien hier am Ort früher stets der »Wilde Mann«, der sich in Moos kleidete und eine Tanne in der Hand hielt, zur Belustigung von jung und alt.

Umgebung: 1) Die *Harzer Pflastersteinbrüche* oberhalb und unterhalb der Stadt, $^1/_4$ St. — 2) Der *Hüttenberg,* mit Aussichten auf Stadt und Umgebung und westl. weiter nach dem *Kohlhai.* — 3) Die *Georgenhöhe,* am Fuß des Adlerbergs, dicht vor der Stadt, Turnplatz; früher Siebengestirn genannt, verdankt sie ihren jetzigen Namen dem Besuch des Königs Georg V. im Jahr 1863; Denkmal. — 4) *Ernst-Augusthöhe,* nach dem ersten König von Hannover benannt; Aussicht verwachsen. — 5) Prächtige Waldpartie nach dem ($1^1/_4$ St.) *Hasenberg;* vom Schützenhaus westl. $^1/_4$ St. langer, schattenloser Weg Hinab in den sogen. *Keller* (ab Weg nach Münchehof und Seesen) oder durch Hochwald zur »Stundenbuche« auf dem *Flößhei* oder *Deckenberg* (620 m), herrlicher Gebirgsblick; umfassende Fernsicht nach S., SW. und NO. (Brocken). Wegweiser. —

1/2 St. südwestlich gelangt man zum Winterberg bei Grund (S. 151). — 6) *Grumbacher Teich*, auf einem Grabenweg in 1 St. zu erreichen; tiefe Waldeinsamkeit. Weiterhin *Bockswiese*, in idyllischer Waldeinsamkeit. — 7) *Spiegelthaler Zechenhaus* (Bier, Kaffee und Milch), 3/4 St. Weg durch prächtiges Waldthal mit rauschenden Wassern; tiefe Waldeinsamkeit. — 8) Neuer Weg durch das *Stufenthal* zum *Jochener* (guter Kaffee) und *Johanneser Zechenhaus* (angenehme Sommerfrische, gute Unterkunft und Verpflegung), 1/2 St.; von hier nach Klausthal in 1/2 St. (s. S. 149, Nr. 8). — 9) *Silbernaal*, *Silberhütte*, s. unten. — 10) *Grund*, auf der Chaussee, s. unten; über den *Schweinsbraten* (eigentlich *Schweinehagen*) dahin, s. S. 156. — *Iberger Kaffeehaus*, s. auch S. 155. — 11) *Lautenthal* in 1 3/4 St. auf der Chaussee oder durch den Wald. — 12) Das *Innerstethal* auf- und abwärts. — 13) (1 1/2 St.) *Hohebergs-Aussicht*.

Von Wildemann nach Grund entweder die Chaussee (8 km), oder besser den S. 153 beschriebenen Fußweg.

Die Bahn zieht sich im nun öder werdenden Innerstethal hinauf (3 km von Wildemann r. Straße nach Grund), passiert die silberreiche Grube *Bergwerks-Wohlfahrt* und erreicht

(29 km) Stat. **Klausthaler Silberhütte.** Alle Züge halten hier oberhalb derselben; Wald und Wiese rund umher sind durch Schwefeldämpfe und andre Niederschläge aus den vielen Schlöten der Öfen verwüstet, Pflanzenwuchs existiert nicht mehr. — Hier kann der Schmelzungsprozeß der aufbereiteten Erze in Augenschein genommen werden; man legt in der Hüttenschenke die Reisetasche ab und geht in die nahe Hütte, wo der Aufseher gegen ein kleines Trinkgeld die nötige Erläuterung gibt. — Die schmalspurigen, kurzen Eisenbahnen, auf denen man mittels kleiner Eisenwagen, sogen. Hunde, die heißen Schlacken abfährt, sind zuerst auf der Grube Dorothea (S. 148) angelegt; der Oberharzer darf diese Erfindung, die Vorläufer der Eisenbahnen, mit Recht für sich in Anspruch nehmen.

Ausflüge: Nach dem *Neubau* (S. 148), ganz nahe; *Bremer Höhe* und *Klausthal*. — Nach *Zellerfeld* durchs Zellerfelder Thal. — Nach *Grund* s. R. 17.

Die Bahn wendet sich mit einer Steigung von 1:40 nördlich ins Zellerfelder Thal und endet zwischen den Schwesterstädten

(32 km) Stat. **Klausthal-Zellerfeld** (Bahnhof 534 m).

Klausthal und **Zellerfeld,** preußische Bergstädte, liegen auf einem Plateau, ringsum 1/4 St. vom Wald entfernt, und werden nur durch den kleinen *Zellbach* geschieden. Klausthal hat 8871, Zellerfeld 4407 Einw. obersächsischer Abkunft, lutherischer Konfession, von denen die Männer fast sämtlich Berg- und Hüttenleute sind. Große Zahl von Bergbeamten. — Landschaftlich bieten diese saubern Städtchen für den flüchtigen Beschauer wenig Interessantes, doch hat man (wenn auch nicht in der allernächsten Umgebung) Gelegenheit zu Spaziergängen in die nahen ausgedehnten Wälder und zu zahlreichen Ausflügen nach schönen Aussichtspunkten. Dank der hohen Lage ist die Luft vortrefflich, das Volksleben frisch und gesund.

Geschichtliches. Der Name *Klausthal* soll der Sage nach von einer im 10. Jahrh. angelegten Einsiedlerklause am Eingang des Puchthals herrühren; 1240 werden schon Wald- und Bergleute hier erwähnt, indes der Bergbau erst 1554 in Aufnahme kam und Bergleute den Grund zur Stadt legten. Bald nachher scheint denn auch eine Münze hier angelegt zu sein. Das erste Gotteshaus baute man 1573; 1610 wurde eine neue Kirche gebaut, die jedoch nebst der Münze 1634 wieder abbrannte. *Zellerfeld* mag der ältere Ort sein; es lag hier das Benediktinerkloster Cella St. Matthiae, dessen Äbte vom kaiserlichen Stift »Simonis et Judae« in Goslar gewählt wurden, während ihre Bestätigung durch den Erzbischof von Mainz erfolgte; der erste bekannte Abt war 1205 Alexander zu Cella. Durch Pest und Straßenräuber in Verfall gekommen, wurde es von Papst Eugen 1431 für aufgehoben erklärt, und die Güter wurden dem Stift zu Goslar einverleibt. 1532 zog Herzog Heinrich der jüngere Bergleute hierher und erbaute auf der Klosterruine 1538 ein Holzkirchlein; schon 1563 wurde eine neue gebaut (auf dem Fundus des alten Klosters steht jetzt das neue Stadt-Brauhaus). Im Dreißigjährigen Krieg plünderten Tillys Scharen Kirche und Bürgerhäuser. — Episoden aus Kriegs- und Pestjahren, Beginn, Blüte und Verfall des Bergbaues bilden die Geschichte der Schwesterstädte.

Klima von Klausthal-Zellerfeld.

Der *jährliche Niederschlag* beträgt hier 1540 mm (Osterode 620, Wernigerode 567, Ballenstedt 918, Brocken 1240 mm).

Regentage (132 Regen- u. 56 Schneetage) 188. (England 152, Frankreich 147, Niederdeutschland 141, Ofen 112, Kasan 90, Sibirien 60.)

Die mittlere Temperatur beträgt:

im	Wernigerode	Brocken	Klausthal
Frühling	+ 6,96	+ 1,67	+ 4,92
Sommer	+16,76	+ 9,90	+14,45
Herbst	+ 8,57	+ 3,42	+ 7,21
Winter	+ 0,39	— 4,46	+ 1,89
Jahr:	+ 8,15	+ 2,64	+ 6,25

»Nirgends tritt die klimatische Bedeutung des Oberharzes schärfer hervor wie auf dieser Hochebene. Schon die spärliche Vegetation bekundet die beträchtliche und exponierte Hochlage dieser Ortschaften. Hier trifft man keine wogenden Kornfelder, keine von Früchten strotzenden Obstbäume wie im Flachlande, selbst die Linde, der Ahorn, die Roßkastanie gedeihen hier nur unter besonderm Schutz und vorzüglicher Pflege in vereinzelten Exemplaren. Mächtige Tannenwaldungen umschließen das Wiesenland. Die mittlere Temperatur ist hier $2^1/_2$° C. niedriger als am Fuß des Gebirges«.

»Das Klima ist im allgemeinen rauh und die Witterung unbeständig; nur im Herbst ist gutes Wetter vorherrschend. Die Eigenschaften des Waldgebirges treten deutlich zurück hinter dem alpinen Charakter der Landschaft. Zu Erkältungen neigende, wenig abgehärtete Personen passen nur mit Vorsicht in diese Gegend. Die Appetit, Verdauung und Blutbewegung anregende Wirkung kann aber im geeigneten Fall sehr wohl benutzt werden.« (*Reimer.*)

Klausthal (534—605 m) ist Sitz eines *Oberbergamts*, einer technichen Oberbehörde, welche die sämtlichen *neuen* preußischen Provinzen umfaßt. An Stelle der frühern Bergmeisterbezirke sind vier *Berginspektionen* getreten; ebenso ist das gesamte Silberhüttenwesen in vier *Hüttenämter* zerlegt, denen je ein Direktor (Bergrat) vorsteht. Damit ist die frühere Bezeichnung, welche die hiesigen Beamten in die Herren *von der Feder* und *vom Leder* trennte, vollständig gefallen. Hier sind ferner eine *Bergakademie* (am Markt), eine *Berg-* und eine *Markscheiderschule* (60—80 Studierende) mit meteorologischer Station (562 m), ein reichhaltiges *Mineralienkabinett* und eine *Modellsammlung* (Eintritt 1 Person 1 M., 2—3 Personen je 75 Pf., 4—8 Pers. je 50 Pf., über 8 Pers. je 40 Pf.). Auch die königliche

Zentralschmiede, das *Chemische Laboratorium* und das *Magnetische Observatorium* sind sehenswert. Königl. preuß. meteorologische Station (592 m), Gymnasium, Vorschule für die Bergschule, höhere Töchterschule. Die Kirche ist äußerlich ein unschöner Holzbau; das Innere wurde 1888 renoviert (neue Orgel) und elektrisch beleuchtet. Die Hauptsehenswürdigkeit ist das hier im größten Maßstab betriebene *Gruben-* und *Hüttenwesen* (die Bergwerke um Klausthal gehören zu den wichtigsten des Harzes), wobei die *Aufbereitung der Erze* besondere Beachtung verdient. Die Erlaubnis, den *Neubau*, das größte dieser Aufbereitungswerke (Dampfbetrieb), zu besichtigen, wird indes nur Fachleuten erteilt.

Gasthöfe in Klausthal: *Krone*, gegenüber der Post und dem Kriegerdenkmal; Restaurant; T. d'h. 1 Uhr 1,50 M. — *Deutscher Kaiser*, T. d'h. 1 Uhr. — *Rathaus*, gerühmt; — *Glückauf*. — *Stadt London*. — *Jürgens*; — *Schützenhaus*; letztere zwei mehr bescheidenere *Bierrestaurants*. — *Fischers Konditorei*. — *Bösehof*, westl. von der Stadt, Vergnügungsort (S. 149).

Eisenbahn Bahnhof bei Zellerfeld).

Post: nach (15 km) *Osterode* in 2 St., 2mal; — nach (23 km) *St. Andreasberg* in 3 St. — Omnibus nach (11 km) *Altenau*. — **Telegraph.**

Bäder. Das der Knappschaft gehörende Badehaus (ein Vorzug vor andern Harzorten) ist trefflich eingerichtet und auch Fremden zugänglich; kalte und warme, Fichtennadel- und alle medizinischen Bäder, Inhalationsapparate.

Entfernungen: Von Klausthal nach Goslar 19 km, — Romkerhalle 12 km, — Altenau 11 km, — Dammhaus 9 km, — Stieglitzenecke 12 km, — Sonnenberger Weghaus 16 km (S. 164), — St Andreasberg 22 km, — Osterode 14 km, — Silberhütte $1^1/_2$ km, — Grund 9 km, — Fußweg nach Wildemann 1 St.

Harzklub, Zweigverein Klausthal; Auskunft bei Herrn Kaufmann *R. Mehnert* (Zellbach), Herrn Kaufmann *O. Schümann* (Kronenplatz) u. Herrn Kaufmann *A. Lindner* (Rollplatz).

Ausflüge von Klausthal.

(Vgl. auch Zellerfeld S. 152.)

1) **Bei eintägigem Aufenthalt.** Vormittag: Für Interessenten Besichtigung der **Mineraliensammlung* und *Modellkammer* der *Akademie*. Durch die Schulstraße über den Rollplatz, durch einen Teil der Buntenbocker Straße (bei der Teilung derselben l.) an der *Zündholzfabrik* vorbei, in der auch sogen. schwedische Zündhölzer angefertigt werden. L. schöne, alleeartige St. Andreasberger Chaussee mit prächtiger Aussicht. Wo l. Wald an die Chaussee herantritt (20 Min. von der Stadt), schöner Blick; in der Ferne die Weser- und Hessischen Berge. Nun l. die im rechten Winkel anschließende Chaussee in 5 Min. zum *Zechenhaus* der ehemal. Grube **Dorothea** (einfache Restauration). 5 Min. davon im Walde der malerisch gelegene *Hirschlerteich*, im Hintergrund der Brocken. Oberflächliche Besichtigung dieser oder der Grube **Herzog Georg Wilhelm**, 730 m tief, nächst dem »Samson« bei Andreasberg der tiefste Schacht des Harzes. In der Dorothea ist der Königsfirst, ein in Erz gehauener Saal. In der Nähe alte Halden, durch Anpflanzungen zu Anlagen umgewandelt. — Von der Dorothea nach dem *Königin Marien-Schacht*, kenntlich am hohen Schornstein, Besichtigung der mit Dampf getriebenen Fahrkunst neuer Konstruktion. — *Ludwiger Zechenhaus* mit Anlagen; gute Restauration. Zurück zur Stadt. event. über die Grube *Herzog Georg Wilhelm*. (Falls man ein Bad nehmen will, Chaussee r. zum Badehaus.) — Nachmittag: Zur Windmühle auf der (10 Min.) ***Bremer Höhe** dicht hinter dem Garten des Gasthofs zur Krone. Orientierender Blick auf das nahe Zellerfeld, auf ausgedehnte Wiesen und Wälder, aus denen 10 Teichspiegel schimmern. Im N. der bewaldete Bocks- und Kahleberg (Schalke) im O. der Brocken mit der langen Bruch-

bergkette; davor der Burgstätter Zug mit den Grubenwerken. — Hier Fußweg l. von Tillys Schanzen zum **Neubau*, der größten Erzaufbereitungs-Anstalt. — Hinunter Chaussee am Bach zur *Klausthaler (Frankenscharner) Silberhütte*. Meldung im Dienstgebäude. Rückweg zur Stadt durch einen Teil des Innerstethals. Über die Brücke neben der Hüttenschenke (gute, einfache Restauration), dann Chaussee l., bald Fußweg, l. Zechenhaus »Untere Innerste« mit schönen Lauben, Milch, Kaffee und Bier. Von hier den betretenen ansteigenden Fußweg (beim Austritt aus dem Wald schöner Blick auf das Klausthal-Zellerfelder Hochplateau), oder eine kurze Strecke am Graben abwärts, dann r. Fußweg durch das »kleine Klausthal« mit seinem sagenreichen, hübsch gelegenen Teich. — Nachmittagstour: 2 St.

2) Spaziergang nach **Bösehof**, 10 Min. Von der Bremer Höhe schlägt man von den r. führenden Fußwegen den ein, welcher der Windmühle am nächsten bleibt. Bösehof ist ein schattiger, kühler Vergnügungsort mit Restaurant und Kegelbahn. Konzerte. Zurück durch Zellerfeld.

3) Nach **Voigtslust**, 15 Min. Vom Kronenplatz Erzstraße, Fußweg l. über die Wiese und Chaussee. Voigtslust liegt anmutig im Wald; Wirtschaft mäßig. — Zurück über Zellerfeld.

Bei längerm Aufenthalt.

4) Nach der **Untern Innerste**, 40 Min. Vom Schützenhaus oben vor der Osteroder Straße r., so daß die Baumpflanzung und der Steinbruch »Maria Hedwig« r. bleiben. Oder in der Mitte der Osteroder Straße r. Seitenstraße, dann l. Wiesenweg ¼ St in den Wald. An der Waldecke nicht l. ab. — Zurück durchs kleine Klausthal oder über die Silberhütte (s. oben).

5) Spaziergang durchs **Hutthal**, ¾ St. Über die Dorothea oder St. Andreasberger Chaussee. Nach 10 Min. im Wald r. Fußweg. Im Hutthal, von welchem Aussicht in einen Teil des Sösethals, auf den Acker, am Graben hinauf bis zu den Ruhebänken. Dann immer geradeaus bis zur Chaussee, diese l. hinunter, nach etwa 5 Min. r. breiter Waldweg über die verlassene Eisensteingrube »Georg Andreas« in 2 Min. nach dem *Polsterberg* (s. Nr. 6).

6) Nach dem **Polsterberg** (621 m), 1½ St. Von der Dorothea breiter Waldweg, über den Damm des Hirschler Teichs (15,7 Hektar groß), schöner Anfahrweg nach r. durch den Wald. Unmittelbar hinter dem folgenden, r. liegenden Jägerblecker Teich Fußweg r. nach dem Polsterberger Hubhaus (Restauration). Hier werden die Wasser des »Dammgrabens« in die Teiche gehoben. Hübscher Blick auf Ahrendsberg, Brocken, Wolfswarte. — Denselben Weg zurück. Oder (½ St. weiter) an der Hubkunst hinunter, über die Polsterthaler Kunstwohnung (Polsterloch) an dem Polsterteich vorüber zum Zechenhaus Polsterthal (Restauration). Anfahrweg zurück.

7) Nach dem **Morgenbrotsthalergraben**, 1½ St. Weg nach dem Dammhaus, s. R. 21. Von da (5 Min.) St. Andreasberger Chaussee, dann Fußweg r. am Graben hinauf bis zur Ruhebank. Prächtiger Blick das Sösethal hinunter, mit den Weser- und Werragebirgen im Hintergrund (frühmorgens am schönsten). Denselben Weg zurück oder am Graben aufwärts über die Söseklippen zur Chaussee.

8) Nach dem **Johanneser Zechenhaus**, ¾ St. nordwestl. Von Bösehof (s. Nr. 2) am Graben bis zur gegenüberliegenden Halde hinauf, Wiesenweg oder der Chaussee l. an den Gruben Ring und Schreibfeder vorbei, l. Anlage *Bergmannsruhe*, mit hübschem Blick. Fußweg l. durch Wiese, dann schöner Waldweg. Das Zechenhaus ist jetzt eine angenehme Sommerfrische mit guter Unterkunft und Verpflegung. Viele Ruheplätze ringsum im Wald. — ½ St. entfernt die *Hoheberg-Aussicht* (580 m), ein angenehmer Waldweg dahin, hübscher Blick. Denselben Weg zurück.

9) Durchs **Obere Innerstethal**, 1½ St. Zunächst nach der Untern Innerste (s. Nr. 4). Von da l. Chaussee und gute Fußwege im Thal hinauf, an der Neuen Mühle, der Bleiweißfabrik vorüber, nach der Obern

Innerste (Restauration). Weiter Chaussee, bis l. der Prinzenteich sichtbar wird. Hier über den Damm desselben, dann Waldweg zur Ziegelhütte (gute Wirtschaft) und von hier auf der Osteroder Chaussee zurück.

10) **Oberes Innerstethal — Heiligenstock — Kukholzklippe,** im ganzen 3 St. Weg wie Nr. 9. Beim Teich wird die Chaussee nicht verlassen. Bei der Teilung derselben r. Weghaus zum *Heiligenstock* (Restauration). (Man kann von hier auch eine kurze Strecke die neue Chaussee verfolgen bis zu einem Pavillon, von wo Blick auf Lerbach und Osterode. Zurück.) Die alte Chaussee neben dem Garten hinauf, bald r. zur nahen **Kukholzklippe* (S. 159). Hier lenkt man in die eben verlassene Richtung wieder ein, trifft die alte und bald die neue Chaussee. Ziegelhütte (gute Wirtschaft).

11) **Ziegelhütte und Buntenbock,** $1^1/_4$ St. Osteroder Chaussee bis Ziegelhütte. (Von hier auch, wenn man Nr. 10 nicht vorzieht, nach der Kukholzklippe und zurück.) Fußweg dem Gasthaus gegenüber nach **Buntenbock** (535 m; *Kaffeehaus; Schützenhaus*), Dorf mit 606 Einw. niederdeutscher Abkunft. — Von hier zurück Fußweg durch den Wald, so daß die Pixhaier Mühle r. bleibt.

12) Nach der **Festenburg** (550 m), über Zellerfeld hin und her $2^1/_2$ St. Über Voigtslust (s. Nr. 3), etwas weiter Waldfahrweg l., Fußweg über die Wiese; wo er die Chaussee schneidet, und vorher, prächtiger Blick auf den Brocken. (Von hier als kleiner Spaziergang Chaussee nach Zellerfeld.) Im Wald folgt man dem alten Fahrweg l., geht durchs Gatter, trifft den *Kiffhölzer Teich*, bald einen Graben, r. hinunter. *Forsthaus Festenburg* (gute Restauration und beliebte Sommerfrische). Hübsch liegt der 10 Min. entfernte **Schalker Teich*, ein tiefgrünes Wasser, von steilen Waldbergen eingerahmt. 10 Min. weiter zum Forstort *Ober-Schulenberg* (S. 124). — Auf dem Weg zur Festenburg, vom »Fußweg über die Wiese« Abstecher zur *Hasenteichsklippe* (590 m), mit schöner Brockensicht. — Mit dem Ausflug nach Festenburg verbindet man leicht den nicht zu unterlassenden Besuch der Schalke (s. unten).

13) Nach der ****Schalke** (763 m), einem Aussichtspunkt des Kahlenbergs, einem der schönsten Punkte des ganzen Harzes, dessen Besuch niemand unterlassen sollte, hin und her 3 St. Bald hinter dem Kiffhölzer Teich (s. Nr. 12) folgt man dem alten Fahrweg l. Wegweiser. Oben Ruhebänke und ein hölzerner Turm. Aussicht: Unten im tiefen Waldgrund Teiche; gegen O. der Brocken, der sich hier ganz prächtig aufbaut, ebenso der Bruchberg im SO.; unten der schöne Schalker Teich, r. davon Festenburg. Südl. Hanskühnenburg, r. davon im Vordergrund Klausthal-Zellerfeld. Im SW. und W. der hohe Meißner, Eichsfelder, Hessische und Göttinger Berge. — Zurück denselben Weg, oder nach 5 Min. l. Waldweg (Wegweiser); beim Austritt aus dem Wald prächtiger Blick; in 10 Min. ist Festenburg erreicht (Nr. 12). — Man kann auch in $^1/_2$ St. hinab zum *Auerhahn* (S. 139) steigen, oder in 2 St. auf schönem Gebirgsweg nach Goslar (S. 140) hinausgelangen; sehr lohnend.

14) Nach **Kamschlacken,** *durchs obere Sösethal zurück;* zusammen $3^1/_2$ bis 4 St. Der nicht ganz leicht zu findende Fußweg beginnt l. neben der Zündholzfabrik vor der Buntenböcker Straße (s. Nr. 1) und führt bald in den Wald. Hinter dem Teich nicht l., auch nicht r. am Graben. Jenseit der Hauung nicht Fahrweg l., sondern den weniger betretenen Weg, der die Mitte hält, dann eine Strecke Fußweg neben einem Bach, dann l. über eine kleine Höhe nach (2 St.) **Kamschlacken** (gute *Gastwirtschaft* des Försters), Dörfchen mit 94 niederdeutschen Bewohnern. Zurück Chaussee das Thal hinauf. Wenn es nicht zu viel wird, gehe man erst 20 Min. im Sösethal hinunter bis **Riefensbeek** (*Restauration;* S. 159) und zurück. Bei der Gabelung alte Chaussee l. Oben auf dem Tränkeberg l. St. Andreasberger Chaussee (s. Nr. 7). — Man kann auch von Riefensbeek direkt nach Klausthal zurückgehen; 2 St.

15) Nach der ***Hanskühnenburg** (S. 162) und den *Seilerklippen* auf dem

»Acker«. Nach (2 St.) Kamschlacken, s. oben. Von da in $1^1/_2$–2 St. nach der Hanskühnenburg. (Weg in der Försterei erfragen.) Wer die etwa $^1/_2$ St. entfernten Seilerklippen mit besuchen will, kehre von da nach der Hanskühnenburg zurück und schlage auch von dort, um sich nicht zu verirren, keinen neuen Weg ein. Rückweg von Kamschlacken s. Nr. 14. — Dieselbe Partie als Wagentour: Morgens mit Speisen und Getränken auf den ganzen Tag aus Klausthal. St. Andreasberger Chaussee. *Dammhaus* (einfache Gastwirtschaft). $^1/_2$ St. später zu Fuß r. ab nach der *Hammersteinsklippe* (10 Min.); Frühstück. Auf der Höhe des Bruchbergs Chaussee r. bis zum unbewohnten und verschlossenen Jagdhaus auf dem *Georgsplatz* (s. Nr. 17). Neben dem Haus Fußweg am Bächlein in 25 Min. nach den Seilerklippen. Von da nach Hanskühnenburg und zurück, vgl. S. 162.

16) Nach dem **Iberg und Winterberg**, zurück über Grund, zusammen 5 St. Entweder: a) über das Johanneser Zechenhaus und Wildemann (S. 145); — oder b) zur Klausthaler Silberhütte, r. Chaussee bis hinter Silbernaal, l. über die Innerstebrücke, Fußweg den Bauersberg hinauf. Einige Schritte auf der Chaussee, darauf Waldweg r. Bei der ersten Teilung r. Höher scharfe Biegung nach l., breiter Waldweg. Biegung nach r., gleich darauf Fußweg l. hinab, der unten den Weg von Wildemann schneidet. Fahrweg, später Fußweg. Auf dem **Winterberg** (521 m) Aussichtsgerüst. Durch eine »Schneise« nach der Höhe des **Ibergs** (562 m), Fußweg hinab zum Kaffeehaus (s. S. 155). — Wer den Winterberg nicht mit besuchen will, geht gleich, nachdem der beschriebene den Wildemanner Weg durchschnitten hat, einen anfangs schwach ausgeprägten Fußweg l. ab zur Ibergshöhe.

17) Nach **Grund**; Eisenbahn bis *Wildemann*, dann Fußweg. Näheres s. R. 17, S. 153.

18) Nach dem **Kaltenborn** (598 m), hin und her $2^1/_2$ St. Klausthaler Silberhütte. Bei dem Wegweiser hinter der Brücke hinauf zwischen Nebengebäuden, l. Wiese; einem zur Linken bleibenden Seitenthal parallel, durch den Wald. Oder beim Handweiser dem Untern Innerste-Zechenhause gegenüber von der Chaussee ab bequemer schattiger Waldweg. Auf der Höhe l. sehr hübscher Blick in die göttingenschen und hessischen Berglandschaften (vormittags!).

19) Ins **Okerthal**: Fahrweg über *Altenau* s. R. 19; zu Fuß von Klausthal über *Voigtslust* durchs Langethal über *Mittel-* und *Unter-Schulenberg* in $3^1/_2$ St., — oder über *Festenburg* und *Ober-Schulenberg* (schattige Waldwege) nach *Romkerhalle* (S. 123).

20) In das romantische *Mönchs-* und *Langethal*, zwei schöne tiefgelegene Waldthäler. Weg nach Voigtslust (Nr. 3), den ersten Teich vor dem Wald l. lassend, r. über Wiese in den Wald (Wegweiser); dem Wasser folgend nach Mittel-Schulenberg (1 St.) über Voigtslust oder über Oberschulenberg, Festenburg, Zellerfeld zurück.

Zellerfeld (534—600 m) ist ein nach dem Brand von 1672 neuerbautes, freundliches, sauberes Städtchen mit regelmäßigen, breiten alleeartig bepflanzten Straßen und baumumschlossenem Marktplatz, den ein Springbrunnen ziert. Gegenüber das *Rathaus* mit der Post. An der Ostseite die große, massive Kirche (nach 1683 erbaut), mit Kupfer gedeckt, aber ohne Turm, in einem Hain alter Linden und Buchen; Bibliothek mit der Handschrift der ursprünglichen Tischreden Luthers von Cordatus. — Gegenüber die 1670 in Fachwerk erbaute *Apotheke* mit gut ausgeführten, für Liebhaber sehenswerten Stuckarbeiten an den Zimmerdecken (Leidensgeschichte Christi, Jagdgespann, Allegorien etc.); an der mit drei Reihen buntbemalter origineller Menschenköpfe verzierten Außenseite des Hauses wurden ähnliche Darstellungen in Holzschnitt unter der Bretterverkleidung aufgefunden. — Amtsgericht, Landratsamt, Oberförsterei, Bergfaktorei. — Zellerfeld wird auch als Sommerfrische besucht (S. 147).

Gasthöfe: *Deutsches Haus*, 2–3 Min. vom Bahnhof, neu und gut eingerichtet, schöne Lage. Mittag 1,25 M., Pens. 4 M.; Fuhrwerk. — *Rathaus*, Marktplatz. — *Kronprinz*, bescheidener. — *Villa*, Gartenrestauration.

Privatwohnungen (billig) durch das Kurkomitee; ärztliche Auskunft durch Dr. med. *Plümecke*.

Bäder in der Knappschaftsbadeanstalt (S. 148).

Post über *Klausthal* nach (16 km) *Osterode*; — (24 km) *St. Andreasberg*.

Ausflüge (vgl. auch Klausthal S. 148): 1) **Bockswieser Höhe** (610 m), 10 Min. nördl. hinter Zellerfeld, nächster und schönster Rundblick über das ganze Plateau und die Gebirgsumrahmung. — Auf der Höhe hin, dann durch Wald hinab ins romantische *Spiegelthal*, einsames, tiefes Waldthal mit Teichen und Wasserfällen. Nach 1 St. im Thalkessel *Zechenhaus* (Erfrischung), prächtiger abwechselnder Weg (3/4 St.) im Thalgrund nach *Wildemann* (S. 145). Von hier oder bereits vom Zechenhaus ab über das Johanneser Zechenhaus nach Zellerfeld zurück.

2) Nach (5 Min.) **Bösehof** (S. 149) südwestl. von Zellerfeld am Teich und der Mühle vorbei. Von hier in gleicher Richtung auf Wiesen- und Waldweg an den drei malerisch im Wald gelegenen Teichen vorbei durch den Einersberger Wald zur *Hammersteinsquelle* (1/2 St.), idyllischer Platz mit Anlagen. R. auf breitem Waldweg in 1/4 St. nach dem *Johanneser Zechenhaus* (S. 149); lohnender Spaziergang.

3) **Bergmannsruhe**, 12 Min. westl. von Zellerfeld. Schöner Blick auf die nahen Gruben Ring und Schreibfeder, Zellerfeld und Klausthal; in 1/4 St. durch Wiese und Fichtenwald zum *Johanneser Zechenhaus* (S. 149). — Weiterer Ausflug nach *Hoheberg-Aussicht* (607 m), 1/2 St. stets im Wald; Blick ins Innerstethal auf Wildemann. — Daranschließender Spaziergang am Joachimer Zechenhaus (Erfrischungen) vorbei nach der **Ernst-August Höhe**, Aussicht verwachsen; einsamer Waldplatz. Am Fuß r. nach (20 Min.) *Wildemann*. — Vom Johanneser Zechenhaus auch direkt durch den Wald hinab ins *Spiegelthal* (Zechenhaus) und nach *Zellerfeld* zurück.

4) **Villa**, 5 Min. nördl. von Zellerfeld, Restauration mit schattigem Garten. Gegenüber l. Wiesenweg oder immer Chaussee in 10 Min. nach dem *Zellerfelder Forsthaus* (Kaffee, Milch, u. Bier); östl. durch den Wald auf der Okerchaussee (Aussicht) zurück nach Zellerfeld.

5) Nach dem (1 St.) **Auerhahn** (624 m), Forst- und Gasthaus (Sommerfrische), einsam zwischen Bocks- und Kahleberg belegen. Von hier beliebter Aufstieg (3/4 St.) auf den Kahleberg und die ***Schalke** (S. 150). — Vom Auerhahn auf schattigem, gutem Waldweg am südlichen Abhang des Bocksbergs in 3/4 St. nach dem Bergdorf **Hahnenklee** (S. 159), wohin auch ein an herrlichen Aussichten reicher Weg gleich l. am Gasthaus führt: zuerst alter Fahrweg (1/4 St.) bis auf die Höhe, Blicke ins tiefe Gosethal; l. durch Hochwald, auf freier Stelle (670 m) köstlicher, großartiger Blick ins Granethal, auf die massige Bergeswelt, auf Goslar und in das ferne Land. Wenig bekannt. Weiter am nördlichen Abhang des Bocksbergs führt ein guter Weg schließlich nach Hahnenklee, das plötzlich in freundlicher, waldumschlossener Lage erscheint. Über Grube Bockswiese, Spiegelthal und Bockswieser Höhe zurück nach Zellerfeld. Sehr lohnende halbe Tagespartie.

6) Nordöstl. zur **Schulenberger Höhe und Hasenteichsklippe** (3/4 St.). An der Villa vorbei Chaussee nach Oker, r. Fahrweg, dann l. über Wiese ins Fichtengehölz. Daselbst Quelle mit Anlagen. Idyllischer, waldeinsamer Punkt mit dem großartigen Hintergrund der Okerberge und des Brockens.

7) Nach der **Festenburg** (1 St.), **Schalke** (1 3/4 St.) und **Schalkerteich** (1 1/4 St.; vgl. S. 150); auf der Chaussee nach Schulenberg und Oker, auf

halber Höhe l. Wiesenweg oder hinter der Schulenberger Höhe l. Waldweg verfolgen (Wegweiser).

8) Östlich das **Lange- und Mönchsthal** (3/4 St.). Entweder über *Voigtslust* an den Langenteichen vorbei stets durch Wald hinab in die beiden tiefgelegenen, schönen, zusammenhängenden Waldthäler; oder die Chaussee nach Oker hinauf über die Hasenteichsklippe durch das *Hasenthal*, zurück über Voigtslust; zwei lohnende, wenig bekannte Waldpartien. Im Langethal dem Wasser und dem bequemen Grabenweg folgend nach der Grube *Juliane* bei *Mittelschulenberg*, über *Oberschulenberg* und *Festenburg* zurück eine halbe Tagespartie. — Von Mittel- und Unterschulenberg nach Romkerhalle (1 3/4 St.), Oker (1 St.).

9) Südöstl. *Burgstätter Grubenzug* bis Dorotheer Zechenhaus (3/4 St.). Über das Zellbadewasser, l. Chaussee an der Badeanstalt vorbei, zunächst Grube Wilhelm, Ludwiger und Dorotheer Zechenhaus (Hirschlerteich) S. 148.

10) Zu Fuß nach *Iberg, Grund, Winterberg* mit Bahn bis *Wildemann* oder über das *Johanneser Zechenhaus* und Wildemann (1 3/4 – 2 St.).

17. Route: Grund.

1) **Haupteintrittspunkt** für Reisende mit Gepäck nach Grund ist die Station **Gittelde-Grund** an der Eisenbahn Seesen–Herzberg (S. 47), von wo tägl. 6mal **Postomnibus** in 1 St. (75 Pf.) nach (5 km) Grund fahren. Auch **Privatwagen** am Bahnhof.

2) **Fußweg von Stat. Gittelde nach Grund** (1 St.): Vom Bahnhof durchs Feld l. am Dorf *Windhausen* vorbei, beim letzten Haus r. über das Wasser, dann l. breiter Feldweg bergan bis auf die Höhe des Fichtenwaldes, dann den Wegweisern nach: entweder l. am Waldsaum entlang, bis r. ein Fußweg (Wegweiser) schräg den Berg hinabführt durch hohen Fichtenbestand nach dem Pochwerk von *Grund*; — oder weiter bis zum nächsten Weg r. an der Villa Knollen, Grüne Tanne vorbei nach *Grund*.

3) **Fußweg von Wildemann nach Grund** (1 St.). Schöner Waldweg, Fußgängern empfohlen, Gepäckträger am Bahnhof Wildemann, Stat. der Bahn Goslar-Klausthal (S. 145). Vom Bahnhof (Wegweiser) Fußweg an der Eisenbahn zurück, diese auf einer Treppe und die danebenlaufende Chaussee überschreiten, hier r. 100 Schritt geradeaus über eine Brücke, nach einigen Minuten l. über den Bach, später scharf l. und noch einmal über eine Brücke. Bei der Bank auf der Höhe (dem »Schweinsbraten«) nicht l. hinab, sondern den betretenen Promenadenweg (Wegweiser) an der *Iberger Tropfsteinhöhle* (Sonnabds. und Mittw. 4–7 Uhr geöffnet, S. 156) vorüber zum *Iberger Kaffeehaus* (S. 155). Später l. direkt oder r. über den *Hübichenstein* nach (1 St.) **Grund**.

4) **Fußweg von Klausthal nach Grund** (2 St.). Touristen verbinden hiermit den Besuch des *Neubaues* und der *Silberhütte* (S. 146) und gehen von hier auf der Chaussee (S. 151) 20 Min. weiter an einer Grube vorbei, bis die Innerste neben der Chaussee fließt. L. auf hölzerner Brücke über den Fluß unter der Bahn durch, dann sofort scharf bis vor den Wald, wo geradeaus steiler kurzer Weg, oder l. im Bogen am stillen See vorbei ein bequemer Fußweg auf den *Bauersberg* führen. Oberhalb einer Wiese treffen beide wieder zusammen auf einer Forstchaussee, auf dieser ungefähr 300 Schritt geradeaus und r. Fußweg zur andern Chaussee, hier 150 Schritt geradeaus, dann l. Fußweg hinab über Wiemannsbucht nach (2 St.) Grund.

Grund (303–330 m), mit 2000 Einw., eine der ältesten der sieben Bergstädte, ist in neuerer Zeit zu einem von mehr als 2500 Sommergästen (besonders Familien mit Kindern) jährlich besuchten klimatischen Kurort geworden. Es verdankt seine Beliebtheit seiner Lage, da es zum Teil von grünen Wiesen freundlich umgeben, gegen O., N. und W. von hohen, mit dem herrlichsten Fichten- und Laubholz bewaldeten Bergen eingeschlossen und dadurch vor rauhen Winden geschützt ist. In dem nur nach S. offenen Thal herrscht fortwährend eine angenehme milde Luftströmung, welche in Verbindung mit einem nicht unbedeutenden Feuchtigkeitsgehalt der würzigen Atmosphäre, und dem geringen Luftdruck bei einer mittlern Jahrestemperatur von etwa 9° C. außerordentlich wohlthuend wirkt. Der Wald zieht sich in großer Nähe, oft unmittelbar hinter den Häusern, rings um die Stadt; angenehme, schattige, mit Ruheplätzen versehene Promenaden mit mäßiger Steigung befinden sich in nächster Nähe und ermöglichen Örtelsche Terrainkuren. Das Klima von Grund ist Klausthal gegenüber mild, im Verhältnis zur Ebene frisch und eignet sich trefflich für Erholungsbedürftige, Rekonvaleszenten und als Nachkur nach angreifenden Brunnenkuren.

Gasthöfe: *Römers Hotel Rathaus*, mit 2 Villen. Mitt. (1 Uhr) 1,75 M. (Kinder 1 M.); Pens. $4^1/_2$–6 M. einschl. Zimmer (100 Sommerwohnungen); Lohnfuhrwerk; Omnibus am Bahnhof. — *Schützenhaus*. — *Minna Tönnies*, Garten, Pension. — *Zur Erholung* (in Laubhütte), Pens. $3^1/_2$–$4^1/_2$ M. — *Grüne Tanne*, Pens. 3–4 M. — **Privatpension** bei Dr. med. *Freymuth* (dem Arzte des Orts), Kaufmann *Giesecke* u. a.

Restaurationen: In den obengenannten Gasthöfen. — Außerhalb: *Iberger Kaffeehaus* (S.155).— *Wiemanns bucht*. — *Zur Mühle*, in Laubhütte. — **Sommerwohnungen** werden nachgewiesen durch die Kurkommission (Vorstand der Bürgermeister) und den Harzklub.

Harzklub, Zweigverein Grund; Auskunft erteilt der jeweilige Vorstand.

Bäder: Wasserbad 60 Pf., Fichtennadelbad 1–1,25 M., Dampfdouche 1,20 M. — Alle andern Bäder werden ebenfalls bereitet. — **Arzt:** Dr. med. *Freymuth*. — **Apotheke.** — **Kurtaxe:** 1 Pers. 6 M., 2 Pers. 9 M., 3 und mehr Pers. 12 M. — **Post und Tel.**

Das 1855 gegründete Fichtennadelbad erfreut sich eines kräftigen Aufschwungs. Die Kur wird sowohl mittels Fichtennadelbäder äußerlich als auch mittels Inhalation und Trinkens des kohlensauren Fichtenwassers angewendet. Außerdem ist Heilgymnastik, Molken- und Kräutersäftekur damit verbunden. Ein pneumatischer Apparat befindet sich bei Dr. med. *Freymuth*.

Geschichtliches. Grund, zuerst 1405 als Forstort »Im Grunde«, bis zur Mitte des 16. Jahrh. auch einfach »Gittelde im Grunde« genannt, verdankt seine Entstehung dem Bergbau. Die Anfänge reichen bis in die Zeit Heinrichs des Löwen (1129–95) zurück. 1456 waren eine Reihe Gruben mit zehn Eisenhütten aller Art und einem Hochofen bei der Teichhütte im Betrieb. 1532 erhielt Grund Markt-, Brau- und Stadtrechte. Diesem Aufblühen des Städtchens machten die Greuel des Dreißigjährigen Kriegs ein Ende; am 10. Febr. 1626 kamen Tillysche Truppen, und nach drei Tagen war der Ort dem Erdboden gleich gemacht. Nach 14 Jahren erst erhoben sich die ersten Häuser der jetzigen Stadt wieder. Die Ausbeutung der Blei- und Silbergruben wurde später wieder in Angriff genommen, mußte aber schließlich wegen Mangels an Wasser gänzlich eingestellt werden. Um 1831 wurde der Bergbau am Todtenmannsberg auf fiskalische Kosten wieder in Angriff genommen. Die Versuche gelangen, und seit dieser Zeit wird der Bergbau hier wieder schwunghaft betrieben. — Grund war auch schon im 16. Jahrh. ein von der Herzogin Elisabeth von Braunschweig besuchtes Bad, da in Grund zu jener Zeit eine warme Quelle zu Tage trat. Leider ist dieselbe später abgehauen und sehr schwer nur wieder zu fassen.

Die **Umgebung** Grunds gehört zu den anmutigsten des ganzen Harzgebirges und sollte von keinem Touristen unbeachtet bleiben.

Spaziergänge: 1) Zum ***Knollen,** 1/4 St. südl., mit prächtigen Spazierwegen und Aussichtspunkten; von der »Villa« Blick auf Grund; *Helmkampfs Höhe*, ziemlich verwachsene Aussicht nach den Osteroder Kalkbergen, dem Bahnhof Gittelde und ins Sösethal. — Am nordwestlichen Fuß unter Helmkampfs Höhe die Silbergrube **Hilfe Gottes**, die reichhaltigste des ganzen Harzes. — Am nördlichen Fuß, hart an der Chaussee, *Mundloch* des tiefen *Georgsstollens* (S. 143), der die Grundwasser der Klausthaler und Zellerfelder Gruben hier zu Tage führt. — 140 m unter demselben liegt der neue *Ernst-Auguststollen* (S. 143), der bei Gittelde mündet.

2) Fußweg am *Todtenmannsberg* (Klingenbergs Erholung), Blick auf Grund, entlang durch die Eichen im Kelsthal nach dem *Königsberg*, dem *Hübichenstein* und dem *Iberger Kaffeehaus*. Dieser etwa 1½ St. lange prächtige Promenadenweg erstreckt sich fast in horizontaler Richtung um die Gehänge der betreffenden Berge und ist außerordentlich besucht.

Der ***Hübichenstein** (430 m), 20 Min. nördl. von Grund, ist ein 40 m hoher, grotesker Doppelfelsen; davon folgende

Volkssage. Unter dem Hübichenstein hauste der Zwergenkönig *Gübich*. Er bestrafte früher jeden mit dem Tode, der sich erfrechte, den Felsen zu erklimmen. Ein Förstersohn aus Grund wagte es doch und konnte nicht mehr herab; da bat er seinen Vater, er möge ihn herunterschießen, damit er nicht verhungern müsse. Als dieser endlich nach hartem Kampf anlegte, kamen tausend und aber tausend Zwerge und trieben ihn in die Flucht. Dem Sohn aber erschien König Gübich und sagte, er wolle ihm diesmal seine Unvorsichtigkeit um seines alten Vaters willen verzeihen, aber eins müsse er ihm versprechen: er müsse es bewirken, daß niemand aus Grund mehr nach den Krimmern und Habichten schieße, die oben auf dem Stein säßen; denn solange der große Hübichenstein der große sei und bleibe, habe er, König Gübich, Macht auf der Erde und könne den Leuten, welche ihn in Ruhe ließen, Gutes thun; werde aber der große Hübichenstein zur kleinen Zacke, dann sei und bleibe er ins Innere desselben gebannt. Das zu thun, versprach der Förstersohn, und Gübich entließ ihn, nachdem er seine Taschen voll goldener Wildemannsthaler gefüllt. Als nun der Sohn heimkam, war große Freude, und alle Nachbarn versprachen es ihm, daß sie nicht mehr da hinaufschießen wollten. Im Dreißigjährigen Krieg aber fuhren betrunkene Krieger ein Feldstück hinauf und schossen so lange, bis der große zum jetzigen kleinen Hübichenstein geworden war; aber beim letzten Schuß platzte die Feldschlange und tötete die Kriegsknechte. Seitdem kann jedermann ungehindert hinaufgehen.

Unter dem Felsen eine Ruhebank, *Zur Hübichsgrotte;* da soll der Eingang in das Zauberschloß des Gnomenkönigs gewesen sein.

Der 2 km nordöstl. von Grund gelegene ***Iberg** (562 m), bekannt durch vorzüglichen Eisenstein, Versteinerungen und Höhlen, ist ein schöner Aussichtspunkt. An seinem Fuß das **Iberger Kaffeehaus,** eine gute Restauration. In mittlerer Berghöhe die *Maibomshöhe*, Blick auf den Hübichenstein und schon ziemlich weite Aussicht. — Von Maibomshöhe Fußweg in Windungen auf das Plateau des Ibergs. Der hier neben der alten hochragenden Buche errichtete, 25 m hohe hölzerne

***Aussichtsturm auf dem Iberg** mit *Restauration* gewährt eine prachtvolle Rundschau von Nordhausen bis Gandersheim.

Im S. die Berge des Thüringer Waldes, davor die des Obereichsfeldes, weiter südl. die Gleichen vor Göttingen, südl. davon die Porta hercynia mit dem dahinter hervorragenden massigen Meißner, daneben der Nörtener Wald mit den alten Türmen der Plesse. Tief im SW. der hessische Reinhardswald und die Wilhelmshöhe bei Kassel mit dem Herkules, der Solling, nordwestl. der Osterwall, dahinter einige Kuppen des Süntel, daneben der Deister. Heinberg mit dem Wohldenberg bei Bockenem, Kahlenberg bei Echte, Rotenberg bei Lindau, Gipszug von Herzberg, Osterode bis Badenhausen.

3) Nach dem *Schurfberg* (nordöstl.) auf dem Philosophenweg oder Weg am Mühlenteich im Teufelsthal vorbei zum (1/4 St.) Iberger Kaffeehaus, entweder nach dem (20 Min.) Hübichenstein und zur (1/2 St.) *Dopmeierei*, einem Birkenhäuschen an prächtiger Waldwiese, zum Rabenthaler Berg und zurück über den Heuweg (einzeln stehende Buche mit Fernsicht). — Oder nach der Höhle und weiter erster Weg l. zum *Hasenberg (Moltkes Warte)* schönste Aussicht ins Innerstethal, Brocken etc. Dann zurück nach dem *Iberger Aussichtsturm* (s. oben). Von hier weiter zur *Maibohms-*, *Rinkbrauns-* und *Bismarcksklippe* mit wundervollen Fernsichten; zurück nach Grund oder vom Aussichtsturm nach dem *Winterberger Pavillon* (Fernsicht), dem Sitgrammsbrunnen und über den Hübichenstein zurück.

4) Etwa 200 Schritt unterhalb der Iberger Restauration, r. von dem Fußweg von Grund her, in geringer Steigung ein Weg nach der 1875 wieder aufgefundenen **Tropfsteinhöhle**, von welcher in den Honemannschen »Altertümern des Harzes« die Rede ist. Die Höhle hat prächtige Bildungen von Stalaktiten und Stalagmiten (gleich vorn der »Wasserfall«) und wird durch 25 Spiegellampen erleuchtet (Mittw. u. Sonnabds 4–7 Uhr geöffnet; Eintritt 25 Pf.). — Von der Höhle Weg nach dem *Schweinehagen* und von hier in 20 Min. nach Wildemann (S. 145).

5) Nach dem *Schweinehagen*, *Voshoier Pavillon* (die lieblichste Fernsicht bei Grund), *Tuternplatz* und über *Wiemannsbucht* (gute Restauration), *Schönhofsblicke*, Knesebecksschacht oder *Eichelberger Pavillon* (schöne Aussichtspunkte) nach Grund; — oder über **Laubhütte** (*Gasthof zur Erholung*) nach Grund zurück.

6) Über den Eichelberger Pavillon nach den *Düstern Tannen* (Name ist nicht mehr zutreffend), *Kaysers-Eiche*, *Hahnebalzer Teiche*, *Kalteborn* und zurück über *Laubhütte*, die lohnendste Partie mit großartigen Fernsichten, besonders vormittags, etc.

Weitere Ausflüge: 7) Über die Hahnebalzer Teiche nach *Lerbach*, *Osterode* (S. 157); mit der Bahn zurück. — 8) Stiller See, Silberhütte, Neubau nach *Klausthal - Zellerfeld* (S. 146); zurück Johanneser Zechenhaus, Wildemann oder mit der Bahn nach *Wildemann*, von da über den *Schweinebraten* (S. 153) nach Grund.

9) **Staufenburg**, 1 1/4 St. westl., vom Grafen von Katlenburg erbaut, gehörte 1130 dem Kaiser Lothar und kam dann an die Welfen. Hier wohnte im Anfang des 16. Jahrh. Eva v. Trott, Geliebte Herzog Heinrichs d. j. von Braunschweig, nebst ihren Kindern; sie wandert nach der Sage noch als »Jungfer« dort umher; Margarete v. Warberg, Äbtissin von Gandersheim, soll hier (1588) wegen Bruches des Klostergelübdes lebendig eingemauert worden sein. Herrliche Aussicht von der Ruine.

Wagenpartien: 10) Von Grund durchs Innerstethal über die Grube Bergmanns-Wohlfahrt, Silberhütte, Heiligenstock, Lerbach nach Osterode. — 11) Über Zellerfeld, Schulenberg durch Okerthal, Romkerhall (Wasserfall) nach Oker, Goslar oder Harzburg u. zurück durchs Innerstethal über Lautenthal und Wildemann. — 12) Über Osterode, Harzburg ins Silberthal, über Klausthal nach Altenau, Andreasberg etc.

Ausflüge auf der Eisenbahn. 13) Tagestour: nach Lauterberg oder Andreasberg, Sachsa, Walkenried, Goslar etc. — 14) 2tägige Tour: Harzburg, Wernigerode, Blankenburg, Thale, ins Bodethal nach dem Brocken.

18. Route: Von Osterode nach Klausthal.

Post von Stat. *Osterode* auf der neuen Straße über *Lerbach* nach (15 km) *Klausthal* (in $2^1/_2$ St.) und (16 km) *Zellerfeld* in $2^3/_4$ St. — Die alte Straße ($2^1/_4$ St.) ist Fußgängern mehr zu empfehlen

Osterode (230 m), preußische Kreisstadt, Station der Eisenbahn Seesen-Herzberg (S. 47; Bahnhof 10 Min. von der Stadt), an der *Söse* und am westlichen Abhang des Harzes, mit 6435 Einw. Die Stadt hat Landratsamt, Amtsgericht, Oberförsterei, Realgymnasium, Gewerbeschule, Gasanstalt und Wasserleitung; sie ist Geburtsort des Bildhauers Tillmann Riemenschneider. Neuerdings wird Osterode, das sich eines sehr gesunden Klimas erfreut, auch als Sommerfrische besucht; Pension in den Gasthöfen 4 M. täglich. In der *Kuranstalt auf dem Lindenberg* findet man Bäder aller Art, auch Inhalationsräume. Auskunft gibt die »Badedirektion«.

Gasthöfe: *Deutscher Hof;* — *Englischer Hof* (▭); — *Preußischer Hof;* all · drei Wagen am Bahnhof; T. d'h. 1,50 M. — *Zum Kronprinz*, am Markt; — *Stockhaus*, in der »Schweiz«; beide billig und gut.

Restaurationen: Der *Ratskeller.* — Außerhalb der Stadt: *Kurpark-Restaurant.* — *Erholung.* — *Petershütte.* — *Villa Claudius.*

Harzklub: Auskunft bei Herrn Oberlehrer *Dr. Ahrens*, Kaiserplatz; Herrn Kaufmann *Fr. Beck*, Königsplatz; Herrn Kaufmann *Aug. Rimello*, Kornmarkt.

Osterode hat bedeutenden Ackerbau und ist eine wichtige Fabrikstadt für die Provinz Hannover. Besonders entwickelt ist die Wollwarenindustrie. 10 große Fabriken mit ca. 15,000 Spindeln, 350 mechanischen und 200 Handwebstühlen fabrizieren für $2^1/_2$—3 Mill. M. Buckskins, Tuche, Flanelle, wollene Decken, Watten, halbwollene und baumwollene Waren etc., dagegen hat die früher bedeutende Leinenindustrie abgenommen. Die Metallindustrie ist durch ein Kupferwalzwerk und Maschinenfabriken vertreten. Es werden ferner produziert: für ca. 300,000 M. Likör, 40,000 hl Bier, Leder, Holzwaren (300,000 Eimer, Wert 180,000 M.), aus den nahen Gipsbrüchen ca. 4 Mill. kg Gips, 150,000 kg Annaline etc.

1887 wurde in diesen Gipsbrüchen eine besondere kristallinische Modifikation des schwefelsauren Kalkes aufgefunden, welche sich als Gießmasse (vom Erfinder »Marmalith« genannt) zur Reproduktion plastischer Bildwerke vortrefflich eignet. Die Erzeugnisse, welche in ihrem Aussehen den Bildwerken aus karrarischem Marmor täuschend ähneln, haben sich schnell in der ganzen Welt Absatz verschafft. Touristen ist der Besuch dieser Kunstanstalt (Sonntags ausgenommen) gern gestattet.

1887 wurde in Osterode auch eine Fruchtwein-Kelterei und Saftfabrik gegründet, die aus den aromatischen und besonders gehaltreichen Waldfrüchten des Harzgebirges 1888 bereits 110,000 Liter Fruchtweine und 30,000 kg Säfte produzierte.

Sehenswert: Das *Rathaus* mit der an Ketten hängenden »Hünenrippe«, wahrscheinlich der Rippe eines Walfisches (zufällig hierher gelangt). — In der *Marktkirche* wurden 1880 sieben gut erhaltene Grabsteine welfisch-grubenhagener Herzöge aus dem 16. Jahrh. frei gelegt, von denen zwei aus Schiefer kunstvoll gearbeitet sind. Dem letzten Herzog, Philipp dem jüngern, gest. 1596, waren nach alten Chroniken Schwert, Helm, Panzer, Wappen und Siegel ins Grab mitgegeben; Schwert und Dolch, auch Purpurmantel sind aufgefunden worden. — Die *Marienkirche* mit dem Ölgemälde von der Passion. — Die *Johannes-* oder *Totenkirche,* angeblich 724 gegründet, 1578 restauriert, mit schönen Gemälden (Kreuzabnahme und Himmelfahrt). An der Kirche das Hechenbachsche Erbbegräbnis mit schöner Reliefplatte an der obern Thürhälfte. — Das *Kornmagazin* für den Oberharz, aus dem die Bergleute und Hüttenarbeiter mit wohlfeilem Getreide versorgt werden (vgl. S. 142), mit einem prachtvollen englisch-hannöverschen Wappen aus Stein, »utilitati Hercyniae«, von 1722, das man in der westfälischen Zeit mit Brettern verdeckte, um es zu erhalten. — Die Ruinen der alten *Burg Osterode* liegen vor dem Johannisthor, inmitten des schönen städtischen Kirchhofs, mit einem halb zerfallenen, 35 m hohen Turm; vom Platz vor den Ruinen prachtvolle *Aussicht auf die Stadt.

Die Burg erscheint zuerst 1130 als Besitz Kaiser Lothars, kam dann an die Welfen und fiel 1203 Kaiser Otto IV. zu. Sie wurde kurz vor der Mitte des 16. Jahrh., wahrscheinlich durch eine Feuersbrunst, eine Ruine.
In Osterode besteht eine der ältesten Schützengilden, das Schützenhaus liegt am rechten Ufer der Söse. Schützenwappen von 1648.

Umgebung: Der ($1/2$ St.) *Georgspavillon* an der entgegengesetzten Seite der Stadt und *Karlsruhe* auf dem *Ührdener Berg,* Reste eines alten Wartturms, nahe vor der Stadt (Restauration »Erholung«), mit schöner Aussicht. — Die Osteroder *Kalkberge* (in der Nähe die Petershütte) sind eine gute Fundstätte für Botaniker. In den mit Löß ausgefüllten Spalten der Gipsbrüche findet man unter anderm auch Zähne vom Höhlenbären und Mammutknochen.
Klinkerbrunnen und *Jettenhöhle* (S. 174), $1^1/_2$ St. an der Straße nach Schwiegershausen.

Von Osterode nach Klausthal führt der neue Weg zunächst durch ein schönes Waldthal, r. *Lerbacher Hütte* (Eisenschmelze), l. am Hüttenteich sogen. Band-Jaspis (Adinole) und Blatterstein.

(5 km) **Lerbach** (350 m; *Hotel Rickert,* T. d'h. 1,50 M.; *Hotel Kratsch*), sehr langes, nur in einer Gasse zwischen den eng zusammengerückten Thalwänden sich durchwindendes Dorf, romantisch gelegen, dessen 1497 Einw. von den Arbeiten in den Eisensteingruben, in der Hütte (Gießerei und Drehwerk) sowie von Köhlerei und Waldarbeit leben. (Die fiskalischen Eisenwerke s. S. 140.) Zweigverein des Harzklubs.

Lerbach ist ein ganz angenehmer Aufenthalt für Sommerfremde; Bade-Einrichtung. Wohnungen 5–6 M., für Familien 6–15 M. für die Woche. — **Post. — Fernsprecher.**

In großen Windungen bergauf; freundliche Rückblicke. (Fußgänger können einen nähern Pfad nehmen nach dem *Weghaus am*

Heiligenstock; Erfrischungen.) In der Nähe die **Kukholzklippe* (571 m), von welcher Aussicht bis zum Meißner und bis zu den Gleichen (vgl. S. 150); die Fernsicht nach O. verdeckt der Acker (Aussichtsturm projektiert). — Die Straße steigt noch fortwährend. *Prinzenteich.* R. Dorf *Buntenbock* (S. 150), l. Gasthaus *Ziegelhütte.* Dann (14 km) **Klausthal** (S. 146).

Fußgänger von Osterode nach **Klausthal** nehmen besser die *alte* Straße ($2^1/_4$ St.), welche in Osterode gleich bei der »Freiheit« l. ab sich den Hengstrücken hinaufzieht und Lerbach nicht berührt. Man hat einen kürzern Weg, allerdings mit etwas mehr Steigung, aber dafür auch überall lohnende Rückblicke in den Vorharz, bis zum Meißner, Eichsfeld etc. und Niederblicke ins Bremkethal (l.) und Lerbacher Thal (r.). Unmittelbar hinter dem Heiligenstock biegt die alte Straße r. ab von der neuen; man verfolge sie, bis man zur Kukholzklippe (s. oben) kommt. Bei der Ziegelhütte vereinigen sich beide Wege.

Von Osterode durch das Sösethal auf den Brocken (8–9 St.). 1) Auf der neuen Chaussee ins *Sösethal*, Fluß meist r., über die bedeutende Deckenfabrik *Eulenburg* r. nach dem (3 km) **Scheerenberg**, l. Häusergruppe, romantisch gelegen, mit schönen Anlagen, altberühmte Bleiweißfabrik. — Von hier durch (10,5 km) **Riefensbeek** (gute *Restaurationen* von *Klapprodt* und *Hokmann*), Dörfchen mit Oberförsterei und 110 niederdeutschen Einw., nach der Försterei (12,4 km) *Kamschlacken* (S. 150). Hier ist ein Führer (75 Pf.) mitzunehmen, der über den *Osteroder Rinderstall* zu den *Söseklippen* im *Morgenbrotsthal* ($1^1/_2$ St.) und von da ziemlich steil und anstrengend hinauf bis zur *Stieglitz-Ecke* ($^1/_2$ St.) am Bruchberg (R. 21, S. 162) geleitet. Führer zu entlassen. (Mehr zu empfehlen ist die Chaussee über Dammhaus [Fußweg teilweise zu benutzen] nach der Stieglitz-Ecke; von hier Abzweigung in 12 Min. nach den *Hammerstein-Klippen* mit prachtvoller Aussicht.) — Auf dieser Straße ostwärts 45 Min. weiter über das *Sonnenberger Weghaus* und hier (nicht die Straße r. nach St. Andreasberg, sondern) geradeaus nach dem *Oderteich*, 20 Min., welcher l. liegen bleibt, nach 5 Min. auf die quer vorüberlaufende Harzburg-Braunlager Chaussee (R. 14; ein Richtweg führt gleich hinter dem Oderteich durch den Wald nach Oderbrück), l. einschwenkend auf dieselbe, nach dem Forsthaus *Oderbrück* (S. 125), 25 Min., und in $1^3/_4$ St. auf den *Brocken.*

2) Fußgängern ist nur zu raten, den S. 162 angegebenen Weg Osterode-Hanskühnenburg und von da nach der Stieglitz-Ecke zu wählen, welche $^1/_2$ St. weiter wie durchs Sösethal, aber sehr lohnend ist.

19. Route: Von Klausthal über Altenau ins Okerthal oder auf den Brocken.

11 km **Chaussee** (Omnibus) von Klausthal bis *Altenau;* **Fußweg** in $1^1/_2$ bis $1^3/_4$ St. — Von Altenau zu Fuß auf den *Brocken* 4 St. — Direkt ins *Okerthal* s. S. 121–122.

Von *Klausthal* (S. 146) bis zum (20 Min.) Zechenhaus *Elisabeth* s. S. 163. Dann Straßengabelung; hier verfolgt man die Chaussee bis einige hundert Schritt vor der Grube *Dorothea,* dann l. über den *Obern Pfauenteich* auf einem mit Pochsand bestreuten Fußpfad, über den *Jägersbleeker-Teich* hinab in das *Polsterthal* (1 1/4 St.). Von da über den *Rothenberg* hinunter oder besser l. am Fuß des Bergs am Wasser entlang nach *Altenau* (20 Min.), als Fußtour sehr zu empfehlen, da der Weg auch nach anhaltendem Regen fest bleibt.

(11 km) **Altenau** (490 m), preußische Bergstadt mit 2200 Einw.; gesunder Aufenthaltsort, der frischen, erquickenden Luft halber von Fremden zum Aufenthalt gewählt; gutes Wasser. Für Leidende sind die Spaziergänge etwas steil. Im N. der steile, bewaldete *Schwarzenberg;* sonst ist der Wald fern. Merkwürdigkeit: Kein Sperling in der Stadt; Versuche, ihn anzusiedeln, waren vergeblich.

Gasthöfe: *Rammelsbergs Hotel,* dicht am Wald, zugleich Kurhaus, Bäder (warme, kalte, Fichtennadel-, Schwefel-, Eisen-, Moor- und Dampfbäder), Pens. 3,75-4,50 M. — *Zum Rathaus,* Pens. von 3,50 M.; für Touristen. — *Zum Schützenhaus* (T. d'h., Bier). — *Zum Deutschen Kaiser.*

Bierwirtschaft: *Zur Erquickung.*

Arzt und Apotheke. — **Kurtaxe:** 4, 5,50 u. 7 M. für 1, bez. 2 und 3 Pers.

Wohnungen in Privathäusern 9-15 M. wöchentl., auch mit Pension zu haben.

Omnibus tägl. 2mal nach (20 km) Stat. *Oker* (S. 122) in 2 1/2 St. — 1mal nach (11 km) *Klausthal.*

Post. — **Telegraph.**

Vom *Schwarzenberg* (573 m; oben Pavillon), der sich gegen NO. erhebt, lohnende Aussicht über Altenau sowie nach dem Brocken. Vor dem Schützenhaus ein ca. 65 m hoher Felsen, mit Bäumen und Gesträuchen bewachsen, an dessen Fuß der Felsenkeller liegt; von oben lohnende Aussicht. Die Bäche um Altenau sind ergiebig an vortrefflichen Forellen, Schmerlen und Bitterfischen.

Ein reichhaltiges Manganerzlager wurde 1868 hier entdeckt; auf dem *Spitzenberg* Magneteisenstein. Beim obersten Haus im Gemkenthal am Weg ein Streifen Zinkblende sowie im *Kellwasser-* und *Kalbethal* Kalke, welche teils zu Zement, teils auch bei den Niederschlagsarbeiten auf der Hütte mit verwendet werden. Außerdem findet der Mineralog sehr viele verlassene Gruben und Stollen um Altenau, in denen man noch hübsche Handstücke verschiedener Erze auflesen kann.

Außerordentlich belehrend ist ein Besuch der Hüttenwerke. Auf der Silberhütte »Zehnschlieg« Kupferschmelzöfen, Frischofen, Garherd, 3 Treiböfen, Kupfergranulierofen, Einrichtungen für Pattinsons Kristallisations- und Augustins Entsilberungsprozeß. Ferner große Schwefelsäure- und 2 Kupfervitriolfabriken. Durchschnittlich werden in Altenau jährlich ca. 3500 kg Silber, 40,000 Ztr. Blei, 8000 Ztr. Kupfer und 8—10,000 Ztr. Vitriol gewonnen. Wer diese Hütten besichtigen will, wende sich an den Hüttendirektor oder an den Hütteninspektor, die gern Erlaubnis geben.

Ausflüge. Nach Osten: Durchs Schulthal l. ab nach dem Jagdhaus, geradeaus nach dem zwischen dem *Schwarzenberg* (573 m) und der *Steilen Wand* belegenen *Nabenthaler Wasserfall,* 3/4 St. — Über die Steile Wand (s. S. 161) r. ab (Wegweiser) nach der *Wolfswarte* (919 m), geradeaus nach dem (1 3/4 St.) **Torfhaus** (S. 125).

Nach Westen: Fußweg nach **Klausthal** über den *Rothenberg* (Ruhepunkt daselbst mit Blick auf den Brocken) bis zum *Polsterthal* (Zechenhaus mit gutem Bier, Kaffee und sehr guter Milch), dann l. im Polsterthal hinauf, bei der Kunstwärterwohnung *Polsterloch* vorbei, bis zum Polsterberg (Zechenhaus, Erfrischungen zu haben), prächtige Aussicht, im Hintergrund der Brocken, 1 St. Vgl. S. 149.

Nach **Norden:** Chaussee an der Oker über die Silberhütte nach (1 St.) *Gemkenthal* (Forsthaus) bis zur ($1^1/_2$ St.) Langethalsbrücke. Wegweiser, hier l. nach *Unter-* und *Ober-Schulenberg* (noch 1 St.). R. von jener Brücke nach dem (2 St.) **Ahrendsberger Jagdhaus** (S. 123) und $^1/_4$ St. weiter nach den Ahrendsberger Klippen, herrliche Aussicht über das Okerthal. (Direkter Weg nach dem Ahrendsberg über den Schwarzenberg durch die Kalbe $^3/_4$ St.) Neuer Weg vom Forsthaus in $^3/_4$ St. hinab nach *Romkerhalle* (S. 123).

Nach **Süden:** Chaussee nach dem (1 St.) *Sperberhaier Dammhaus* (Bier). L. vom Dammhaus führt auf dem sogen. Morgenbrotthaler Graben, der in den Hauptgraben mündet, ein prächtiger Weg in 20 Min. nach den *Siebenwochensklippen;* herrliches Panorama vom westlichen Harz bis zum Ith; zu Füßen das reizende Sösethal, gegen SO. *Hammersteinklippen*, wild-felsige Partie.

Gleich oberhalb Altenau am Gerlachsbach (im untern Teil desselben auch eine Schwefelquelle) hinauf nach der reichhaltigen Eisenquelle, die zur Fabrikation von eisenhaltigem Selterwasser für Blutarme benutzt werden könnte. Ruhebänke und Pavillon. $^3/_4$ St.

Von Altenau ins Okerthal (S. 123) folgt man dem Lauf des Baches über die (1 km) Silberhütte, wo von l. das *Schwarzwasser* mündet, weiter r. das ($2^1/_2$ km) *Kellwasser*, und nach 20 Min. r. die aus dem *Kalbethal* vom Torfhaus (S. 125) kommende Landstraße (4 km). Nach 5 Min. Forsthaus *Gemkenthal* und nach 10 Min. l. die von Zellerfeld kommende Straße. Nun noch $^1/_2$ St. bis zum (9 km) Gasthaus *Romkerhalle* (S. 123), wo das romantische Okerthal beginnt.

Von Altenau auf den Brocken ($3^1/_2$–4 St.). Im *Schulthal* über die *Steile Wand* (s. oben) nach dem ($1^3/_4$ St.) *Torfhaus* und von da hinauf auf den *Brocken.* Vorzuziehen ist der Fußweg (2 St.) durch das *Tischlerthal* (in welchem künstliche Forellenzucht), durch das Gatter zum *Dammgraben*, dann l. den Graben entlang, immer durch schattigen Tannenwald, bei der zweiten Brücke r. in den Wald; überall Wegzeichen an den Bäumen oder Steinen mit T (Torfhaus) oder St. W. (Steile Wand). Nach 20 Min. erreicht man den Fahrweg unterhalb der Steilen Wand; hier zur **Steilen Wand** (einem schroffen Felsen) hinauf; oben prächtiges Panorama, namentlich schöner Blick in das tief zu Füßen liegende bewaldete Nabenthal. — 5 Min. noch auf demselben Weg, dann l. nach dem Torfhaus oder r. nach der ***Wolfswarte** (920 m), einem der lohnendsten Punkte des westlichen Harzes, der eine sehr umfassende, weite Aussicht ins Land und einen der schönsten Blicke auf den Oberharz erschließt. Die Besteigung der Wolfswarte von Altenau geschieht am besten direkt: Weg durchs Schulthal wie nach der Steilen Wand, am Dammgraben l., dann über die erste Brücke über den Graben, von wo ein breiter Weg (Fortsetzung einer im Bau begriffenen Chaussee) hinauf führt; nach 15–20 Min. geht ein alter Holzweg r. ab, welcher direkt auf die Wolfswarte führt. Den schönsten Brockenblick hat man etwa 200 Schritt südl. von der Wolfswarte auf einem freien Platz. Auskunft erteilt gern der Förster Bernstorff im Schulthal.

Von der Steilen Wand nach dem Sonnenberg ($1^1/_2$ St.). Man schlägt zunächst den Weg nach Torfhaus ein: nach etwa 100 Schritten geht der Weg r. nach der Wolfswarte, man gehe denselben etwa 10 Schritte, bis man an den Graben kommt, dann l. immer am Wasser entlang, nach etwa $1^1/_4$ St. geht ein Fahrweg l. ab (ist nicht zu verfehlen) und führt auf die Chaussee Oderteich–Sonnenberg-Dammhaus–Klausthal (od. Altenau). Hier sieht man das Sonnenberger Forsthaus l. liegen. Der Weg an dem Graben bietet schöne Aussichten. Der Graben nimmt das Wasser von der Südseite des Bruchberges auf, führt es bis über die Steile Wand hinab, wo es sich dann beim Nabenthaler Wasserfall mit dem Dammgraben vereinigt, der das Wasser von der Nordostseite des Bruchberges aufnimmt und es nach Klausthal führt.

Einem Führer, der zu dieser Tour kaum nötig ist, zahlt man von Altenau bis zur Wolfswarte oder bis zum Torfhaus 1–1,20 M.

Vom Torfhaus in 2 St. auf den **Brocken**, s. S. 95. (Dieser Weg ist schwieriger zu finden als der von Oderbrück.)

Von *Altenau* nach **St. Andreasberg**, 20 km, s. R. 21.

20. Route: Hanskühnenburg.

Fußtour aus dem Sösethal ins Sieberthal, von **Osterode** oder **Klausthal** bis **Sieber**, 5 St.; wenig unternommen, aber empfehlenswert. Etwas Mundvorrat mitnehmen!

1) Von **Osterode** bis (10,5 km) *Riefensbeek* wie S. 159, oder 2) von **Klausthal** mit Führer über *Buntenbock* (S. 150) und den *Quitschen-Hay* nach

(2 St.) **Riefensbeek** (S. 159). Von hier unter genauer Beachtung der vom Harzklub befestigten Wegweiser durch das große Herrenthal, stets im Wald, am *Eichelnberg* hinauf, dann nördl. oberhalb des kleinen *Mollenthals*, den Bösenberger Hauptweg verfolgend, in $1^1/_2$ St. zur

(4 St.) ***Hanskühnenburg** (810 m), einem im waldigen Gebirge allein liegenden ruinenartigen Quarzfelsen, der, wenngleich landschaftlich nur eine Episode, dennoch seiner malerischen, romantischen Umgebung halber besuchenswert ist (vgl. S. 150). Die *Aussicht ist eine der schönsten im Harz. Oben Aussichtsturm mit Schutzhütte (Zweigverein Osterode), 1889 errichtet.

Fußgänger, welche von Altenau etc. kommen, wählen am besten den Weg über *Kamschlacken* (S. 150), folgen dem im Allerthal beginnenden, durch Wegweiser bezeichneten Weg und gelangen zuletzt auf dem Bösenberger Hauptweg in $1^3/_4$ St. (vom Kamschlacken) zur Hanskühnenburg.

Der **Volkssage** zufolge soll sich hier oben einmal ein Ritter vor seinen Feinden verborgen gehalten haben. Nach und nach gesellten sich mehrere zu ihm. Mit diesen überfiel er seine Feinde und züchtigte sie. Dies Plünder- und Raubleben gefiel ihm aber so ausnehmend gut, daß er es fortsetzte und auch andre friedliche Leute, die ihm nicht feind waren, beraubte. Weil er nun einer der Frechsten im Land war, nannte ihn die ganze geängstigte Gegend Hans den Kühnen. Einst auch auf seinen Streifzügen begegnete er einer bildschönen Jungfrau, welche Erdbeeren im Wald, zur Labung für ihre auf den Tod kranke Mutter, gesucht hatte; trotz ihres flehentlichen Bittens entließ sie der Räuber doch nicht und schleppte sie mit sich auf seine Burg. Kaum aber hatten die schweren Thorflügel sich hinter dem Schlachtopfer geschlossen, als die Jungfrau den Wüstling samt seinem Schloß verfluchte und dieser Fluch sofort in Erfüllung ging. Die jetzt dastehenden Felsen sind die verwünschte *Burg Hans' des Kühnen*, in denen noch ungeheure Schätze verborgen sein sollen.

An der Südostseite der Hanskühnenburg geht ein Fahrweg vorüber, der l., also nordöstl., in $1^3/_4$ St. zur **Stieglitz-Ecke** am Bruchberg (S. 164), an der Straße Klausthal-Andreasberg, — südwestl., also r., in $^3/_4$ St. nach dem **Jagdhaus** führt, einer Jägerhütte, die nur bei besondern Veranlassungen geöffnet ist; s. S. 171. Der Gebirgsrücken, über welchen dieser Hochweg der ganzen Länge nach hinläuft, wird **Auf dem Acker** (höchster Punkt 860 m) genannt; er ist eine Fortsetzung des Bruchbergs

Fußgängern ist zu empfehlen, von Hanskühnenburg ihren Hinabweg entweder durch das malerische *Lonauthal* (S. 171) in 3 St. hinaus nach ($7^1/_4$ St.) **Herzberg**, — oder $1^1/_4$ St. steil hinab nach (5 St.) **Sieber** und weiter durch das *Sieberthal* (R. 23) nach (7 St.) **St. Andreasberg** (S. 165) zu nehmen. — Fußwanderer, die Freude an etwas einsamern Gebirgswegen haben, gehen von der Hanskühnenburg über *Schluft* (S. 171) in etwa 3–3½ St. nach *St. Andreasberg*, wie S. 170 und 171 beschrieben.

☞ Für Touristen, welche von Osterode aus nach der Hanskühnenburg wollen, ist der direktere über den *Nassen Weg*, *Schindelkopf* und *Bärengarten* führende Weg, durch den Harzklub mit Wegweisern versehen, zu empfehlen, welcher auch die von allen Seiten beinahe 600 m betragende Steigung ganz allmählich in 3¼ St. überwindet; diese ist bei allen andern Wegen stellenweise sehr beträchtlich und nur von der Stieglitz-Ecke aus nicht vorhanden.

---

21. Route: Von Klausthal nach Sankt Andreasberg. Bruchberg. — Oderteich. — Rehberger Graben.

23 km Post von *Klausthal* nach *St. Andreasberg* 1mal in 3 St. — Diese direkte Poststraße benutzt der Tourist jedoch nur bis zum (16 km) *Sonnenberger Chausseehaus*, wo er l. abschwenkt, um über den *Oderteich* und den **Rehberger Graben* (eine der landschaftlich hübschesten Episoden des Harzes) nach Andreasberg zu gelangen, ein Umweg von einer kleinen Stunde (so also 5½ St.). ☞ Wer Wagen nach Andreasberg nimmt, mache die Fahrt über den Rehberger Graben zur Bedingung!

Von *Klausthal* (S. 147) an der *Grube Wilhelm* vorbei, über das (1 km) *Ludwiger* und (1½ km) *Elisabether Zechenhaus.* — Dann Grube *Maria* mit Wegweiser; l. zweigt die Straße nach Altenau ab. Bis hierher ziemlich einförmig, ohne Aussicht. Nun eröffnet sich ein Blick auf den Brocken. L. die *Pfauenteiche.* — (2 km) *Grube Dorothea* (S. 148). Die *Grube Karoline* (die letzte Klausthaler) bleibt l. liegen. Der Fußweg durch den Wald ist nur bei trocknem Wetter gangbar; er mündet in die quer vorliegende Chaussee. Auf dieser l. — Durch Tannenwald am *Tränkeberg* hinauf. Brunnen r. an der Straße (1½ St. von Klausthal). L. Blick ins *Polsterthal* und auf den *Dietrichsberg*, eine stille, melancholische Waldlandschaft. Sobald man auf der Chausseehöhe ist, wo die Straße r. einbiegend abfällt, geht man l. in den jungen Tannenwald, auf gutem Fußweg immer auf dem Damm direkt nach dem

(9 km) *Dammhaus* (einfache Schenke), dessen rotes Dach aus den Bäumen hervorschaut; es ist der **Sperberhaier Damm.**

Da es den Klausthaler Hüttenwerken an einem gut gespeisten Flußwasser mangelte und mehrfache künstliche Maschinen, die vom Wind in Bewegung gesetzt werden sollten, nicht die Dienste leisteten, die ihre Konstruktoren (Leibniz) erwarteten, so baute man in den Jahren 1733 und 1734 einen 200 Ruten langen, 15 m hohen Damm, welcher den *Bruchberg* mit dem *Tränkeberg* verbindet, und über diesen Damm leitete man den immer mit Reisig bedeckten Dammgraben, der den Klausthaler Werken genügendes Arbeitswasser liefert.

Nun zieht die sehr bequeme Straße immer durch Wald am *Bruchberg* empor. — Chaussee-Wegweiser (nach Altenau 1 St., nach St. Andreasberg 3 St.). L. Hinabblick auf die Altenauer Eisen- und Silberhütte. — (12 km) r. Wegweiser nach der Försterei

11*

Schluft (S. 171). Auf dieser Straße geht es hinab ins *Obere Sieberthal* (S. 172). R. im Walde die *Hammersteinklippe*. — Schöner Blick ins Land. — (12 1/2 km) *Stieglitz-Ecke*. Auf der Höhe des Bergs r. durch eine Schneise (Grenzstein 198) hübscher Blick ins obere Sieberthal, im Hintergrund der Stöberhai.

Der **Bruchberg** mit seiner südwestlichen Fortsetzung, dem **Acker**, dessen geradliniger, breiter Rücken fast 20 km weit vom Torfhaus bis Papenhöhe zieht, ist eigentlich ein Gebirge für sich, ein vorzügliches Beispiel eines Kammgebirges. Seine Höhe erreicht 926 m; er bildet die Grenze zwischen Oberharz und Südharz. Seinen Namen hat er von den Mooren seines Kammes, die man »Bruch« nennt.

Im Vorblick l. die *Achtermannshöhe* (926 m). — 1/2 St. Chaussee durch Wald zum (15 km) Wegweiser r. nach Schluft (3 km). — Nach 5 Min. aus dem Wald; l. der Brocken, r. *Rothenbruch* und das

(16 km) **Sonnenberger Chausseehaus** (778 m), Forsthaus mit Gastwirtschaft, kgl. preuß. meteorologische Station. Posthilfsstelle.

Hier Wegteilung. Die Straße r. (die Poststraße) geht direkt nach (23 km) *St. Andreasberg*.

Wer diese Straße (die Poststraße) wählt, versäume nicht, bei klarem Wetter auf den nahegelegenen **Rehberg** (Kuppe 894 m) zu steigen. Nach 1/2 St. l. grasiger Abhang mit Wegweiser (»nach Harzburg«); diesem Wege folge man (zurück) bis zu der breiten Feuerlinie (Schneise), gehe auf letzterer r. weiter, bis l. hinter dem Forststein 56 ein alter Waldweg sich l. nach SO. und weiter nach O. zieht. Von diesem Weg herrliches Panorama vom Kyffhäuser bis zu den Göttinger Bergen, 200 Schritt weiter auf den östlichen Teil des Harzes.

Wir folgen jedoch l. der guten Straße nach dem (18 km) Oderteich, dem Rehberger Graben und weiter nach St. Andreasberg (noch 2 1/2–3 St.). Vom Chausseehaus hinab; geradeaus der Brocken, halb r. die spitz gegipfelte Achtermannshöhe, r. daneben der *Wurmberg* (968 m), unten die Straße nach Braunlage. Nach 2 km gelangt man an den **Oderteich** (1632 m lang), das größte und tiefste Wasserbecken im ganzen Harz, bestimmt, die aus zahllosen Quellenadern hervorbrechende *Oder* zu sammeln. (Hier kleines *Restaurant* des Sonnenberger Chausseehauses.) Das hoch liegende St. Andreasberg würde für seine ehemals in so schwunghaftem Betrieb stehenden Hüttenwerke und Gruben nicht das nötige Aufschlagwasser gehabt haben, um ununterbrochen fortarbeiten zu können. Deshalb benutzte man die bereits vorhandene Mulde des Oderteichs, vergrößerte dieselbe und fing in diesem umfangreichen Becken alle Gewässer der Umgebung auf. Von hier führte man nun eine bald durch Aussprengen der Granitfelsen, bald durch Dammbauten gewonnene, 7236 m lange, überdeckte Wasserrinne bis nach St. Andreasberg, den nach neunjährigem Bau 1722 vollendeten ***Rehberger Graben.** Ein fahrbarer Granitsandweg läuft daneben hin, anfangs etwas langweilig. Dann erschließt sich ein immer prächtiger werdendes Bild. L. in jäher Tiefe liegt das bewaldete

Oderthal, aus dessen Grunde der Bach heranfrauscht. Im Vorblick l. der klippengezackte *Hahnenklee*, r. die düstern Forste des *Rehbergs*. Immer poetischer, waldesduftiger wird der Weg. 1 St. vom Oderteich ladet ein mit Bänken versehenes Rundell zur Ruhe ein. Unmittelbar darüber ragen die *Rehberger Klippen* auf.

Man kann die ***Rehberger Klippen** (Aussicht auf den Brocken und Achtermannshöhe im Vordergrund) in 20 Min. leicht ersteigen, nur muß man nicht übersehen, nach 5 Min. Aufsteigens l. abzuschwenken, also nicht in die dicht mit Farnen überwucherten Felsengerölle r. zu gehen. Oben ein Pavillon a s Baumrinde. Gute Aussicht auf den östlichen Harz. Ein Weg führt von hier auf der Höhe nach dem Grabenhaus; es empfiehlt sich aber, wieder zum Grabenweg hinabzusteigen.

Nach 25 Min. ($1\frac{1}{2}$ St. vom Oderteich) zum Teil schattiger Wanderung das idyllisch-freundlich gelegene *Rehberger-Graben-Haus* (Gasthof mit Sommerlogis, Kegelbahn), 680 m. — 5 Min. später gabelt der Weg; wir schlagen l. den heimeligen durch den Tannengrund, über leuchtend grünen Moosboden ein. Dann kommt Wiese, bergauf, und in $\frac{1}{2}$ St. ist ($5\frac{1}{2}$ St.) **St. Andreasberg** (s. unten) erreicht.

Ausflug: Vom *Oderteich* nach *Oderbrück*, Fußweg $\frac{1}{2}$ St., und von da in 1 St. auf die ***Achtermannshöhe** (926 m), einen Hornfelskegel in der Form eines kolossalen Kohlenmeilers. Ein schmaler, ziemlich jäh ansteigender, bezeichneter Fußpfad geleitet zu der abgestumpften Spitze, auf der sich ein weit umfassendes Rundbild entrollt (Näheres S. 125).

Die **Volkssage** erzählt: Um den Preis einer Menschenseele habe Satan sich verpflichtet, über Nacht bis Tagesanbruch ein Schloß auf der Achtermannshöhe zu bauen, und damit der Hahn nicht zu früh krähe, habe er demselben den Hals verstopft. Das Weib dessen jedoch, der seine Seele verpfändet hatte, erschreckte, als das Schloß bis auf den Trittstein fertig war, den Hahn, daß dieser dennoch krähen und das Ende der Nacht verkünden konnte. Da ließ der Böse den letzten Stein fallen, welcher heute noch $\frac{1}{4}$ St. unterhalb der Höhe liegt.

---

22. Route: Sankt Andreasberg.

Sankt Andreasberg (580—627 m), preußische Stadt unweit der Sperrlutter, Endstation der Bahn von Scharzfeld-Lauterberg, ist eine der ältesten und bedeutendsten Bergstädte des Harzes, das »Mineralienkabinett des Harzes« genannt; sie hat 3324 evangel. Einwohner, welche von Bergbau, Forstarbeiten, Kanarienvögelzucht (S. 168), Fabrikation von Kisten und Zigarren, Spitzenklöppelei etc. leben. Berginspektion und Hüttenamt. »Andreasberger Hoffnung« am Beerberg (in Privathänden). Oberförsterei. Klimatischer Kurort (S. 168).

Hotelwagen an dem $\frac{1}{2}$ St. von der Stadt entfernten Bahnhof.

Gasthöfe: *Rathaus*, am Marktplatz, Mitt. 1,75 M. (1 Uhr), Pens. 4,50 M. Billard. Lohnfuhrwerk. Gut. — *Schützenhaus*, oben im Ort, das nächste, wenn man vom Rehberger Graben herkommt; freiere Lage, gleiche Preise, gut. *H A. W. Bergmann*, einfach; Bierstube; Pens. 4 M. — *Hotel Busch*, die Lage nicht für Kranke.

Restaurationen: *Zum Kurgarten*,

Gartenwirtschaft; einfacher, aber guter Mittagstisch, 1 M. — *Schenke*, im Gaipel der alten Grube Katharine Neufang.

Post: Nach (22 km) *Klausthal* in 3 St., früh; — über (12 km) *Braunlage* nach (22 km) *Tanne*; — nach (36 km) *Harzburg*. — **Telegraph.**

Wagentaxe (Rathaus): Von *St. Andreasberg* nach Oderhaus 4 u. 6 M.; — Oderteich und Rehberger Graben 8,50 u. 12 M.; — Oderbrück 7 u. 9 M.; — Dreieckiger Pfahl (Brocken S. 95) 7,50 u. 11 M.; — Brocken 15 u. 24 M. (zurück noch 6 u. 9 M.); — Romkerhalle 12 u. 21 M.; — Harzburg 10 u. 18 M.; — Klausthal 9 u. 15 M.; — Trinkgeld tägl. 1,75 und 2,50 M.

Ärzte und Apotheken.

Harzklub, Zweigverein Andreasberg; Auskunft bei Herrn Fabrikant *W. Voigt*.

Kanarienvögel zu kaufen bei *W. Trute* (Schützenhof), *C. Ulrich*, *W. Köhler*, *Volkmann* u. a.

Eisenbahn 6mal über *Lauterberg* nach (15 km) *Scharzfeld* in 3/4 St für II 100, III. 70 Pf., s. R. 25. ☞ Der Bahnhof St. Andreasberg liegt 1/2 St. südl. vom Ort im Thal. Man gelangt dahin vom Rathause l. über den Markt (Wegw.), bergan zur zweiten Straße, dann r. 200 Schritt, dann l. (Wegw.) aus der Stadt und gleich r. im Thal bergab (Wegw.), auf der Chaussee l. thalabwärts.

Geschichtliches. St. Andreasberg hat seinen Namen von dem Schutzpatron, der auf dem liegenden Kreuz dargestellt wird. Die Hohnsteiner Grafen bauten in der zweiten Hälfte des 15. Jahrh. hier die erste Zeche *St. Andreaskreuz*, doch wird auch schon 1487 des Bergbaues am »Andreasberg« erwähnt. Bereits 1487 existierten die Gewerke »sanct Andreasberg«. Seit 1520 entstand der Ort, welcher 1539 bereits als Stadt erscheint. 1537 waren schon 116 Zechen im Betrieb. Die Bergleute waren anfänglich in Lauterberg zu Hause; 1536 aber baute man hier oben ein Kirchlein, das 1568 durch einen größern Bau ersetzt wurde, der 1796 abgebrannt ist. Die Martinskirche steht in der Stadt, der Turm auf dem Glockenberg (S. 169). Der ehemals angesehene Heilige erscheint erst im 15. Jahrh. auf Münzen in den Niederlanden, Holstein, Rußland etc. Die ältesten Münzen des Harzes mit dem Andreaskreuz tragen die Jahreszahl 1530 und sind vom Grafen Ernst V. von Hohnstein in Ellrich geprägt; da die Straßen jedoch unsicher wurden, richtete er in St. Andreasberg eine Münze ein. Nach dem Aussterben der Hohnsteiner (S. 199) kamen die Bergwerke an die Herzöge von Grubenhagen, die hier seit 1594 Andreasthaler prägen ließen. 1596 ging die Bergstadt in wolfenbüttelschen Besitz über und fiel 1617 durch Reichskammer-Gerichtsspruch an Herzog Christian von Celle. Bis 1625 wurde hier geprägt, dann kam die Münze nach Klausthal, wo 1804 die letzten Andreasmünzen geschlagen worden sind.

Das Städtchen hat wegen seiner Lage und wegen der Bauart seiner Holzhäuser mehr als die übrigen Harzstädte den eigentümlichen Charakter einer *oberharzischen Bergstadt*; die Straßen sind außerordentlich steil, da die Stadt wie auf einzelne Berghänge hingelegt erscheint. Das tiefste aller Bergwerke auf dem Oberharz ist die hiesige *Grube Samson* mit 788 m (190 m unter dem Spiegel der Ostsee).

Die Gruben *Katharine Neufang*, *Samson*, *Gnade Gottes* und *Bergmannstrost*, sämtlich fiskalisch, führen jetzt den Namen »*Vereinigte Gruben Samson*«, alle übrigen Gruben existieren nicht mehr. Gänge, welche jetzt noch bebaut werden, sind: der Samsoner Hauptgang, Juliane-Charlotten- (früher Bergmannstrost-), Franz-Augusten-, Gnade Gottes- und Jakobsglücker Gang.

Mineralien von St. Andreasberg.

Sämtliche hier vorkommende Mineralien werden, wenn sie Schaustücke sind und für Sammlungen passen, zweimal jährlich in öffentlicher Auktion versteigert. Schöne Mineralien sind jederzeit im Gaipel der Grube *Andreasberger Hoffnung*, ferner die metallischen im *Samsoner Gaipel*, die nicht metallischen im Zechenhaus der Grube *Katharine Neufang* käuflich zu haben.

Granat, schön, apfelgrün, mit Kalkspat, als Seltenheit. — **Pistacit**, ein schöner grasgrüner Stein (grüner Epidot) in kleinen, haarförmigen, vierseitigen Säulen. — **Axinit**, schöner, glänzender, nelkenbrauner Stein, dessen Kristallgestalt gleich einer Axt in eine Schärfe ausläuft. — **Quarz**, zerfressener Quarz, durch Gänsekötigerz grün gefärbt. — **Hornstein**, muschelartiger. — **Kieselschiefer** (lagerweise in St. Andreasberg und Umgegend im Thonschiefer). — **Natrolith**, Faser- und Nadelzeolith, ein schöner, meist erbsengrauer Stein; die Fasern laufen vom Mittelpunkt aus sternförmig nach dem Rande. — Damit verwandt **Zeolith**, I. strahliger (Desmin-Stilbit), II. blätteriger Stilbit, mit Kalkspat und Thonschiefer. — **Apophyllit**, kristallisiert, mit Kalkspat, Bleiglanz und gediegenem Arsenik, weißer und roter. — **Analcim**, sehr kleine Würfelchen, auf Kalkspat. — **Harmotom** oder **Kreuzstein**, mit Kreuzkristallen, auch von brauner Farbe. — **Feldspat**, gemeiner, von weißer, grauer, rötlicher und grünlicher Farbe. — **Kalkspat**, mehr oder minder durchsichtig, mit rotem Eisenrahm überzogen, auf Roteisenstein. Die vorherrschende Gangart ist Kalkspat, verbunden mit dichten Lagen von zerhacktem oder zerfressenem Quarz. In den Drusenräumen der Gänge bilden sich die schönsten und mannigfaltigsten Kalkspat-Kristallisationen, von denen deutlich kristallisierte Varietäten schon gegen 700 bekannt sind — **Anthrakonit** (kohliger Kalk, dichter Kalkspat). — **Flußspat**, ein schöner Stein von weißer, grünlichweißer, violetter Farbe. — **Datolith**, aus Kalk und Kieselerde, derb und schön kristallisiert; im Wäschgrund am Fuß des Matthias-Schmidt-Bergs, im Diorit (Urgrünstein); auch hat man in Trutenbeck, 1½ St. östl. von St. Andreasberg, Datolith gefunden. — **Schwerspat**, in vierseitigen Tafeln, läßt sich mit dem Messer schneiden; Seltenheit. (Schwerspatbruch am Knieberg.) — **Gediegen Silber**, derb, zähnig, haar- und drahtförmig, läßt sich schneiden; auf St. Andreasberg in dünnen Blättchen auf Fahlerz, sonst mit Rotgüldigerz, Arsenik, Thonschiefer etc. — **Spießglanz, Antimonialsilber**, in Begleitung von gediegenem Arsenik, Rotgüldigerz, Bleiglanz, Blende, Kalkspat etc. — **Arseniksilber**, derb und nierenförmig, mit Kalkspat, Bleiglanz und Arsenik. — **Hornerz**, Verbindung des Silbers mit Salzsäure, ein sehr weiches, meist grün glänzendes Erz; als Überzug auf Kristallen von Rotgüldigerz auf Bergmannstrost. — **Silberschwärze**, mit haarförmig gediegenem Silber, 44 Mark fein im Zentner. — **Glaserz**, grau wie Blei, besteht aus Silber und Schwefel, läßt sich schneiden. — **Sprödglaserz**, es bilden sich auch Rotgüldigkristalle darauf. — **Rotgüldigerz**, aus Silber, Schwefel und Spießglanzerz. — **Gänsekötigerz**, von beträchtlichem Silbergehalt, in Verbindung mit Spießglanz und Bleiglanz. — **Buttermilcherz**, sehr weich, äußerst silberreich. — **Kupfer**, gediegen, eingesprengt in Kalkspat mit Bleiglanz. — **Kupferkies**, selten, sieht schön gelb aus, wie Gold. — **Fahlerz**, stahlgrau oder eisenschwarz, meist Spießglanzmetall beigemischt; derb und kristallisiert. — **Schwefelkies**, in Schiefer eingesprengt. — **Magnetkies**, derb und kristallisiert, in kleinen sechsseitigen Tafeln auf Bleiglanz, Kalkspat und Arsenik; 37 Proz. Schwefel und 63 Proz. Eisen. — **Roteisenstein**, faseriger Glaskopf, Blutstein; oft 80 Pfd. Eisen im Zentner. — **Bleiglanz**, eingesprengt, kristallisiert in Würfeln, an den Ecken abgestumpft. — **Spießglanzmetall** oder **Antimon**, gediegener, grau wie Blei, spieß- und nadelförmige Kristalle. — **Grauspießglanz**, von gleicher Farbe, strahlig, derb und schön kristallisiert; mit zerfressenem Quarz und Kalkspat. — **Federerz**. — **Rotspießglanzerz**, mit Rotgüldigerz und mit **Apophyllit**. — **Kupfernickel** oder **Rotnickelkies**. — **Haarkies**. — **Nickelocker**. — **Kobaltmetall**; der arseniksaure Kobaltkalk, rot wie Pfirsichblüte, ist der schönste unter den Erdkobalten; Kobaltblüte, schön, strahlig. — **Gediegener Arsenik**, sehr häufig, schalig und nierenförmig; Begleiter reiner Erze. — **Arsenikkies**, gemeiner; — edler,

Weißerz genannt. Kleine Kristalle auf Kalkspat und gediegenem Arsenik. — **Rauschgelb**, meistens rot, selten gelb; mit Gänsekötigerz, begleitet von Rotgüldigerz, zerfressenem Quarz, auf Kalkspat aufsitzend.

Infolge seiner hohen Lage (580—627 m) und seines gesunden Klimas ist St. Andreasberg besonders als *Höhenkurort* zu empfehlen, vorzüglich bei Krankheiten der Atmungs- und Kreislauforgane. Es zeigt alle Vorzüge und Nachteile eines Höhenklimas, niedrigere Temperatur, geringern Luftdruck, geringere Schwankungen zwischen den Extremen desselben, häufigen Temperaturwechsel, größere Trockenheit der Luft. Nie haben epidemische Krankheiten oder Wechselfieber hier oben geherrscht; im Gegenteil ist oft die Erfahrung gemacht worden, daß am Wechselfieber Leidende nach kurzem Aufenthalt ohne irgend welche Medikamente genasen. Die Kurmethode schließt sich der in Görbersdorf, Davos, Falkenstein etc. an, nur vermeidet sie das Zusammenwohnen vieler Kranken in Einem Haus, bringt dieselben vielmehr in Privatwohnungen unter.

Kranke mögen sich in betreff der Wohnung etc. vorher mit dem Arzt ins Einvernehmen setzen und sich nicht auf Empfehlungen von Postillionen, zudringlichen Hausknechten etc. verlassen. Auch die städtische »Kurkommission« gibt Auskunft. — Fichtennadelbäder. — Frequenz 1883: 856 Kurgäste, 6000 Passanten. — **Kurtaxe** für Kurgäste und Sommerfrischler: 1 Pers. 5 M., 2 Pers. 8 M., 3 Pers. und mehr 10 M. Heilanstalt für bedürftige Lungenkranke (freiwillige Beiträge werden entgegengenommen). **Temperatur** (1881): Jahresmittel 5,86° C., absolutes Minimum —18,5°, absolutes Maximum +32,2°, Barometer 686—725, relative Feuchtigkeit 81,8 Proz. Regenhöhe 1327 mm. **Ärzte:** Dr. *Ladendorf*, Dr. *Jacubasch*. — Neuerdings haben auch in den Wintermonaten Lungenkranke hier mit Vorteil die Kur durchgemacht. Dieselben finden im Haus des Dr. Ladendorf Aufnahme.

Von Interesse für den Fremden ist der fiskalische Bergbau in nächster Nähe, die *Silberhütte* (1/2 St.). Um sämtlichen industriellen Werken die billigste Kraft, das Wasser, zuzuführen, ist die Wasserleitung »Rehberger Graben« (S. 164) angelegt, die in St. Andreasberg (durch den Berg gelegt) mündet. — Es sind an industriellen Anlagen ferner zu nennen: die Zündhölzchenfabrik (zur Zeit nicht im Betrieb), eine Möbel-, zwei Kistenfabriken, zwei Ultramarinfabriken, drei Holzschleifereien und eine Zigarrenfabrik; beachtenswert ist auch die Spitzenklöppelei. Die *Kanarienvögelzucht*, die, seit frühen Zeiten hier heimisch, ihre Sendlinge bis nach Amerika und Australien verschickt, beschäftigt nebenbei ca. 300 Familien und gewährt eine ungefähre jährliche Einnahme von 300,000 M., wovon etwa die größere Hälfte für Fütterungskosten wieder abzurechnen ist. 20,000 M. Wert haben die kleinen Vogelbauer, welche hier behufs der Versendung verfertigt werden. Hunderte von kleinen Vögeln, wenn die Zucht gerät, zwitschern in den kleinen Bergmannswohnungen; sie bekommen nach der Art des Schlags die Namen Gluckvögel, Roller, Hohlsänger etc., und ihr Preis schwankt zwischen 5 u. 75 M. das Stück.

Ausflüge.

Bei gemessener Zeit zu besichtigen: Glockenberg, Gaipel von Katharine Neufang, Grube Samson und daneben das Pochwerk.

1) In der Stadt von der *Kirchstraße* (am obern Anfang der Breiten Straße) sehr schöner Blick thalwärts. Von hier südwestl. am Posthaus vorbei über den Säumarkt nach dem (10 Min.) **Glockenberg** (627 m) vor dem Glockenhaus, im Hochsommer am schönsten gegen 6 Uhr abds. — Zurück bis dahin, wo der Weg über die Höhe des Glockenbergs führt, dann den südlichen Hang hinunter bis dahin, wo von r. ein Fußweg mündet (15 Min.), hier l. etwas bergan bis zur **Andreasberger Roßtrappe** (Blick ins Wäschgrunder Thal). — Zurück bis zur Kreuzung auf dem eben genannten Fußweg, um den Glockenberg herum, bis in die Stadt auf den »Schwalbenherd« (20 Min.), die wenigen Häuser dieser Straße l. passiert, ins Freie, Wiesenfläche, auf dem Bergrücken »Die Höhe« bis zum »*Galgenberg*« (20 Min., schöner Blick ins Gebirge) und zurück in die Stadt, auf welche man stets schöne Aussicht hat.

2) Vom Markt (Rathaus) r. die steile Gasse hinan, in nördlicher Richtung aus der Stadt, wo die Grube Bergmannstrost gelegen, jetzt *Promenadenweg* auf der ehemaligen Wasserleitung, nach der Grube *Samson* (10 Min.), nach der Grube *Katharine Neufang* (10 Min.), hoch auf dem Berg Fernsicht (im Gaipel vortreffliche Wirtschaft). Weiter gegen NO., bis dieser Weg von einem r. kommenden Weg überschritten wird, hier l. eine kurze Strecke auf letzterm nordwestl., dann den ersten Weg r. ab, auf Wiesen ansteigend in den Wald; auf einem alten Graben entlang, aus dem Wald auf eine Wiese, wieder Wald, dann r. im Walde den Berg steil hinan, auf die Höhe und wieder l. bis (25 Min.) zu den **Glückaufer Klippen** (Pavillon). Zurück bis auf den alten Graben, dann ins *Sperrenthal*. Unten Restauration (30 Min.).

Touren, die gleichsam sich in einem Gürtel um die Stadt legen:

Nach dem *Beerberg*, östl. vor der Stadt, mit anmutigen Waldpfaden.

3) Vom obern Ende der Breiten Straße die Fahrstraße nach Lauterberg neben dem Posthaus hinab (am sog. Horreberg, richtiger Silbernen Mann, vorbei) bis dahin, wo sie sich plötzlich r. im Wäschgrunder Thal wendet, hier geradeaus Fußweg im Wald hinauf nach dem Turnplatz auf der *Jakober Halde* (20 Min.); bergan auf einem alten Graben, bis l. ein Fußweg im Wald hinaufführt. Dieser wird nach 10 Min. von einem Fahrweg durchschnitten, denselben r. hinan bis auf die hohe Wiesenfläche des **Matthias-Schmidt-Bergs** (664 m; 10 Min.), schöne Aussicht, Pavillon. — Zurück bis an den oben verlassenen Fußweg auf dem Beerberg, südöstl. (Rasenweg) zur *Blauen Halde* (10 Min.). — In derselben Richtung steil bergab (10 Min.) zur *Engelsburg*. Fußweg nach Oderhaus.

4) Vom obersten Stadtteil auf der Braunlager Chaussee bis zum Wegweiser (10 Min.) l. den Weg hinan, durch den schmalen Waldstreifen *Dreijungfernholz* (7 Min.), schöner Blick: l. der Rehberg, r. die Hahnenkleeklippen, tief unten der *Rauschenbach* (Oderthal), darüber hinweg das Brockengebirge. Zurück im Wald (10 Min.), östl. bis ans Ende, wo man von einem belebtern Bild (r. tief unten die Försterwohnungen Oderhaus an der Lauterberger Chaussee) überrascht wird. Wieder zurück (etwa ¾ des Wegs) nach der südwestlichen Seite, am Waldrand entlang gegen N. (schöner Blick am Morgen auf die Stadt). Dann nördl. weiter in oder am Waldstreifen bis auf die Höhe des Wegs nach dem Grabenhaus (10 Min.); dann in der nördlichen Richtung (alter Fahrweg) auf dem Bergrücken (Wiesenfläche) bis zur Klausthaler Chaussee, auf dem *Sandhügel* (725 m; 10 Min.) l. ab in die Anlagen zum Pavillon auf der ***Jordanshöhe** (5 Min.), herrliche *Aussicht (Orientierungstafel): SO. Gebirge, S. Stöberhai, Ravensberg, Thüringer Wald SW. Ohmgebirge, Hessischer Wald (Meißner, Habichtswald), W. Solling; am schönsten gegen Sonnenuntergang. — Auf der Klausthaler Chaussee zurück in die Stadt. — Eine Fortsetzung dieser Tour ist:

5) Vom höchsten Punkte des *Sandhügels*, auf dem alten Fahrweg (Feldweg) l. ab, auf dem Bergrücken gegen NW. immer Wiesen, stets schönste Fernsicht, und r. (20 Min.) zur **Förmerhanskuppe** (729 m), schlechtweg auch *Kuppe* (Blick ins Sieber- und Dreibrodener Thal); südl. auf dem Gebirgsrücken, auf dem *Sperrenthal*, hinunter, über den Weg (von St. Andreasberg nach der ehemaligen Steinrenner Hütte [20 Min.], nordwestl. im Wald 3 Min. bergan) und l. aus dem Wald; Aussicht von diesem Punkte, der »Vor dem Treibholz« heißt. Zurück auf dem Steinrenner Fahrweg, r. bergab ins Sperrenthal (Möbelfabrik und Restauration von Bergmann), 25 Min.; oder auch wieder an den gegenüberliegenden Berg (Totenberg) und auf dem um den Berg laufenden Weg, dem Gerenne, in die Stadt.

6) Nach dem **Grabenhaus am Rehberg** (S. 165), $^3/_4$ St. Erfrischungen zu haben, Milchwirtschaft, nicht billig. Neben demselben auf einem Schlangenweg im Wald bergan bis zu einem ebenen Weg (alter Graben), denselben r. verfolgt, bis er aus dem Wald führt. L. hinan bis zum Pavillon (nach Belieben auch noch höher) auf dem **Rehberg** (894 m) 30 Min. (S. 165). Abwärts zu den **Rehberger Klippen** (S. 165) und auf den Rehberger Grabenweg 10 Min. (Diesen Abstecher kann man einlegen in die Tour nach dem Brocken; S. 95.)

7) Auf der Braunlager Chaussee, über Dreijungfern, Oderberg hinab, bis r. eine steinerne Treppe (die 27 Stufen genannt) emporführt (30 Min.), Aussicht verwachsen; zurück und bergab nach **Oderhaus** (40 Min.) und dem **Schloßkopf**, wo eine Burg gestanden haben soll (30 Min.).

8) Mit Führer: Beim Beginn des Sperrenthals l. bergan zur Höhe, wo fünf Wege zusammenstoßen: l. nach dem Treibholz, geradeaus zur Steinrenner Hütte, r. zur Kuppe. Zwischen den beiden letzten Waldweg am Abhang entlang ins *Dreibrode-Thal;* etwas thalaufwärts durch das Felsenthor (früher Wasserfall) fast bis zu den kleinern Tannen. Hier l. im Zickzack Waldweg auf den ***Eisensteinsberg**, eine schroffe, wilde Felspartie. — Auf dem Kamm l. weiter, um die Felsen herum bis zum Ende. Sehr schöne Aussicht. R. das Schlufter Thal, dahinter der Acker, geradeaus das Sieberthal, die Porta eichsfeldica und der Seeburger See, weiter l. der Knollen, Gödeckenkopf, Ravensberg, Stöberhai und Andreasberg, l. das Dreibrode-Thal. Auf demselben Weg zurück (2–$2^1/_2$ St.).

9) Denselben Weg von Andreasberg bis zur Höhe, wo sich die fünf Wege treffen, dann zur *Steinrenner Hütte* im *Dreibrode-Thal* abwärts bis zur Brücke über die Sieber; 40 Min. hinüber und thalaufwärts, nach 20 Min. enges, wildes, felsgekröntes Thal, »*Stumpfer Stein*«, weiter thalaufwärts nach ($1^3/_4$ St.) **Forsthaus Schluft** (gute Bewirtung). — Rückweg von Schluft l. am Abhang sanft empor, schöner Waldweg über den *Fischbach;* dicht hinter der Brücke r. Fußsteig durch die Tannen, wieder auf den breitern Weg. Immer in sanfter Steigung bis zur Klausthaler Chaussee, dann r. auf derselben nach Andreasberg hinunter. $3^1/_2$ St. hin und zurück.

Mit Führer: Nach *Hohefeld* $1^1/_2$ St., *Knollen* (S. 173) 2 St.

10) Nach den **Hahnenkleeklippen** (5 St. hin und zurück). Auf der Braunlager Chaussee bis zu den *Drei Jungfern*, dann östlich quer über die Wiese, steil bergab ins Oderthal (Rauschenbach); vor der Brücke thalaufwärts bis zur nächsten Brücke, über dieselbe, dann r. bergan bis zur halben Höhe, nun l. (Wegweiser des Harzklubs) bis zu den sehr schroffen ($2^1/_2$ St.) *Hahnenkleeklippen* (762 m). Enger, stellenweise gefährlicher Pfad. Lohnende Aussicht auf den Rehberg und das untere Oderthal. Zurück auf demselben Wege bis zum Thale über der Brücke, dann r. bergan zu dem sichtbaren Rehbergergrabenweg (S. 165).

11) Zu Wagen: Über den *Sonnenberg* (1 St.) bis zum *Bullenstoß* 20 Min.; *Sonnenthal* hinunter zur *Schluft* 30 Min., im Sieberthal abwärts bis *Sieber* $1^1/_4$ St.; oder vom *Bullenstoß* r. durch den *Bäckerhai* bis zur Höhe

des *Bruchbergs* (Stieglitz-Ecke) ¾ St. (hier schöne Fernsicht gegen SW. und NW.), dann l. die Chaussee immer auf dem Bergrücken bis *Hanskühnenburg* ¾ St.; bis zum *Jagdhaus* ¼ St., nach *Lonau* hinab ¾ St., ins Sieberthal zurück ½ St. und über Sieber zurück 2 St.

12) Auf den ***Ravensberg**; Eisenbahn bis Lauterberg, dann wie S. 181. — Auf den **Stöberhai**, s. S. 183. — Über Oderhaus (S. 180) auf den Stöberhai, hinüber nach dem Ravensberg, hinab zum Wiesenbecker Teich und nach Lauterberg und event. mit der Bahn zurück; **sehr lohnende Tagespartie** (ca. 7 St.).

13) Wer einen ganzen Tag lang als rüstiger **Fußwanderer** im Gebirge zubringen will (Proviant mitnehmen!), geht von St. Andreasberg auf der Klausthaler Straße etwa ½ St., dann geht l. ein Fußweg durchs *Fischbachthal* nach dem **Forsthaus Schluft** (s. oben). Vor dem Haus die Straße, welche in einigen Windungen den Berg (westl.) hinaufführt, dann die Straße von Sieber (l.) nach Dammhaus (r.). Man bleibt auf dem *alten* Weg; wenn derselbe zum viertenmal die Straße berührt (zertrümmerte Wegweiser), befindet man sich auf dem Weg, der von NO. nach SW. etwa 100 m unter dem Rücken des langen Gebirgszugs **Auf dem Acker** von der Stieglitz-Ecke (die ½ St. r. entfernt liegt) nach dem *Jagdhaus* (S. 162) führt. Die Straße ist höchst einsam und läuft südwestl. vom Jagdhaus bis nordöstl. zur Stieglitz-Ecke (S. 161); Länge: vom Jagdhaus bis zum Wegweiser »Lonau, Sieber« 3 km, von da bis zur Stieglitz-Ecke noch 7 km; die ganze Wildheit dieses Gebirgszugs tritt hier hervor, sie gewährt aber auch köstliche Durchblicke in die Gegend östl. — Will man l. dem Jagdhaus zuwandern, so vermeide man die l. zu Thal führenden Wege. ½ St. vor dem Jagdhaus kommt die Straße von *Sieber* nach *Lonau* herauf. Wegweiser nach *Hanskühnenburg* (S. 162), beschwerlich zu erklimmen. — Vom Jagdhaus Fußweg nach *Lonau* ¾ St., auch Fahrstraße dahin, und, von dieser r. abzweigend, nach *Osterode* 2½ St.

Das **Lonauthal** ist eng, deshalb gibt es keinen Ackerbau, dagegen herrliche grüne Matten und schöner Laubwald. — Von Lonau nach Herzberg ¾ St., am Ausgang des Thals l. die Straße, Wegweiser »St. Andreasberg«, die bei der Plantage r. nach Herzberg hineinführt. — Vom Jagdhaus nach Hanskühnenburg und den Seilerklippen S. 150.

14) **Von St. Andreasberg nach dem Brocken** (durch die Eröffnung der Bahn nach St. Andreasberg eine Eintrittsroute für den Brocken geworden), Fußtour von ca. 5 St.: Nordwärts nach dem *Rehberger Grabenhaus* (S. 165), Rehberger Klippen (Pavillon), zum Rehberger Grabenweg hinab und über den Damm am Oderteich r.; Fußweg l. ab durch Tannen bis an die (2½ St.) Straße nach dem (3 St.) *Forsthaus Oderbrück*; von hier auf den *Brocken* s. S. 95.

Wer einen Wagen benutzen will, fahre bis zum *Dreieckigen Pfahl* (7,50 und 11 M.) unter dem Königsberg (S. 95), von wo der Brocken in 1¼ St. zu ersteigen ist; diese Tour ist um die Hälfte billiger, als wenn man einen Wagen (über Schierke) bis auf den Brocken nimmt.

15) **Von St. Andreasberg durchs Sieberthal nach Herzberg** s. R. 23.

16) **Von St. Andreasberg nach Lauterberg**: a) **Eisenbahn** durchs **Sperrlutterthal** s. S. 180 oder (lohnender) Fahrstraße durchs **Oderthal** s. S. 180.

23. Route: Von Sankt Andreasberg durch das Sieberthal nach Herzberg.

16 km **Chaussee** von St. Andreasberg über ($8^1/_2$ km) *Sieber* nach *Herzberg;* keine Postverbindung; **Wagen** 15 M., Einspänner 10 M.

Das Sieberthal beginnt am Bruchberg, da, wo man auf der Straße von Klausthal über den Sperberhaier Damm, r. von der Straße (Wegweiser, vgl. S. 163) nach *Schluft* einbiegt, 3 km; von Schluft nach *Königshof* 7 km, von hier nach *Sieber* 4 km. Diese Strecke bis zum Forsthaus Königshof heißt das **Ober-Sieberthal;** von einer Landstraße durchlaufen (l. *Sonnenberg*, r. Abhänge der *Söseklippe*), senkt es sich nach der Meierei **Schluft** (S. 171), wo es sehr eingeengt sich zwischen den (l.) *Dreibroden* und dem (r.) *Königsberg* zur malerisch gelegenen *Steinrenner Hütte* durchwindet. Das Ober-Sieberthal wird weniger durchwandert; es macht meist einen kahlen Eindruck, weil der Wald auf große Strecken niedergelegt ist.

Von *Schluft* nach *St. Andreasberg*, im Fischbachthal hinauf, $1^3/_4$ St. — Von Schluft bis *Sieber* 3 St.; geht man aber neben dem Haus in mehreren Windungen über den Berg und da, wo die Straße spaltet (nicht den früher erscheinenden Waldweg!), l., so kommt man auf die Straße im Thal der Großen Kulmke, welche in reichlich 2 St. nach Sieber führt. — Von Schluft nach Hanskühnenburg s. S. 162.

Das **Unter-Sieberthal,** 15 km lang, ist das besuchteste.

Von *St. Andreasberg* (S. 165) durch den Ort abwärts auf der *Lauterberger Chaussee.* R. geht das kleine *Sperrenthal* hinein, in dessen Hintergrund die *Glückaufer Klippen.*

Wer mit Wagen fährt, folgt der Straße, die, hoch gelegen, eine herrliche Aussicht ins Thal bietet, bis dahin, wo dieselbe gabelt, r. in das *Sieberthal* und nach Herzberg, l. durch das *Lutterthal* nach *Lauterberg.* Der *Fußgänger* kürzt meistens ab; richtiger ist es jedoch, der schönen Fahrstraße zu folgen, weil sie bequemer ist und stets Aussicht bietet.

Fußweg ist folgender: 20 Min. (vom Rathaus an gerechnet) steht ein Wegweiser, der anzeigt: »Lauterberg $1^1/_2$ M.« Wir steigen r. in den Wald hinauf (nach Sieber 5 km), immer den breiten Weg, nicht l. — Nach 7 Min. Wegweiser, dann bergab; wo der Weg in drei Pfade spaltet, ist der mittelste zu wählen (immer im Wald). In der Tiefe unten r. die Sieber. Aus dem Wald r. über die *Sieber.* Wegweiser (r. Weg von der Steinrenner Hütte [$^3/_4$ St.] aus dem Ober-Sieberthal). Hier betritt man eine schöne, breite Straße. — Forsthaus *Königshof* (in dem Haus l. Erfrischungen). R. der *Königsberg,* l. oben am Nesselthalskopf läuft die Chaussee nach Herzberg, welche wir unweit St. Andreasberg verließen, und welche bald, 5 Min. vom Forsthaus r. über eine Brücke, in unsre Straße herab einmündet. Immer reizend stilles, frisches Waldthal. — Nach 20 Min. Wegweiser (r. nach Klausthal [20 km], über den *Acker, Hanskühnenburg* und *Eichelberg,* vgl. S. 162). In den Kartoffelfeldern sieht man zuweilen Strohmänner wegen der Wildschweine.

(8½ km) **Sieber** (340 m), preußisches Dorf mit 519 Einw., die fast alle Waldarbeiter sind. Oberförsterei.

Gasthöfe: *Paß*, besucht; Fuhrwerk. — *Krone*, Bier, gute Milch.

Ausflüge. Von hier kann man über den Berg in 1 St. nach **Lonau** (*Deutscher Kaiser; Goldener Hirsch*, Bier) gelangen. Das Flüßchen *Lonau*, welches ein reizendes Waldthal durchfließt, mündet bei Herzberg (1 St.) in die Sieber (vgl. S. 162).

Nach (2 St.) *Hanskühnenburg*, S. 162.

Über den Knollen nach Lauterberg (2½ St.): Dem Gasthaus Paß gegenüber führt eine Brücke über die Sieber. Man verfolge den Weg auf der Fahrstraße durchs Tiefenbeckstbal 8–10 Min., dann r. über das Flüßchen und an dem Bergeinschnitt auf dem Fußpfad 8 Min. geradeaus, — 2 Min. r., — 5 Min. l. hinan. Oben Fahrweg zum kahlen ***Großen Knollen** (687 m); Aussichtsturm wird 1889 errichtet. Herrliche *Aussicht auf die Vorberge des südlichen Harzes, auf Herzberg, Scharzfeld etc. Gegen O. erblickt man den *Kummel-Pavillon*, hinter welchem **Lauterberg** liegt. Weg dahin: Von der Nordseite (Jagdkote) verfolgt man den Fußweg in der Richtung nach Lauterberg, bald Fahrstraße im Lutterthal abwärts, in 1 St. nach Lauterberg. ¼ St. vor dem Ort liegt das Forsthaus **Kupferhütte** (Milch, Kaffee, Bier, Butterbrot), von wo aus auch l. am Kummel hin ein schöner Weg über den Weinberg nach Lauterberg geht.

Nach *Herzberg* geradeaus durchs *Sieberthal*. (11½ km) l. Eingang ins *Langethal*, in dessen Hintergrund der *Schmiedethalskopf*. — (15 km) *Herzberger Sägemühle*; über die Sieber zum *Herzberger Harzforsthaus*; r. die *Lonauer Hammerschmieden*, in denen Sensen, Futterklingen, Äxte etc. gefertigt werden. Ausgang des Thals. Hier l. die königliche Forstplantage; Eintritt frei, stets gestattet (s. unten).

(16 km) **Herzberg** (240 m), preußisches Landstädtchen mit 3450 Einw., Stat. der Südharzbahn (S. 55), Abzweigung der Bahn nach *Seesen*, Bahnhof (mit Restaurant u. Hotel, s. u.) 1 km entfernt.

Gasthöfe: *Kurhaus*, an der Plantage (s. unten), nicht teuer, Mittagstisch (12½–2 Uhr) von 1 M. an. Pension von 3 M. an. — *Weißes Roß*, Mitt. (1 Uhr) 1,50 M., Bier. Billard, Kegelbahn; Omnibus zur Bahn, Lohnfuhrwerk. *Bahnhofshotel*, hübscher Garten. Dieselben Preise, Fuhrwerk. — *Hotel Peimann*, ländlich, inmitten von Gärten. Kegelbahn. T. d'h. 1,50 M., Pens. 3 M. — *Stadt Hannover*, Garten mit Kegelbahn; T. d'h. (1 Uhr) 1,25 M. — *Englischer Hof*; Mitt. 1,50 M.; Bier.

Bäder: Kalte auf der sogen. Papiermühle. Auch medizinische sind zu haben bei *Lübeck*.

Postomnibus: Nach dem (2 km) Bahnhof, 25 Pf.; — nach (19 km) *Duderstadt* in 2¾ St. — **Telegraph.**

Ärzte und Apotheke.

Harzklub, Zweigverein Herzberg, Auskunft bei Herrn Bürgermeister *Schlüter*.

Das Städtchen liegt schon außerhalb des Harzes an der Sieber, da, wo das Sieberthal und das Lonauthal auslaufen, und wird auch als Luftkurort von Fremden besucht. Es gibt hier bedeutende Tuchfabriken und 7 Sägemühlen sowie 2 Gewehrfabriken (Jagdgewehre). — Im Flecken der »*Jües*«, ein Teich von 35 m Tiefe und einer Größe von 7 Hektar. — Nördl., am Eingang ins Sieberthal, die *Plantage*, ein Forst- und botanischer Garten mit seltenen Sträuchern und Bäumen, 1793 von Herrn von Uslar angelegt. Hier das neue, von Anlagen umgebene *Kurhaus*. — Der interessanteste Punkt ist das auf hoher Felsenbastei weite Ausblicke über das Eichsfeld und das

Fürstentum Grubenhagen erschließende welfische *Fürstenschloß Herzberg.* Drei Wege führen hinauf: der Schloßfahrweg, der durch das feste Burgthor auf den frühern Turnierplatz, jetzt Schloßhof, führt; eine Steintreppe, über 248 Stufen in den Vorhof mündend, und der sogen. Pastorenweg, in der Richtung zum Bahnhof. Der *Freuden-* oder *Fräuleinstein* (s. unten) ist nicht mehr vorhanden. Am Schloßberg der *Burghals,* ein hübsches Wäldchen mit der renovierten »Königslaube«, Aussichtspunkt. Am rechten Ufer der Sieber das *Eichholz* mit der Anhöhe »Nüll«, welche Fernsicht gewährt.

Schloß Herzberg (früher *Hircesberch*) ist wahrscheinlich kurz nach 1130 von Kaiser Lothar als Reichsburg erbaut. 1158 erwarb Heinrich der Löwe vom Kaiser Friedrich I. tauschweise die Burg Herzesberch. Bei der Teilung der welfischen Besitzungen kam es 1269 an die Braunschweig-Wolfenbüttelsche und bald darauf an die Grubenhagensche Linie, von wo ab es mit Osterode und Katlenburg Residenz wurde. 1510 brannte es teilweise nieder und erhielt die im wesentlichen noch jetzt beibehaltene Gestalt.

Als mit dem Tod Philipps II. (1596) die Grubenhagensche Linie der Herzöge von Braunschweig ausstarb, kam das Land durch Kaiserspruch 1617 an die Cellesche Linie; diese hatte damals sieben Söhne, und um einer Zerstückelung des Landes vorzubeugen, vereinbarte die Familie das höchst denkwürdige Hausgesetz, daß nur einer der Söhne sich verehelichen, die sechs andern ledig bleiben sollten. Das Los bevorzugte den jüngsten, Georg, der bereits in heimlicher Liebe zur Prinzessin Leonore von Darmstadt entbrannt war. Freudig stürmte der vom Glück Erkorne zur Burg hinaus, wo sein Lieb auf dem Kalkfelsen, seiner und des Zufalls Ausspruch harrend, wartete; hier begrüßte er sie als künftige Fürstin, und das Volk nannte zu ewigem Gedächtnis den Block den »Freudenstein«. Georg, Stammvater der Könige von England und Hannover, verlegte 1635 seine Residenz nach Hannover, nachdem seine sämtlichen Kinder noch in Herzberg geboren waren, worauf es nur zeitweise noch Residenz war; 1714 hörte die Hofhaltung ganz auf, und in der Mitte des vorigen Jahrhunderts wurde es seiner fürstlichen Einrichtung entkleidet. Der Schloßturm trägt als Zeichen seines Erbauers Christian Ludwig (1665) ein gekröntes C. L. — Die in der 1840 abgerissenen Bartholomäikirche befindlich gewesene Fürstengruft ist samt Leichnamen in die neue Stadtkirche verlegt.

Ausflüge: Nach dem *Acker, Jagdhaus, Seilerklippen, Hanskühnenburg* s. S. 162; von da ins Sösethal nach *Osterode* (S. 159): sehr lohnende Tour für einen ganzen Tag. — Nach (5 km) *Lonau* und (8 km) *Sieber* (S. 173). — Auf den (2 St.) *Großen Knollen* (S. 174). — ($1^1/_2$ St.) *Rhumesprung* (S. 175), künstliche Forellenzucht.

An der Poststraße von *Herzberg* nach (11 km) *Osterode* liegt $1^1/_2$ St. von Herzberg, l. der Chaussee hinter dem Vorwerk *Düna,* die **Jettenhöhle,** eine umfangreiche Kalkgrotte mit einem spiegelklaren Teich. Sie ist nur unter Leitung eines Führers zu besuchen. — 1 St. weiter, r. der Straße eine Reihe von Naturteichen, die **Teufelsbäder** genannt. Dem Volksglauben nach soll der Satan abends, wenn es ihm in der Hölle zu warm wird, heraufsteigen und hier ein Abkühlungsmittel suchen.

1 St. l. von der Straße der sogen. **Klinkerbrunnen,** eine Kalkhöhle, die ihren Namen von den mit klingendem Schall ins Wasser fallenden Tropfen hat. Unweit: Erdfall mit schwimmender Insel. Die ganze Gegend ist reich an Sagen.

Wer in Herzberg sich aufhält, besucht vielleicht *König Heinrichs I. Vogelherd* ($1^1/_2$ St. südl.) unweit *Pöhlde* (s. unten), die denkwürdige Stelle, wo die Gesandten des Frankenstammes Heinrich den Finkler im Jahr 919 als König begrüßt haben sollen. Nach andern soll der Vogelherd bei Blankenburg gestanden haben (S. 73).

24. Route: Von Herzberg nach Lauterberg.
Steinkirche. — Einhornshöhle. — Scharzfels.

Eisenbahn (S. 55) von Herzberg 3mal tägl. in ½ St. über (5½ km) *Scharzfeld* nach (10 km) **Lauterberg.** Für den 3stündigen Ausflug zur *Steinkirche*, *Einhornshöhle* und *Scharzfels* verläßt man in Stat. *Scharzfeld* die Bahn und nimmt am Bahnhof oder im Dorf Scharzfeld einen Führer. Stearinkerze mitnehmen!

Gasthäuser am Bahnhof Scharzfeld: *Hotel Schuster*, neben dem Bahnhof; Pens. 4–4,50 M. Führer. — *Hotel zum Scharzfels*, 10 Min. vom Bahnhof entfernt, unterhalb der Ruine (S. 176), einfache Verpflegung.

Vom Bahnhof zur *Steinkirche* nach dem *Dorf Scharzfeld* l. ½ St.; zur Ruine *Scharzfels* und zur *Einhornshöhle* direkt hinter dem Bahnhof durch den Wald hinauf ½ St., oder neben dem Hotel zum Scharzfels hinauf.

Von *Herzberg* (S. 173) fährt die Bahn 10 Min. bis *Scharzfeld*. R. (südwestlich) der *Rothenberg* (15 km lang), auf dessen Ostspitze ein angeblich von König Heinrich I. stammender Vogelherd (augenscheinlich eine vorhistorische altgermanische Wallburg) gezeigt wird. In dem an der Nordseite des Bergs liegenden Dorf *Pöhlde* gründete des Königs Gemahlin Mathilde ein Kloster. Bei dem Dorf lag der Königshof Palithi. (Von hier in 40 Min. [Omnibus nach Duderstadt] zur *Rhumequelle* bei *Rhumspringe*, eine der stärksten Quellen.)

(5 km) **Scharzfeld** (260 m; *Weißes Roß; Tanne*), preußisches Dorf mit 1080 Einw. Wer mit Wagen reist, läßt seine Sachen in demselben und schickt ihn nach dem *Hotel zum Scharzfels* (s. oben), wo man nach etwa 3 St. wieder auf die Straße kommt.

Ausflug zur ***Steinkirche,** mit Führer, 10 Min. von Scharzfeld, 5 Min. steigen. Dieses Denkmal aus den ältesten Zeiten des Christentums hiesiger Gegend ist eine ganz trockne Höhle von ca. 38 m Länge, 3–5 m Breite und gegen 8 m Höhe (die gewölbartige Decke hat in der Mitte ihrer Länge eine lichte Öffnung), in die man von einem mit Rasen bewachsenen Vorplatz eben hineingeht. Unverkennbar war sie einst Kirche (für Scharzfeld?), mit einer ziemlich formlosen Kanzel r. und einer Spitzbogenvertiefung für den Weihwasserkessel l. am Eingang. In der Mitte der Höhle (r.) ausgehauene Mensa für den Altar. Viele Vertiefungen in den Wänden deuten darauf hin, daß Gebälk und Eisenwerk in den Felsen eingelassen waren. Am Vorplatz (der vielleicht mit dem Schiff der Kirche überbaut war?) ein durch Felsen gehauener mannshoher Gang, abermals mit Gebälklöchern, und ganz vorn l. noch eine nischenförmige Vertiefung, in welcher vielleicht ein Heiligenbild zur Verehrung ausgestellt war. Jetzt suchen Hirten und Herden Schutz vor dem Unwetter in der Steinkirche. Aller Wahrscheinlichkeit nach mag dieses höchst interessante Denkmal der architectura sacra aus dem 8. oder aus dem Anfang des 9. Jahrh. stammen. Die Kirche und der Berg (Burg?) wird in scharzfeldischen Urkunden »der Ritterstein« genannt.

Auf dem Turm in Scharzfeld Glocke, die von hier stammen soll(?). Das Dorf Scharzfeld wird 952 in einer Urkunde Ottos I. genannt.

Die **Volkssage** erzählt: Der heil. Bonifacius (der 743–745 den Sachsen dieser Gegend das Evangelium gebracht hat) habe die dem Wodan opfernden Heiden, als sie einst ein wildes Fest auf dieser Höhe feierten, bei dem die Opfer bluteten, durch die Macht seiner Rede mächtig ergriffen, und um die Bedeutung seiner hohen Sendung zu bekunden, habe er mit einer hölzernen Axt begonnen, den Felsen auszuhöhlen, und das harte Gestein sei gewichen wie weiches Wachs. Dies Wunder habe die Götzendiener zu seinen Füßen geworfen, so daß sie sich von ihm in der nahen Oder taufen ließen.

Hinaufsteigen über die Steinkirche. Auf der vordern Klippe mag eine Befestigung gestanden haben; Wallgraben, Kalkmörtel. — Weiter: zu Fuß hinab quer durch das *Bremkethal,* hinauf über den *Schulenberg,* der ebenfalls Felsenkuppen hat, dann auf eine einzeln stehende Eller zu und über die Wiese am Zaun hinauf. Etwas Ackerfeld, dann gerade über die Schafweide, nicht l. nach der Waldecke, sondern gerade hinüber nach dem neuen Zaun. Den Durchgang desselben passieren, in den Wald, den Weg r. Etwa 7 Min. langsam auf rasenbewachsenem, wenig betretenem Pfad ansteigend. Wo der Weg dreimal gabelt, r. ab (25 Schritt) zu einem steinernen Tisch. — $^3/_4$ St. von der Steinkirche die

Einhornshöhle, eine der interessantesten und am bequemsten zu besuchenden des Harzes. Stearinkerzen und bengalisches Feuer anzuzünden. Der verstorbene Oberforstmeister v. Hammerstein hat das Verdienst, die Höhle zugänglich gemacht zu haben. 43 Steinstufen mit schlechter Holzlehne hinab. Weil Knochen des antediluvianischen Höhlenbären und angeblich ein Horn des fabelhaften Einhorns hier gefunden wurden, nannte man sie also. Tropfstein-Inkrustate und Stalagmiten. Aus der Zeit des Schillerfestes eine in die Wand eingelassene Gedenktafel. 1872 von Virchow u. 1882 nochmals untersucht; Spuren von frühern Bewohnern, Knochen etc., wurden ins Museum zu Nordhausen, bez. Hannover abgeliefert. Die Höhle, die wohl nur dem kleinern Teil nach von Schutt befreit ist, soll über 280 m in den Berg sich hineinwinden. In der Umgebung von Scharzfeld kommen viele Höhlen vor, *Quark*- oder *Zwerglöcher* genannt, die nach dem Volksglauben einst von Gnomen bewohnt waren.

Weiter! Wieder hinaus zur Stelle, wo die drei Wege gabeln, und nun den mittlern. Wo er abermals gabelt, r. und gleich darauf wieder r. in einen dunkeln jungen Buchengang. Über eine prächtige einsame Waldwiese (schönes Echo). Geradeaus im Blick die Felsenbastei des Scharzfels. Durch eine Waldgasse hinab, über einen quervor laufenden Holzfahrweg, durch jungen Buchenwald in $^1/_2$ St. hinauf zur

Ruine Scharzfels (383 m), einer der malerisch schönsten am Harz (im Sommer einfache Restauration des Wirts vom Hotel Scharzfels). Diese kühn auf und in Felsen gebaute Burg, deren Gemächer und Kasematten zum Teil im harten Gestein ausgehauen wurden, ward vom Erzstift Magdeburg zum Schutz seiner Abtei Pöhlde erbaut, 1131 an den Kaiser Lothar vertauscht, der sie dem Edlen Sigebodo übergab. Dieser wurde Stammvater der Grafen von Lauterberg und Scharzfels. Aus einer noch frühern Zeit folgende

Volkssage. Der Kaiser Heinrich IV., zu Gaste beim Ritter von Scharzfels, entbrannte in unkeuscher Liebe zur Burgfrau, und um freie Hand zu haben, sandte er den Ritter mit einer kaiserlichen Botschaft hinaus ins Land. Mit Hilfe des Burgpfaffen schlich der Kaiser ins Schlafgemach der Ehrenfrau und wollte sie überwinden. Da, in ihrer Angst, erscheint auf den durchdringenden Hilferuf der Schutzgeist der Burg, ein graues Männlein, das einen Fluch über den Kaiser ausspricht, während die Grundfesten des Gebäudes wanken und der Schloßturm einstürzt. Pfaffe und Kaiser fliehen entsetzt. An letzterm ging der Fluch in Erfüllung: seine eignen Söhne kämpften gegen ihn; er starb unbeweint, und sein Leichnam blieb lange unbeerdigt liegen.

Heinrich der Löwe wurde 1158 Lehnsherr jener Grafen, durch Fehde und Eroberung gelangten die Grafen von Wernigerode gegen das Ende des 13. Jahrh. in den Besitz der Burg. Seit 1345 waren die Grafen von Hohnstein Eigentümer. Nach deren Aussterben 1593 bemächtigten sich die Herzöge von Braunschweig der Burg. Nach dem Dreißigjährigen Krieg wurde sie meist als Staatsgefängnis benutzt. Aus ihr entfloh die gefangen gehaltene Hofdame der unglücklichen »Prinzessin von Ahlden« (Sophie Dorothea, geschiedenen Gemahlin Georgs I.), das Fräulein von Knesebeck.

Das bedeutendste Ereignis aus der Geschichte dieser Burg ist die Belagerung derselben im Siebenjährigen Krieg (1761) durch 11,000 Franzosen unter Victor und Vaubecourt. Der Major v. Sack und Hauptmann v. Issendorff befehligten die Garnison, die nach Abzug von 100 sogen. Harzschützen aus 250 Invaliden und 40 Artilleristen bestand; sie verteidigten das Felsennest mit solcher Ausdauer, daß die Franzosen, ergrimmt, die äußersten Mittel benutzten; Blockade, Sturmleitern, Bomben, alles nützte nichts. Endlich führte Verrat die Feinde ein, und die Burg wurde in die Luft gesprengt. In Paris wurde ein feierliches Tedeum angestimmt wegen Eroberung der »stärksten Festung Deutschlands«, aber in Wahrheit hatten die Franzosen nichts als vier alte Kanonen und einen wertlosen Steinhaufen ohne alle strategische Bedeutung gewonnen.

Die interessanten Burgreste sind restauriert; ein prächtiges neues Thor führt in den mit Blumenbeeten gezierten Schloßhof der Niederburg; mittels einer jetzt erneuerten Treppe von 45 Stufen (die ehemals mit einer Zugbrücke in Verbindung stand) kommt man auf die Hochburg. Einfache *Restauration.* Aus dem Mittelalter eine gußeiserne Platte mit zwei Reliefs: Judith und Holofernes und der barmherzige Samariter. Auf der obersten Partie runde freie *Aussicht.

Gegen N. Wald (über die Waldwiese führt der Weg zur Einhornshöhle); — im NO. der Große Knollen; — im O. Frauenstein, ganz nahe, Umgebung von Lauterberg, Kummel-Pavillon, Ravensberg mit dem Haus, vorn das Oderthal, Möbelfabrik Oderfeld, in der Ferne der Possenturm. Zu Füßen im S. Amt Scharzfeld (Domäne), Dorf Barbis, ein alter Hohnsteiner Wartturm, darüber weg die Hainleite, Ohmgebirge, Eichsfeld, — gegen W. Scharzfeld, Schloß Herzberg, die Gleichen bei Göttingen etc.

Hinab entweder auf dem *neuen* Weg (Westseite der Ruine, hinten herum) zum guten *Hotel Schuster* am Bahnhof, oder, ebenfalls ¼ St., zum *Hotel zum Scharzfels* (bescheidener Gasthof). — R. in 10 Min. zum *Bahnhof*, von wo man auf der neuen Sekundärbahn in 15 Min. nach *Lauterberg* (s. unten) gelangt. — Die Chaussee schneidet oberhalb der *Möbelfabrik* einen Winkel im Lauf der Oder ab. Fußgänger ziehen den Umweg, dicht am Fluß aufwärts, vor und gehen deshalb vom Hotel gleich über die Brücke auf das linke Ufer, l. hinab und direkt auf die Oderfelder Möbelfabrik zu, hinter derselben über den Mühlgraben auf den **Philosophenweg* bis zu der Brücke, welche zur *Drahthütte* führt. Kurz vor *Lauterberg* die *Königshütte*, Eisengießerei, Maschinenfabrik.

Das *Kunstgußwaren-Kabinett* der Königshütte, in welchem die Erzeugnisse der Hütte zu Kauf und Schau ausgestellt sind, ist bis 6 Uhr abds. geöffnet. Eine Niederlage ist auch in Lauterberg bei Hecht (Doktorgasse).

Will man *direkt* nach dem *Wiesenbecker Teich* und auf den *Ravensberg* (R. 26), so braucht man Lauterberg (l.) nicht zu berühren.

---

25. Route: Von Scharzfeld über Lauterberg nach St. Andreasberg.

Eisenbahn von **Scharzfeld** (Station der Südharzbahn, S. 56 u. 175) über (5 km) **Lauterberg** durchs Sperrlutterthal nach (15 km) **St. Andreasberg** in 3/4 St. — Die Bahn bildet eine neue Zugangsroute zum Zentralharz (den Brocken erreicht man von St. Andreasberg in 4 1/2–5 St.).

Von Scharzfeld (S. 175) geht die Bahn in östlicher Richtung am rechten Ufer der Oder hin, r. die Möbelfabrik *Oderfeld*, und hält gleich darauf am Bahnhof, an der Mündung (l.) der Lutter, von

(4,1 km) **Lauterberg** (300 m), preußischem Flecken mit 4186 Einw., an der Oder, am Eingang ins Oderthal, schön gelegen. 2 Oberförstereien; Eisenindustrie und Möbelfabrikation. (Touristen ohne Gepäck steigen an der Haltestelle *Kurpark* aus.)

Gasthöfe: *Deutscher Kaiser*, an der Promenade, gegenüber dem Bad. Bier. Fuhrwerk. — *Hotel zur Krone*, an der Promenade. — *Kurhaus* von *Elchepp*, Garten; für Touristen. — *Hotel Kurpark*. — *Hotel Langrehr (Bellevue)*, an der Promenade, mit gutem Restaurant. — *Ratskeller*, mit Posthalterei. — In allen Mittagstisch 2 M., im Abonnement 1,75–1,50 M. — *Felsenkeller*, schön gelegen, großes Haus. — *Schützenhaus*, bescheiden.

Restaurationen: *Waldhaus zum Eichenkopf*, nahe dem Bahnhof, Aussicht; auch Wohnung. — *Zur Börse*. — Brauerei von *Gebr. Geyer*. — *Bahnhof Lauterberg*. — *Bahnhof Kurpark*.

Post. — **Telegraph**. — **Lohnfuhrwerk**: *Ratskeller, Fritsch, Herbst, Holzapfel* und bei den Wirten.

Kurtaxe: Eine Person 8 M., 2–3 Pers. 12 M., 4 und mehr Personen 15 M., Kinder und Bedienung frei; das übliche Morgenständchen wird in der Regel mit 3 M. honoriert. Der Wochenlohn der Badewärter beträgt 4 M. Für ein Badelaken 15 Pf. Für wollene Decken und Strohmatratzen zum Schwitzen muß jeder Kurgast selbst sorgen. Vollbad 1 M., warmes Bad 75 Pf., Douche 40 Pf., Wellenbad 50 Pf., Schwimmbad 20 Pf. (10 Stück 1,50 M.).

Badekommissar: Bürgermeister *Gehrich*; **Badeärzte**: *Dr. Ritscher* und *Dr. Wander*.

Knabenpensionat und **Schulsanatorium** von Oberlehrer *Dr. F. H. Ahn.*

Wohnungen für Kurgäste sind etwa 400 im Preis von 8–30 M. für die Woche vorhanden; jedes Bett 1,50 M. Anfragen richte man an die Badeverwaltung.

Führertaxe inkl. Tragens von Gepäck bis $12^1/_2$ kg: 1 Tag 3 M. (Beköstigung oder 80 Pf. für 1 Tag, 40 Pf. für $^1/_2$ Tag). Für Übernachten außerdem 80 Pf., sonst für die Rückreise für jede Stunde 20 Pf. Man akkordiere genau vorher.

Seinen bedeutenden Ruf verdankt Lauterberg neben seiner schönen und gesunden Lage der 1839 vom Sanitätsrat Dr. Ritscher eingeführten Kaltwasserbehandlung, deren glückliche Erfolge die Zahl der Kurgäste ständig vermehrt haben (1888: 2691 Kurgäste). Eine Wasserheilanstalt im engern Sinn des Wortes ist nicht vorhanden. Die Vermieter sind in ihren Häusern mit allen nötigen Gerätschaften zu einer vollständigen Wasserkur (Abreibungen, trockne und nasse Einpackungen, Sitzbäder etc.) versehen; ein gut geschultes Badewärterpersonal bedient die Kranken in ihren Wohnungen, was wesentlich zu der Bequemlichkeit der Kurgäste beiträgt. Daneben bietet das mitten in den Kuranlagen gelegene *Badehaus* alle Einrichtungen, welche der jetzige Stand der Heilkunde für eine Wasserheilanstalt erfordert. Douchen, berühmt durch Kraft und Kälte (Brunnenwasser), kalte und warme Wannenbäder, Vollbäder, Fichtennadelbäder, alle Arten medizinische Bäder, kräftige Wellenbäder im Oderflusse, großes Freischwimmbassin etc. Außerdem errichtet der Badearzt *Dr. H. Ritscher* (Sohn des Gründers des Bades) 1889 hier eine geschlossene *Wasserheil- und Kuranstalt* für Nervenleidende (mit Ausschluß von Geisteskranken).

An der Südseite des Ortes spendet die Lauterberger Quelle den Frühtrunk (Inschrift: »Wasser thut's freilich, nur nicht zu eilig«); Spaziergänge, ein gedecktes Lokal, bei ungünstiger Witterung zu benutzen, sind vorhanden. — Ein Kurhaus als Mittelpunkt des geselligen Verkehrs wäre wünschenswert.

Über der Stadt auf dem **Hausberg** (421 m) die spärlichen Ruinen der **Burg Lutterberg**. Sie wurde kurz vor 1190 vom Grafen Heidenreich von Lutterberg, einem Bruder des Grafen Burchard von Scharzfeld, erbaut, wird zuerst 1203 bei der Teilung der Güter Heinrichs des Löwen als ein dem König Otto IV. zugefallenes Castrum genannt, war bis 1289 Residenz der Grafen von Lutterberg, welche 1398 ausstarben, dann Eigentum der Herzöge von Braunschweig, von denen sie die Grafen von Hohnstein von 1405–1593 als Lehen besaßen. Die Burg wurde 1415 durch Herzog Erich von Braunschweig zerstört.

Ausflüge. Der Fußtourist, welcher einen Tag in Lauterberg verweilt, ersteigt den **Hausberg** und den **Kummel** (601 m), beide mit Pavillon, und stattet jedenfalls dem idyllisch gelegenen *Wiesenbecker Teich* (S. 181) einen Besuch ab.

Die beliebtesten Punkte der Umgebung (vom Harzklub mit Wegweisern versehen) sind folgende:

Die *Neuen Anlagen* bei der Quelle und der *Scholm* (572 m), *Ritschers Höhe* genannt, wo sich auch das Gußeisendenkmal Ritschers befindet. Darunter der Felsenkeller. — *Königstein* (Ostseite oberhalb Lauterberg), schöne Aussicht. — Im *Oderthal aufwärts:* Forsthaus Flößwehr (Erfrischungen). — Die sogen. *Schweiz,* liebliche Partie am Dietrichskopf. —

12*

Sägemühle. — Oderhaus 12 km. — Im *Oderthal abwärts:* Königshütte, Philosophenweg etc. (S. 178). — Im *Andreasberger Thal:* Kummelpavillon. — Im *Lutterthal aufwärts:* Hausberg (s. oben). — Prachtvoller Weg zum Forsthaus Kupferhütte (Milch, Kaffee, Bier etc.), gegenüber der *Prießnitzquelle.* — Grube und Lutterteich am Schadenbeckskopf. — Pfaffenthalskopf. — Hohefeld. — Nach dem *Wiesenbecker Teich* (S. 181) und nach dem *Ahrendsberg;* der Weg nach letzterm führt r. am Wiesenbecker Teich vorbei, Wegweiser dahin. — Über die *Hohethürklippen* nach *Steina* (S. 181).

Von Lauterberg auf den (2 St.) ***Ravensberg** s. R. 26.

Von *Lauterberg* über ($2^1/_2$ St.) *Stöberhai* (S. 183) und auf den ($3^1/_2$ St.) *Ravensberg* (S. 181) und von da zurück in $1^1/_2$—2 St.; sehr lohnend. — Von Lauterberg über *Kupferhütte* an den Eisensteingruben vorüber auf den ***Großen Knollen** (S. 173), 2 St.; *Aussicht auf den Oberharz. Ein Aussichtsturm auf dem Gipfel wird 1889 errichtet. — Hinab in $1^1/_2$ St. nach *Sieber* (schöner Weg) und in weitern 2 St. bis Bahnhof *Herzberg;* sehr lohnende Bergpartie. — Von Lauterberg nach den *Ohmbergen,* beste *Ansicht des Südharzes.

Schöne Rundtour zu Wagen: Lauterberg – Oderthal – Oderhaus – Oderteich – Rehberger Graben – St. Andreasberg – Sieber – Großer Knollen – Kupferhütte – Lauterberg.

Von Lauterberg nach St. Andreasberg.

A. Die Eisenbahn geht von Lauterberg an der (5,5 km) Haltestelle *Kurpark* vorüber im Oderthal aufwärts am (l.) *Forsthaus Flößwehr* vorüber. Bei (7,7 km) Stat. *Oderthal* mündet die *Sperrlutter* in die Oder, welcher sie so das durch den Rehberger Graben (S. 164) entzogene Wasser wieder zuführt. Die Bahn verläßt das Oderthal, überschreitet die Sperrlutter und tritt, l. abbiegend, in deren Thal ein, bald dem rechten, bald dem linken Ufer des Flusses folgend. — (15,3 km) Stat. **St. Andreasberg** (S. 166), der Bahnhof (*»Andreasberger Silberhütte«*) $^1/_2$ St. vom Ort entfernt (Hotelwagen am Bahnhof).

B. Die weitere, aber lohnendere Fahrstraße (18 km) führt durch das romantische ***Oderthal** (der *Brahmforst* mit dem *Dietrichskopf* r., die *Hillebille* l.) nach der Kolonie (17 km) **Oderhaus,** Oberförsterei mit drei Häusergruppen: die königliche *Sägemühle* (von hier bezeichneter Fußweg in $1^1/_2$ St. auf den Stöberhai [S. 183], sehr lohnend), $^1/_2$ St. davon das *Oberförsterhaus,* wenige Schritte weiter das *Forst-* und *Chausseehaus* (Restaurant, auch Wohnung für 6 Personen; beschränkt, aber ordentlich), aus dessen Gärtchen der Weg zum *Pavillon auf dem Schloßkopf* (632 m) emporführt. Die Straße gabelt: r. nach (24 km) *Braunlage* (S. 125); — l. nach (23 km) *St. Andreasberg* durch herrlichen Tannenwald (1 St.), dann schöner Blick auf der Höhe des *Beerbergs* (650 m) über die Umgegend von St. Andreasberg.

Die mittlere Straße führt von Oderhaus im Oderthal aufwärts nach (12 km) **Oderbrück** (S. 125), von wo man in 2 St. den Brocken (S. 95) erreicht. Will man die Rehbergergrabenleitung (S. 164) gewinnen, die westl. etwa 200 m über der Straße liegt, so steige man nach etwa einstündiger Wanderung im Oderthal l. kurz vor der Brücke eine steile Waldschneise (Feuerlinie) hinauf (nichts für bequeme Leute).

26. Route: Von Lauterberg oder Sachsa auf den Ravensberg und den Stöberhai.

Der ***Ravensberg** (660 m), eine der bedeutendsten Bodenerhebungen (sehr schöner Felsitporphyr) am südlichen Rande des Harzes, wird wegen seiner umfassenden *Aussicht über die Goldene Aue, das Eichsfeld und den südwestlichen Teil der Harzwaldausläufer sehr viel besucht und bezüglich der malerischen Wirkung seines Panoramas dem Brocken vorgezogen. Der Südharzer nennt ihn deshalb den *Kleinen Brocken.* Vier Wege führen hinauf: von *Lauterberg, Steina, Sachsa* und *Wieda,* von denen der erste und dritte vorzugsweise benutzt werden. ☞ Sehr zu empfehlen ist die Tour: Lauterberg — Wiesenbeeker Teich — Ravenskopf — Jagdkopf — Stöberhai — Wieda — Walkenried.

Besser noch macht man die Tour in umgekehrter Richtung. — Wer die Ruine in Walkenried nicht mit besuchen will, geht in diesem Fall vom Bahnhof Walkenried gleich der Bahn entlang bis zum nächsten Wärterhaus, dann r. ab auf die Waldecke zu, in den Wald, nach 1/4 St. auf die Wiedaer Chaussee (bis Wieda fast immer schattig).

a) **Fußweg von Lauterberg** 1 3/4–2 St. bis zum Gipfel. (Zu Wagen kann man nur über *Steina* u. *Sachsa* [s. unten] auf den Ravensberg gelangen, 2 1/2–3 St.) — Führer (1 M.) unnötig. Hier genaue Beschreibung des Wegs: In *Lauterberg* (S. 179) von der Quelle auf der Straße thalabwärts bis über die Brücke, gleich auf der Straße hinter derselben l. am Berg entlang; nach einigen Minuten steigt man eine kurze Strecke aufwärts und verfolgt sodann den Weg r. ohne weitere Steigung am Hang des Berges. Jetzt folgt man dem Pfad längs des Wässerchens, das dem Teich entfließt. Man steige jedoch, wenn man das kleine Teichhaus und das Plateau des Teiches von unten sieht, ein wenig abseits von dem Wässerchen eine kleine Höhe hinan; man kommt so auf den ebenen Weg zum

(3/4 St.) ***Wiesenbeeker Teich** (*Hotel* und *Restaurant,* 36 Logierzimmer; nimmt Sommergäste auf; Pension 4 M.), ein höchst malerisch von waldigen Bergen umgebener, etwa 700 Schritt langer und 200 Schritt breiter See, ein beliebter Nachmittags-Spaziergang für die Lauterberger Kurgäste. Der Wirt hat zur Unterhaltung der Gäste mehrere Kähne auf dem Teich. (Ausflug nach dem *Ahrendsberg;* man geht an der Südseite des Teiches, denselben l. lassend, entlang und durch Wald hinauf zur kahlen Spitze; 487 m.)

Weg zum Ravensberg:

Der Teich bleibt r. liegen. Man umgeht ihn ganz auf schönem Fußsteig, schreitet im Thal noch einige Minuten fort, dann r. hinauf zur *Hohen Thür* (Berg), hier l. hinab zur Steina, über dieselbe und l. umbiegend r. am Berge hinauf zum (2 St.) *Ravensberg.* Überall Wegweiser.

b) **Fußweg und Fahrweg von Steina** (1 1/4, bez. 1 3/4 St.). Vom Bahnhof *Osterhagen* oder besser vom Bahnhof *Tettenborn* (Eintr.-R. IX) aus 1/2 St. nach **Steina** (*Gastwirtschaft*), im lieblichen Steinathal; auf ebener Fahrstraße bis an den Berg Hohethür, wo man auf den Lauterberger Weg (s. oben) einlenkt. Der bequeme Fahrweg bleibt noch eine Zeitlang im Grunde des Steinathals und biegt dann r. in ein Seitenthal ein, in dem er in allmählicher Steigung aufwärts führt, bis er auf der Höhe auf einer großen Rasentrift, dem sogen. »Plan«, endet. Verfolgt man die Trift von hier aus nach r., so gelangt man nach ca. 15 Min an einen Wegweiser am Waldessaum, bei dem ein Fahrweg in den Wald einbiegt, der in scharfer Steigung in wenigen Minuten auf den Gipfel des Ravensbergs führt. (Will man den Besuch des *Römersteins* [S. 185] mit dieser Tour verbinden, so wende man sich vom Bahnhof gleich dahin; von diesem bis Steina 1/2 St.)

c) **Fahrweg von Sachsa** auf den Ravenskopf, der bequemste, führt in 1 1/4 St. bequemen Steigens auf den Gipfel. Von *Sachsa* (S. 183) auf der breiten Straße hinaus nach dem *Schützenhaus* (5 Min.), an der rechten Seite desselben auf dem Fahrweg weiter bis zu einem Wegweiserpfahl, 5 Min.; l. über die Brücke und nun nicht zu verfehlender Fahrweg, immer schattig im Wald. Wer ein Ränzchen zu tragen hat, lasse sich 50–60 Pf. für einen Knaben als Träger nicht gereuen, um minder erhitzt oben anzulangen. (Ein schönerer *Fußweg* s. unter Ausflügen von Sachsa [S. 184], steiler in der zweiten Hälfte.) — Ein neuer Fußweg mit weniger Steigung als der Fahrweg führt vom Schützenhaus in Sachsa l. durch den Kurpark bis zum Teich, dann r. den schönen und schattigen Weg entlang (überall Wegweiser und Ruhebänke) in 1 St. auf den *Ravensberg*.

d) **Fußweg von Wieda** (S. 183) in 1 1/2 St. nach *Stöberhai* und von da in 1 St. nach dem Ravensberg. Dieser Weg wird von denjenigen Touristen benutzt werden können, die von Hohegeiß, Zorge, Walkenried kommen und zunächst den *Jagdkopf* und Stöberhai (S. 183) besuchen wollen.

Auf dem Gipfel des Ravensbergs der *Gasthof zum Ravensberg* (Gänsehals, früher Kohlhaase); Mitt. 1,50 M.; bayrisch Bier, Böllerschuß (donnerähnliches *Echo) 50 Pf. — Der verstorbene Wirt Kohlhaase (Schwiegervater des jetzigen Wirts) hatte nach 25jährigem Bestand seiner Wirtschaft da oben sich und seinen Freunden selbst ein gußeisernes Denkmal gesetzt!

Das ***Panorama** ist meistens sehr schön, da die Aussicht beschränkter und nicht so dem Wechsel der Witterung ausgesetzt ist wie die des Brockens. Von W. nach N. liegen im Vordergrund die Bergzüge des Oderthals. Im W. das Oderthal, Königshütte, Domäne Scharzfeld, der Scharzfels; am Scholben vorbei Schloß Herzberg, vor dem Großen Knollen der Kummelpavillon bei Lauterberg, im Hintergrund der Acker. — Im N. Sonnenberg und Rehberg, davor einzelne Häuser von St. Andreasberg; Achtermannshöhe; über dem Jagdkopf der Brocken, davor r. Stöberhai (mit Turm), wohin der Weg über die vorliegende Trift führt; im Hintergrund die Hohneklippen. Dann der Ebersberg und Hohegeiß. — Gegen O die Berge des Zorgethals, weiter r. die Berge der Stolberger Gegend, der Kyffhäuser, r. davor Nordhausen, l. davor Ellrich (zwei Türme); dann r. Walkenried, Sachsenstein, Neuhof. Am Horizont der Possenturm bei Sondershausen, der Thüringer Wald.

Im S.: Vordergrund Tettenborn, Mackenrode, darüber Bleicherode. Die Umgebung von Sachsa, Römerstein, Porta Eichsfeldica, weiter das Ohmgebirge, der Göttinger Wald, der Habichtswald und im Mittelgrund viele Höhenzüge und Ortschaften.

Am Ravensberger Kulm sind gegen W. und S. drei schöne Aussichtspunkte angelegt. Von der Terrasse des Hauses wendet man sich r. und kommt zunächst zum »Dreigestirn zu Deutschlands Heil 1866, 1870 und 1871«; Blick nach dem Wiesenbeeker Teich und Oderthal, unten sieht man den Wegweiser nach Lauterberg und Sachsa durchs Kuckansthal. Hier hört man auch am besten das Echo des Kanonenschusses, das in langem Donner von den Bergen wiederkehrt. — Südl. weiter zu *Fritzens Ruhe* und nach 10 Min. zur *Wilhelmshöhe*, von wo aus auch Sachsa sichtbar ist.

Hinabwege vom Ravensberg:

Nach **Lauterberg** (2 St.): Man gehe von der Terrasse des Hauses l. herum den Berg hinab, der steil abfallende Weg ist mit einem Geländer versehen. Ein Wegweiser zeigt dann l. nach *Sachsa durchs Kuckansthal*.

Nach **Sachsa Fahrweg** (1 St.): Von der Terrasse geradeaus nach S., der Weg wendet sich bald l. nach O. An der Trift steht ein Wegweiser; man geht r. nach Sachsa. Näheres S. 184.

Vom Ravensberg über den Jagdkopf und Stöberhai nach Wieda (2 St.). An dem Wegweiser in gerader Richtung auf der Trift hin; man folgt den Grenzsteinen (Königreich Preußen, Herzogtum Braunschweig). Die Grenze zieht sich zunächst über den *Jagdkopf* (714 m) und von da aus immer nördl. über den Kapellenfleck (alter Ruhepunkt auf dem alten »Kaiserweg«, S. 17), Wegweiser! entweder ins Oderthal l., oder geradeaus an die Straße Andreasberg-Braunlage führend. Weiter, geradeaus nach dem Königskrug, Oderbrück (Brocken). — Auf dem höchsten Punkte des *Jagdkopfs* (1 St. vom Ravensberg), dem

Stöberhai (719 m), die *Gastwirtschaft* zur Zeit eingestellt (soll erneuert werden), Häuser und Aussichtsturm sind 1886 abgebrannt, und ist die Aussicht z. Z. eine beschränkte. Wegweiser sind überall vom Oderthal (Oderhaus), Wieda und Ravensberg her angebracht. Entfernung von Wieda 1½ St., Lauterberg 3 St., St. Andreasberg 3 St., Brocken 6—7 St. — 1 St. hinab nach

Wieda (380 m; *Stadt Braunschweig; Grüne Tanne; Weißes Roß*, zugleich Posthaus; Telephon), braunschweigischem Dorf mit 1500 Einw. in anmutiger Lage; Schwefelholzfabriken, Eisenhütte, Nagelschmieden. Zweigverein des Harzklubs. Post nach (6 km) *Walkenried*. Von Wieda nach *Sachsa* 1 St. — Das *Wiedathal* ist ziemlich eng, gegen Walkenried hin verflacht es sich; recht waldreich und voll grüner Matten. Der Fußweg nach *Bahnhof Walkenried* (1¼ St.) ist weich und schattig; die Chaussee 7 km.

---

27. Route: Sachsa — Kloster Walkenried — Ellrich.

Eintrittspunkt für Sachsa ist die Stat. **Tettenborn-Sachsa** der Bahn Nordhausen - Northeim (S. 56), von wo 2mal tägl. **Post** nach (3 km) **Sachsa. Wagen** (2,50—3 M.) zu den andern Zügen im Hotel Frind in Sachsa vorher zu bestellen. — Für Reisende, welche von Nordhausen kommen, ist auch Stat. **Walkenried** (S. 185) des hübschen Waldwegs wegen ein zu empfehlender Eintrittspunkt.

Sachsa (301—325 m), preußisches Landstädtchen mit 1734 Einw., an der Uffe, in sehr geschützter Lage.

Gasthöfe: *Schützenhaus* oder *Hotel Frind*, am obern Ende der Stadt, am Weg vom Ravensberg; einfache, gute Küche. Passanten wie Sommergästen empfohlen. T. d'h. ohne Weinzwang 1,50–1,75 M. Pension 4½–5 M. — *Ratskeller*, in der Stadt, einfaches, gutes Haus. Mitt. 1,25 M. Pens. 3,50–4 M. — *Kurhaus*, am Waldrande, Aussicht. — *Villa Pfeiffer*, Logierhaus mit Restaurant, am Schmelzteich, Aussicht. — *Villa Apel* und *Villa Weber*, Logierhäuser in der Nähe des Schützenhauses. — *Villa Coventes*. — *Villa Camin* und zahlreiche andre Villen und Sommerwohnungen, in denen man sich billig einrichten kann; am gesuchtesten in der Nähe des Schützenhauses, weil unmittelbar am Wald gelegen.

Post: 2mal nach Bahnhof (3 km) *Tettenborn*. — **Telegraph.**

Bäder aller Art und Douchen im Badehaus, reizend oberhalb des Hotel Frind vor dem Osterthal am Wald gelegen. Douche 50, kalte Bäder 50, warme 75 Pf.; Kiefernadel- und Dampfbad 1,10 M.

Arzt und **Apotheke.**

Harzklub, Zweigverein Sachsa; Auskunft bei Herrn *Frind* (Schützenhaus). — Längerweilenden ist der »Führer durch Sachsa« von *W. Falk* (Nordhausen, bei Koppe) mit ausführlicher Karte sehr zu empfehlen.

Sachsa wird wegen seiner reizenden Lage inmitten schöner Waldungen, seines gesunden Klimas und seines gemütlichen, einfachen Lebens wegen nicht nur von Touristen, sondern vorzugsweise auch von Längerweilenden sehr viel besucht; es eignet sich ganz dazu, Städtern, welche ungeniert und wirklich noch *billig* einige Wochen *Sommerfrische* genießen wollen, einen angenehmen Aufenthalt zu gewähren. Auch die schwächlichsten Personen können hier mit wenigen Schritten in die von Promenadenwegen durchzogenen herrlichen Tannenwälder oder auf die mit Laub- und Nadelwald bestandenen Höhen gelangen, die mit den mannigfachen Thälern eine angenehme Abwechselung bieten. Kurtaxe: 1 Pers. 2 M., 1 Familie bis 3 Pers. 3 M., 4 Pers. u. mehr 4 M. — Das Trinkwasser ist vortrefflich.

Umgebung (die Wege sind bezeichnet): 1) Der **Pfaffenberg**, mit schöner Aussicht ins Land; man steige die wenigen Minuten neben dem Schützenhaus hinauf. Dahinter der *Richtstieg*.

2) R. neben dem Schützenhaus ins *Osterthal;* l. neben demselben (der Teich bleibt aber zur Linken!) auf den (20 Min.) ***Katzenstein** (*Gast-* und *Logierhaus*, gut, T. d'h. 1,25–1,50 M., Pens. 4–5 M.); Aussicht, schönes Echo. (In Porphyrkugeln Drusenlöcher mit schönen Quarzkristallen; man frage nur den Wirt.) — Man kann auch vom Katzenstein aus auf dem östl. ansteigenden Weg auf den Ravensberg gelangen.

3) Denselben Weg (der Teich bleibt r.!) ins *Katzenthal*. ½ St., oder ins *Kuckansthal* (s. unten).

Ausflüge.

4) Auf den (1¼ St.) ***Ravensberg** (Post- u. Tel.-Verbindung mit Sachsa) führt außer dem S. 182 beschriebenen Fahrweg r. am Schützenhaus und dem Fußsteig vom Katzenstein aus ein Weg durch das schöne *Kuckansthal;* man geht l. neben dem Schützenhaus aufwärts (der Teich bleibt r.) bis an den Wald. Hinein führt ein Weg, der am rechten Waldsaum ins *Katzenthal* mit Katzenstein (½ St.), am linken über die *Wilhelmshöhe* (S. 183) zum Ravensberg geht. Wir bleiben außerhalb des Waldes und treten wie durch ein Felsenthor in das kleine, mit Felsen romantisch garnierte *Kuckansthal*, das von einem Flüßchen durchrauscht wird und auch einen mineralischen Quell besitzt. (Runder Ruhesitz.) Bei einer schmalen, langen (Kuckans- oder Kantor-) Wiese zwei Wege, beide sind recht; am obern Ende derselben führt ein Fußweg auf den Ravensberg. (Wer den Weg umgekehrt machen will, lasse sich vom Wirt auf dem Ra-

venskopf den Anfang desselben zeigen; vgl. S. 182.) — Verbinden kann man mit dieser Tour die Fortsetzung nach dem *Wiesenbeeker Teich* und *Lauterberg* (S. 181). Nach dem * *Wiesenbeeker Teich* direkt (mit Führer) in 2 St.

5) Entweder direkt den Richtstieg (2 St.) oder über *Wieda* auf den ($2^1/_4$ St.) **Stöberhal** (S. 183) und über den ($3^1/_4$ St.) *Ravensberg* zurück nach Sachsa, 4–$4^1/_2$ St.; sehr lohnende Tour.

6) Nach **Steina** (S. 181) in $^3/_4$ St., chaussierter Weg, lohnend, mit hübscher Aussicht, stellenweise prächtiges Echo. Von Steina in $^1/_2$ St. (südl.) nach dem **Römerstein** (oben schöne Aussicht), zurück über Bahnhof Tettenborn. — (Direkt von Sachsa nach dem *Römerstein* führt ein Weg durch die Fluren, ehe man an den Bahnhof kommt, r ab; von hier an noch 30 Min.) — Es sind dies kahle, frei aus einem Hügel emporwachsende Felsenzacken, ähnlich wie die Gegensteine bei Ballenstedt (S. 215) und die Teufelsmauer bei Blankenburg (S. 76), die von weitem den Ruinen einer Burg ähnlich sehen. — 25 Min. vom Bahnhof entfernt, an der Chaussee von Nixei (Domäne) nach Osterhagen, liegt das **Weingartenloch**, eine mit Steintrümmern angefüllte Höhle, aus welcher der Volksmeinung nach die Mönche von Walkenried ihr Baumaterial zum Kloster holten. (Vielleicht hat sie ihren Namen von den Versuchen der Mönche, die mit dem Christentum auch den Weinbau von Franken und vom Rhein her einzubürgern gedachten, wie das fast überall die Namen »Weinberg, Vinberg« bezeugen.) In die Höhle einzutreten, ist nicht mehr thunlich, deshalb eine Tour dahin zu ersparen. Die Volkssage bringt sie in Beziehung zum **Römerstein**, für Geognosten besonders interessant; ein sehr schönes Korallenriff des Zechsteins mit zahlreichen, vorzüglich gut erhaltenen Versteinerungen (Terebratula subelongata, Myalina, Fenestrella etc.), in den Spalten violetter Flußspat. Das Wort Römerstein hat mit den Römern nichts zu thun, rôma heißt »Kampf«; in vorhistorischer Zeit war dies wie auch die Rhume, welche das Volk mit diesen Felsen in Verbindung setzt, und die wohl die in dieser Gegend versinkenden Wasser wieder zu Tage fördert, ein Gegenstand streitigen Besitzes zwischen Thüringern und Sachsen (vgl. S. 15).

Eine andre zugängliche Höhle, die nach einer Inschrift schon 1776 bekannt gewesen, liegt unmittelbar an der Bahn, 5 Min. von der Stat. Tettenborn; der Bahnhofswirt führt wohl hinein. Der schöne weiße Kalkstein wird von hier aus zu Gartenverzierungen versandt.

Zum ($^1/_2$ St. südöstl.) **Sachsenstein** (prächtige Rundsicht) mit den sogen. Zwerghöhlen, Löchern, in denen das Wasser versinkt; Überreste der von Kaiser Heinrich IV. 1073 erbauten Burg *Sassenstein*, die er 1074 wieder zerstören ließ. Der Sachsenstein, den die Eisenbahn durchschneidet, leuchtet weithin mit seinen hellen Gipsfelsen; jenseit desselben Dorf *Neuhof*.

Von Sachsa nach (4 km) *Walkenried* bleibt man vom Schützenhaus her, wenn man nicht etwa durch die Stadt gehen will, bis zum Ende derselben am linken Ufer des Baches, folgt dann der Straße 5 Min. bis zum Wegweiser l. »Walkenried«. Auf breiter Feldstraße 10 Min. bis an den Wald (l. die weitere Chaussee nach Walkenried), über das Brücklein geradeaus den Wald hinan. Einen Büchsenschuß weit verlassen wir den nach r. ablenkenden Waldweg, gehen geradeaus durch den *Blumenberg* (20 Min. lang, schattig) und erreichen gleich nach dem Heraustreten aus dem Walde den Bahnhof von

Walkenried (241 m; *Bahnrestaurant; Goldner Löwe*), braunschweigischem Dorf an der Wieda in sehr freundlicher Umgebung, 1000 Einw. Amtsgericht, Forstmeisterei, Domäne. Zweigverein des Harzklubs (Auskunft bei Herrn Postverwalter *Lauterbach*). Der

Bahnhof liegt 10 Min. westl. vom Ort. Das ***Cistercienser-Kloster,** dessen schöne Ruine mitten in Walkenried liegt, wurde 1127 als ein Tochterkloster von Alten-Kampen am Niederrhein von der Gräfin Adelheid von Klettenberg gegründet und 1129 eingeweiht.

Der Cistercienserorden, eine Verjüngung der Benediktiner, wollte nur Mönche, die nicht zugleich Priester sein, die von Handarbeit, Ackerbau und Viehzucht leben und fern von den Wohnstädten andrer Menschen in Wald, Sumpf und Flußniederungen durch rauhe, körperliche Arbeit Gottseligkeit erwerben sollten. Da in der unmittelbaren Umgebung des Klosters der Ertrag des unfruchtbaren Bodens in dem rauhen Harzklima zum Unterhalt der bald zahlreichen Mönchsfamilie nicht ausreichte, erwarb das Kloster nach und nach außer andern Besitzungen große Teile des sogen. »Riethes« im Helmethal unterhalb Nordhausen und nördl. und östl. des Kyffhäusergebirges, damals Wodansberg genannt, entwässerte die Niederungen, legte Außenhöfe an und gab die kleinern Besitzungen gegen Zins an Kolonisten, die meist aus den Niederlanden herangezogen waren. — Dem Mönch *Jordanus* aus Walkenried wurde vom Kaiser Friedrich Barbarossa als Belohnung für die großartigen Entwässerungsanlagen im untern Riethe des Helmethals die Kurie Kaldenhausen östl. des Kyffhäusers verliehen.

Der Betrieb des Bergbaues im Rammelsberg bei Goslar und die Verhüttung der dort gewonnenen Erze an vielen waldreichen Stellen im und am Harz, namentlich in der Gegend bei Seesen, der Betrieb der Landwirtschaft, die Schenkungen an weitern Grundstücken durch die Dynasten der Umgegend und der Ertrag an Ablaßgeldern vermehrten die Einnahmen sehr und gestatteten einen vollständigen Neubau des Klosters an einer andern Stelle, 10 Min. nördl. von dem alten Kloster, da, wo jetzt die großartigen Ruinen die schönen Überreste desselben zeigen. Als Baumeister sind die Mönche *Jordanus* und *Berthold* genannt. In der neuen Klosterkirche wurde bereits 1253 an dem Hauptaltar St. Maria celebriert. Die Einweihung der fertigen Kirche geschah, da der Bischof Gerhard II. von Mainz, zu dessen Diözese Walkenried gehörte, behindert war, durch seinen Suffragan, den Bischof Siegfried von Hildesheim, 1290.

Herzog Heinrich der Löwe verweilte 1194 längere Zeit im alten Kloster Walkenried, nachdem er auf einer beabsichtigten Reise nach Saalfeld zum Kaiser Heinrich VI. durch einen Sturz vom Pferde bei der alten Burg *Bodfeld* im Harz das Bein gebrochen. Kaiser Otto IV. war Pfingsten 1209 Gast des Klosters bei Gelegenheit eines Provinzialkapitels von 52 Cistercienser Äbten und wurde in die Brüderschaft der Cistercienser Mönche aufgenommen. Kurfürst Moritz von Sachsen übernachtete im Kloster Walkenried 1553 auf seinem Todesritt gegen den Markgrafen Albrecht.

Nachdem im Lauf der Jahrhunderte der alte, einfache, tüchtige Geist der ersten Cistercienser im Orden geschwunden und Üppigkeit sowie Heuchelei eingerissen waren, legten die Folgen der Reformation und des Bauernkriegs den Grund zu seinem Untergang in lutherischen Landen. Vor dem Ansturm der wilden Rotten der Bauern 1525 flüchteten die Mönche nach Nordhausen in ihren Klosterhof, ließen aber alle Schlüssel in den Klostergebäuden stecken. Die Bauern, um die große Glocke zu zertrümmern, rissen den Turm auf der Vierung der großen Kirche ein. Die herunterfallende Glocke zerschlug das Gewölbe der Kirche, die dadurch in Verfall geriet. Die wertvolle Bibliothek wurde in den Kot geworfen, die schönen gemalten Fenster der Kirche und des Kreuzgangs wurden zerschlagen, das große bronzene Wasserbecken der Taufkapelle in dem südlichen Kreuzgang, da es mit Gewalt nicht zertrümmert werden konnte, vergeblich durch Feuer zu schmelzen versucht. Nach Beendigung des Aufruhrs kehrten nur wenige Mönche in das Kloster zurück. Die übrigen wurden Pfarrherren in den benachbarten Ortschaften.

Die Einnahmequellen des Klosters versiegten nach dem Krieg fast gänzlich; die Dynasten der Umgegend eigneten sich verschiedene Klostergüter an, selbst die Äbte, aller höhern Aufsicht bar, wurden lässig und vergeudeten des Klosters Vermögen.

Die Grafen von Hohnstein, auf welche schon in dem 13. Jahrh. die Schutzvogtei und der Besitz der Grafschaft Klettenberg von den Grafen von Klettenberg übergegangen war, sahen sich veranlaßt einzuschreiten und nahmen nach dem Tode des letzten Abts, Georg Kreste, 1578 die Verwaltung des Klosters an sich. Es wurde kein Abt wiedergewählt. Ein Streit wegen des Rechts der Vogtei über das Kloster zwischem dem lutherischen Kurfürsten von Sachsen und dem streng katholischen Grafen Ernst V. von Hohnstein gab dem zur sächsischen Partei hinneigenden Abt Holtegel Veranlassung, durch den lutherischen Prediger Johann Spangenberg aus Nordhausen am 31. Mai 1546 die Reformation im Kloster einführen zu lassen. Nach einer spätern Einigung behielten die Grafen von Hohnstein die Schutzvogtei, die Kurfürsten von Sachsen wurden Oberschutzherren des Klosters. Sachsen vertauschte 1574 die Lehnsherrlichkeit über die Grafschaft Klettenberg und Lohra sowie das Schutzrecht über das Kloster Walkenried gegen Lehen über Teile der Grafschaft Mansfeld an das Bistum Halberstadt. Das Bistum Halberstadt belehnte damit die Herzöge von Braunschweig-Wolfenbüttel. Als dann 1593 der letzte Graf von Hohnstein, Ernst VII., ohne legitime Erben starb, nahm der Herzog Heinrich Julius von Braunschweig-Wolfenbüttel die ihm übertragenen Lehen und das Kloster Walkenried in Besitz.

Der 30jährige Krieg brachte dem Kloster viel Angst und Schaden. Wegen Unsicherheit und Mangel an Subsistenzmitteln wurde die berühmte 1557 eingerichtete Klosterschule aufgehoben. Eine Kompanie Kroaten führte 1629 dem Kloster abermals einen katholischen Abt und einige Mönche zu. Nach dem Sieg der Schweden bei Leipzig im September 1631 verließen die Katholiken das Kloster wieder und nahmen einen von dem berühmten Maler Hans Baphon aus Einbeck (quasi Apelles) im Jahr 1499 gemalten Altarschrein mit sich. Nach dem Westfälischen Frieden kam, da das mittlere Haus Braunschweig-Wolfenbüttel 1634 ausgestorben war, das Kloster Walkenried an Herzog Christian Ludwig von Braunschweig-Celle. Die Celle-Linie vertauschte 1671 Walkenried gegen Dannenberg an den Herzog Rudolf August von Braunschweig-Wolfenbüttel. Von 1674–94 war das Stift auf Wiederkauf an den Herzog Ernst zu Sachsen-Gotha verkauft. Von 1694 an gehört es mit seinen Ortschaften Hohegeiß, Wieda, Zorge, Neuhof, Walkenried wieder zu dem Herzogtum Braunschweig-Wolfenbüttel.

Von der alten Kirche steht noch das westliche Portal, ein Teil der östlichen Umfassungsmauer des hohen Chors und ein Teil der Umfassungsmauern des südlichen Querschiffs und daranstoßenden Seitenschiffs. Die Länge des Gebäudes betrug 85 m, die Breite der Achse im Querschiff 39 m, die Breite des Mittelschiffs 9 m, die Höhe desselben bis zum Dach 23 m. Die Kirche hatte ein dreischiffiges Langhaus in fünf Quadrate geteilt, mit sechsteiligen Kreuzgewölben überspannt und mit sehr niedrigen Seitenschiffen in halber Breite. Das hohe Querhaus hatte östl. eine niedrige Abseite in halber Breite. Das fünfschiffige Chor, der älteste Teil der Kirche, war ursprünglich in romanischem Stil erbaut, hatte einen geraden Abschluß, erfuhr aber in der zweiten Hälfte des 14. Jahrh. einen gotischen Umbau, bei dem der alte romanische Bogenfries und andre romanische Ornamente, mangelhaft in das Achteck eingepaßt, wieder verwendet wurden. Die Architektur der übrigen Teile der Kirche zeigt strenge einfache, aber edle Formen des Übergangsstils. Die Pfeiler des Querhauses sind weit reicher profiliert als die des Langhauses. Der für viele Cistercienserkirchen charakteristische Kranz von kleinen Kapellen, in den äußern Seitenschiffen des Chors und des Querhauses, in denen die Mönche sich nach dem Chordienst niederzuwerfen und zu züchtigen pflegten, ist genau durch die noch vorhandenen Fundamente ihrer Seitenwände nachzuweisen.

Sehr sehenswert ist der sehr gut erhaltene **Kreuzgang* (Kantor vor der Ruine, 1 M.) mit seinen Nebenräumen. Der **Kapitelsaal,* jetzt Kirche des Orts, enthält das Denkmal des letzten Grafen von Hohnstein, Ernst VII., gest. 1593, eine lebensgroße Figur in Rüstung, vor dem Heiland knieend, darüber Christi Himmelfahrt von ergreifender Schönheit, in Holz geschnitzt. Um das Denkmal 32 Wappen der Ahnen bis zur fünften Generation, darüber das große Wappen des Grafen selbst und seiner zwei Gemahlinnen. Interessante alte Mönchsstühle und eine schöne romanische Piscina (Lavabo), jetzt als Taufbecken benutzt. In einem andern Nebenraum des Kreuzgangs sind viele sehr schön gearbeitete Werkstücke, als Kreuzblumen, Kapitäle etc., der frühern Klostergebäude aufbewahrt. Ein alter Steinsarg, der beim Aufräumen des Schuttes in der alten Kirche in der Nähe des Hochaltars gefunden wurde, hat wahrscheinlich einst die Gebeine der Gründerin des Klosters beherbergt. Sehr beachtenswert sind auch die außerordentlich schön gearbeiteten Grabsteine der Hohnsteiner Grafenfamilie. — Eine Treppe führt vom Kreuzgang zu der sogen. *Lutherhalle,* einem tiefen, lichtlosen Raume mit hölzerner Fallthür darüber. Der Sage nach sollte hier der Reformator Luther bei seinem Besuch des Klosters von der Welt verschwinden. Luther ist nie im Kloster Walkenried gewesen. Auf dieser Treppe hinauf führte, durch das früher nachweislich durchbrochene Gewölbe über der sogen. Lutherhalle, der Hauptaufgang von dem Kreuzgang zu dem Dormitorium.

Umgebung. Der **Kupferberg,* dicht hinter dem Kloster, von wo schöner Blick auf Dorf Walkenried mit den Klosterruinen und die Harzberge nach Wieda zu.

Südl. von Walkenried der langgestreckte *Röseberg (302 m) mit schattigen Spazierwegen im parkartigen Laubwald; schöne Aussicht auf die Gebirgskette des Harzes (Ravensberg, Stöberhai, Gr. Staufenberg, Klinz, Ehrenberg). Oben eine nachmittags geöffnete *Gastwirtschaft.* — Weiter westl. dem Bahnhof gegenüber folgt der Höllenstein (eigentlich Höhlenstein wegen der zahlreichen Gipshöhlen und sogen. Zwerglöcher). Ebenfalls schöne Wege mit Ruhesitzen. Von hier führt auch ein gutbezeichneter Weg durch den Wald zum *Sachsenstein* (S. 185).

Die Bahn durchtunnelt zwischen Walkenried und Ellrich die malerisch den *Itelteich* umgebenden Gipsfelsen »das Himmelreich«; man traf beim Bau derselben eine *Höhle, die, 130 m lang und gegen 50 m hoch, alle Harzhöhlen an Größe übertrifft. Da sie aber nur vom Eisenbahntunnel aus zugänglich ist, so verschloß die Bahnverwaltung dieselbe. Man mache aber den Versuch, beim Bahnmeister in Walkenried die Erlaubnis zum Besuch unter Führung eines Bahnbeamten zu erlangen. (Bengalisches Feuer mitnehmen!)

Flora um Walkenried: Trientalis europaea, Veronica montana, Gypsophila repens, Arabis petraea, Drosera rotundifolia, Helleborus viridis, Orchis incarnata, Carex- und Gramineen-Arten.

Die Bahn von Walkenried nach (5 km) Ellrich bietet sonst nichts.

☞ Wer kein spezielles Interesse für Ellrich hat, fährt mit der Bahn nach Niedersachswerfen (*Ilfeld*, S. 56) oder *Nordhausen* (R. 28).

Fußgängern ist aber dringend zu empfehlen, von Walkenried zunächst nach Zorge den schönen Fußweg durch den Wald zu wandern und weiter durch das Gebirge über *Rothesütte* nach *Ilfeld*. Man kann entweder von Zorge direkt durch das *Kunzenthal* nach *Rothesütte* gehen ($1^1/_2$ St., welcher Weg nach Beschreibung leicht zu finden ist) oder auf der Chaussee über Hohegeiß nach Rothesütte, von wo die Fahrstraße stets bergab durch prachtvolle Thäler nach Ilfeld führt. Vgl. S. 127.

Ellrich (250 m), preußisches Städtchen, Bahnstation an der Zorge (S. 56) mit 3114 Einw., ehedem Hauptstadt der Grafschaft Hohnstein-Klettenberg-Lohra und Münzstätte. 874 *Alerici* oder *Alrichestat* (die Stadt Alarichs) genannt, war es seit dem 11. Jahrh. im Besitz der Grafen von Klettenberg; dann von 1256 bis zum Aussterben den Hohnsteiner Grafen gehörig, kam es 1593 an Braunschweig und 1648 an Kur-Brandenburg. Großer Brand am 25. Sept. 1860, nach diesem fast ganz neu aufgebaut. Die Johanniskirche mit schönem Altar brannte ab, die Glocken schmolzen. Ackerbau. Amtsgericht. — Kriegerdenkmal für 1870–71.

Gasthöfe: *Schwarzer Adler*, am Markt. — *Schützenhaus* (der vertriebene Herzog Karl von Braunschweig [gest. 1873 in Genf] wohnte im Erkerzimmer eine Treppe hoch und wollte von hier aus sein Land wiedererobern). — *König von Preußen*. — *Bürgergarten*.

Post: Über (7 km) *Zorge* nach (21 km) *Braunlage* in 3 St., abds.; über (11 km) *Benneckenstein* nach (15 km) *Tanne*.

Umgebung: **Burgberg* mit Restauration, unmittelbar an der Stadt. Man hat die Aussicht über die Stadt und die nächsten Harzberge. — Das *Limbachthal*. — 1 St. nördl. der **Rote Schuß** (499 m), ein Berg mit guter Aussicht über das Zorgethal und das Eichsfeld, r. Ravensberg und Stöberhai. — Auf dem naheliegenden Gipsfelsen die *Kelle*, eine umfangreiche Höhle mit tiefem Wasser.

Die Umgebung von Ellrich ist der einzige Fundort in Norddeutschland für Arabis alpina.

Von Ellrich über Braunlage nach Harzburg s. R. 14.

Von Ellrich über Benneckenstein nach Tanne s. S. 83–87.

28. Route: Nordhausen.

Gasthöfe: *Römischer Kaiser*, auf dem Kornmarkt, inmitten der Stadt; T. d'h. 2 M. Gut. — *Hotel Schneegaß*, nahe dem Bahnhof, gleiche Preise. Gute Küche. — *Berliner Hof*, gleiche Preise. — *Hotel zum Schiff*; T. d'h. 1 u. 1,50 M. — *Hotel Prinz Karl*; T. d'h. 1,25 M.; gelobt. — *Hotel Weintraube*, mit hübschem Gartenrestaurant. — Hotel *Weg* (Fußtouristen empfohlen), das nächste am Bahnhof. — *Hotel Isermann*, Bahnhofstraße. — Ganz bescheiden: *Zum Königshof*, nahe der Post. — *Pinsdorf*, am Anfang der Bahnhofstraße.

Restaurants: *Stadtwappen*, Bahnhofstraße 23, 5 Min. vom Bahnhof, stilvolle altdeutsche Einrichtung; sehenswert. — *Greußener Bierhalle*, Neustadt 10; — *Ratskeller*, gegenüber dem Rathause, beide ebenfalls altdeutsche Einrichtung. — *Riesenhaus* bei *Kaatz*, gute Küche. — *Domrestaurant* bei *Hallensleben*, sehr besucht. — *Max Riemann*; echt bayrisch Bier, schönes Lokal. — *Zur Hoffnung*, mit Garten und guter Küche. — *Wiegandt & Roer*, mit Sommertheater, vielbesucht.

Weinstube: *Franz Steinmüller.*

Konditoreien: *Böning*, Neuestr. 8. — *Appenrodt*, neben dem Riesenhaus. — *Siebert*, Markt 27.

Theater und Konzerte: *Tivoli-Theater.* — Sommertheater in der Brauerei von Wiegandt & Roer. — Konzerte im *Gehege* (s. unten) oder in den Gartenlokalen.

Bäder: Warme, römisch-irische etc. Bäder bei *Tropus*, Grimmelallee 38. — Schwimm- und Sturzbäder in der *Rotleinmühle* und in der *Städtischen Badeanstalt* vor dem Alten Thor.

Wagen: Die ersten Gasthöfe haben Wagen am Bahnhof. Fahrt in die Stadt 50 Pf. — Lohnfuhrwerk: Bei *Teichmann* (Waisenstr. 1) u. *John* (Gumpertstr. 14); Einspänner für den Tag 10–12 M., Zweispänner 15–18 M., exkl. Chaussee- und Trinkgeld.

Post (am Königshof) nach (21 km) *Stolberg* in $2^1/_2$ St., früh und nachm.

Eisenbahn s. S. 52, 55, 56, 57.

Geschichtliches. Nordhausen, an der wilden Zorge, existierte bis zum 10. Jahrh. als kleines thüringisches Dorf am Frauenberg (Altnorthusen), neben dem im Anfang des 10. Jahrh. König Heinrich I. auf dem Berg die Stadt mit einer *Burg* (an der Wassertreppe) u. einem *Königshof* (über der Kutteltreppe) erbaute. Er hielt sich oft und gern hier auf. Seine Gemahlin, die heil. Mathilde, gründete hier ein Nonnenstift und gebar ihm hier zwei seiner Kinder: Gerberga, welche später Herzogin von Lothringen und dann Königin von Frankreich wurde, und Heinrich, spätern Herzog von Bayern, den Großvater Kaiser Heinrichs II. Spätere Könige, namentlich die Ottonen und Salier, hielten hier oftmals glänzende Hoflager und Reichsversammlungen. In den Kämpfen der Hohenstaufen gegen ihre Lehnsfürsten und Gegenkönige kam Nordhausen öfters in Not; so brannte im Jahr 1180 der geächtete Heinrich der Löwe, um sich an Friedrich I. (Rotbart) zu rächen, die Stadt samt der Kaiserburg und dem Nonnenstift nieder. Im Jahr 1220, unter Friedrich II., wurde die Stadt reichsunmittelbar. Als solche war sie oft in heftige Kämpfe und Fehden verwickelt, z. B. gegen den Erzbischof von Mainz, den Landgrafen von Thüringen, den Markgrafen von Meißen und die Grafen von Hohnstein und Beichlingen, und litt dabei sehr. Auch innere Unruhen kamen dazu. Im Jahr 1375 wurden die Patrizier, die das Regiment in der Hand hielten und mit großer Willkür schalteten, im Riesenhaus (jetzt Restaurant, s. oben) von den Bürgern gefangen genommen und samt ihren Familien aus dem Weichbild der Stadt verwiesen. 1349 richtete auch hier der schwarze Tod große Verheerungen an, infolgedessen die Juden, wie auch an andern Orten, grausam gefoltert und verbrannt wurden. Alte hebräische Inschriften am sogen. Judenturm »auf den Rähmen« mahnen noch an diese finstere Zeit. — Doch sah die Stadt auch glänzende Tage, wie die Vermählung der Tochter des edlen Staufenkönigs Philipp, Beatrix, mit dem frühern Gegner ihres Vaters, dem Welfen Otto IV., im Jahr 1212 und das prächtige Turnier, das 1263 Markgraf Heinrich der Erlauchte, Landgraf von Thüringen (der bekannte Minnesänger), hier abhielt. In der Reformationszeit wurde der Ort viel genannt. Luther und Melanchthon weilten hier oft bei dem Bürgermeister Jonas Koch, dessen Sohn Justus Jonas Luthers Freund und Mitarbeiter am Reformationswerk war. Die Erinnerung an Luther ist im Volk frisch erhalten geblieben, noch heute ist der Martinstag das gefeiertste Fest bei jung und alt. 1698 ging die Schutzherrlichkeit von Kursachsen auf Brandenburg über bis 1715, wo es die vollen Rechte einer freien Reichsstadt erlangte; 1802 kam es infolge des Lüneviller Friedens wieder in den Besitz Preußens. Einige alte Türme und Mauerreste sind noch von den frühern Befestigungen übrig.

Nordhausen (182 m) ist, wenn auch nicht von angenehmem Äußern, doch eine der fleißigsten und gewerbreichsten Städte, bevorzugt als Knotenpunkt von vier Bahnen und durch seine Lage an der Goldnen Aue. Es hat 26,960 Einw., ein Landgericht, Landrats- und Hauptsteueramt und ist Handelsmittelpunkt. Zwei alte Industriezweige Nordhausens sind leider erloschen: die Nordhäuser Schwefelsäure wird nicht mehr fabriziert, und auch die Schweinemast hat aufgehört, seitdem der »Nordhäuser« aus Kartoffelspiritus hergestellt wird. Aus demselben Grund ist der Getreidehandel sehr erheblich zurückgegangen. Andre Zweige haben sich jedoch um so bedeutender gehoben. Der wichtigste ist die Herstellung des bekannten »Nordhäuser Kornbranntweins«. 73 Brennereien erzeugen tägl. ca. 1000 hl Branntwein und zahlen an Steuern 171,000 M. Die 19 Brauereien zahlten an Malzsteuer 56,000 M., verbrauchten 28,000 Ztr. Braumalzschrot und produzierten 70,000 hl Bier. Gerbereien verarbeiteten 7250 Stück Häute. In den 13 Tabaksfabriken (Spezialität Kautabak) wurden 1072 Arbeiter beschäftigt, 15,400 Ztr. Kautabak und 16,250 Millionen Zigarren angefertigt. Die Zahl der mechanischen Webstühle für Baumwollweberei ist auf 1070 gestiegen; Leinwandindustrie. Die bedeutendste Tapetenfabrik Deutschlands (mit überseeischer Ausfuhr, Aktiengesellschaft) liefert jährlich 1,945,000 Stück Tapeten, Wert 750,000 M. Die Harzer Aktiengesellschaft für Eisenbahnbedarf, Hartguß und Brückenbau beschäftigte ca. 100 Arbeiter. Die Firma *Schmidt & Krantz* fertigt Eismaschinen und Mineralwasserapparate; viel überseeische Ausfuhr. Jahresumsatz der Reichsbankstelle: 155 Mill. M. — Königl. Meteorologische Station. — Zweigverein des Harzklubs.

Sehenswürdigkeiten. Der im gotischen Stil gehaltene *Dom* zum heil. Kreuz (katholisch), dessen romanische Krypte aus dem Jahr 1100, von dem Nonnenstift der Königin Mathilde, herstammen soll; schönes Chorgestühl aus dem 14. Jahrh. — Die Kirche *St. Blasii;* hier befinden sich zwei wertvolle Gemälde von Lukas Cranach d. j.; das eine ist ein Ecce homo, das andre eine Auferweckung des Lazarus mit Bildnissen der bedeutendsten Reformatoren und der Meienburgschen Familie. — Bibliothek des ehemaligen Klosters Himmelgarten. — Das städtische *Altertums-Museum* ist im Erdgeschoß des monumentalen Volksschulgebäudes (am Taschenberg) untergebracht; es enthält prähistorische Funde, Siegel, Münzen und historische Merkwürdigkeiten der Stadt und Umgebung. Geöffnet Donnerst. von 3—4 Uhr. Wegen Besichtigung zu andern Zeiten wende man sich an Herrn Rentier H. Arnold, Hallesche Chaussee, der es den sich dafür interessierenden Fremden bereitwilligst zeigt. — Unter den Profanbauten bemerken wir das *Rathaus* von 1610 mit dem Stadtwappen, das auf dem Helm zwei mit Leimruten verzierte Büffelhörner trägt; daneben eine »sehr hölzerne« Kolossalfigur des Roland vom Jahr 1710. (Diese und die Rolandfiguren in Questenberg und Neustadt u. H. [S. 199] sind die einzigen, welche Kronen tragen, während die übrigen Rolande barhäuptig sind.) — Das *Gymnasium* wurde durch Luthers Freund Johann Spangenberg 1525 gegründet und in einem durch den Bauernkrieg entleerten Dominikanerkloster untergebracht; seit 1868 neues Gebäude im antik-griechischen Stil, in der Aula sehenswerte Darstellungen aus der »Odyssee« in Sgraffitomanier. — Auf dem Markt der *Lutherbrunnen*, Erzstandbild von Schuler, 1888 errichtet. — Auf dem Kornmarkt ein *Neptun*, Erstlingsarbeit von *E. Rietschel*. — In der Mitte der Stadt das 1878 neuerbaute *Postgebäude* im italienischen Renaissancestil. — In der Schützenstraße der massive Gebäudekomplex des *Landgerichts*.

Vom Kornmarkt ausgehend, läßt sich die Besichtigung der übrigen Sehenswürdigkeiten mit einem sehr lohnenden **Spaziergang** nach dem **Gehege* (s. unten) verbinden. Man gehe durch das Töpferthor, l. über die schöne *Promenade. Beim Haus des Dr. *Kramer* (Erfinders eines galvanischen Relais) biege man r. ab nach der Dorngasse. Hier *Villa Kneiff*, erbaut vom Prof. Lucae. — Am obern Ausgang *Villa See* (Restauration mit herrlicher Fernsicht auf den Kyffhäuser, Goldene Aue, Hainleite und Eichsfeld). Auf dem Plateau des Geiersbergs das Sammelbassin der *neuen Wasserleitung*. Das Wasser wird aus dem 2 St. entfernten Krebsbach hinter der Ebersburg hierher geleitet. — Die stattliche *Villa Riemann* auf dem Westabhang ist von Bohnstedt in Gotha, dem »Reichsbaumeister«, erbaut. — Daneben auf dem Nikolaikirchhof: sehenswertes *Denkmal der Frau Zacharias*, die Wohlthätigkeit darstellend, von Hirt in München. — Dem Kirchhofsausgang gegenüber, am Saum des Waldes, das *Wallroth-Denkmal* neben der Friedenseiche.

Der nördliche Spazierweg führt an der *Merwigslinde*, einer 470 Jahre alten Kirchhofslinde von ca. 8 m Umfang, vorbei nach dem *Gehegeplatz* (s. unten).

Von berühmten Männern, die Nordhausen außer den bereits oben genannten hervorgebracht, nennen wir nur: *Johann Thal*, berühmter Arzt und Botaniker des 16. Jahrh. (gest. 1583); er war der erste, der den Harz botanisch durchforschte und beschrieb, sein »Sylva hercynia« ist die erste gründliche Spezialflora überhaupt; — *Friedrich August Wolf*, Philolog und Altertumsforscher (Gedenktafel: Sackgasse 7); — *Gottlob Schröter*, Erfinder des Pianoforte (Gedenktafel: Ritterstr. 2); — *Wilh. Gesenius*, Orientalist (Gedenktafel: Hagenstr. 31). — Unter den Lebenden bemerken wir: *Albert Träger*, den »Dichter der Gartenlaube« (lebt als Rechtsanwalt hier).

Vergnügungsorte: Das ***Gehege**, ein am Nordrand der Stadt sich erhebender Park, Hauptvergnügungsort der Städter, mit schönen Spazierwegen und Restaurationen, dessen Besuch man nicht versäumen sollte. Fremden empfehlen wir: *Waldschlößchen* (schöne Lage) und die *Langesche* »Bude« (guter Kaffee, meist Damen-Publikum). Sonntag, Montag, Donnerstag und Sonnabend sind die Konzerttage. — Nördl. davon *Wildes Hölzchen*, mit einer Warte aus dem 15. Jahrh. und der Restauration *Wilhelmshöhe*. — Weiterer Spaziergang (1 St.) nach dem *Kohnstein*. Von dem Alten Thor in prächtiger Kastanienallee (1/4 St.) nach dem Wehrhäuschen. Hier l. über den Zorgesteg, dann Feldweg, an der Restauration »Zum Schurzfell« vorüber in 25 Min. nach der *Schnabelsburg*, ebenfalls Restauration, vortreffliche Aussicht nach den verschiedensten Seiten. — Zu empfehlen ist es, noch 20 Min. in schattigen Waldwegen nach dem *Kuxloch* zu gehen. Von hier großartiges Panorama des Südwestharzes. Am südlichen Fuß dieses aus Gips und Dolomit bestehenden Gebirgszugs die reichen Quellen des Salzaflusses. Beide Punkte lassen sich von Nordhausen auch mit der Bahn bis Niedersachswerfen (hier wurde *Laurentius Rhodomann*, der »deutsche Homer«, geboren) erreichen.

☞ Botanikern sei empfohlen: »Flora von Nordhausen mit weiterer Umgegend. Im Auftrage des Naturwissenschaftlichen Vereins in Nordhausen herausgegeben«, Berlin, Friedländer & Sohn.

Nordhausen als Eintrittspunkt in den Harz.

Die Bahn von Nordhausen nach Herzberg bietet an allen Stationen Ausgangspunkte für Touren in den Südharz; ferner 2mal tägl. **Post** nach (21 km) *Stolberg*.

1) Westwärts **Bahn** nach **Niedersachswerfen** (S. 56) für diejenigen, welche entweder ihre Tour über *Neustadt unterm Hohnstein*, *Ebersburg*, *Stolberg*, *Josephshöhe* nach dem *Selkethal* nehmen, oder nordwärts über *Ilfeld* und *Hasselfelde* (R. 30) in den Harz wollen. Tägl. 2mal Omnibus nach Neustadt.

2) Ostwärts **Bahn** nach **Roßla**, bez. **Berga** (R. 29) für diejenigen, welche den *Kyffhäuser* (R. 29) besuchen. Von *Berga* Eisenbahn (bis zur Eröffnung noch **Post** von *Roßla*) bis *Rottleberode*, dann Post (besser zu Fuß) nach *Stolberg*.

3) Nicht ohne Interesse (aber sonnig) ist folgender **Fußweg** nach **Stolberg** (4 St.): Chaussee 3/4 St. nach *Petersdorf*; l. auf kahler Anhöhe, welche ein Wirt des nahen Dorfs *Harz-Rigi* (316 m) taufte und mit einem weithin sichtbaren Häuschen (Restauration) bebaute; vom höchsten Punkte der Umgegend schöner Ausblick in die Goldene Aue. — (Nach *Neustadt u. H.* auf Feldwegen direkt, nach *Stolberg* aber wieder auf die Chaussee.) Nach 3/4 St. *Buchholz*; am Wirtshaus zweigt l. ein chaussierter Weg ab, an *Hermannsacker* vorbei zur Schenke »*Sägemühle*«, am Fuß der Ebersburg (S. 200). Von hier entweder ein langweiliger Weg über das Vorwerk *Hainfeld* (s. S. 200), oder der S. 200 beschriebene Weg über das Jagdschloß **Eichenforst* (schöne Aussicht), oder nach *Stempeda* (an der Straße Nordhausen–Stolberg) und (S. 201) durchs *Ludethal*. 5 Min. nach der Straßengabelung bei **Rottleberode** wählt der Fußgänger den bei dem eingegangenen Hüttenwerk r. abbiegenden, wohlgepflegten herrschaftlichen Weg am linken Ufer der Lude, wie in einem Park (dem Hüttenwerk gegenüber an der Landstraße steht am Waldessaum ein Wegweiser »Eichenforst«).

Ein andrer Fußweg führt über das ehemalige Kloster Himmelgarten, über den Berg, »die Haardt« genannt, nach **Steigerthal** (in dessen Nähe die *Förster-* oder *Leopoldshöhle*), Fundort für Zwillingskristalle von Marienglas, im Volksmund »Schwalbenschwänze« genannt. Weiter über den **Alten Stolberg**, auch *Grasburg* genannt, wo die Sage einen italienischen Ritter, Otto von der Säule, die Stammburg der Stolberger bauen läßt. An dem Walde »Alter Stolberg« haftet die Wodans- und Frau Hollen-Sage, weshalb hier (auf einem alten Kultusplatze?) nach Einführung des Christentums eine Waldkapelle erbaut wurde, von welcher nur noch wenige Überreste vorhanden sind. Der Alte Stolberg ist Standort für manche botanische Seltenheiten. — Hinab über Stempeda u. ins Ludethal.

4) Von *Nordhausen* nach (2 St.) **Neustadt unterm Hohnstein** (S. 199) entweder über *Petersdorf* und durch das *Petersdorfer Holz*, oder durchs *Gumpethal* über *Rüdigsdorf*, oder über *Krimderode* und die nordöstl. dahinter gelegenen Kalkberge. Nach der *Ebersburg* (S. 200) wendet man sich hinter dem Petersdorfer Holz der Straße von *Buchholz* nach *Hermannsacker* zu.

5) Nach (3 St.) **Eichenforst** (S. 203) entweder die Stolberger Chaussee und vor Stempeda den über *Rodishain* (S. 200) führenden Weg, oder etwas näher über *Steigerthal*, am *Alten Stolberg* (s. oben) hin (über die Stolberger Chaussee) nach *Rodishain*.

29. Route: Von Nordhausen nach dem Kyffhäuser.

Vgl. auch das Kärtchen vor dem Titel.

Eisenbahn von *Nordhausen* bis (18 km) *Berga* 4mal in 1/2 St. oder nach (22 km) *Roßla* 6mal in 1/2 St. für I. 1,70, II. 1,30, III. 0,80 M. Dann **Fußtour** auf 1/2 Tag; **Wagen** in Roßla; Post von Roßla bis (5 km) Kelbra.

Die Bahn Nordhausen—Halle (Eintr.-Route VIII) führt über die (8 km) Stat. *Heringen,* wo ein altes Hohnsteiner Residenzschloß von 1327, *Aumühle,* (18 km) *Berga,* Station für das 3 km südl. gelegene Kelbra (s. unten), und Ausgangspunkt der Zweigbahn nach *Rottleberode* (S. 201; 1889 noch im Bau). Dann

(21 km) Stat. **Roßla am Harz** (153 m; *Bahnrestaurant*), Dorf an der Helme mit 2600 Einw., Residenz der Grafen von Stolberg-Roßla (s. R. 31). Schöne neue Kirche. Grfl. Konsistorium. Amtsgericht. Bedeutende Landwirtschaft. Zuckerfabrik. Zucht von Kanarienvögeln. Der Kometenentdecker v. Biela wurde 1782 hier geboren.

Gasthöfe: *Deutscher Kaiser,* Mitt. (12 1/2 Uhr) 1,25 M.; Pens. 3 M. Billard. Lohnfuhrwerk: 1spänn. 7 M., 2spänn. 12 M. für den Tag. — *Kaiser Barbarossa,* am Bahnhof. — Gemeindeschenke: *Sonne.* — *Schwarzer Hirsch.* — *Restaurant Schmeißer.* — **Arzt** und **Apotheke.**

Post: Über *Rottleberode* (bis zur Bahneröffnung) nach (20 km) *Stolberg* in 3 St. — Über (4 km) *Kelbra* nach (20 km) *Frankenhausen* in 3 St.

Das **Kyffhäusergebirge** liegt auf schwarzburg-rudolstädtischem Gebiet, erhebt sich 325 m über der Goldenen Aue, gehört zur Dyasgruppe, deren untere Schichten, das Rotliegende, am Nordrand auftretend, von Granit (an den Bärenköpfen) und Syenit (östl. der Rothenburg) durchbrochen werden und zahlreiche verkieselte Stämme (Psaronius etc.) aufweisen. Der höchste **Punkt** (465 m) ist der *Tannenberg;* unter demselben nördl. der Burgberg der *Rothenburg;* südwestl. Ruine *Falkenburg,* unter welcher die 1865 entdeckte, vielbesuchte **Barbarossa-* oder *Falkenburgshöhle.* Über der Nordseite von Frankenhausen die *Oberburg* gleichen Namens; nördl. davon der *Schlachtberg,* auf welchem Thomas Münzer mit seiner Horde 1525 in die Flucht geschlagen wurde. Bei Steinthalleben südöstl. noch die im Munde des Volkes so genannte »*Ochsenburg*«, eine vorgeschichtliche Burganlage, sowie bei Frankenhausen nordwestl. die *Chatten-* oder *Katzenburg.* Das *Ratsfeld* liegt auf dem Plateau des Gebirges; wo ein verwüstetes Dorf gelegen, befindet sich jetzt ein fürstliches Jagdschloß wie auch ein Gasthaus.

Der **Kyffhäuser,** welcher in unserer Route gemeint ist, ist die nordöstliche Ecke des Kyffhäusergebirges; er hat eine langgestreckte, muldenförmige Gestalt, woher auch wohl sein Name rührt. Cuffese, dann Ghöffhusen, **Kyffhäuser,** im Volksmund »Kipphieser« (die Kuppen selbst »Kippen«) genannt, bedeutet: Haus auf dem (hohlen) Berg; dies scheint auch die Sage vom Kaiser *im* Berg zu bestätigen. — Vgl. Dr. *O. Richter,* »Kyffhäuserbuch«, und *K. Meyer,* »Die ehemalige Reichsburg Kyffhausen«; letzteres auf urkundlichen Forschungen beruhend.

An der *Numburg,* einem Vorwerk bei Kelbra, findet man sonst nur am Meer vorkommende Salzpflanzen, z. B. Aster Tripolium, Bupleurum tenuissimum, Obione pedunculata, Melilotus dentata, Apium graveolens, Carex hordeistichos.

Zwischen Kelbra und Auleben eine seit 1886 ausgebeutete Sauerbrunnenquelle, deren Wasser man in den Wirtshäusern der Umgebung erhält.

Von Roßla (5 km) in 1 St., von Berga (3 km) in 40 Min. auf der Frankenhäuser Straße nach

Kelbra (*Sonne,* gut; *Lindenhof*) »am Kyffhäuser«, Städtchen mit 2500 Einw. (einschließlich des anstoßenden Dorfs *Altendorf*), mit Amtsgericht, Post und Tel. — Gleich vorn im Ort wendet man sich l. in eine Lindenallee, welche in 15 Min. an den Fuß des Bergs führt. Hier ein falscher Wegweiser: die Lehmgrube bleibt rechts, man biegt l. ein. Ein bequemer Fußweg bringt in ½ St. auf die

***Ruine Rothenburg** (396 m), um 1100 vom Grafen Christian von Rothenburg erbaut, wohl im 16. Jahrh. schon unbewohnbar geworden. Heute sind noch Reste von den ehemaligen beiden Wohngebäuden und der Turm vorhanden, welcher 1823 noch 20 m hoch war; sein Umfang beträgt 44 m. Prächtige Aussicht von dem Altan nördl. Einfache, höchst originelle, troglodytenartige *Restauration.* — Von hier zwei Wege: a) Fahrweg (1 St.) bis zu dem Punkt, wo dieselbe sich mehr südl. nach dem Ratsfeld wendet. Wegweiser. L. breiter Weg östl. gerade fortlaufend zum Kyffhäuser; dieser Weg ist sonnig und ohne Aussicht. — b) Der neue *Promenadenweg (1¼ St.) ist ¼ St. länger, aber schattig (nachmittags) und gewährt überall freie Aussicht auf die Goldene Aue und den Harz. Er ist leicht zu finden, an zweifelhaften Stellen durch Wegweiser bezeichnet. Man geht an die Stelle unterhalb Rothenburg zurück, wo der Wegweiser »Rothenburg« steht, und wandert auf dem Fußweg l. weiter, der in derselben Höhe an der nördlichen Seite des Gebirges herumführt. (Umgekehrt findet man vom Kyffhäuser aus diesen Weg, wenn man unter dem überdachten Halteplatz für Wagen durchgeht und dem Wegweiser »Fußweg nach der Rothenburg« folgt.)

Der ***Kyffhäuser** (458 m), aus Ober- und Unterburg und einer Kapelle St. Crucis bestehend, älter als die Rothenburg, war eins der wichtigsten Bergschlösser der deutschen Kaiser; in dessen Nähe die Kaiserpfalzen *Tilleda* und *Wallhausen.* Gasthaus mit ganz bescheidener Verpflegung, auch einfaches Nachtlager für 8—10 Personen.

Die Sage läßt ganz unberechtigt die Römer hier sich festsetzen: historisch wird die Bergfeste erst 1116 unter Heinrich V. erwähnt und wurde 1118 zerstört. Barbarossa stellte sie 1152 wieder her und übergab sie Burgvögten, die sich fortan nach ihr nannten, bis sie in den Besitz der Grafen von Beichlingen-Rothenburg als Reichslehen kam. Nach deren Aussterben ging sie in den Besitz der Thüringer Landgrafen und dann von diesen nebst der Rothenburg an die Grafen von Schwarzburg (1378) über. Im Anfang des 16. Jahrh. war sie schon verfallen. — Die Kapelle (1433 restauriert) hatte vor der Reformationszeit ein wunderthätiges hölzernes Kreuz und viel »wunderliche Abbildungen«.

Der Turm der Oberburg, »Kaiser Friedrich« genannt, ist noch ca. 22 m hoch, die von Schatzgräbern an der Südseite gebrochene Öffnung zeigt eine Mauerstärke von 2 m. Die drohenden Risse des Turms sind recht alt; eingesenkte Eisenstäbe halten das Gemäuer zusammen. Die an der Ostseite hervorstehenden Steine zeigen, daß hier der Turm in der Höhe von 6½ m seine Thür hatte. — Das Thor des Burgraums nach S. heißt »Erfurter Thor«, weil bei hellem Wetter die alte Hauptstadt Thüringens hier gesehen werden kann. Überhaupt hat man bei der alten (nicht ersteigbaren) Warte die herrlichste *Aussicht (u. a. das Brockenhaus).

Im O. Sangerhausen, Allstedt mit dem Kaiserschloß, Artern, Unstrutthal; im S. die Doppelruine Sachsenburg, Ettersberg bei Weimar, Thüringer Wald; im W. die Hainleite, Possenturm bei Sondershausen, Ohmberge, Eichsfeld, Nordhausen, Rothenburg; im N. der Harz, Brocken, Viktorshöhe, Josephshöhe. — Unter den vielen an den Kyffhäuser sich knüpfenden **Volkssagen** ist jene die bekannteste, nach welcher Kaiser Friedrich I., Barbarossa, dahin verbannt sein und tief im Schoß des Bergs seiner Erlösung, d. h. der Wiederherstellung der Einheit Deutschlands und dessen Erstarkung, entgegenharren sollte. Er sitzt an einem steinernen Tisch, durch den sein roter Bart gewachsen ist, und sendet von Zeit zu Zeit Ritter und Knappen aus, um einen Menschen herbeizuholen, dem sich der Berg durch die geheime Kraft einer blauen Wunderblume aufschlösse, und der dann dem Kaiser Kunde über die Nähe der Erlösungsstunde bringen sollte.

Von der Unterburg stehen nur noch die wenigen Reste des Wartturms, von welchem man auf die niedriger gelegenen Überbleibsel der Kapelle und der anliegenden Baulichkeiten herabsieht. Die Kapelle selbst ist romanisch, der Eingang gotisch. Die ganze Anlage ist großartig, und der Anerkennung wert ist die Sorgfalt, welche die schwarzburg-rudolstädtische Regierung auf Erhaltung dieser ehrwürdigen Trümmer alter Reichsherrlichkeit verwendet.

Unterhalb des Kyffhäusers (25 Min. hinab) liegt **Tilleda** (*Wirtshaus*), preußisches Dorf mit 1300 Einwohnern und 4 Rittergütern.

Die alte Kaiserpfalz ist fast gänzlich verschwunden, sie lag auf dem Pfingstberg, an der Stelle, welche jetzt noch das »Alte Tille« heißt. (Heinrich der Löwe, der durch den unglücklichen Sturz in Bodfeld [s. daselbst] gezwungen war, in Walkenried sich heilen zu lassen, kam hierher, als der Kaiser seinetwegen von Saalfeld nach Tilleda zog. Versöhnung zwischen beiden im März 1194.) Nur Reste der Umfassungsmauer und Wallgräben sind von dem alten Königshofe noch vorhanden, über dessen Stätte jetzt der Pflug geht.

Entfernungen: Falkenburgshöhle 1½ St.; — Ratsfeld (Jagdhaus, Gasthaus, an der Frankenhäuser Straße) 1 St.; — Frankenhausen 2 St.

Rückweg von Tilleda über *Sittendorf* nach *Roßla* 1¾ St. Wer Tilleda nicht besucht, geht von der Ruine (Wegweiser) direkt hinab nach *Sittendorf* und nach *Roßla* in 1½ St.

Ausflug von Roßla nach **Questenberg:** Chaussee über *Agnesdorf* 1¼ St., oder besser auf der Chaussee vor *Agnesdorf*, ½ St. jenseit des Höhenzugs den Fußweg östl., über den »Roten Kopf«. Der Weg verliert sich aber im Acker. Umgeht man letztern und wendet sich l. durch den Wald Rückfeld, Reckefeld (-Herkafeld), so gelangt man zur sogen. **Queste**, einem erhabenen Gipsfelsen, von dem man einen Blick auf das unten liegende Dörfchen **Questenberg** (*Gasthaus zur Thüringer Schweiz*, mit Logierhaus für Sommerfremde, welche Waldeseinsamkeit haben wollen) und gegenüber auf die Ruinen der alten Burg »*Questenberg*« hat (Vorsicht am schroffen Abhang). R. oder südl. hinab ins Dorf, in dem eine Rolandsfigur; dann hinauf zur Burg, von der noch bedeutende Reste, Turm, Gewölbe etc., vorhanden sind. Am dritten Pfingsttag fröhliches Volksfest, welches sich an die *Sage* lehnt, daß das Töchterlein des Burgherrn, das sich im Wald verloren, von den Dörflern unweit Rotha auf einer Wiese, mit einem Kranz und zwei Sträußen (Queste) spielend, wiedergefunden worden sei; der Vater hat dann, von Freude und Dankbarkeit erfüllt, seinen Leibeignen dieses Questenberger Fest gestiftet (von K. Meyer als Rest eines altheidnischen Frühlingsfestes nachgewiesen). Die Burg Questenberg ist um 1300 von den Grafen von Beichlingen erbaut worden. Sie war 1349 und 1362 Eigentum der Grafen von Hohnstein, dann der Landgrafen von Thüringen. Letztere gaben dieselbe 1430 den Grafen von Stolberg, denen sie noch gehört. Noch im Dreißigjährigen Krieg hatte sie eine stolbergische Besatzung, verfiel aber nach und nach.

1/4 St. von Questenberg entfernt liegt die Felsenwölbung *Konradsbett*, bereits im 15. Jahrh. »Konradsbette«, im 16. Jahrh. »Bruder Konrads Bachwirtung« genannt. Ein Einsiedler, Namens Konrad, Mönch der nordwestl. vom Dorf einst gelegenen *Klause* »zu den sieben Brüdern« hatte sich hier häuslich am Bach niedergelassen und seine Wohnung neben und unter dem überhängenden Felsen erbaut. (Der kurze Weg dahin zu empfehlen.)

Durch das *Wickeroder Thal* über *Bennungen* nach Roßla (1½ St.) zurück.

---

30. Route: Von Ilfeld über Ruine Hohnstein bei Neustadt nach Stolberg.

Post: Von Stat. **Niedersachswerfen** (s. S. 56 u. 193) nach (5 km) **Ilfeld** 5mal tägl.

Ilfeld (260 m), preußisches Kreisstädtchen (Landratsamt) am *Bährebach* mit 1400 Einwohnern. Angenehmes Sommerklima.

Gasthöfe: *Zur Tanne,* mit Badeanstalt. — *Zur Goldnen Krone,* gelobt.

Post in 3/4 St. nach (5 km) *Niedersachswerfen*, 5mal; — nach (14 km) *Benneckenstein* in 2½ St. und (18 km) *Tanne* (R 6); — über (17 km) *Hasselfelde* nach (34 km) *Blankenburg* (R 3b).

Telegraph.

Badeteich mit Schwimmanstalt.

Geschichtliches. *Elger von Bilstein,* der als *Edelgerus de Ylfeld* zuerst 1110 vorkommt, erbaute auf dem Burgberg südl. des alten Ilfeld die *Burg Ilburg,* von der nur spärliche Reste vorhanden sind, da sie schon von Elgers I. Enkel, Elger III., abgebrochen wurde, nachdem Elger II. nach der Burg Hohnstein (Honstein) übergesiedelt war, die er mit der Hand der Gräfin Lutrude erhalten hatte. Dieser Elger II. ist der Stifter des Klosters Ilfeld, zu dem sein Vater schon den Grund gelegt hatte. Er belehnte dasselbe mit einem Walde, wozu Kaiser Heinrich VI. 1190 seine Genehmigung erteilte. Das Kloster wurde wahrscheinlich von Pöhlde aus mit Prämonstratensermönchen besetzt, die Erzbischof Konrad von Mainz 1193 darin bestätigt. 1385 gestatteten ihnen die Grafen von Honstein, zwischen dem inzwischen verschwundenen Dorf O (Ow) und dem Kloster den Flecken (Ilfeld) zu erbauen, der ehemals befestigt war. Nachdem der letzte Abt, *Thomas Stange,* zum Protestantismus übergetreten war, verwandelte er das Kloster in eine evangelische Erziehungsanstalt, an welche er 1550 aus Nordhausen *Michael Neander* berief, und die sich als Pädagogium stets, besonders im 18. Jahrh., eines ausgezeichneten Rufs erfreute. *Fr. A. Wolf, Brohm, Mitscherlich* lehrten an demselben. 1867 reorganisiert, hat die Klosterschule seitdem eine früher nicht erreichte Frequenz aufzuweisen.

Die alte *Klosterkirche* ward erst 1859 abgebrochen und dafür im Flecken vom Kirchenbaumeister Hase in Hannover 1866—68 die neue gotische Kirche erbaut; in derselben ein großes in Holz geschnitztes, bemaltes Kreuz, alte Chorstühle, Grabsteine etc. — Von dem alten Kloster steht nur noch ein Gebäude unmittelbar an der Chaussee, in dessen Erdgeschoß Bogen des Kreuzganges zu erkennen sind. Alles andre hat dem 1860—63 und 1881—84 aufgeführten Neubau des *Pädagogiums* weichen müssen, der für 90 Alumnen Wohn- und Schlafräume, die Klassen (Gymn. I—III), Aula, Betsaal, Speisesaal, Konversationszimmer, Kranken- und Badehaus, Turnhalle, Billard und Kegelbahn sowie die Lehrerwohnungen enthält. Im Klostergarten eine große Altarsteinplatte und Taufstein, in der sogen. Krypte des neuen Pädagogiums Epitaphien und Gedenkstein mit den Bildnissen der Klosterstifter, Graf Elgers II. von Honstein und seiner Gemahlin Lutrude; vor dem Betsaal und dem Konversationszimmer Holzreliefs, die Klosterkirche und Elger II. vorstellend, unter der nördlichen Treppe der Grabstein von Th. Stange — alles aus der alten Kirche. — Berühmt ist die Umgegend durch ihren Mineralreichtum: Melaphyr mit Achatmandeln, verschiedene Manganerze, besonders Hausmannit, Chalcedone, rote Jaspisarten, Kalkspate, Aragonit, Glaskopf etc. Ilfeld eignet sich wegen der Lage am Walde und seiner herrlichen, durch gut angelegte Wege leicht zugänglich gemachten mannigfaltigen Umgebung sehr zum Sommeraufenthalt.

Ausflüge ins Bährethal: An der Wand des Herzberges (nordöstl.) führt ein Weg an schönen Felspartien (*Kanzel, Gänseschnabel* etc.) vorüber und bei der Brauerei wieder ins Thal hinab, durch welches die Chaussee an kleinen Wasserfällen, an Wiesengründen, unter dem *Netzberg* (420 m) vorbei nach der (3/4 St.) **Einnahme** *(Restauration)* führt, wo sie sich gabelt, l. nach Benneckenstein (S. 88), r. über die *Thalmühle* und *Tiefenbach-Mühle* nach Hasselfelde (S. 71). Bei der Tiefenbach-Mühle die *Bärenhöhe* (*Karlshaus*). Nördl. der Einnahme der scharf ansteigende ***Nonnenforst**; schönster Standpunkt; östl. der Rabenstein. — Auf dem rechten Bähreufer 5 Min. von Ilfeld die **Baudeshöhe**, vulgo **Hund**. — Andre besuchenswerte Punkte sind der *Kaulberg*, ganz besonders der *Bielstein* (493 m) und der diesem gegenüberliegende *Falkenstein*; ferner das *Braunsteinhaus*, die *Lange Wand* bei Wiegersdorf (Kupferschiefer mit Fischabdrücken). — Das *Nadelöhr* ist eine enge Felsspalte in einem an der Bergwand des rechten Behreufers hervorspringenden Porphyrblock, durch welche früher die neu eintretenden Klosterschüler von ihren ältern Kameraden gezogen wurden (selbstredend mit Beigabe etc.).

Vom Bährethal zur Ruine Hohnstein. Von der *Einnahme* aus verfolge man die östliche der drei Straßen 1/2 St. lang und da, wo sich diese wieder gabelt, r. den Berg hinauf (bez.) über den *Poppenberg*. R. am Weg der *Falkenstein*, l. der *Molkenborn* (5 Min. unten); dann zur (1 1/2 St.) *Ruine Hohnstein*. — Ein neuer schattiger Weg (an den Bäumen mit weißen Strichen bezeichnet) führt von Ilfeld zwischen dem Eichberg und dem Kaulberg durch, dann am Fuß des Poppenbergs entlang in 1 1/4 St. zur *Ruine Hohnstein* (S. 199). — Lohnender noch ist der Weg über den *Bielstein*, dann über den Kamm nach dem *Molkenborn* (Aussicht auf den Oberharz) und von hier aus über den *Falkenstein* zur Ruine (3 St.). Von der Ruine nach Neustadt 5 Min.

Von Ilfeld durch das Bährethal bis zur *Thalmühle*, dann durch das *Teichthal* nach *Stiege* (S. 71) und von hier nach (4 1/2 St.) **Treseburg** (S. 65); Weg bezeichnet, Fußgängern sehr zu empfehlen.

Von Ilfeld auf der Chaussee über (1 km) *Wiegersdorf* und (3 km) *Osterode* (von hier l. direkt in 1/2 St. auf die Ruine *Hohnstein*) nach (4 km) **Neustadt unterm Hohnstein** (260 m), amtlich »Neustadt bei Ilfeld«, früher Hauptort des stolbergischen Anteils der Grafschaft Hohnstein, 900 Einw. Die reizende Lage und die herrliche Umgebung, mildes Klima, Gasthöfe mit billiger und guter Bedienung empfehlen den Ort anspruchslosen Sommerfremden. Wegen Privatwohnungen wende man sich an den Magistrat oder an den Pachter des Hotel Hohnstein. Zweigverein des Harzklubs.

Omnibus tägl. 2mal nach (5 1/2 km) *Niedersachswerfen.* — **Telephon.**

Gasthöfe (einfach): *Zum Hohnstein*, am obern Ende des Ortes; der Pachter ist zugleich Wirt auf der Ruine. Gelobt. Pens. 3 1/2 M. — *Witwe Schmidt*, Pension 3 1/2 M., gelobt. — *Rathaus* (»Hotel zum Roland«), mit Rolandsstatue (1731), Zeichen der eignen Gerichtsbarkeit (vgl. S. 192).

Bäder im Badehaus, warme, medizinische und Dampfsitzbäder mit Einpackung und Massage.

Arzt: Dr. *Kukulus.*

Hübsche Promenaden führen östl. vom Badehaus auf den *Petersberg* und nördl. auf die *Heinrichsburg* (340 m), mit den Ruinen einer kleinen mittelalterlichen Burg der Honsteins; lohnende Aussicht. Das Sehenswerteste ist jedoch die unmittelbar 90 m über dem Flecken, auf einem Porphyrfelsen ein wenig im Wald versteckt liegende

***Ruine Hohnstein** (350 m), eine der größten des Harzes.

Im Anfang des 12. Jahrh. durch Konrad, einen Neffen Ludwigs des Springers, erbaut, ging sie durch Verheiratung seiner Enkelin Lutrude an deren Gemahl Elger II. von Ilfeld (den Gründer des Klosters Ilfeld) über und wurde Sitz des mächtigen Grafengeschlechts von Honstein bis 1373, wo sie an die jüngere Linie fiel, die sich 1393 in die beiden Zweige Honstein-Heringen und Honstein-Kelbra spaltete. Der letzte Graf Honstein starb 1593 zu Walkenried. Die Burg wurde am 19. Juni 1380 von den Landgrafen von Thüringen und in der Nacht des 15. Sept. 1412 vom Edelherrn Friedrich v. Heldrungen erobert. Von den Heldrungern und den Honsteinern erwarb 1417 Graf Botho v. Stolberg die Burg Hohnstein und wurde mit ihr 1428 vom Herzog Otto von Braunschweig belehnt. Im Dreißigjährigen Krieg wurde die Burg durch den sächsischen Feldobristen Vitzthum von Eckstädt belagert und ein Raub der Flammen; er ließ in der Christnacht 1627 das Schloß anzünden, weil ihm die verlangte Kriegskontribution nicht gezahlt werden konnte. Der gegenwärtig regierende Graf von Stolberg (vgl. S. 201) thut viel zur Erhaltung der Ruine. Der Ausblick von dem alten, jetzt zugänglich gemachten Burgturm ist sehr lohnend: gegen N. der Poppenberg, in NW. Kaulberg und der Herzberg, westl. der Ravensberg (S. 181), die Eichsfelder Pforte, Nordhausen, der Possenturm bei Sondershausen, die Hainleite, die Rothenburg, der Kyffhäuser und die ganze Goldene Aue. Oben ein Gasthaus, doch ist der Wirt nicht immer da; zu erfragen im Hotel Hohnstein.

Weitere Ausflüge: Der *Vaterstein*, östl. des Hohnsteins; — der *Birkenkopf* (1 1/2 St.), schönster Rundblick auf den ganzen Harz, die Thüringer Berge etc.; — der *Poppenberg*; — der *Falkenstein*, *Molkenborn*, *Bielstein*; — im O. der *Katzellerstein*, der *Lehnberg*, die *Ebersburg*, die *Hohe Alze*, der *Friedeland* etc. Die Wege dahin sind bezeichnet.

Von Neustadt und Hohnstein über *Hufhaus*, *Birkenmoor*, **Stiege** (S. 71) nach **Altenbrak** und (4 1/2 St.) **Treseburg** (S. 65). Weg bezeichnet; Fußgängern empfohlen.

Von *Neustadt-Hohnstein* nach *Stolberg* führen drei Wege:

1) Chaussee über *Buchholz* und *Rottleberode* durch das reizende *Tyrathal* nach (16 km) *Stolberg.*

2) Fußweg über die *Ebersburg* (Eb) und den *Eichenforst* (Ef) nach Stolberg (St), ca. 4 St., ohne Führer auf folgendem Wege: Aus Neustadt durch die östliche Straße entweder direkt, oder über die Heinrichsburg (Hbg) und den Waldweg in 1 St. an den Fuß der Ebersburg, wo ein kleines Gasthaus »*Sägemühle*«; hier ist der Schlüssel zum Turme zu fordern.

Die **Ebersburg** (350 m), zu Stolberg-Roßla gehörig, besteht jetzt nur noch aus einem mächtigen runden Turm von ca. 19 m Höhe mit 4 m dicken Mauern, einem Thorturm und wenigem Gemäuer der alten Burg. Die Burg wurde 1207 durch den Landgrafen Hermann von Thüringen erbaut und seinem Marschall Heinrich von Ebersberg anvertraut. Die thüringische Landgrafentochter Irmgard brachte sie ihrem Gemahl, dem Grafen Heinrich von Anhalt, zu. Die Anhaltiner verpfändeten dieselbe. Die Grafen von Stolberg erkauften um 1326 die Ebersburg, und Roßla besitzt sie noch jetzt. Seit 1582, zur Zeit der Pest, ist sie verlassen und verfallen. Am Fuß des Burgbergs lag das Dorf Vockenrode, dessen Kirchturmruine noch bei der Sägemühle zu sehen ist. Der Weg zur Burg ist ein schöner Waldpfad — Oberhalb der Ebersburg, auf dem höchsten Punkte des Berges, der *Hohen Alze*, sind die Ruinen eines alten Turmes mit 4 Wallgräben.

Von der »Sägemühle« zwei Wege; der eine, zum größern Teil durch Wald, verfolgt 5 Min. die Chaussee nach Breitenstein bis wo eine Tafel nach Eichenforst weist, dann den Waldweg bis zum Handweiser: »Nach Rodishain und Eichenforst«, wo er mit dem andern zusammenfällt, der über Wiesen, am Waldessaum und dem Kresbach entlang bis zur Landstraße und dann l. führt. Nach 1 St. durch ($2^1/_4$ St.) *Rodishain*, über das Wasser; über Wiesen durchs Wildgatter; in derselben Richtung durch den Wald immer bergan. Von Rodishain bis Jagdschloß ($2^3/_4$ St.) ***Eichenforst** (S. 203) ca. 35 Min. Der nächste Weg nach Stolberg (1 St.) führt nördl. in einer anfangs mit Tannen, dann mit Buchen besetzten schnurgeraden Linie am Waldrand entlang bis auf den von W. kommenden breiten Waldweg (Hunoldseiche), dann r. im hohen Buchenwald (bez. an der Lutherbuche) hinab nach ($3^3/_4$ St.) **Stolberg.**

3) Der *nächste* Weg ($2^1/_2$—3 St.), durch den schönen Buchenwald, gut gangbar und durchweg genau bezeichnet, wird gern benutzt, namentlich von der Ruine aus. Vom Hotel Hohnstein schlägt man den Weg nach der Ruine ein und verfolgt denselben bis auf den Rücken des Berges, wo der sich r. abzweigende nach Stolberg, Breitenstein und nach der Ebersburg führt. Zuerst, 10 Min. hinter dem hohen kegelförmigen Berge (dem *Vaterstein*) und zwar l. zweigt sich der Weg nach Breitenstein (B r) und Birkenkopf (B k) ab. Lohnend ist der Weg über letztern. Der Weg geradeaus führt nach wenigen Minuten in das Tyrathal (Tiefe Thal), wo die Nordhäuser Wasserleitung beginnt, und durchkreuzt hier einen Weg (Eb bezeichnet), auf dem man in 1 St. die Ebersburg erreicht; zu empfehlen. Der direkte Weg nach Stolberg (St.) verfolgt vom Tyrathal aus den Fußpfad über den großen Himmelstieg, den Mittelberg, das große Ronnethal und den Kleinen Himmelstieg bis auf die Hochfläche »Heide«, wo man von nun an den Auerberg sieht und den durch Handweiser bezeichneten Weg verfolgt bis zur Domäne **Hainfeld** (455 m), von hier in 20 Min. auf stark abfallendem Fahrweg ins Ludethal, wo wir einen Büchsenschuß oberhalb des Schützenhauses anlangen. Will man direkt aufs Schloß, so steige man l. den dem Schützenhaus gegenüber beginnenden Weg zum Schloß hinauf. — Mehr zu empfehlen ist der Weg von der Domäne Hainfeld aus, an der *Hunoldseiche* vorbei nach der Lutherbuche und von hier hinab nach **Stolberg** (S. 202).

31. Route: Stolberg.
Von Stolberg über den Auerberg ins Selkethal.

Nächster Eintrittspunkt für Stolberg ist die (1889 noch im Bau befindliche) **Zweigbahn von Berga nach Rottleberode** (10 km), bis zu deren Eröffnung noch die **Post** von **Roßla** (S. 194) in 3 St. nach (20 km) **Stolberg** fährt. — Außerdem ist Stolberg zu erreichen von **Neustadt unterm Hohnstein**, s. S. 200; — von **Nordhausen**, Poststraße, S. 193, Fußweg, S. 193; — vom **Selkethal** (R. 32.) aus über den Auerberg, S. 205—204.

Die Eisenbahn von *Berga* (S. 194), Station der Bahn Halle — Nordhausen, nach Rottleberode zweigt von der Stammlinie r. in nordwestlicher Richtung ab und läuft im Tyrathal aufwärts auf der ganzen Strecke an der rechten Seite der Chaussee entlang (welche 1889 noch von der Post befahren wird). Zunächst l. *Berga* an der Tyra, Dorf mit 3 Rittergütern und 1500 Einw. Gleich darauf l. *Bösenrode,* Dorf mit 500 Seelen. Dann folgt r. (6 km) Stat. *Uftrungen,* Dorf mit 2 Rittergütern, 1100 Einw. und Pulverfabrik. L. drüben die *Heimkehle,* eine Höhle im Gips. — Bald darauf

(9 km) **Rottleberode** (mehrere *Gastwirtschaften*), Dorf mit 900 Einw., Pulverfabrik, Bergbau auf Kupfer und Eisen, Eisenwerk *Josephinenhütte,* Flußspatgrube in der Krummschlacht. Neben Rottleberode das gräfliche Schloß, der Park und ein großer Erdfall, der, mit Wasser ausgefüllt, als Hüttenteich für die Eisenhütte gebraucht wird. Gleich hinter Rottleberode endet beim Chausseehaus, wo l. die Straße nach Neustadt abzweigt, die (10 km) Eisenbahn.

Der Weg vom Endpunkt der Bahn nach *Stolberg* (5,5 km, 1¼—1½ St.) durch das herrliche **Tyra-Thal* ist so wunderschön, daß man ihn am lohnendsten zu Fuß zurücklegt. Zwei Wege führen nach Stolberg: die Chaussee am rechten Ufer der *Tyra* (Poststraße), schöner Ruhepunkt »Beim Zoll«; am linken Ufer der nur Fußgängern erlaubte Weg. An den Abhängen schöne Punkte. Schneidemühlen, Teiche, Pulvermühle. So gelangt man auf schönem schattigen Parkweg in 1¼—1½ St. nach (15,5 km) **Stolberg** (S. 202).

Die Grafschaft Stolberg. Die Grafen von Stolberg sind (nach den Forschungen *K. Meyers*) ein Seitenzweig der Grafen von Honstein und stammen ab vom Grafen Friedrich von Honstein. Der Stammvater des Geschlechts, Heinrich, war zuerst Herr von Voigtstedt, erbaute vor 1210 die Burg Stolberg (Stalberg, im Harz und nannte sich seitdem nach derselben. Seine Nachkommen waren gute Haushalter und erkauften im 14. u. 15. Jahrh. die Burgen und Ämter Ebersberg, Wolfsberg, Roßla, Kelbra, Heringen, Honstein, Questenberg, Heinrichsberg, Erichsberg und erbten Wernigerode. *Bodo der Glückselige* (gest. 1538) berief 1525 *Luther* nach Stolberg, um den Bauernaufstand beseitigen zu helfen, an dem die Grafen teilzunehmen gezwungen waren; 1537 war auch Melanchthon hier. Bei der Einführung der Reformation waren hier Dr. *Tielemann Platner* und *M. Joh. Spangenberg* thätig. — Im Mittelalter gab es eine Harz- und eine Rheinlinie Stolberg; die 1618 vereinigte teilte sich in zwei Hauptlinien: die ältere zu Wernigerode (R. 10) und die jüngere zu Stolberg und Roßla. Beide Linien teilten sich wieder, erstere in die zu Wernigerode und zu Ilsenburg, letztere in die zu Stolberg und zu Roßla; die zu Wernigerode, Stolberg und Roßla werden »regierende Grafen« genannt.

Stolberg-Stolberg: Dieser ältere Zweig ist lutherisch, der jüngere, in Österreich-Ungarn wohnhaft, katholisch. Regierender Graf *Alfred*, geb. 23. Nov. 1820, folgte seinem Vater, dem Grafen Joseph Christian Ernst Ludwig, am 27. Dez. 1839; vermählt seit dem 15. Juni 1848 mit Prinzessin *Auguste Amalie Ida*, geb. 21. Juli 1824, Tochter des verstorbenen Fürsten Georg Friedrich Heinrich zu Waldeck und Pyrmont.

Stolberg-Roßla: Regierender Graf *Botho* August Karl, geb. am 12. Juli 1850, königl. preuß. Rittmeister à la suite der Armee, regiert seit dem 23. Jan. 1870. — (Wernigerode s. S. 103.) — Die als Dichter bekannten Brüder: Graf *Christian* (geb. 1748 zu Hamburg, gestorben auf seinem Gut Windebye bei Eckernförde 1821) und *Friedrich Leopold* (geb. 1750, gestorben zu Sondermühlen bei Osnabrück, trat zur katholischen Kirche über und schrieb die 15bändige »Geschichte der Religion Jesu«), gehörten zur Linie Stolberg-Roßla. — *Wappen:* Ein schwarzer zum Gange geschickter Hirsch im goldnen Feld, mit gekrönter Säule. Die Farbe der Grafschaft ist Schwarz und Gelb.

Herrliche Waldungen und sauber gehaltene Straßen sind ein Hauptvorzug dieser Herrschaften, was jedem Wanderer sofort auffällt. Dagegen sind die im nördlichen Harz so zahlreich angebrachten Wegweiser hier nur noch sehr schwach vertreten.

Stolberg (300 m), Haupt- und Residenzstadt der standesherrlichen Grafschaft Stolberg-Stolberg mit 2140 Einw.; Amtsgericht.

Gasthöfe: *Canzlers Hotel* am Markt, Garten mit hübschen Plätzen im Freien; Mitt. (1 Uhr) 1,50 M. Pens. 4–5 M. — *Eberhardts Hotel*, zunächst der Post; Mitt. 1,25 bis 1,50 M., Pens. 4–5 M. Beide Hotels sind recht gut, aufmerksame Bedienung, zu empfehlen. — *Preußischer Hof.* — »Stolberger Lerchen« sind kleine Würste.

Post: Über (15 km) *Berga* nach (20 km) *Roßla* in $2^3/_4$ St., nach Eröffnung der Bahn nur bis (6 km) *Rottleberode;* — nach (21 km) *Nordhausen* in $2^1/_4$ St., früh u. abends.

Telegraph. — Badeanstalt.

Harzklub, Zweigverein Stolberg; Auskunft bei Hrn. Kaufm. *M. Kersten.*

Kurkomitee: Herr Rektor *Magnus.*

Das Städtchen macht durch seine uralten, von der Last der Jahre gebeugten Häuser in malerischer Holzkonstruktion (unter diesen das 1535 erbaute, in welchem jetzt das Amtsgericht seinen Sitz hat; die *Kanzlei* oder die frühere stolbergische Münze; das *Kelchhaus;* der *Ratskeller*) einen altertümlichen Eindruck. Das Haus, in welchem Thomas Münzer geboren wurde und wohnte (Beyers Schmiede), ist abgebrannt. In Stolberg schrieb der gräfliche Kommissionär Schnabel seinen 1731 erschienenen, seiner Zeit vielgelesenen Roman »Die Insel Felsenburg«, den Vorläufer unsrer Robinsonaden.

Die Stadt liegt in vier Thälern, und zwar sind die Häuser oft so eng an den Berg gebaut, daß die Leute auf den Boden steigen müssen, um in den Keller zu kommen. (Berühmt ist das Stolberger Rätsel: In welchem Hause sind drei Stockwerke und keine Treppen? Im Rathaus zu Stolberg.) Am *Rathaus*, von 1487, eine große Sonnenuhr und das Stadtwappen, von Themis und Minerva getragen; lateinische Umschrift. — Von dem früher bedeutenden Bergbau, dem Bergamt und der Münze sind kaum noch Spuren zu entdecken; die Werke liegen meist tot, nur eine Schwerspatgrube ist noch im Betrieb. — Stolberg eignet sich durch seine wunderschöne *W a l d u mgebung sehr zu einem Sommeraufenthalt, besonders für Leute, die etwas abseits des großen Touristenschwarms leben wollen.

Um einen Blick über das malerisch schön gelegene Stolberg zu gewinnen, steige man neben dem Rathaus und der **Martinikirche** (schönes Geläute, gräfliches Erbbegräbnis; auf der ältern, jetzt erneuerten Kanzel hat Luther 1525 gegen den Bauernaufstand gepredigt, 1537 war Melanchthon hier) zum Schloß hinan auf sehr sauber gehaltenen Wegen. Von da hinunter nach dem Schützenhaus und über den gegenüberliegenden *Waisenberg* (*Lutherbuche) nach dem *Tyrathal* zu; bei der Badeanstalt kommt man wieder ins Thal und geht dann auf den *Schweineberg.*

Das ***Schloß Stolberg** (375 m), hoch gelegen und umfangreich, ist Wohnsitz der Grafen Stolberg-Stolberg.

Um das Schloß zu besehen, was jedoch selten gestattet wird, Meldung beim Thorwart, welcher, mit seinem mittelalterlichen Kostüm in den stolbergischen Farben: Barett, Halskrause, Wappenschild auf der Brust und Hellebarde, den standesherrlichen Boden bezeichnet, der ohne seine Erlaubnis im innern Schloßhof nicht betreten werden darf; das Rauchen ist dort ebenfalls untersagt.

Das Schloß ist kurz vor 1210 durch den Ahnherrn der Grafen, den Dynasten Heinrich von Voigtstedt, Brudersssohn des Grafen Elger III. von Honstein, erbaut worden. Die Stadt ist nach und nach unter dem Schloß entstanden und erhielt 1300 die Pfarrkirche St. Martini. — Schloßkapelle mit Altarbild von Lukas Cranach. Gemäldegalerie und Wappensammlung, Gewehrkammer mit interessanten Waffen. Naturalienkabinett. Bibliothek von 48,000 Bänden, darunter als Kuriosum 20,000 Leichenpredigten (vielleicht einzige Sammlung dieser Art). Speisesaal. Burgverlies. — Freundlicher Park.

Ausflüge: 1) In den **Tannengarten,** 3/4 St., schöner Waldweg (vgl. S. 70); hinab ins Ludethal zur *Schweizerhütte.*

2) Nach ***Eichenforst** 1 St. südwestl. Vom Schützenplatz in Stolberg chaussierter Weg nach *Hunrode*, an der sogen. tausendjährigen Eiche vorbei. Von hier aus am Saum der Heide eine Allee durch Wald bis **Eichenforst** (496 m), ehemaliges Jagdschloß des Grafen von Stolberg, seit 1888 eine *Sommer-Restauration* mit Plätzen im Freien; von dem Turm hat man eine umfassende, nur nach NO. vom Auerberg verdeckte Fernsicht auf die Gegend von Nordhausen, den Kyffhäuser und von einem südöstlichen Punkte der Anlage auf Schloß und Teich von Rottleberode (das sogen. »Alte Stolberg«) mit dem Kyffhäuser als Hintergrund. Aussichtsturm. Sehenswürdigkeit: 10 Min. westlich von Eichenforst 8 starke Buchen auf *einem* Stamm. Gesamtumfang 5 m.

3) Auf die **Ebersburg** (S. 200) über *Eichenforst* 2 1/2 St., und weiter nach **Neustadt unterm Hohnstein** (S. 199), ca. 4 St.

4) Über *Eichenforst* den Wegzeichen nach durch den Wald, unterm Vaterstein entlang auf die (3 1/2 St.) **Ruine Hohnstein** (S. 199). — Den direkten Weg von Stolberg über *Hainfeld* zur **Ruine Hohnstein** und nach **Neustadt** (2 1/2 St.) s. S. 200, Nr. 3.

5) Nach **Rottleberode**, 1 1/2 St. durch das **Tyra-Thal*, s. S. 201.

6) Auf dem »Alten Stolberg« die Ruinen einer Waldkapelle, welche »Grasburg« genannt wird (vgl. S. 193).

7) Auf den (2 1/4 St.) **Birkenkopf** bei Breitenstein; neue Chaussee im Ludethal aufwärts nach (1/2 St.) *Schweizerhütte* (im Sommer Restauration), dann nach einigen Minuten über die Lude und am rechten Ufer weiter, später über die Landstraße Breitenstein-Hermannsacker in 2 1/4 St. auf den **Birkenkopf.**

Im *Krumschlachtsthal*, welches dem Tyrathal östl. parallel läuft, befinden sich die Bergwerke *Luise*, wo Spateisenstein mit kristallisiertem grünen Flußspat und Kupferkies gefunden wird, und der *Flußschacht.* Dort wird dichter Flußspat gegraben. Außerdem ist die Kupferhütte bemerkenswert, in welcher die Kupferschiefererze der Stolberger Gewerkschaft geschmolzen werden.

Von Stolberg nach dem Selkethale (Alexisbad).

Fahrstraße von *Stolberg* nach *Alexisbad*, 19 km. Die alte Poststraße (keine Post mehr) geht über *Harzgerode*; lohnender ist der Weg über *Silberhütte*. Fußgänger gehen nach (11 km) *Straßberg-Lindenberg* (Stat. der im Bau befindlichen Bahn Alexisbad-Güntersberge, S. 208, 209), 2½ St., und von da im Selkethal abwärts nach (19 km) *Alexisbad*.

Die Fahrstraße verläßt Stolberg in nordöstlicher Richtung und erreicht nach 5 km den (r.) *Auerberg*. — Fußgänger gehen vom Marktplatz hinauf oder vom Schloß Fahrweg hinab und im Städtchen dann l. die Straße hinaus. Wo diese gabelt, steigt man l. den Berg hinauf, r. ein Tannenwäldchen. Dann ¼ St. in schönem Buchenwald. Bei einer Tafel, welche das Reiten und Fahren verbietet, geht man r. den breiten herrschaftlichen Weg in den Wald hinein. Nach 10 Min. kleine Waldblöße, wo man l. die Straße wieder sieht; immer geradeaus, weder l. noch r. — Nach 13 Min. Kreuzweg; immer geradeaus in die Tannenallee; 10 Min. weiter wieder auf jene Chaussee zur **Josephshöhe** auf dem **Auerberg** (575 m), der eine weithin sichtbare Landmarke und Wetterprophet der Gegend ist und bis zur Niederlegung des Turms einer der charakteristisch schönsten Aussichtspunkte des Harzes war. Der Berg besteht aus Felsitporphyr. — (Auf der Höhe erhob sich früher über einem einstöckigen Unterbau ein riesiges, aus schwerem Balkenwerk durchbrochen gezimmertes, 22 m hohes Kreuz, nach dem Entwurf Schinkels 1832—33 errichtet, das als Aussichtsturm diente. Am 11. Juni 1880 fuhr ein Blitzstrahl in Turm und Haus, weshalb der Bau abgetragen wurde. — An der Ostseite des Auerbergs am »güldenen Altar« werden die sogen. Stolberger Diamanten (kleine sechskantig-pyramidale Bergkristalle) gefunden.

Beim (5 km) *Gasthof zum Auerberg* (490 m; auch zum Übernachten) Straßenkreuzung, Chausseehaus. Dann in östlicher Richtung weiter teils durch Wald, teils auf offener Hochebene bis zur (12,5 km) zweiten Straßenkreuzung vor dem r. liegen bleibenden *Neudorf* (900 Einw.), mit Silber- und Bleierzgruben *(Pfaffenberg)*; hier l. ab am Viktor-Amadeus-Schacht (r.) vorüber, hinab in das wiesengrüne *Selkethal*, das man bei der (15 km) *Silberhütte* (S. 208) oder *Viktor Friedrichshütte* erreicht; Station der Bahn Alexisbad—Güntersberge (1889 noch im Bau). Nun thalabwärts an der Selke entlang; l. drüben eine Pulvermühle und fortlaufend die neue Bahntrace. Bei 17,5 km über die Selke, l. geht der Weg nach der Viktorshöhe hinauf; r. oben ein eisernes Kreuz. An der im Schweizerstil erbauten Villa der Herzogin von Anhalt vorüber nach (19 km) **Alexisbad** (S. 207).

Fußgänger gehen vom (5 km) *Gasthof zum Auerberg* (s. oben) auf der beschriebenen Chaussee ostwärts noch ½ St. entlang bis zum Ausgang des Waldes, dann den ersten Fahrweg l. hinab in das Selkethal, das man erreicht in

(10 km) **Straßberg** (400 m; *Örtel*, Gemeindeschenke, oben; Wagen zu haben. — *Örtel, Bergschenke*, unten. —

Erholung, in der Mitte), stolbergischem Hüttenort mit 900 Einw. Hier kommen vor: kristallisierter Wolfram, Arsenikkies, Kupferkies, Spateisenstein, Fahlerz, Bergkristall und vorzüglicher Bleiglanz.

Gegenüber, am linken Selkeufer, liegt die bernburgische Kolonie (11 km) **Lindenberg**, Stat. der Bahn Alexisbad-Güntersberge (R. 32; 1889 noch im Bau), auf der man am *Selke-Pochwerk* und der *Silberhütte* vorüber, immer am linken Selkeufer abwärts in 1/2 St. nach (13 km) **Alexisbad** (S. 207) gelangt; doch ist auch die Fußwanderung (1 3/4 St.) lohnend.

32. Route: Mägdesprung und Alexisbad. Eisenbahn von Gernrode ins Obere Selkethal.

Eisenbahn (1887/88 eröffnet) von *Gernrode* über (10 1/2 km) *Mägdesprung* (50 Min., für II. Kl. 90, III. Kl. 60 Pf.) und (14,6 km) *Alexisbad* (72 Min. für 120 und 80 Pf.), nach (17,5 km) *Harzgerode* (in 83 Min. für II. 1,45, III. 1,00 Mk.). — Von Alexisbad weiter im Selkethal aufwärts über die Stationen (3 km) *Silberhütte*, (8 km) *Lindenberg*, (9 km) *Fluor* nach (13 km) *Güntersberge*, 1889 noch im Bau, 1890 zu eröffnen.

Die Bahn zweigt von der Bahnlinie Ballenstedt—Quedlinburg (S. 45) südöstl. ab und biegt bald in den hübschen *Ostergrund* ein, in welchem sie am Wellbach entlang, den *Heiligen Teich* kreuzend, durch schönen Wald aufwärts geht zur (6 km) Haltestelle *Sternhaus*, für das 1 km südl. im Forst schön gelegene anhaltische Jagdschloß *Sternhaus* (422 m; Gastwirtschaft des Försters; gute Milch), S. 204. Dann über die Wasserscheide (412 m) und jenseits weiter in Windungen unter der Ruine *Heinrichsburg* (S. 206) vorüber hinab ins *Selkethal*, welches man erreicht bei

(11 km) **Mägdesprung** (295 m), anhaltischem Eisenhüttenort.

Gasthaus: *Heise* (Pachter), das Haus ist erneuert; T. d'h. (1 Uhr) 2 M. Starker Fremdenverkehr. Einige **Sommerwohnungen** sind durch Vermittelung des Gastwirts zu erhalten. Verpflegung im Gasthof.

Der ganze Ort Mägdesprung (300 Seelen) mit Einschluß der entferntesten Winkel gleicht einem Garten voll schattiger Lauben und Gänge. Vor dem Gasthans zweigt östl. von der Chaussee nach Alexisbad die Chaussee nach Harzgerode ab. Zwischen den beiden Chausseen nach Harzgerode und Alexisbad geht ein Fußweg den Berg hinauf, welcher nach etwa 10 Min. auf den *Felsen* mit der **Magdtrappe* führt. Ähnlich wie bei der Roßtrappe, soll die Magdtrappe durch einen Sprung vom gegenüberliegenden hohen linken Ufer der Selke, dem *Zettelberg*, nach dem hohen rechten Ufer in den Felsen gedrückt worden sein. Daher hat der Ort den Namen. Neben der Trappe steht ein 3 m hohes eisernes Kreuz mit goldner Inschrift, welches Prinz Friedrich von Preußen und seine Gemahlin Luise von Anhalt-Bernburg deren Vater Alexis widmeten. In der Nähe des Kreuzes und der Trappe hat man ohne Zweifel die schönste Aussicht ins Selkethal. Der Fußweg mündet später wieder in die Chaussee nach Harzgerode, die ihn wie im Bogen umkreist. Wir gehen auf ihm von der Trappe aus wieder zurück nach dem

Eisenhüttenwerk (in Privatbesitz). Wer für dasselbe sich spezieller interessiert, holt sich auf dem Kontor neben dem Gasthof Erlaubnis (dem Führer Trinkgeld). Man produziert hier jährlich 6–7000 Ztr. Stabeisen, welches sich durch Zähigkeit und Härte auszeichnet, ferner 8–10,000 Ztr. Gußwerk, zu dessen Darstellung indessen teilweise auch englisches Roheisen verwendet wird. Die Kunstgießerei liefert recht gute Arbeiten, besonders werden sehr schöne Abgüsse von Antiken verfertigt, wie z. B. vom Hildesheimer Silberfund, die in galvanisch bronzierten Exemplaren zu haben sind. Sehr interessant ist das **Modellkabinett* mit vortrefflichen Arbeiten des Plastikers *Kureck*, der jetzt wohl der erste Bildner in Hochwildgruppen sein dürfte. Die vollste Aufmerksamkeit zieht die große Hirschgruppe (Gipsmodell der in Zinkguß im Meisdorfer Schloßgarten aufgestellten Gruppe) auf sich; außerdem das **Denkmal des alten Dessauers*, ferner acht Gruppen nach Kaulbachs Illustrationen zu »Reineke Fuchs«. Neben der Kunstgießerei ist eine gewöhnliche Gießerei vorhanden und eine Maschinenfabrik im Betrieb. — Die umfangreichen Eisenwerke am Mägdesprung gehören erst der neuern Zeit an; vor 1686 war hier noch alles öde und leer. Über die Erweiterung dieser Industrie gibt der am Weg nach der Selkemühle, gleich bei der Brücke unterhalb Mägdesprung stehende 22 m hohe, lediglich aus Gußeisen erbaute Obelisk Auskunft, welchen Herzog Alexis seinem Vater, dem Begründer des jetzigen Hüttenbetriebs, errichten ließ. — Verkaufslokal der Kunstgußwaren an der Selkebrücke.

Ausflüge: 1) Nach der **Viktorshöhe** (1½, bez. 2 St.), s. S. 209.

2) Nach der **Heinrichsburg** und dem (¾ St.) **Sternhaus**, meist nur von denjenigen Touristen besucht, die vom Mägdesprung direkt nach dem Stubenberg und Gernrode gehen. Am gußeisernen Denkmal (Obelisk) in Mägdesprung vorbei, nach etwa 10 Min. ist man unterhalb der Ruine **Heinrichsburg**, von der nur noch ein im Waldgestrüpp verborgener Turm steht. Sie ist in der zweiten Hälfte des 13. Jahrh. erbaut. 1344 zerstörten die Grafen von Honstein und die Bürger der Stadt Nordhausen »das Hus zu dem Heurichsberge«, welches denen v. Morungen und v. Rabyl gehört hatte, anscheinend als anhaltinisches Lehen der Grafen v. Stolberg. — Nach Passierung des langen Geländers l. an einem Fußweg (einer alten Chaussee) bergan; dieser führt nach dem **Sternhaus** (422 m; *Gastwirtschaft* des Försters, vorzügl. Milch), anhaltischem Jagdschloß, im Forst schön gelegen, aber ohne Aussicht. 1 km nördl. die Bahnstation Sternhaus (S. 205). — Vom Sternhaus 8 km Fahrstraße bis Ballenstedt. In dem Winkel, welchen die neue Straße macht, liegt das **Dammersfeld**. Im 10. Jahrh. lag hier das Dorf *Thankmarisfeld*, in welchem die Gebrüder Markgraf Thietmar der Ostmark und Erzbischof Gero von Köln 970 ein Mönchskloster gründeten, aber schon 975 nach München-Nienburg bei Bernburg verlegten. Auf der wüsten Dorf- und Klosterstätte Dammersfeld befinden sich die Gräber der schweizerischen Mennonitenfamilie *Sommer*, die zu Ende des vorigen Jahrhunderts hierher berufen war, eine große Sennerei zu bewirtschaften. — Vom Sternhaus führt ein angenehmer Waldweg diejenigen Touristen, welche ins Selkethal zurück gehen wollen, in ¾ St. nach dem Meiseberg. Man verfolgt den Fürstenweg und richtet sich auf dem r. sich abzweigenden Fahrweg nach den an den Bäumen angebrachten »M«, bis man in die von Ballenstedt kommende Fahrstraße einmündet und bald darauf nach dem Meiseberg gelangt.

3) Von *Mägdesprung* direkt nach **Ballenstedt** schöne, schattige Landstraße, 10 km. Auf halbem Weg, da, wo ein Wegweiser (der zweite) l. nach dem Sternhaus zeigt und r.

eine Warnungstafel das Fahren auf dem herrschaftlichen Weg verbietet, schlägt man diesen ein; er läuft im Wald neben dem Tiergarten her und mündet im Schloßgarten zu Ballenstedt.

Entfernungen von Mägdesprung: Nach Gernrode 4 km, Sternhaus 3 km. Im Selkethal: Meiseberg 5 km, Selkemühle $5^1/_2$ km, Gasthaus zum Falken 13 km, Meisdorf 14 km, Ballenstedt direkt 10 km (über Meisdorf 20 km). — Nach der Viktorshöhe Fahrstraße 2 St. über Sternhaus.

Die Strecke des ***Selkethals** von Mägdesprung nach Alexisbad ist der Glanzpunkt des Thals und man sollte sie nicht im Eisenbahnwagen zurücklegen, sondern sie einmal jedenfalls zu Fuß durchwandern. Die Bahn läuft am linken, die Straße meist am rechten Ufer der Selke. L. oben das Denkmal auf der Magdtrappe. Das Thal gewährt ein großartiges Landschaftsbild, aber gemildert und zum Teil verdeckt durch hochgewölbte Baumgruppen, so daß dem Wanderer stets nur eine Ahnung davon bleibt, welche Felsenwände hinter dieser freundlichen, versöhnenden Bekleidung emporstarren mögen. Dadurch, daß die Straße dem Lauf der mäandrisch sich schlängelnden Selke folgt, erschließen sich dem Wanderer von Schritt zu Schritt neue Bilder. 10 Min. vor Alexisbad liegt *Hotel und Pension zur Klostermühle* (s. unten). — Die Bahn hält in

(15 km) Stat. **Alexisbad** (325 m), einem Komplex von 16 Häusern. Altrenommierte reine Eisenquelle, schon 1766 chemisch untersucht, aber erst 1810 vom Herzog Alexis von Anhalt-Bernburg eingerichtet; dieser baute die Logierhäuser und schuf Anlagen, Promenaden etc. Seit 1873 ist das Bad in Privatbesitz übergegangen.

Gasthöfe: *Hotel Alexisbad* (Traiteurhaus), zunächst am Bad, Nürnberger Bier; — *Goldne Rose* (gutes Essen); in beiden T. d'h. 2 M. Die übrigen Taxen sind ausgehängt. — 10 Min. thalab: *Hotel und Pension Klostermühle* (s. unten), in hübscher Lage, 10 Min. vor Alexisbad, für Touristen, aber auch zu längerm Aufenthalt geeignet. Fuhrwerk.

☞ Durchreisende können besser in Mägdesprung oder Harzgerode unterkommen.

Bäder: Stahl- (1,25 M.), Fichtennadel-, Sol-, Douche- und Brausebäder. Einrichtungen zur Kaltwasserkur, Wellenbad. Milch- und Molkenkur, elektrische Behandlung.

Kurtaxe 12, 16, 20 M. für 1, 2, 3 und mehr Personen.

Badearzt: Dr. med. *Meißner*, Generalarzt a. D.

Logierzimmer 10–30 M.; die Pension tägl. 3–5 M.

Entfernungen: Ballenstedt 14 km, Erichsburg 1 St., Mägdesprung 4 km, Sternhaus 7 km, Gernrode 12 km, nach der Viktorshöhe Fahrstraße 9 km, zu Fuß $1^1/_2$ St.

Post und Telegraph. — **Meteorologische Station** II. Ordnung.

Auskunft für den Harzklub bei Kaufmann *Haase* und in der *Goldnen Rose*.

Lohnfuhrwerk keine Taxe, daher Vereinbarung vor der Fahrt; Tagespreis etwa 15 M. und Trinkgeld.

Die Lage des Bades ist schön, die Luft außerordentlich rein, ozonreich, und die Quellen gehören zu den stärksten und wirksamsten Eisenwässern; doch entsprechen die Einrichtungen nicht mehr den Anforderungen der Neuzeit. Der Besuch ist 800—900 Personen.

Die Badequelle enthält an festen Bestandteilen besonders schwefelsaures Eisen (grünen Vitriol), schwefelsaures Natron (Glaubersalz), salzsaures Eisen und schwefelsaure Magnesia (Bittersalz), schmeckt tintenartig bitter, ist gelblich, Eisenoxydulhydrat absetzend, liefert in der Minute 30 Liter, hat eine feste Temperatur von 8° C., wird aber zum Trinken nicht verwendet. Das Trinkwasser des *Alexisbrunnens* ist klar, hell, geruchlos und im Geschmack zusammenziehend bei einer Temperatur von 11,2° C. Alexisbad genießt einen Ruf bei Frauenkrankheiten (Leukorrhöe, Hysterie, Chlorose, Anämie, Veitstanz, Migräne und andern nervösen Störungen) und ist Blutarmen und Geschwächten zu empfehlen. Im übrigen hat es die Eigenschaften jeder hoch gelegenen Stahlquelle. — Morgens von 7—8, mittags bei Tafel und abends von 5—6 Uhr findet in der Allee Konzertmusik (nichts für ein musikalisches Ohr!) statt.

Spaziergänge: *Schlotheimfelsen* mit dem Birkenhäuschen, — das *eiserne Kreuz*, — *Friedrichsplatz*, — der **Habichtstein*, — die *Kapelle*, — der *Luisentempel*, — *Alexisbrunnen*, — *Schirm*, — *Friedensthal* etc. — Ins **Selkethal* nach *Mägdesprung* s. S. 206—205. — Zur **Viktorshöhe**, S. 209. — Bei der Klostermühle lag einst das Mönchskloster *Hagenrode*, welches im Bauernkrieg 1525 seinen Untergang fand.

Von Alexisbad nach Stolberg (19 km); durch das Selkethal aufwärts (Eisenbahn 1889 noch im Bau) bis (8 km) *Straßberg-Lindenberg* (S. 209), dann südwärts hinauf zur (12 km) Straße Harzgerode-Stolberg und auf dieser am (14 km) *Gasthaus zum Auerberg* vorüber nach (19 km) **Stolberg**; vgl. S. 204.

Die Eisenbahn geht von Alexisbad aus dem Selkethal östl. ab und steigt empor zu der auf der Hochebene gelegenen Endstation

(18 km) **Harzgerode** (395 m; *Schwarzer Bär*. — *Weißes Roß*. — *Erbprinz*, bescheiden), dem Markt- und Proviantplatz für Alexisbad, sehr altem anhaltischen Städtchen mit 3233 Einw., die von Feld- und Bergbau leben. Zweigverein des Harzklubs. Kaiser Otto II. hat den Ort »Hasakanroth« 975 dem Kloster München-Nienburg geschenkt und erlaubt, hier einen Markt und eine Münz- und Zollstätte anzulegen. Als Vögte jenes Klosters gelangten die Anhaltiner in den Besitz des alten Harzstädtchens. Am Ende des Orts ein altes Schloß einer Nebenlinie des anhalt-bernburgischen Fürstenhauses, welche bis 1744 regiert hat. Mineraliensammlung. — Selbst in der Stadt sind alte Silbergruben.

Die Selkethalbahn (1889 noch im Bau) geht von Alexisbad immer am linken Ufer der Selke im wiesengrünen Selkethal aufwärts, während die Fahrstraße meist auf dem rechten Ufer bleibt. L. hoch oben ein eisernes Kreuz. Weiterhin eine *Pulvermühle*, die schon öfter in die Luft geflogen ist. — (18 km) Stat. **Silberhütte** oder *Viktor-Friedrichshütte*; der Hüttenprozeß für Gewinnung des Silbers, des Bleies und der Glätte ist hier ähnlich wie in Klausthal (S. 143). Aus 30,000 Ztr. gewonnenem Erz werden 900—1000 kg fein Silber und 12,000 Ztr. Bleiglätte gewonnen. Außer Glätte wird auch Werkblei gemacht, das bei der Zinkentsilberung gewonnen wird. L. geht die Fahrstraße nach Stolberg (S. 143) ab. — Die Bahn folgt auch weiter den Krümmungen des Flusses, vorbei an der *Rinkemühle* und dem *Selke-Pochwerk*, wo silberhaltiges Bleierz von den Gruben *Pfaffen-* und *Meiseberg* (den wichtigsten Silberbergwerken des Unterharzes) gepocht wird. Schöner Waldwiesengrund. —

Dann folgt (23 km) Stat. *Lindenberg;* jenseit des Wassers der stolbergische Ort *Straßberg* (S. 204), durch welches Fußgänger nach Stolberg (die Bahn, bez. das Selkethal verlassend) südwärts abschwenken (vgl. S. 205—204). — Der Zug hält gleich darauf in (24 km) Stat. *Fluor,* neue Flußsäurefabrik, und steigt dann, dem Laufe der Selke folgend, aufwärts nach (28 km) **Güntersberge** (S. 70), dem vorläufigen Endpunkt der Bahn. Fortsetzung über *Friedrichshöhe* nach (9 km) *Stiege* und (13 km) *Hasselfelde* ist geplant.

Von Güntersberge nördl. nach (13 km) *Treseburg*, südl. nach *Stolberg*, s. R. 3a.

33. Route: Die Viktorshöhe.
Aus dem Selkethal über Viktorshöhe ins Bodethal.

Von Mägdesprung zur Viktorshöhe. Fahrstraße (8 km) nordwärts nach *Sternhaus* (S. 206), dann, westl. umbiegend, immer durch Wald nach *Viktorshöhe.* — Fußweg: Im Selkethal nach Alexisbad zu aufwärts; nach 1/4 St. geht r. bei der Försterei *Drahtzug* der Weg in das *Krebsbachthal* ab und durch dasselbe auf gutem, durch den Harzklub bezeichnetem Weg am *Krebsteich* vorbei in 1–1 1/4 St. zur (1 1/2 St.) *Viktorshöhe.* — (Vom Krebsteich kann man, in nördlicher Richtung 20 Min. fortschreitend, die *Schützelklippe* und die *Schanze* aufsuchen; schöner Blick in die vom Ramberg abfallenden Thäler.)

Von Alexisbad zur Viktorshöhe. Die Fahrstraße (9 km) geht 1/4 St. oberhalb des Bades aus dem Selkethale westl. ab; zuerst der Siptenfelder Chaussee folgend. Nach 3 km von Alexisbad zweigt der (schlechtere) Fahrweg, die sogen. »Beckstraße«, r. nordwestl. ab und führt durch herrlichen Buchenwald an der r. im Wald versteckten *Erichsburg* (s. unten) dann wieder auf die Chaussee und auf dieser r. ostwärts zur (9 km) *Viktorshöhe.* — Dieser bezeichnete Weg ist auch für Fußgänger geeignet, welche jedoch besser und kürzer (1 1/2 St.) über das *Russische Haus* oder durch das *Krebsbachthal* (s. oben) gehen.

Die **Erichsburg**, 1232 als Erekesberge erwähnt, wurde 1320 durch Graf Heinrich von Stolberg von denen v. Hoym erkauft; 1345 wurde in einer Fehde das feste »Hus zu dem Erichsberge« von den thüringischen Grafen von Städten erobert und zerstört; der dabei in Gefangenschaft geratene Graf Hermann von Stolberg wurde mit seinem Burgvogt Heinrich v. Werther enthauptet und seine 20 Ritter an die umstehenden Bäume gehängt; die Mönche des nahen Klosters Hagenrode bestatteten die Leichname der Hingerichteten auf ihrem Gottesacker.

Die ***Viktorshöhe** (575 m) ist ein vielbesuchter Aussichtspunkt auf dem *Ramberg,* gleich dem Brocken, dem Auerberg und dem Ravensberg ein Bergindividuum, das sich beträchtlich über die mittlere Höhe der umliegenden Gebirgsglieder erhebt. Wenn die Viktorshöhe, ihrer absoluten Erhebung nach, auch von vielen Harzbergen übertroffen wird, so sichert ihr doch ihre beherrschende Lage unweit des nördlichen Harzrandes die Aufmerksamkeit der Reisenden. Wie der Brocken, so besteht auch der Ramberg aus Granit. (Gasthaus ist das Forsthaus; im Notfall auch Nachtlager.) 1829 ließ Herzog Alexis von Anhalt den 22 m hohen Balkenturm errichten und nannte den ganzen Aussichtspunkt seinem Ahnherrn zu Ehren *Viktorshöhe.* 104 Stufen führen hinauf. Die Aussicht ist umfassend, zunächst ein großes Waldpanorama.

Im N. die Vorberge des Harzes mit der dahinter nach NO. offenen Ebene; im W. der Brocken mit seinen Nebenbergen bis zum Ravensberg (SW.); im S. die Thüringer Gebirgszüge (Inselsberg, Possen etc.); im SO. Kyffhäusergebirge, Hainleite; im O. die Mansfeld-Hettstedter Gegend. Deutlich sichtbar in größerer Entfernung ist der Petersberg (O.), Magdeburg (N.). Beste Übersicht über das Selkethal und die herrliche Bewaldung des Unterharzes.

5 Min. südwestl. zwei Felsen, die große und kleine *Teufelsmühle,* welche die Sage zu Überresten eines infernalischen Bauwerks macht.

Sage. Ein heruntergekommener Müller aus dem Thal schließt einen Pakt mit dem Teufel, der hier oben bis zum ersten Hahnenschrei eine neue Mühle bauen will. Bis auf den letzten Mühlstein ist alles fertig, als der Müller denselben in unbeschreiblicher Angst den Berg hinunterrollen läßt. Da kräht der Hahn, und brüllend zerschmettert der Satan mit dem herangeschleppten Stein Mühle und Müller.

Wege von der Viktorshöhe:

1) Nach **Treseburg** (S. 65), Fahrstraße, 10 km.

2) Nach dem (10 km) **Hexentanzplatz.** Immer Wald, aber guter Fahrweg. Führer überflüssig. Nach ³/₄ St. gelangt man an einer Öffnung des Waldes zum Forsthaus des dahinter liegenden **Friedrichsbrunn** (540 m; Gasthöfe: *Weißes Roß,* Aussicht nach dem Brocken; hier kann man Haselnüsse bestellen), preußischer, 1776 von Friedrich d. Gr. gegründeter Kolonie (500 Einw.); Industrie in Holzarbeiten, besonders Gehstöcken. Im Volksmund heißt der Ort »*Untrüborn*« nach einer Sage, zufolge deren eine Grafentochter in Liebe zu einem armen Jäger aus ihrer prächtigen Burg entfloh, aber von ihrem Verführer bei einem Brunnen verlassen wurde. — Man folgt, das Forsthaus l. lassend, dem Wege geradeaus; nach ¹/₂ St. durch ein Wildgehege; an einer Kreuzung der Straßen Wegweiser, von dem aus die Richtung nach Thale eingeschlagen wird; nach ¹/₂ St. abermals ein Wildzaun, durch den der Fahrweg führt, sich aber nach 20 Schritt gabelt: l. zum Hexentanzplatz, r. nach Thale. Ein Fußweg biegt schon vor dem Gatter l. ab und folgt dem Zaun bis zum Hexentanzplatz (S. 66).

3) Nach (6 km) **Gernrode** (S. 217), Chaussee über das Forsthaus *Haberfeld,* von wo an man den Fußweg »Frankenstieg« wählt, der hinter dem Gasthaus *Zum Stubenberg* mündet.

4) Nach der **Lauenburg** (S. 221) und nach **Suderode** (S. 219), nur 1¹/₂ St., immer Wald und abzweigende Fußwege; man kann nicht irren, da der Weg durch weiß getünchte Steine, Bäume und Schilder genau bezeichnet ist.

34. Route: Von Mägdesprung durch das untere Selkethal über Falkenstein nach Ballenstedt.

Chaussee von *Mägdesprung* über (5¹/₂ km) *Selkemühle,* (13 km) *Falkenstein* nach (20 km) *Ballenstedt.* Im Sommer **Omnibus** 1mal tägl. nachm. — Von Mägdesprung nach *Ballenstedt direkt* nur 10 km (vgl. S. 206).

Von Mägdesprung abwärts nimmt das Selkethal durchaus idyllischen Charakter an; Wiese und Laubwald sind die beiden Landschaftsfaktoren, aus denen eine lange Reihenfolge der lieblichsten Bilder, immer verändert, sich zusammensetzt. Herrliche Bäume, mitunter trefflich als Malerstudie geeignet, fassen die Thalsohle und die Ufer der Selke ein. — Rasch nacheinander folgen die vier *Friedrichshämmer*, später die Oberförsterei *Scherenstieg*. Der vierte Friedrichshammer ist jetzt Holzschleiferei für Papiermasse.

Nach 4 km Weg l. durch den Wald ein breiter Fahrweg zu dem (1/4 St.) Jagdschloß **Meiseberg** (348 m) empor. *Gastwirtschaft*. Reminiszenzen an das Parforce-Jagdleben des vorigen Jahrhunderts; Trinkgeschirr, welches den wilden Jäger Hackelberndt darstellen soll; Sammlung Riedingerscher Kupferstiche. Hirschgeweihe. Besuch besonders empfehlenswert zur Zeit der Laubfärbung. Fußweg vom Meiseberg nach der *Selkemühle* 10 Min.

(5½ km) **Selkemühle** (248 m), auch *Leimufermühle* genannt, in reizender Lage; ländliches *Gasthaus zur Burg Anhalt*. Noch ein Stück oberhalb der Selkemühle schönes Echo.

R. liegt die **Ruine Anhalt** (386 m), unmittelbar über der Selke, 1/2 St. von der Selkemühle; kaum bemerkbare Reste, im Wald versteckt liegend. (Wege zur Ruine z. Z. verboten.) — Albrecht der Bär rief niederländische Kolonisten in seine Mark, die diese Burg, welche 1123 von ihm erbaut, 1140 aber von den Sachsen zerstört worden war, um 1150 wieder aufbauten; es ist eine Stammburg der Anhaltiner, die ihr Schloß in Ballenstedt im 11. Jahrh. Mönchen überließen; als diese wieder gehen mußten, wurde Anhalt verlassen, schon im 15. Jahrh. scheint es in Trümmern gelegen zu haben.

Von der Selkemühle an abwärts bleibt die Selke meist r. Wer einen Führer bei sich hat, kann als kleine Seitentour den

Ausflug zur (1½ St.) **Tidianshöhle** machen. Die Höhle, hoch oben an der linken Thalwand, deren Boden mit glitzerndem Sand überdeckt ist, soll der Volkssage nach ihren Namen folgendem Vorfall zu verdanken haben: Vor unbestimmten Zeiten hütete ein Schäfer des Grafen von Falkenstein, Namens Tidian, Tiere da droben im Wald und pflegte mit der Herde Mittagsruhe in der Höhle zu halten. Einst auch, als er wieder hinaustreiben wollte, sah er eine Blume zu seinen Füßen von so wunderbarer Pracht, wie er sie noch nie gesehen. Freudig pflückte er dieselbe: aber kaum prangte sie an seinem Hut, als alles ringsumher sich verwandelte. Die Höhle flimmerte und glänzte wie ein Feenpalast, der Sand, in dem er stand, war eitel Gold, die Bäume und Blätter rauschten Wonnelieder, balsamische Düfte erfüllten die Luft, und leise, süß schmeichelnde Stimmen flüsterten ihm in die Ohren: »Nimm, was du tragen kannst, vom Sand mit und komm' zum Neumond wieder«. Das ließ sich der Knabe nicht zweimal sagen, sondern füllte Säcke, Taschen und den Hut und wanderte mit dem kostbaren Fund heim. In der Stadt kaufte ihm der Goldschmied den Sand mit Freuden ab, weil es reines, gediegenes, edles Metall war, und sagte, er möge ihm bringen, soviel er dessen habe. Das that der Schäfer auch, je zur Zeit des Neumondes, und ehe der Herbst kam, war er ein reicher Mann. Nun warb er um des geizigen Müllers schönes Töchterlein Elsbeth, die er liebte und sie ihn wieder, und der alte Geizhals willigte darein. Um gleiche Zeit wollte auch der Graf von Falkenstein Hochzeit machen und bestellte beim Goldschmied in der Stadt ein Brautkränzlein, so schön und kostbar, wie noch nie ein solches auf eines Edelfräuleins Haupt geprangt habe. Dem entsprach der Meister Goldschmied, indem er sagte, feineres und glänzenderes Gold als das Tidiansgold werde weder für Könige noch für Kaiser verarbeitet. Hierdurch aufmerksam und neugierig gemacht, forschte der Graf, als er heimgekommen war, seinen Schäfer aus, und dieser, eine treue, ehrliche Seele ohne Argwohn, plauderte sein ganzes kostbares Geheimnis aus. Es fehlte nun nicht, daß der Graf beim nächsten Neumond mit zur Höhle ging und alles so fand, wie der Schäfer gesagt hatte. Jetzt erwachten Neid und Habsucht in des Grafen Brust Rasch war sein Entschluß gefaßt. Meuchlings überfiel er den Schäfer, stach ihm die Augen aus und stürzte ihn über die Bergwand hinab. Aber im gleichen Augenblick veränderte sich alles: die Höhle war wieder gemeiner Stein, der Goldstaub nichts denn Sand, und aus des Berges Tiefe drang ein Heulen hervor, und Schlangen und sonstiges Ungetüm umwimmelten den falschen Grafen, daß er entsetzt floh. Der arme Tidian aber starb in den Armen seiner Braut, und den Grafen verfolgte das Schicksal auf Schritt und Tritt.

Nicht weit von der Tidianshöhle liegt auf einer Felsenausladung das gräflich Asseburgsche Jagdhäuschen ***Selkesicht** (310 m), 3/4 St. vom Gasthof *Zum Falken*, einer der besten Punkte, 130 m über der Selke, um vom Schloß Falkenstein ein schönes Bild zu haben. (Besuch der Selkesicht z. Z. verboten.) — Noch näher beim Falken-Gasthof liegt die **Eckhartsklippe** (gegenüber dem Steinbruch), ein Lieblingsplatz Klopstocks, der beim kaiserlich russischen Staatsrat von der Asseburg in Meisdorf zum Besuch verweilte und hier seine ersten Gesänge der »Messiade« schuf.

Im Thal, da, wo es wieder eng zusammentretend ernstern Charakter annimmt, liegt der (13 km) *Gasthof zum Falken*, 186 m ü. M.

In dem gut gehaltenen Haus wohnt man billig und gut; Forellen (im Frühjahr) und Kramtsvögel (im Herbst). Nur diejenigen Reisenden, welche vom Falkenstein südl. nach *Pansfelde* und *Molmerswende* (S. 213) gehen wollen, nehmen ihr Reisegepäck mit aufs Schloß; sonst läßt man dasselbe unten im Gasthof. — Fuhrwerk in der nahen *Thalmühle*.

Der Weg steigt mäßig durch Wald bergan, 25 Min. zum

***Schloß Falkenstein** (320 m ü. M. und 134 m über dem Spiegel der Selke), eine der schönsten erhaltenen Burgen des Harzes, den Grafen von der Asseburg gehörig. Um 1080 hatte Egeno von Konradsburg den Grafen Adalbert von Ballenstedt ermordet. Zur Sühne dieser That verwandelten die Edlen von Konradsburg ihr Stammschloß Konradsburg in ein Kloster und erbauten sich im ersten Viertel des 12. Jahrh. die Burg »Valkenstein« als Stammsitz.

Urkundlich wird es zuerst 1118 als kaiserliche Burg und 1152 als Sitz der Falkensteiner erwähnt. Durch die Gewandtheit der Halberstädter Geistlichkeit kam sie nebst der Grafschaft 1332 in deren Besitz, den aber Albrecht von Regenstein, der eine Falkensteiner Gräfin zur Frau hatte, streitig machte. Der Halberstädter Bischof verpfändete sie an die Mansfelder Grafen und 1437 an den Freiherrn von der Asseburg, dem sie vom geldbedürftigen Bischof als erbliches Lehen überlassen wurde. — Historisch hat dieselbe das Interesse, daß das älteste deutsche Rechtsbuch, der *Sachsenspiegel*, welchen Eike von Repgow, ein rechtskundiger Schöffe, verfaßte, hier oben 1224–35 niedergeschrieben wurde. Das Original befindet sich jetzt in der königlichen Bibliothek zu Berlin. — Der Kastellan führt gegen ein Trinkgeld von 50 Pf. für eine Person (für mehrere à 25 Pf.) im größten Teil des Schlosses herum. In der engen, altertümlichen Kapelle hat Luther gepredigt. Alle Gänge und der neue Speisesaal sind mit Hirschgeweihen und Abnormitäten derselben reichlich geziert. Im Speisesaal eine Reihenfolge von Porträten, unter denen auch das von Johann Ludwig von der Asseburg, einem der Ritter, die unter Hans von Berlepsch' Leitung Luther bei Altenstein (Thüringen) gefangen nahmen und auf die Wartburg brachten; Porträt von Johann Friedrich von Sachsen mit seiner Mutter, Goldbild von Lukas Cranach; ein elfenbeinernes Kruzifix von Benvenuto Cellini, ein großes Ordalienschwert, ein goldnes Jagdhorn, kleine silberne Statue des gelehrten Otto von Freising. Bronzesachen mit Kindergruppen, angeblich von Napoleon I. aus Ägypten mitgebracht und durch Blücher in die Hände des Grafen von der Asseburg übergegangen. Im Archiv, das nur mit spezieller Erlaubnis des Besitzers, Oberlandjägermeisters von der Asseburg, geöffnet wird, finden sich sehr interessante Urkunden und Briefe. Daselbst wird auch ein Schicksalsbecher aufbewahrt, den einst eine Ahnmutter des von der Asseburgschen Geschlechts von einem Gnomenkönig geschenkt bekam.

Sage. Die fromme und mildthätige Frau von der Asseburg wurde einst in kalter Winternacht von einem Gnomen gebeten, seiner kreißenden Frau Beistand zu leisten. Sich Gottes Schutz empfehlend, folgte sie dem Flehenden auf unbekannten Wegen und erfüllte seine Bitte; das Gnomenweiblein genas eines Knäbleins. Der glückliche Vater schenkte der edlen Frau drei gläserne Becher mit drei goldnen Kugeln und bemerkte: »Solange einer derselben vorhanden ist, wird dein Geschlecht blühen und geehrt sein.« Darauf ist die Frau glücklich heimgekehrt. Aus dem Jahr 1696 berichtet das Kirchenbuch zu Wallhausen, daß die Söhne des Grafen Ludwig ihrem Freund und Gast Werther aus einem der Becher zutranken, wobei derselbe zerbrochen wurde. An demselben Tag verunglückten beide mit flüchtig gewordenen Pferden in der Helme. Einer der übriggeblieben Becher wird auf dem Falkenstein, der andre auf der Hinnenburg in Westfalen aufbewahrt.

Vom 14.–16. Nov. 1843 waren hohe Gäste beim Grafen von der Asseburg, wie die aufgehängten Autographen beweisen, zur Jagd: die drei Könige Friedrich Wilhelm IV. von Preußen, Ernst August von Hannover und Friedrich August von Sachsen, der Prinz Wilhelm (der spätere Kaiser Wilhelm I.), Prinz Karl u. a. — Der besuchteste Punkt des Schlosses ist der hohe Turm mit seinem rings unter dem Dach herumlaufenden Balkon, welcher Aussicht und Niederblicke auf die angrenzenden Partien des Selkethals gestattet. Unter dem Turm sollen greuliche Burgverliese und eine kaminartige Einrichtung sein, durch welche Schlachtopfer der Tortur in einen Steinsarg hinabgelassen wurden, um dort qualvoll zu verscheiden.

Ausflug über die (1 km) *Wirtschaft zum Gartenhaus* nach (4 km) *Pansfelde* und (8 km) **Molmerswende**, Dorf mit 500 Einw.; hier wurde der Balladendichter *Gottfried August Bürger* am 31. Dez. 1747 im noch stehenden Pfarrhaus geboren, und Pansfelde (wo Bürgers Großvater lebte) ist der Schauplatz des weltbekannten Gedichts »*Die Pfarrerstochter von Taubenhain*«. Dem Gedicht liegt eine wahre Begebenheit mit der Tochter des Pfarrers Kutzbach von Pansfelde zu Grunde, die eine Jugendgespielin Bürgers war. Auch die spukhafte Laube im Pfarrgarten ist noch vorhanden, und der Unkenteich und das

»Plätzchen, wo wächst kein Gras,
Das wird vom Tau und vom Regen
nicht naß,
Da wehen die Lüftchen so schaurig«

sind der Umgegend entlehnt. Dagegen ist der Kindesmord selbst eine vom Dichter hineingetragene Fiktion.

Direkter Fußweg nach Ballenstedt, 1 St. (bei nassem Wetter zu vermeiden); vom Gasthof den sogen. *Lumpenstieg* l. steil im Wald hinauf. Immer geradeaus, weder l. noch r. Es kreuzen bloß Wege, namentlich auf der Höhe ein breiter Triftweg, welche man zu überschreiten hat. Noch zweimal auf und ab, dann r. nach dem Forsthaus *Kohlenschacht*, einstöckiges gelbes Haus. Von hier Waldfahrweg bis zum Waldessaum, dann l. auf der Höhe am Gatter entlang in 20 Min. nach *Ballenstedt*.

Vom Gasthof zum Falken im Selkethal abwärts an dem (15 km) *Mausoleum* (einer im gotischen Stil erbauten Familiengruft derer von der Asseburg) vorüber nach (15½ km) **Schloß Meisdorf,** ebenfalls den Grafen von der Asseburg gehörig, dessen Garten besonders wegen des vortrefflichen Kunstwerks von Kureck: ein von zwei Hunden zu Tod gehetzter Hirsch (dessen Modell in der Gießerei zu Mägdesprung, vgl. S. 206), besucht wird. — Post und Telegraph.

Nach (20 km) **Ballenstedt** (s. unten) verfolgt man die Chaussee (ohne das Dorf Meisdorf zu berühren) direkt über *Opperode.*

---

35. Route: Ballenstedt.

Ballenstedt (217 m) ist ein freundliches, stilles Städtchen mit 4852 Einw. und war bis 1863 Residenz des Herzogtums Anhalt-Bernburg. Das äußerst ruhige, gesellige und billige Leben sowie die freundliche Umgebung veranlassen viele pensionierte Beamte und Rentiers, ihren Wohnsitz hier zu nehmen. Kreisdirektion, Amtsgericht, Oberförsterei. Umfangreiche herzogliche Bibliothek. In neuerer Zeit kommt Ballenstedt als anmutige und billige Sommerfrische in Aufnahme. Regelmäßige Morgenmusiken und Konzerte finden in den Lohden und im Schloßpark (S. 215) statt. Wohnungsnachweis durch den Verschönerungsverein (Allee 334).

Gasthöfe: *Großer Gasthof* (herrschaftliches Eigentum), dicht unter dem Schloß; schöne Zimmer, gute Betten; gelobt. — *Stadt Bernburg,* an der Allee. *Schwan,* das nächste Hotel vom Bahnhof her (10 Min.), von Handlungsreisenden besucht. — Gegenüber: *Hotel Deutsches Haus. Dessauer Hof,* in der Allee. — *Hotel Germania.* — *Bär* (für bescheidene Ansprüche).

Dr. *Wiedemeisters Heilanstalt für Nerven- und Gemütskranke,* in der Nähe des Waldschlößchens (S 215). — Pensionat für nervenleidende Damen von *L. Birr.* — Badeanstalt von *Eichmeyer* (warme und medizinische Bäder aller Art), in der Nähe des Schloßbahnhofs. — Milchkuranstalt im Schloßpark.

Harzklub, Zweigverein Ballenstedt; Auskunft bei Herrn Kaufmann *Grauel,* Allee 334.

Eisenbahn: Tägl. 7 Züge nach Stat. *Frose* (S. 48), vgl. Eintr.-Routen IV, III und I. — Tägl. 6 Züge über *Gernrode* (Bahn ins Selkethal S. 205), *Suderode* nach *Quedlinburg* (S. 45). — Neuer Bahnhof »Schloß Ballenstedt« (nach Gernrode zu) in der Nähe des Schlosses und der Allee.

Post: Nach (5 km) *Meisdorf* (s. oben) 1mal tägl. — **Omnibus:** 1mal tägl. vorm. über Falken, Selkemühle nach *Mägdesprung* und zurück, R. 34.

Wagen nach festen Taxen.

Entfernungen: Meisdorf und Selkethal s. R. 34; Selkemühle direkt 7 km; Gasthof zum Falken direkt 1 St.; Gernrode 8 km; Suderode 9 km; Thale (direkt) 15 km; Quedlinburg (Fußweg) 10 km; über Rieder 13 km; Sternhaus 9 km; Viktorshöhe 14 km; Mägdesprung direkt 10 km; Meiseberg 7½ km.

Ballenstedt, die Geburtsstadt des frommen *Johann Arnd,* geb. 27. Dez. 1555 (S. 54), Verfassers des »Wahren Christentums«, hat schöne Umgebungen. Die schönste Straße ist die ¼ St. lange, nach dem Schloß aufsteigende, sehr schattige Kastanienallee; auf diese stößt im rechten Winkel die neuangelegte Luisenstraße mit schönen Villen. Das umfangreiche **Schloß** selbst (jetzt Witwensitz der Herzogin von Bernburg und Sommerwohnung des Herzogs von Anhalt-Dessau) wird in seinen ältesten Mauerteilen aus dem Anfang des 11. Jahrh. stammen, als die askanischen Grafen (bevor Albrecht der Bär Burg Anhalt erbaute, S. 211) hier Hof hielten.

Die Edelherren v. Ballenstedt entstammen, wie die benachbarten Dynasten von Falkenstein, Arnstein, Plötzkau, Querfurt etc., dem uralten Geschlecht derer v. Heklingen und führen alle als Stammwappen den geteilten Schild mit halbem Adler und mehreren Querbalken. Durch Verheiratung Adalberts v. Ballenstedt mit einer Erbtochter der östlichen Markgrafen, Hidda, erhielt Esiko v. Ballenstedt, der Sohn dieses Paares, das reiche Erbe der 1034 ausgestorbenen Markgrafen der Ostmark und wurde Stammvater der Grafen, Fürsten und Herzöge von Anhalt.

Von 1046 bis Anfang des 16. Jahrh. war das Schloß ein Mönchskloster, das im Bauernkrieg 1525 aufgehoben wurde. Residenz der Herzöge von Bernburg wurde es erst 1765. Die Schloßkirche, eine 1046 geweihte, für die Geschichte der Baukunst bedeutungsvolle Pfeilerbasilika, ist bis auf die Krypte und den Unterbau der Türme verschwunden; sie umschloß die Familiengruft des askanischen Geschlechts, und 1880 ist die Grabstätte Albrechts des Bären, des ersten Markgrafen von Brandenburg, aufgefunden worden. In der *Bildergalerie* sind einige Teniers, van der Werff, Bakhuizen, Wouwerman, Brueghel, ein schöner van Dyck (Wilhelm von Oranien), Architekturen von *Neefs* und ein Rembrandtsches Bild der Aufmerksamkeit wert. Im sogen. Weißen Saal treffliche Porträte der Herzoginwitwe und ihres verstorbenen Gemahls von *Gustav Richter.* Der Kastellan zeigt das Schloß auf besonderes Verlangen. Die größte Zierde ist der ***Park**, besonders die Terrasse auf der Nordseite des Schlosses. Die schöne Fontäne (20 m) steigt Sonntags; in der Woche nur gegen Zahlung von 6 M. ans Waisenhaus. Gußeiserne Hirsche von *Kureck.* Im Schloßgarten kann man bis zum *Röhrkopf* (Jagdschlößchen mit schöner Aussicht) gehen. Schöne Teiche. Der Spaziergang durch den Wildpark ist besonders der wilden Schweine und der Hirsche wegen zu empfehlen.

Ausflüge. Die schönsten Punkte der Umgebung kann man in 1/2 Tag besuchen: Die **Lohden** (Promenadengehölz mit schöner Aussicht) in der Friederikenstraße. — Südl. davon der romantische *Hirschgrund* (mit Badeanstalt im Hirschteich, 10 Min. thalaufwärts); jenseits: — (1/2 St. südl.) der **Kleine und Große Ziegenberg** (300 m); auf ersterm die *Restauration Waldschlößchen*, schöne Aussicht, auf letzterm die Villa des Kommerzienrats Dr. Baldamus. — Die *Hubertushöhe*, Aussicht auf das Flachland und auf die Harzwälder. — 1/2 St. nördl. die **Gegensteine** (260 m), Felsen, ähnlich denjenigen der Teufelsmauer bei Blankenburg; hier eine *Restauration* zum Felsenkeller. — Nach W.: der *Amtmannsweg* (Waldpromenade, Weg nach Sternhaus, Mägdesprung); — mehr nördl.: das idyllische *Siebersteinsthal* mit dem kleinen und großen Siebersteinsteich, über ersterm die *Hubertushöhe* etc. — Am Weg nach Gernrode auf der Höhe über dem Dorf Rieder das Forsthaus *Alteburg* (3 km) mit prachtvoller Aussicht.

36. Route: Ruine Arnstein. — Mansfeld.

Vgl. das Kärtchen vor dem Titel.

Der Arnstein.

Man besucht ihn entweder: Von **Aschersleben** (S. 48) aus, von wo eine Fahrstraße über (7 km) *Quenstedt* nach *Harkerode* (10 km) führt; Fußweg von Aschersleben im schönen Einethal über Welbsleben und Harkerode ebenso weit, aber interessanter; — oder von *Ermsleben* (Stat. der Bahn Ballenstedt-Frose) aus, Fußweg über die *Konradsburg, Neuplatendorf* nach (2 St.) **Harkerode**; — oder auch von **Hettstädt,** Station der Strecke Berlin-Nordhausen (S. 57), über (4 km) *Walbeck*, (8 km) *Sylda* und von hier in 1/2 St. auf die Ruine.

Der ***Arnstein** (225 m), 1/2 St. über dem Dorf *Harkerode*, ist eine der schönsten Ruinen des Harzvorlandes. Im Dorf Arnstedt saß um 1100 ein nach ihm sich nennendes Dynastengeschlecht, welches sich in der Mitte des 12. Jahrh. als neuen Stammsitz die Burg Arnstein baute und seit 1135 nach ihr nannte. Als der letzte des Geschlechts, Walter von Arnstein, 1296 in den Deutschen Ritterorden trat, fielen Burg und Herrschaft an seinen Schwager, den Grafen Otto von Falkenstein. Nach Aussterben der Falkensteiner fiel sie als Erbschaft an die Grafen von Reinstein, die sie 1387 an die Grafen von Mansfeld verkauften. Der berüchtigtste Bewohner (1530 ließ er die Burg Arnstein restaurieren) dieses Geschlechts war Graf *Hoyer von Mansfeld*, ein grausamer, wilder Mann, der, nach des Volkes Glauben mit seinem Weib (diese als »ewige Spinnerin«, deren Reliefbild an einer Fensternische im Rittersaal gezeigt wird) in diese Ruinen verbannt, dort noch umherirrt. Ein andres gespenstisches Wesen wandelt in Gestalt eines Mönchs umher und kommt alle sieben Jahre, um zu sehen, was noch von dem Gebäude steht. Jetzt gehören die Ruinen einem in Harkerode wohnenden Herrn *v. Knigge*. Innerhalb der Ruinen gute, billige **Restauration.**

Mansfeld.

Mansfeld (200 m) liegt 6 km (Post 2mal in 50 Min.) von der Station Mansfeld (S. 57) und ist eine alte Stadt mit 2515 Einw. in schöner Lage am Fuß des Bergs, auf welchem das Stammschloß der Grafen gleiches Namens liegt. In der im Innern hübsch dekorierten Kirche Erbbegräbnis der Grafen von Mansfeld.

Gasthöfe: *Kronprinz*, Mitt. 1,25 M., Bayrisch und Lagerbier. Fuhrwerk für den Tag 12 M. — *Goldner Löwe.* — *Sonne.* — *Tanne.* — *Preußischer Hof.*

Post: Nach *Eisleben* (16 km) über Stat. *Mansfeld* in 3 St.

Sehenswürdigkeiten: Das ***Lutherhaus.** Bekanntlich zog Luthers Vater von Möhra 1483 nach Eisleben und Ostern 1484 nach Mansfeld und wurde dort sogar Ratsherr. Das Lutherhaus hat die Nummer 42, den Gasthöfen zur Tanne und zum Goldnen Ringe gegenüber. Das Haus ist von einem Verein angekauft, restauriert und zu einem Kindergarten bestimmt worden. — Man gehe auf den Hof, um das Lutherhaus herum, wo man die alte Thür mit zwei ausgehauenen Sitzen von rotem Gestein sieht. Die alte Thür nach der Straße hin ist zugemauert. — Die Lutherschule, welche Luther bis zu seinem neunten Lebensjahr besuchte, liegt nahe bei dem Gasthaus zum Kronprinz.

***Schloß Mansfeld** (265 m), im Dreieck erbaut, war sehr fest; nach den drei Flügeln wurden die drei Mansfeldschen Grafenlinien die vordere, mittlere und hintere genannt. Die Erbauung fällt ins 11. Jahrh. Die meisten Befestigungswerke entstanden im 16. Jahrh. Im Jahr 1780 starben die Grafen von Mansfeld aus. Das Schloß ist jetzt im Besitz des Herrn v. d. Reck, der die Überreste der Gebäude restaurieren ließ. Durch das Schloßthor gelangt man zur Wohnung des Gärtners, der in den neuen schönen Anlagen herumführt (50 Pf.). Gute Aussicht von verschiedenen Stellen auf Stadt Mansfeld, Leimbach, Gräfenstuhl, Blumerode und Siebigerode. Über einem Keller in Stein gehauene Inschrift: »Quid est?« »»Bapsi«« (bar-

barisches Perfektum von bibo). Die Kirche mit der Kanzel, auf der Luther oft gepredigt hat, und einem schönen alten Altar; der neuere Altar mit einem gekreuzigten Christus von Lukas Cranach und einer schönen Höllenfahrt. Die Sakristei, die zehn Jungfrauen etc. — Brauerei, Keller, Reitbahn, Münze. — Fundort der Nessel mit Pillen (Urtica pilulifera) an der Brauerei.

Die Grafen von Mansfeld waren eins der ältesten gräflichen Geschlechter in Deutschland und erhielten im 13. Jahrh. durch Burkhard von Querfurt, der mit einer Mansfeldschen Erbtochter verheiratet war, einen neuen Stifter ihres Stammes. Graf Hoyer von Mansfeld fiel 1115 für Kaiser Heinrich V. in dem hier nahen *Welfesholz*. Graf Ernst von Mansfeld, der sich im Dreißigjährigen Krieg auszeichnete, war ein natürlicher Sohn des österreichischen Statthalters Peter Ernst von Mansfeld und einer niederländischen Dame; erst 1610 trat er zur reformierten Kirche über.

37. Route: Von Ballenstedt nach Gernrode und Suderode und über die Lauenburg zum Hexentanzplatz.

Eisenbahn (Sekundärbetrieb) von Ballenstedt 5mal nach (7 km) *Gernrode* in 25 Min. für I. 60, II. 40, III. 30 Pf.; — (9 km) *Suderode* in 33 Min. für I. 80, II. 60, III. 40 Pf.; — (16 km) *Quedlinburg* in 50 Min. für I. 1,40, II. 1,00, III. 0,70 M.

Eisenbahn von Ballenstedt (S. 214) in westlicher Richtung, r. die *Gegensteine* (S. 215), l. die Vorhöhen des Harzes, nach (6 km) Stat. *Rieder* (r. das Dorf); weiter geht l. die in Gernrode anschließende Bahn nach Mägdesprung—Selkethal (S. 205) ab. Dann

(7 km) Stat. **Gernrode** »am Harz« (224 m), anhaltisches Städtchen, am Fuß des Stubenbergs, mit 2548 Einw. Zündhölzer- und Gewehrfabrikation, Obst- und Landbau sowie Fruchtsaftbereitung. Gernrode wird auch als Luftkurort besucht.

Gasthöfe. *Deutsches Haus*, T. d'h. 1 Uhr. — *Brauner Hirsch*, T. d'h. 1 Uhr. — *Schwarzer Bär*. — *Zum Deutschen Kaiser*. — *Hotel Belvedère*, am Schwedderberg, außerhalb der Stadt nach Suderode zu.

Im Hagenthal, unter dem Stubenberg, in geschützter Lage: *Haus Hagenthal*, ein Logierhaus auf Grundlage christlicher Hausordnung, empfohlen durch M. v. Nathusius. Pens. 3,50–5,50 M. 60 Zimmer, Restauration. Garten, Waldspaziergänge. Leiterin Fräul. *Medem* (gibt gern Auskunft).

Sommerwohnungen: Wer etwas billiger und ungenierter als in Suderode wohnen will, wendet sich nach Gernrode. Auskunft bei Hrn. Bürgermeister *Könnemann*. Essen aus den Gasthöfen.

Eisenbahn nach (10 km) *Mägdesprung* und (14 km) *Alexisbad* s. S. 205.

Harzklub, Zweigverein Gernrode; Auskunft beim Magistrat.

Gernrode hat eine Sehenswürdigkeit ersten Ranges: es ist die ***Stifts-** oder **Cyriaki-Kirche**, eine romanische Basilika und eine der wertvollsten Perlen alter Baukunst. Die Gründung des Stifts und der Kirche erfolgte durch den Markgrafen *Gero*, von welchem die Stadt auch den Namen führt. Aus erster Bauzeit der Kirche, etwa 963—990, sind jedenfalls die östliche Krypte mit Choraufbau, das Quer- und Langhaus sowie der westliche Abschluß mit Vorhalle und den beiden Türmen hervorgegangen. Zu Anfang des 12. Jahrh.

wurde der Eingang zur Vorhalle und die nach dem Mittelschiff vortretende Empore zwischen den Türmen abgebrochen und eine Apsis mit Fensteröffnungen nach Westen mit eingewölbter Krypte unter derselben angebaut. Ferner sind zu jener Zeit die Kapellen in den beiden Kreuzflügeln neben der Vierung errichtet worden. Aus dieser Zeit mag auch der merkwürdige Einbau im südlichen Seitenschiff, die kleine Bußkapelle, auch »Kapelle zum heiligen Grab« genannt, mit ihrem Vorraum herrühren. Die im Langhaus frei stehende nördliche und westliche Wand derselben sind an den Außenflächen reich mit Reliefs verziert, welche wohl zu den ältesten Bildwerken dieser Art gehören. Die an die Kirche grenzende Nordseite des zweistöckigen Kreuzganges der Klosteranlage entstammt den reichentwickelten Formen des spätromanischen Stils.

Markgraf Gero, geboren 890, ward von dem ersten Heinrich aus sächsischem Haus 927 zum Markgrafen der Lausitz und 939 von Kaiser Otto I. zum Markgrafen und Herzog der Ostmarken erhoben. Mit Glück führte Gero die Verteidigung der Ostgrenze gegen die Wenden. Im Kampf des Jahrs 959 fiel sein noch verbliebener einziger Sohn, Siegfried. Um dessen hinterlassener Witwe Hedwig (oder Hathui) eine sichere Stätte zu bereiten, gründete Gero 960 ein Nonnenkloster zu Gernrode. Hedwig ward die erste Äbtissin. Um auch vom Papst Johann XII. eine Bestätigungsbulle zu erhalten, pilgerte Gero 963 nach Rom. Zugleich mit der Bulle erhielt er als kostbare Reliquie einen Arm des heiligen Cyriacus, den er nach seiner Rückkehr der im Bau begriffenen Stiftskirche weihte. Gero starb 965 und wurde in der Kirche bestattet. 1034 starb Geros Geschlecht aus, die Schutzvogtei in Gernrode ging auf die Askanier über, und der erste war der Markgraf Albrecht der Bär, gestorben 1170, der große Ahnherr des noch heute regierenden anhaltinischen Fürstenhauses. Unter den spätern Äbtissinnen zeichnete sich besonders Elisabeth von Weida aus, welche 1521 öffentlich zur lutherischen Lehre übertrat. Nach dem Westfälischen Frieden 1648 fiel die Abtei dem Hause Anhalt förmlich anheim. Hiernach beginnt die Zeit der Verunstaltung der Kirche. Während die Klostergebäude verfielen und abgebrochen wurden, blieb die Kirche selbst jedoch trotz aller verständnislosen Ein- und Umbauten in ihren Hauptteilen unberührt.

1858 endlich wendete das anhaltische Fürstenhaus der Kirche erneute Fürsorge zu und beschloß die Wiederherstellung derselben. 1859, unter der Regierung des letzten Herzogs von Anhalt-Bernburg, Alexander Karl, und dessen Gemahlin-Mitregentin, Herzogin Friederike, begann die Restaurierung, die nach den Plänen des Konservators der Kunstdenkmäler in Preußen, *von Quast*, vom Baumeister *Hummel* (jetzt Baurat in Zerbst) ausgeführt und 1865 vollendet wurde (vgl. *Fritz Meurer*, Die Stiftskirche St. Cyriaci zu Gernrode; Berlin, bei Ernst & Korn, 1888).

1/4 St. von Gernrode liegt der **Stubenberg** (281 m), einer der besuchtesten niedrigen Aussichtspunkte am nordöstlichen Harz. *Gasthaus*, auch Wohnung; Sommerwohnungen für 40 Personen.

Ausflüge vom Stubenberg aus: *Heiligenteich* mit dem *Ostergrund* und *Stidigrund*, 1/2 St. — Oberhalb des Ostergrundmühlenteichs das Jagdhaus *Wilhelmshöhe*; schöne Lage, 8 Min. von Gernrode. — Nach *Sternhaus*, 4 km. Schöner Fußweg, anfänglich durch den Wald (Frankenstieg) nach dem Sternhaus zu, der vor dem Forsthaus *Haberfeld* wieder auf die Chaussee trifft (s. S. 206). — *Hagenthal, Kaltes Thal, Saalsteine*, 3/4 St. — *Viktorshöhe* (S. 209), 9 km. — Schöner Punkt auf dem *Bicken*-

berg. — *Osterthal.* Schöne Partie (mit Führer) an den Teichen vorbei nach Meiseberg, sehr zu empfehlen. — Zwischen Ballenstedt und Gernrode der (1 St.) *Große Silbersteinteich*, schöne Waldpartie.

Vom *Stubenberg* nach *Suderode* (1/2 St.) führt der Fußsteig an der linken Seite des Wohnhauses hinunter; man muß, ohne l. in das *Hagenthal*, in welches Gernrode sich hineinzieht, zu geraten, sich l. am Abhang halten; der hübscheste Weg geht hart am Rande des Waldes entlang. Nach wenigen Minuten ist die preußische Grenze erreicht, da, wo der schön bewaldete *Schwedderberg* sich hart an die Fahrstraße herabzieht, in welche der Fußsteig wieder einmündet; doch gelangt man auch im Hagenthal entlang zwischen Wald und Wiese nach der Thalmühle und von da über die Berge sehr angenehm und nicht minder schnell durchs Kalte Thal nach Suderode.

Wer die schönen **Aussichtspunkte** des **Schwedderbergs** (320 m) besuchen will, gehe (l. im rechten Winkel) den bequemen Promenadenweg in die Höhe, der ihn in 1/4 St. auf den **Preußenplatz** (neuerbauter Aussichtsturm mit schönem Rundblick über die Ebene und ins Kalte Thal) und dem Weg rückwärts auf dem Kamm folgend in 5 Min. auf die *Olbergshöhe* führt. — Zum **Anhaltischen Saalstein.** Man gehe vom Preußenplatz, resp. Olbergshöhe den Weg rückwärts, angesichts des Stubenbergs, bis zu dem Baum: »Stubenberg, Hagenthal«, dann r. den Weg etwas nach aufwärts, sich um l. und r. kommende Wege nicht kümmernd, und gelang in etwa 1/2 St. zu dem Anhaltischen Saalstein. Der Blick heißt mit Recht die Kleine Roßtrappe. Zurück geht man denselben Weg oder folgt dem Weg, welcher nach 10 Min. l. abgeht; nach abermals 10 Min. kommt man zu *Emmas Ruhe*, von wo aus man, entweder r. oder l. abbiegend, in das Thal gelangt. Vom Saalstein die Schurre gerade hinabzugehen, ist nicht gerade zu empfehlen.

Wer den lieblichen, 10 Min. entfernten **Neuen Teich** besuchen will, geht l. an der Kiesgrube (hier Wegweiser hinauf), umgeht das bald sich zeigende Gatter r., kommt am Ende desselben auf einen grünen Waldweg, wählt den bald l. abzweigenden Pfad und ist plötzlich an einem von hohen Bäumen umschatteten kleinen See. Je seltener das Wasser im Harz, je höher der Reiz. Auf dem Rückweg nimmt man nun bald hinter der Kiesgrube den l. in das Kalte Thal herabführenden Weg, der in einer kleinen halben Stunde nach Suderode führt. — Vgl. S. 220.

Auf den ***Preußischen Saalstein** (S. 221) geht man am bequemsten vom Forsthaus *Neue Schenke* l. (S. 221); wenn man sich immer l. hält, ist derselbe in 1/2 St. erreicht. Der Blick auf die waldbekrönten Berge ist wunderschön. Nahebei der *Beringer Brunnen.* — Vgl. S. 221.

Die Eisenbahn von Gernrode erreicht nach einigen Minuten

(9 km) **Suderode** (198 m), preußisches Dorf mit 1200 Einw., durch die von Friedrich d. Gr. angelegte Kolonie *Friedrichsdorf* erweitert, ist der beliebteste Ort für einen *Sommeraufenthalt* dieser Gegend, für Kranke und Rekonvaleszenten ein sehr geeignetes Klima wegen der geschützten und glücklichen Lage inmitten der reizendsten Punkte des Unterharzes. Das Leben ist aber nicht ganz billig, und die Einrichtungen der Wohnungen genügen nicht immer den modernen Ansprüchen. Besuch etwa 3000 im Jahr. Der in den

30er Jahren entdeckte sogen. *Beringer Solquell* wird innerlich und äußerlich verwandt (Skrofulose, chronische Hautkrankheiten, Rheuma, Nerven- und Blutkrankheiten). Außerdem sind kalte, Wellen- und Fichtennadelbäder zu haben. Herrliche Wege, unter denen die *Kaltethals-Promenade* obenan steht, führen zu den beliebtesten Punkten; empfehlenswert sind auch die am Schwedderberg (mit Aussichtsturm) und Gemeindeberg angelegten Promenaden.

Gasthöfe: *Hotel Michaelis*, mit Badeanstalt. — *Heenes Hotel*, mit Kurhaus. — *Grauns Hotel*, mit Badeanstalt. — *Wahrenholz'* (früher Mohrs) *Hotel*. — *Tippes Hotel Belvedere*. In allen diesen Häusern T. d'h. und Pens. 4–6 M. — Für bescheidene Ansprüche: *Weintraube*, mit Badeanstalt. — *Schwarzer Adler*. — *Deutsches Haus*. — *Goldener Stern*.

Restaurants: In allen Gasthöfen. — Ferner außerhalb des Orts: *Felsenkeller*, im Kaltenthal. — *Reißaus*, mit Lindengarten und Milchwirtschaft. — *Neue Schenke*, Forsthaus mit Milchwirtschaft.

Privatpensionate: *Schatz*. — Fräulein *Junot*. — Frau *Heinrichs*. — *Wegener*. — *Kretzer*. Für Familien billigere Preise. Die Wohnungen in unmittelbarer Nähe des Waldes sind wegen ihrer prächtigen Lage die gesuchtesten und teuersten (indessen für manchen Kranken nicht immer geeignet); man kann aber in Suderode auch billigere und dennoch hübsche Wohnungen mit Balkon und Garten erhalten, in der hohen Saison zu 30-90 M. für den Monat, Bett 6 M. und Aufwartung 6 M., früher und später billiger. Aufschluß und Wohnungsnachweis geben die Badedirektion und die Badeärzte. Mittagsessen bezieht man aus den Hotels (Port. 1,50 M., 1/2 Port. 1 M.).

Bäder: Die Sole wird von den Badeanstaltsbesitzern in Fässern abgeholt. Badezellen in den Hotels von *Wahrenholz*, *Graun*, *Michaelis*, *H. Teutloff* und *Pohle*. Wellenbäder bei *Vollmer*. Preise (mit Bedienung): Wasserbäder Dutzend 7,50 M., Solbäder 15 M., Fichtennadelbäder 12 M. — **Kurtaxe:** 4–15 M. — Unterhaltungsmusik früh und nachm., Sonnabends Tanz.

Post und Telegraph. — **Eisenbahn** 8mal nach (7 km) *Quedlinburg*, 7mal nach (7 km) *Ballenstedt*.

Wagen. Post und Hotelomnibus am Bahnhof. Wagen nach polizeilich festgestellter Taxe.

Badeärzte: *Dr. Weyhl*. — *Dr. Wallstab*. — **Apotheke** im benachbarten *Gernrode*. — Ein »Führer durch Suderode und Umgebung nebst Spezialkarte«, Preis 1 M., ist bei *C. Pohle* zu haben.

Harzklub, Zweigverein Suderode.

Entfernungen: Thale 1 1/2 St., Hexentanzplatz oder Roßtrappe 2 St., Treseburg 2 1/2 St., Stubenberg 1/2 St., Stecklenburg 1/2 St., Lauenburg 1 St.

Wer in Suderode sich länger aufhält, versäume nicht, den *Müncheberg* (260 m) zwischen dem Dorf Stecklenberg und Neinstedt zu besuchen. Von diesem Vorberg hat man ein köstliches Panorama des ganzen östlichen Harzes. Überhaupt sind die Aussichten von den kleinen Vorbergen besonders lohnend.

Von Suderode nach dem Stubenberg führen außer dem S. 219 angegebenen noch zwei andre, empfehlenswertere Wege:

1) Vom Hotel Michaelis nehme man den Weg r. um das Haus über die Brücke des Quarnbachs, dann l. den Philosophenweg, welchen man bis zu dem kurz vor dem *Belvedere sich teilenden Weg verfolge. R. den Weg hinaufgehend, Wegweiser »Stubenberg«, ist man nach etwa 10–15 Min. oben angelangt, gegenüber einem Baum, welcher die Bezeichnung »Stubenberg, Hagenthal« trägt. Diesem folgend, gelangt man geradeaus nach *Thal-Mühle* (zum »Haus Hagenthal«, S. 217, gehörig). An dem r. liegenden Gatter hergehend, gelangt man, am

Mühlenteich vorbei, l. den Berg hinan auf einem stets durch Buchenwald führenden Weg, der auf einer Bleiche endet, durch ein Gatter direkt zum *Hotel Stubenberg;* 1 St.

2) Vor dem Belvedere über dem Philosophenweg angelangt, geht man entweder durch den Garten, oder wenn jener geschlossen, umgeht man denselben r. am Staket an der *Villa Schirmer* (Privatgarten), dann an einzelnen Häusern r. hingehend, und folgt einer Chaussee, welche beinahe rechtwinkelig von r. herkommt, den Weg schneidend. Dieselbe geht ins Hagenthal, über eine Brücke, an einer Wiese (Turnanstalt) vorbei, l. den Berg hinan zum Stubenberg; 3/4–1 St.

Zum **Fisch-Teich** und der **Lessing-Höhle.** Vom Hotel Michaelis geht man l. um das Haus (etwa 30 Schritt hinter dem Gartenstaket des Hotels geht l. ein Weg zur *Königseiche;* schöner Sitzplatz) in das *Kalte Thal,* am *Felsenkeller* vorbei, und wählt dann l. den Weg, auf dem man über eine Brücke zur *Höhle* gelangt (ein alter Stollen). L. neben dem Teich führt ein sehr schöner Waldweg am Berg entlang über den Quarnbach, welcher, mit seinen vielen Windungen, den Fisch-Teich speisend, das romantische, dem Bodethal im kleinen ähnliche **Kalte Thal* (sehr besuchenswert!) durchschneidet, auf dessen linker Seite sich der *Anhaltische Saalstein* (S. 219), auf der rechten der *Preußische Saalstein* (s. unten) befinden. — Vgl. S. 219.

Zum **Preußischen Saalstein** und zur *Neuen Schenke* geht man l. um das Hotel Michaelis auf der neuen durch das Kalte Thal führenden Chaussee, bis man zum Wegweiser »Preußischer Saalstein« kommt, dann den Berg hinan (l. die »Eremitage«) bis zum Tempel des **Preußischen Saalsteins** (340 m). Von hier den Weg nach l.; nach 3 Min. den Weg r., sich stets r. haltend, kommt man zuletzt (nach etwa 3/4 St.) auf einen beinahe rechtwinkelig von oben kommenden Weg, auf welchem l. im Gebüsch ein Wegweiser »Preußischer Saalstein« steht. Diesem Weg r. nach unten folgend, kommt man in etwa 1/4–1/2 St. an einem überdeckten Brunnen (Beringer Brunnen) vorbei zur *Neuen Schenke* (s. unten). — Vgl. S. 219. (Will man diese Tour umgekehrt machen [viel bequemer], so geht man ebenfalls l. um das Hotel Michaelis auf der neuen Chaussee, dann den ersten Weg r. mit Wegweiser »Neue Schenke« folgend.)

Nach (2 St.) **Viktorshöhe** führt ein kaum zu verfehlender Weg vom Hotel Michaelis durchs Kalte Thal bis zu der Brücke l. oberhalb des Gatters; hier l. der erste granitene Wegweiser: »Viktorshöhe«. Über die Brücke hinweg verfolgt man den Weg, welcher jenseit des Quarnbachs bis zur Chaussee hinaufführt. Auf dieser so lange nach r. weiter (r. und l. Kreuze an den Bäumen) bis zum granitenen Wegweiser: »Viktorshöhe«. Ersterm folgend (die Kreuze beachtend!), gelangt man in etwa 3/4–1 St. zur *Viktorshöhe* (S. 209).

Von Suderode zur (1 St.) **Lauenburg** gelangt man, wenn man neben Hotel Michaelis r. den Fußweg nach der *Neuen Schenke* geht (300 m; Forsthaus, Milch und Butterbrot zu haben, auch Sommerwohnung mit eigner Wirtschaft), welche ungefähr von Suderode südwestl. 20 Min. entfernt liegt. Von hier ziemlich bergan (oben schneidet von l. her ein Fußweg, an welchem 50 Schritt abwärts ein Wegweiser nach dem *Saalstein* zeigt). Der Weg führt durchs Holz auf die alte Friedrichsbrunner Chaussee. Diese verfolgt man 600 Schritt bis hinter den Chausseestein 3,8; hier ein steinerner Wegweiser r., Fußweg, welcher direkt auf die Ruine der *Obern Lauenburg* (348 m) führt, in deren Nähe die *Untere Lauenburg* (341 m) im Wald versteckt liegt.

Wer nicht gern sehr steigen will, geht von Suderode außerhalb der Berge, wo ein hübscher Waldweg in 20 Min. nach dem Dorf *Stecklenberg* und somit an den Fuß der Lauenburg führt. Wer diesen Weg gehen will, muß alle Wege, die l. ab in den Wald führen, unbeachtet lassen und sich nur an den Waldrand halten. Von Stecklenberg in 20 Min. auf die Lauenburg. — **Stecklenberg** *(Gasth. Große)*, Dörfchen mit 320 Seelen, am Ausgang des Wurmthals in schöner, windgeschützter Lage und in neuerer Zeit als bescheidene Sommerfrische benutzt. Zweigverein des Harzklubs (Auskunft bei Gastwirt Große).

Die Obere Lauenburg gewährt nicht allein (schon vor dem Gasthaus) herrliche *Aussicht, sondern ist mit der Ruine *Stecklenburg* zusammen eine Zierde des nördlichen Harzrandes.

Gasthaus: *Zur Lauenburg,* acht Zimmer zum Logieren. Die Bedienung ist gut. Die Suderoder Badegäste trinken dort gern ihren Nachmittagskaffee.

Die **Lauenburg** ist in der Mitte des 12. Jahrh. durch den Pfalzgrafen Albert von Sommerschenburg, Vogt des Stifts Quedlinburg, erbaut worden. 1165 mußte er das »castrum Lewenberch« an Herzog Heinrich den Löwen abtreten, dem es Kaiser Friedrich im Sommer 1180 durch Eroberung abgewann. Mit der Vogtei über Quedlinburg ging die Lauenburg durch verschiedene Hände (Falkensteiner, Blankenburger, Brandenburger, Regensteiner) Im Jahr 1349 nahm der Bischof von Halberstadt die Lauenburg den Grafen von Regenstein durch Eroberung ab und zerstörte sie, baute sie wieder auf und gab sie als halberstädtisches Lehen an die Regensteiner zurück (1351). Seit 1479 hielt der Herzog von Sachsen als Vogt von Quedlinburg das Schloß Lauenburg besetzt, 1697 kam es an Brandenburg.

Die **Stecklenburg** (260 m), tief unter der vorigen, doch immer noch hoch und steil gelegen, ist seit der Mitte des 13. Jahrh. bekannt. Im 13. und 14. Jahrh. ist sie Besitz der Herren von Hoym, im 16. der Herren von Thale. Die Burg war im Dreißigjährigen Krieg noch ein Zufluchtsort und die Kapelle selbst noch 1740 im Gebrauch.

Vom *Gasthaus zur Lauenburg* aus führt ein durch Harzklubschilder genau bezeichneter Weg nach (2 St.) **Viktorshöhe** (S. 209); ebenso ein reizender Weg nach den **Geroldsklippen,** besonders lohnend durch seine herrlichen Blicke ins Wurmbachthal.

Von der Lauenburg nach der *Georgshöhe* (1 1/4 St.) führt der Weg l. an der obern Ruine vorüber, den Berg halb hinunter bis zum *Wurmbach,* der, überschritten, den Fremden nicht mehr zweifeln läßt, da überall Granitwegweiser angebracht sind; den Berg r. in die Höhe zur *Georgshöhe.*

Der **Wurmbach* hat in diesem Teil viel Ähnlichkeit mit der Ilse, und es lohnt sehr, gerade diesem Thal etwas mehr Aufmerksamkeit zu schenken. Großartige Felspartien r. und l. und ein Bächlein, munter und lustig über Riesen von Steinen springend, bilden die Szenerie. Hat der Wanderer Zeit, so kann er das ganze Thal bis zum fiskalischen Jagdhaus hinaufgehen, was sich entschieden lohnen würde.

R. auf der Höhe angekommen, gehe man nicht von seinem Weg ab, da sehr bald wieder Wegweiser genau den Weg nach der Georgshöhe andeuten. Hier hat man nur darauf zu achten, daß man nicht einen der r. in die Tiefe führenden Holzwege einschlägt, da man sonst wieder hinaufsteigen muß, sondern westl. fortgeht, um, wenn man über ein Bächlein gegangen, nördl. in kurzer Zeit bei der Georgshöhe anzukommen.

Auf der ***Georgshöhe** (386 m) sind die vom Baron von dem Busche-Streithorst s. Z. errichteten Wohngebäude jetzt verschlossen, die früher hier gehaltene Gastwirtschaft ist eingegangen. Vom Turm hat man eine zwar gegen früher sehr verdeckte, aber immer noch hübsche Aussicht; man sieht die Ebene mit den vorliegenden Orten, ferner Viktorshöhe, die Lauenburg sowie auch Halberstadt, Quedlinburg, Magdeburg.

Wer die Georgshöhe deshalb nicht mehr besuchen will, geht von der Lauenburg durchs *Wurmthal*, beim Wegstein r. die Fahrstraße bergauf. Auf der Höhe angekommen, nicht geradeaus den Weg zur Georgshöhe, sondern l. einen breiten Forstweg, auf dem man immer geradeaus, dann, etwas r. sich haltend, nach 1/2 St. das Kuhlager erreicht, wo wieder Wegweiser zum Hexentanzplatz zeigen.

Ein reizender Weg führt von der Georgshöhe nach (3/4 St.) **Thale**, der fleißig von den in Thale wohnenden Fremden benutzt wird. Anfänglich ist es der beschriebene Weg nach dem Tanzplatz; nach ca. 5–8 Min. geht r. ein gut betretener Fußweg ab und führt im schönsten Walde den Fremden bis an den Fuß des *Steinbachthals* und hinab nach *Thale* (s. auch S. 58). Vgl. Kärtchen bei Route 1.

Ein vielbegangener Weg, der vom oben erwähnten Fahrweg nach der Georgshöhe abgeht, führt in 3/4 St. von der *Georgshöhe* nach dem ***Hexentanzplatz** (s. S. 66). Man verfolgt ihn zunächst bis zum *Kuhlager*. Dort geht man den Weg r.; der wenig betretene l. führt abermals nach Friedrichsbrunn. Dann im *Steinbachthal* an derselben Stelle über die Chaussee, wo der von Thale kommende Fahrweg aus dem Steinbachthal nach dem Tanzplatz abbiegt. (Vgl. Kärtchen vom Bodethal bei Route 1.)

Der Besuch des Tanzplatzes von der Georgshöhe aus ist deswegen zu empfehlen, weil man durch Wald, ohne vorbereitende Ausblicke und ohne zu steigen, auf diesen renommierten Aussichtspunkt gelangt und dann plötzlich die Roßtrappe und das Bodethal vor sich sieht, was, wenn man von Thale nach dem Tanzplatz hinaufsteigt, niemals der Fall ist. Die Mehrzahl derer, welche unsrer Hauptour folgten, wird zwar den *Tanzplatz* schon zu Anfang der Reise besucht haben; es ist aber ein würdiger Abschluß, mit einem Blick von diesem Glanzpunkt des Harzes seine Reise zu beenden.

Register.

H.

I.

J.

K.

L.

T.

U.

V.

W.

Druck vom Bibliographischen Institut in Leipzig.
(Orthographie nach Dudens ‚Wegweiser'.)

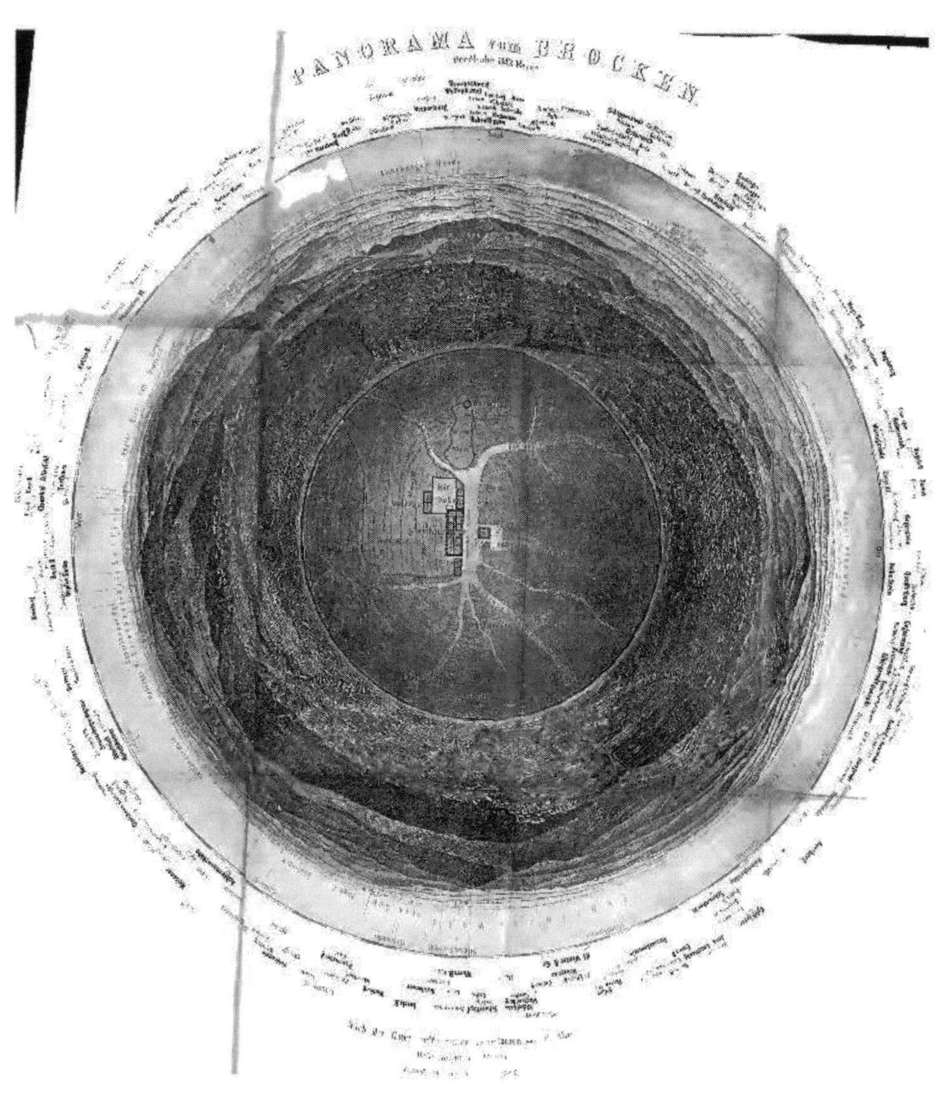
PANORAMA vom BROCKEN

Anzeiger

zum

Wegweiser durch den Harz

Vierter Jahrgang 1889/1890.

Leipzig.

Expedition der „Meyers Reisebücher“

(Bibliographisches Institut).

Verlange
Stollwerck'sche
CHOCOLADE
Überall käuflich von M.1.25 ½ K° an aufwärts.

HARZ-EISENBAHN.

Die seit fast vier Jahren im Betriebe befindliche, in *Blankenburg am Harz* an die **Halberstadt-Blankenburger Eisenbahn** anschließende hochinteressante Gebirgsbahn führt über *Hüttenrode, Rübeland* (Bodethal, Baumanns-, Biels- und die jetzt erst erschlossene Hermannshöhle), *Elbingerode, Rothehütte-Königshof* (vom 1. Juni bis 16. September *Eisenbahn-Omnibus-Verbindung* nach dem *Brocken*) nach *Tanne* (*Braunlage, Wurmberg*, zweithöchster Berg des Harzes, großartiger Rundblick), wurde nach dem kombinierten Adhäsions- und Zahnrad-System Abt erbaut und schließt Aussichten des nördlichen Harzes auf, welche zu den schönsten dieses Gebirges zählen und von den Reisenden aus den Eisenbahnwagen, namentlich von den im Betriebe sich befindlichen und mit Vorliebe von den Touristen benutzten offenen Aussichtswagen aus, genossen werden.

Durch die Anlage dieser Bahn wird der Besuch des *Brockens* in *bequemster Weise* ermöglicht.

Im kombinierten Rundreiseverkehr Ausgabe von Billets direkt zum *Brocken*, Omnibusfahrt einbegriffen.

Außerdem werden auf dem größern Teil der Stationen der Königlichen Eisenbahn-Direktion *Magdeburg (Berlin-Magdeburg)* direkte Billets nach den Stationen dieser Harzbahn verabfolgt.

Blankenburg am Harz, im Februar 1889.

Die Direktion

der Halberstadt-Blankenburger Eisenbahn-Gesellschaft.

A. Schneider.

I. Ranges. St. Andreasberg I. Ranges.

HOTEL SCHÜTZENHAUS

Altbewährtes und größtes Hôtel am Platz, mit 50 komfortabel eingerichteten Zimmern, Garten und Veranden, am schönsten und höchsten Punkte der Stadt gelegen, hält sich dem geehrten reisenden Publikum bestens empfohlen. Vorzügliche Küche, reine Weine. Aufmerksame Bedienung bei soliden Preisen. Table d'hôte um 1 Uhr, à la carte zu jeder Tageszeit. Pension pro Tag von 5 Mark an. **Omnibus** zu jedem Zug. **Equipagen** im Haus.

Besitzer: **E. Schunke.**

Besitzer: St. Andreasberg H. A. W. Bergmann

BERGMANN'S HOTEL

(Empfohlen.) Mit ganz neuer und auf das feinste eingerichteter altdeutscher Bierstube. Table d'hôte 1 Uhr; à la carte zu jeder Tageszeit. Pension 4 M. Omnibus am Bahnhof.

Gasthaus und Pension Auerberg

O. Schramm.

1 Stunde von Stolberg a. H. und Harzgerode, Eisenbahn.

Inmitten der schönsten Eichen- und Buchenwaldungen, romantisch schönste Gegend des Unterharzes

Komfortable Sommerwohnungen mit guten Betten zu längerm und kurzem Aufenthalt sowie Zimmer für Passanten. Gute Restauration. Billige Preise.

Ballenstedt am Harz

HOTEL GROSSER GASTHOF

Wagen am Bahnhof. **Vis-à-vis dem Schloßgarten.** Table d'hôte 1 Uhr. Komfortabel eingerichtete Logierzimmer, Restauration und Kegelbahn etc. **Warme und kalte Bäder mit Douche im Hause.** Solide, prompte Bedienung. — Wagen zur Weiterbeförderung im Hause.

Oskar Jungmann.

I. Ranges Blankenburg a. Harz I. Ranges

HOTEL WEISSER ADLER

Logis von 2 M. an inkl. Licht und Service. Weinhandlung und altdeutsche Weinstube. Echte Biere. Kalte und warme Bäder im Hotel. Equipage im Hause. **Omnibus** am Bahnhof. **Fr. Möhle**, Besitzer.

Blankenburg am Harz

HOTEL FÜRSTENHOF

Neue vorzügliche Zimmereinrichtung, ausgezeichnete Küche und mäßige Preise. Garten von $1\frac{1}{2}$ Morgen Größe, mit geräumiger, teils offener, teils durch Glaswand abgeschlossener, heizbarer Veranda. Speise- und Billardzimmer am Garten. Badeeinrichtung im Hause. Hotelwagen am Bahnhof. Volle Pension wird nach Übereinkunft billigst berechnet. **Aug. Arnecke,** Besitzer.

Blankenburg am Harz

Kuranstalt für Nervenkranke

Freundlich und geschützt gelegene **Gebirgsstation für Nervenleidende.** Sommer und Winter geöffnet. 50 Logierzimmer. Monatspension 200—320 M. inkl. Honorar, Bäder, elektrische Behandlung etc.

Eisenbahn-Verbindung mit Halberstadt..

Dr. Otto Müller & Dr. Paul Rehm.

Besitzer: Blankenburg a. H. Adolf Baars

Hotel zum Heidelberg

in schönster Promenadengegend Blankenburgs. Allbeliebtes Exkursionsziel. Angenehmster Pensionsaufenthalt. Vollständig neue Einrichtung nach kürzlich erfolgter Übernahme. Große neue Veranda mit herrlicher Aussicht. Bequeme Wald- u. Bergtouren nach allen Punkten der romantischen Teufelsmauer. Gute Bewirtung. Mäßige Preise.

Besitzer: Blankenburg a. Harz A. Steinhoff.

HOTEL ZUR KRONE

I. Ranges. Altrenommiertes Haus (durch Neubau bedeutend vergrößert) mit Garten-Restaurant. Komfortable Zimmer, vorzügliche Küche. ff. Weine und Bier. Table d'hôte von 1—3 Uhr, à la carte zu jeder Zeit. Omnibus am Bahnhof.

Besitzer: Blankenburg a. H. Fritz Breul

Hotel und Pension zum Großvater

Auf der Teufelsmauer, 5 Minuten von der Stadt, im Walde gelegen. Neu renoviert. Neuerbaute Veranda. Equipagen zur Weiterreise. Table d'hôte 1 Uhr, à la carte zu jeder Tageszeit. Dauernder Aufenthalt zur Sommerfrische. Pension von 4 Mark an. Bäder im Hause. Prachtvolle Rundsicht. Omnibus am Bahnhof.

Kurort Braunlage am Harz.

HOTEL KURHAUS

Allen Besuchern Braunlages bestens empfohlen. Gute Speisen und ff. Getränke. Solide Preise. Badeeinrichtungen, Abgabe aller medizinischen Bäder. Sehr schöne Lage in nächster Nähe des Waldes. F. R. Becker.

Besitzer: **Braunlage im Harz** Georg Winkel

GASTHOF ZUM BLAUEN ENGEL

Empfiehlt sich dem geehrten reisenden Publikum zum Logieren bei aufmerksamer Bedienung zu soliden Preisen. Großer Garten und Veranda mit schöner Aussicht auf das Gebirge. Pension bei längerm Aufenthalt.

Braunlage im Harz

BRAUNER HIRSCH

Neueingerichtet. In schönster Lage des Ortes. Stets Forellen vorrätig. Hält sich den geehrten Touristen unter Zusicherung guter Bedienung bestens empfohlen.

Besitzer: C. Kirchner.

Braunschweig

FRÜHLING'S HOTEL

(Stadt Bremen)

Aug. Th. Frühling.

Gasthaus zum Eckerthal (Eckerkrug)

In ½ Stunde von Ilsenburg, in 1 Stunde von Harzburg mit Omnibus täglich 3mal zu erreichen. Am Ausgange des romantischen Eckerthales in absoluter Waldesruhe gelegen. Logis und Pension. Großer Restaurationsgarten mit schönen Veranden und Lauben. Infolge seiner herrlichen Lage sehr zu längerm Aufenthalte geeignet. Gute und billige Verpflegung. Geschirr im Hause. Emil Söllig.

Elbingerode am Harz

Haus I. Ranges

W. KÖNIG'S HOTEL

Besitzer: W. König

Empfiehlt den geehrten reisenden Herrschaften sein aufs bequemste eingerichtetes Hotel dem Bahnhof der Zahnradbahn zunächst an der Chaussee nach Rübeland, Wernigerode und dem Brocken gelegen. Prompte Bedienung, mäßige Preise, stets ein gutes M. Spatenbräu wie auch andre Biere, vorzügl. Küche u. Keller, gute Logierzimmer, gute Betten. T. d'h. 1 Uhr, à la carte zu jeder Zeit, Forellen u. a. Fische stets vorrätig. Pens. n. Übereink. Billard. Omnibus a. d. Bahn. Equipagen im Hotel.

Goslar am Harz

Frankenberger Kloster

Pensionat für Sommergäste

Am Fuß des Steinberges, von *großen Gärten* umgeben. Auch zum *Winteraufenthalt* sich eignend.

Besitzer: G. Schwikkard.

I. Ranges. **Goslar am Harz** I. Ranges.

HOTEL KAISER-WORTH

Historisches Haus, am Marktplatz gelegen, erbaut 1492. Logis von 1,50 M. an, Table d'hôte (2,25 M.) 1 Uhr, großer Speisesaal. Hotelwagen am Bahnhof.

On parle français Bes.: Theodor Bode. English spoken

Besitzer: **Goslar am Harz** W. Oberländer

Hotel Kronprinz Ernst August

Am Markt gelegen, empfiehlt sich durch solide und aufmerksame Bedienung. Logis 1—1,60 M. Bürgerlicher Mittagstisch von 1 M. an ohne Weinzwang. Massenquartiere für Schulen etc. 24 Logierzimmer, 40 Betten.

Besitzer: **Goslar am Harz** A. Kokemüller

HOTEL HANNOVER

Altrenommiertes Haus I. Ranges, zunächst dem Bahnhofe am schönsten Punkte gelegen, umgeben von Garten und Promenaden. Vom Balkon, Veranden u. Speisesaal Ausblick auf die Berge. Freundl. Zimmer, große Betten, anerkannt mäßige Preise.

Hannover

Christian u. Friedr. Kasten **HOTEL ROYAL** Besitzer seit 1. Okt. 1886.

Altrenommiertes Haus ersten Ranges, direkt dem Zentralbahnhof gegenüber. Von den gegenwärtigen Besitzern vollständig der Neuzeit entsprechend umgebaut und neu eingerichtet. Von herrlichem Garten und den Bahnhofsanlagen umgeben.

Harzburg

LÖHR'S HOTEL

= 70 Zimmer, 120 Betten =

In bevorzugter Lage, mit allem Komfort ausgestattet. Lese-, Rauch- und Musikzimmer, große, schöne Säle, geschützte Veranden und schattiger Park.

On parle français **Harzburg** English spoken

HOTEL LINDENHOF

Ältestes Hotel Harzburgs. 1886 durch Gebr. Asche neu eingerichtet. Seine Lage, in nächster Nähe des Bahnhofs, für Touristen besonders geeignet. Gute Küche. Vorzügliche Betten. Hausdiener zu jedem Zug am Bahnhof.

Harzburg

HOTEL RADAU

Haus I. Ranges mit Pension

In schönster Lage, neben Solbad Juliushall, dem Burgberge und den Eichen. Fast sämtliche Zimmer haben Balkone.

A. Strohmeyer.

Harzburg

Hotel Englischer Hof

in der Mitte des Ortes

empfiehlt sich den geehrten Reisenden und Harzbesuchern angelegentlichst. Prachtvolle Aussicht nach den Bergen, reizender Garten mit Veranden. Gute Betten von 1 Mk. an. **Table d'hôte** von 12 bis 2 Uhr, **à la carte** zu jeder Tageszeit. **Feine Biere auf Eis. Gute Weine.** Aufmerksame Bedienung, durchaus zivile Preise.

Adolf Schrader.

Harzburg

BRAUNSCHWEIGER HOF

Bahnhofs-Hotel

Altrenommiertes Haus. Allen Reisenden bestens empfohlen. **Equipagen im Haus.** **H. Assmann.**

I. Ranges Harzburg **I. Ranges**

EGGELINGS HOTEL UND PENSION

Reizend schöne (ruhige und staubfreie) hohe Lage am Fuße des Burgberges, mitten im Garten, in nächster Nähe des Bades u. der Eichen. Zimmer von 1,50, Pension von 5 M. an. Licht und Bedienung werden nicht berechnet. Hausdiener u. Equipage am Bahnhof.

Besitzer: Harzburg **Ed. Ladhuse.**

HOTEL BELVEDERE

Haus I. Ranges, schönste Lage, direkt am Walde, mit prachtvoller Aussicht, großer Park. Mai, Juni und September ermäßigte Preise. **Hausdiener** und **Wagen** zu jedem Zuge am Bahnhof.

Auf die Firma zu achten Harzburg Neuerbaut am Fuß des Burgbergs

Logis zu 1,50 u. 2 M. **KAISER-RESTAURANT** Logis zu 1,50 u. 2 M.

verbunden mit der **Rheingauer Weinstube**, Weine vom Faß zu rheinischen Preisen. **Vorzüglicher Mittagstisch** von 12—3 Uhr zu 1,50 M. ohne Weinzwang, à la carte zu jeder Tageszeit. **Münchener Spaten-, Pschorr- und Pilsener Bräu vom Faß** in stets vorzüglicher Qualität. **Garten, Veranden, Aussicht ins Gebirge.**

Harzburg

SCHMELZERS HOTEL UND PENSION

In unmittelbarer Nähe des Solbades und der Eichen gelegen, mit allem Komfort; durchaus solide Preise. Pension von 5 M., Zimmer von 1,60 M. an. Wagen am Bahnhof. Gut empfohlen. Auch Örtelsche (Schweninger) Küche. Weinhandlung.

Besitzer: Harzburg Ph. Neumann

Silberborn, Hotel-Restaurant, Pensionat

Herrliche Lage, dicht am Walde, weite Rundschau. Pensionspreis 4,5–6 M., für Familien nach Übereinkunft. Günstig gelegenes Logis (1,25–1,50 M.) für die Touristen nach Romkerhall, Goslar, Okerthal etc. Wagen und Reittiere.

Besitzer: Hasselfelde im Harz O. Wegeling

Hotel zum König von Schweden

Ältestes Hotel inmitten der Stadt. Am Marktplatz, vis-à-vis der Post, gelegen; à la carte zu jeder Tageszeit; warme und kalte Bäder im Hause. Logis mit Kaffee von 1,50 M. an. Gute Betten. Vorzügliche Küche. Solide Preise.

Theodor Hasserode b. Wernigerode Niewerth

Hotel und Pensionat zur Steinernen Renne

I. Ranges. Empfiehlt sich den geehrten Reisenden bestens. Zu längerm Aufenthalt besonders geeignet. Im Jahre 1883 der Neuzeit entsprechend erbaut. 9mal Omnibusverbindung mit Stadt und Bahnhof Wernigerode.

Herzberg am Harz

BAHNHOFS-HOTEL

Vis-à-vis dem Bahnhof. Komfortable Zimmer. Großer Garten mit Parkanlagen. Gute Speisen und Getränke; reelle Bedienung.

Besitzer: H. Hoppe, Bahnhofsrestaurateur.

Bad Herzberg am Harz

Hotel Fischer „Zur Stadt Hannover"

Neu eingerichtet. Vorzügliche freundliche Zimmer mit guten Betten. Aufmerksamste Bedienung bei billigen Preisen. Alleiniger Ausschank des „preisgekrönten Erlanger Exportbiers" von Carl Niclas. ff. reingehaltene Weine. Hübscher Garten beim Hause. Neues franz. Billard. Hotel-Fuhrwerk am Bahnhofe. Equipagen im Hotel.

Besitzer Ilsenburg a. H. Fr. Lichtenberg

Hotel zu den roten Forellen

Altrenommiertes Haus I. Ranges, durch Neubau einer im Garten gelegenen Dépendance vergrößert, Wohnung für längern Aufenthalt u. Pension. Badehaus und große Veranden am Teiche mit Gondeln. Elegante Equipagen zur Lohnfuhrtaxe im Hotel. T. d'h. 1 Uhr. Diners à part von 2½ Uhr an. Forellen stets zu haben.

Besitzer: Ilsenburg August Becker

GASTHOF ZUM ILSETHAL

Vis-à-vis der Schloßburg, nahe dem Ilsethal, hält sich den geehrten Reisenden bestens empfohlen. Gute Speisen und Getränke bei aufmerksamer Bedienung und zu soliden Preisen; à la carte zu jeder Tageszeit. Logis 1,25–1,50 M. Equipagen im Haus. Omnibusabfahrt nach Harzburg.

Ilsenburg am Harz

Tondorfs Hotel Deutscher Hof

(nicht zu verwechseln mit *Deutsches Haus*) hält sich dem geehrten reisenden Publikum, besonders Touristen, bestens empfohlen. Pension zu soliden Preisen bei guter Verpflegung. Table d'hôte 1 Uhr; à la carte zu jeder Tageszeit. Achtungsvoll
A. Tondorfs Witwe.

Ilsenburg am Harz

GROTHEYS HOTEL

I. Ranges. Der Neuzeit entsprechend eingerichtet; hohe, elegante Zimmer, großer Garten, schöne Lage, herrliche Aussicht ins Ilsethal. ff. Küche, Weine, Biere etc. Sehr zivile Preise. Pension 5—6 M. Omnibus am Bahnhof. Equipagen im Haus.

Ilsenburg am Harz

MAX KURSCH

Gräflich Stolberg-Wernigerödische Kunstguß-Niederlage

Musterlager vis-à-vis dem Hotel zu den roten Forellen. Verkauf zu Original-Fabrikpreisen. Auswahlsendungen. Umtausch. Sorgfältigste Ausführung.

Fr. Opel — Kassel — Kgl. Hoflieferant

HOTEL KÖNIG VON PREUSSEN

Altrenommiertes Haus I. Ranges. Am Königsplatz neben der Reichspost gelegen. Durch Umbau vergrößert und mit allem Komfort der Neuzeit eingerichtet. Schöner Garten. Alle Arten Bäder. Mäßige Preise. Am Königsplatz befindet sich die Abgangsstation der Tramway nach Wilhelmshöhe. Hotelwagen am Bahnhof.

Hotel zum Rathaus Klausthal im Harz

Bestrenommiertes Haus am Platz. Schönste Lage am Markt, vis-à-vis dem kgl. Oberbergamt und der Bergakademie. Schöne Veranda, anerkannt gute Küche und Keller. Vorzügliche Betten. Aufmerksame Bedienung. Solide Preise. Table d'hôte 1 Uhr; à la carte zu jeder Zeit. Forellen und andre Fische, Wild etc. stets vorrätig. Franz. Billard. Hotelomnibus am Bahnhof. Equipagen im Hotel. Dem reisenden Publikum bestens empfohlen von
Wilh. Bock.

Besitzer: — Klausthal im Harz — C. Voss

HOTEL ZUR GOLDENEN KRONE

Haus I. Ranges. Etabliert 1700. In schönster Lage der Stadt, am Kronenplatz, dem kaiserl. Postamt gegenüber. Dem geehrten reisenden Publikum unter Zusicherung bekannter reeller und prompter Bedienung angelegentlichst empfohlen. Table d'hôte 1 Uhr. Omnibus am Bahnhof. Equipage im Hotel.

Lautenthal im Harz

Aufmerksame Bedienung — Hotel zum Rathhause — Table d'hôte 1 Uhr

Mitte der Stadt in schöner Lage am Markt. Freundliche Zimmer mit guten Betten. Billige Preise. Hält sich den geehrten Reisenden bestens empfohlen.
Besitzer: J. A. Andreas, zugleich Bahnhofs-Restaurateur.

Bad Lauterberg am Harz

HOTEL LANGREHR

Dieses Hotel empfiehlt sich ganz besonders durch seine angenehme, freie und gesunde Lage inmitten der schönsten Promenadenanlagen und einige Minuten entfernt von Haltestelle Kurpark. Gute Table d'hôte. Speisen à la carte zu jeder Tageszeit. Alleiniger Ausschank des beliebten Franziskanerbräus.
F. Langrehr.

BAD LAUTERBERG

am Harz

Station: Lauterberg, Northeim, Nordhausen. Saison: vom 1. Mai bis ult. September

Älteste und größte Kaltwasserheilanstalt Norddeutschlands (gegründet 1839). Klimatischer Kurort, 1000 Fuß hoch, freundlicher Sommeraufenthalt, vortreffliche Bäder.

Frequenz: 1883: 1600, 1884: 2000, 1885: 2300, 1886: 2500, 1887: 2800, 1888: 2800 Kurgäste. Badeärzte Dr. H. Ritscher, Dr. C. Wander. Prospekte gratis und franko durch den **Magistrat.**

Bad Lauterberg am Harz

Wenzels Hotel und Pensionshaus „Kurpark"

Schönst gelegenes Haus. Feine Küche, komfortable Wohnungen mit Balkonen. Pension von 4,50 M. an. Anfragen erledigt sofort

der Besitzer: **Wilh. Wenzel.**

G. Leisewitz Nordhausen am Harz Besitzer

HOTEL RÖMISCHER KAISER

Altrenommiertes Haus I. Ranges, neu und komfortabel eingerichtet. In der Mitte der Stadt, am Kornmarkt gelegen, zunächst der Promenade und der Sommertheater. Wagen zu jedem Zug am Bahnhof. Bäder u. Equipagen im Hause. Zivile Preise.

Oker am Harz

HOTEL ZUR HOHEN RAST

Hotel II. Ranges. In unmittelbarer Nähe des Bahnhofs. Table d'hôte 1—2 Uhr; à la carte zu jeder Tageszeit. Fein gepflegte Biere und Weine. Zivile Preise.

Witwe Ulrich, Besitzerin.

Besitzer: Quedlinburg a. Harz C. Bachmann

BRAUNES ROSS

Hält den Besuchern des Harzes sein Gast- und Logierhaus bestens empfohlen. Vorzüglich gepflegte Biere. Gute Küche. Gute Betten. Solide Preise. Wagen an der Bahn frei. Logis von 1 M. an.

HOTEL ZUM RAVENSBERG

zwischen Bad Sachsa und Lauterberg gelegen

2323 Fuß überm Meeresspiegel. Post und Telegraphenstation. Bestens empfohlen durch streng reelle Bedienung und sehr mäßige Preise. Eignet sich infolge der schönen Lage und vorzüglichen Verpflegung sehr zu längerm Aufenthalt. Zimmer M. 1,60. Mittagstafel M. 1,60. Pension von 4 M. an. Großartige Fernsicht. Schulen gewähre Ermäßigung.

H. Gaensehals.

Besitzer: Rübeland im Harz Rob. König

HOTEL ZUM GOLDENEN LÖWEN

I. Ranges, einige Min. v. d. Baumanns- u. Bielshöhle sowie der neugefundenen Hermannshöhle gelegen, den romant. Felspartien vis-à-vis d. Ruine Birkenfeld, empfiehlt sich den geehrten Harzreisenden angelegentl. Gute Speisen u. Getränke, unter andern Forellen u. brausendes Birkenwasser. Gute Bedienung, f. Logierzimmer, gute Betten. Equipagen zur Weiterbeförderung im Hotel sowie Wagen am Bahnhof.

Bad Sachsa am Südharz

VILLA PFEIFFER

In anerkannt schönster Lage des Bades mit Aussicht. Restaurant und Logierhaus mit Veranda dicht am Walde gelegen; vom jetzigen Besitzer vollständig neu renoviert. Beste Küche und aufmerksame Bedienung. Table d'hôte 1 Uhr ohne Weinzwang, à la carte zu jeder Tageszeit bei soliden Preisen. Wohnung und Pension nach Übereinkunft. Geschirr auf vorherige Bestellung am Bahnhofe.

Auskunft erteilt gern der Besitzer **Otto Schulze.**

Bad Sachsa am Südharz
Glanzpunkt des Harzes

HOTEL SCHÜTZENHAUS

Mit neuerbauter u. komfort. eingerichteter Villa. Zim. von M. 1,50 ab. T. d'hôte M. 1,60 im Abonnement. Geschirr im Haus und auf vorherige Bestellung am Bahnhof. Pension in und außer dem Haus. **Aug. Frind jr.**

A. Wilhelms Scharzfeld A. Wilhelms

ZUR TANNE

10 Min. vom Bahnhof. Am besten gelegen zum Besuch der Ruine, Steinkirche u. Einhornshöhle. Funde von Ausgrabungen in der Steinkirche daselbst. In Moellers Kursbuch versehen mit dem redaktionellen Vermerk: „Seit Jahren rühmlichst bekannt".

Stolberg am Südharz
Klimatischer Kurort

HOTEL UND PENSION KANZLER

Empfohlen durch den deutschen Offiziers-Verein. Am Markt, mit schönem Garten. Durch Neubau bedeutend vergrößert. Eleg. Räume. Feine Küche. Beste Weine. Pens. von 4–5 M. pro Tag. Ausschank von Münchener Bier. **Gustav Kanzler**, Besitzer.

Klim. Luftkurort Suderode a. Harz und Solbad

WAHRENHOLZ' HOTEL UND BADE-ANSTALT

I. Ranges vormals Mohrs Hotel I. Ranges

Durchaus solides Hotel, 70 exzell. Betten, 40 komfortable Zimmer, anerkannt gute Küche und Keller. Vom neuen Besitzer vollständig neu renoviert. Garten, Veranden, Balkone. Besteingerichtete Badeanstalt neuesten Systems: Kachelwannen. Pens. von 4 M. Vorzügliche Bierverhältnisse. Restaurant. Aufmerksame Bedienung. Prospekte umgehend.

Ernst Oertel **Strassberg a. Harz** Gastwirt

Gasthaus zur goldenen Sonne

frühere **Bergschenke**

hält sein gut eingerichtetes Haus den Besuchern des Harzes bestens empfohlen. Gute Speisen und Getränke bei soliden Preisen sowie auch vorzügliche Betten.

Besitzer: **Suderode am Harz** G. Michaelis

= *Eisenbahnstation. Hotelomnibus zu jedem Zug* =

Solbad und klimatischer Kurort

Hotel und Pension Michaelis

Haus I. Ranges. Schönste Lage, unmittelbar am Wald und an den Promenaden, gegenüber der Post- und Telegraphenstation, auf das komfortabelste eingerichtet, hält sich den geehrten Kurgästen und Touristen angelegentlichst empfohlen. Prachtvoller Speisesaal, Billard- und Lesezimmer. Gute Küche. Vorzügliche Weine. Aufmerksame Bedienung. Zivile Preise. Bäder im Haus. Prospekte gratis und franko. Wohnungsanfragen für Privathäuser werden umgehend, gewissenhaft und franko erledigt.

Thale am Harz

Hotel Hubertusbad

Romantische Lage am Eingange ins Bodethal.

= **Direkt am Walde und an den Promenaden.** =

6 Morgen eigner Park. Komfortable Zimmer und Salons. Hocheleganter Speisesaal und Gesellschaftsräume. Durch Neubau bedeutend vergrößert.

Omnibus am Bahnhof.

Logis von 1,50 Mark, Pension von 6 Mark an. **Table d'hôte** um 1 Uhr 2 Mark, um 5 Uhr 3 Mark.

Besitzer: **M. Sieben.**

Besitzer: **Thale am Harz** Georg Dey.

HOTEL FORSTHAUS THALE

10 Min. vom Bahnhof. Große Zimmer mit herrlicher Aussicht aufs Gebirge, großer Garten mit Veranda u. Kegelbahn. Aufmerksame Bedienung u. sehr mäßige Preise. Logis von M. 1 an, Pension von M. 4,50 an. Wagen am Bahnhof.

Thale am Harz

HOTEL WALDKATER

I. Ranges. Prachtvolle Lage im Bodethal. Komfortable Zimmer und Salons.

Durch Neubau bedeutend vergrössert.

Omnibus am Bahnhof. Solide Preise.

Besitzer: **O. Staacke.**

Thale am Harz

HOTEL ZEHNPFUND

Besitzer: **E. F. Renke**

Hotel I. Ranges. Ganz in der Nähe des Bahnhofs. Komfortable Einrichtung mit 200 Zimmern und Salons und 300 Betten. **Hocheleganter Speisesaal.** Prachtvolle Lage in einem großen Park, dicht am Eingang des Bodethals, mit herrlicher Aussicht auf die *Roßtrappe* und den *Hexentanzplatz.* **Equipagen** und **Bäder** im Hotel.

Thale am Harz

Wiehle's Hotel u. Pension zur Heimburg

Dem Park gegenüber, 5 Minuten vom Bahnhof, ganz neu eingerichtet, mit **30 Logierzimmern** und **60 Betten** von 1,50—2,50 M. **Table d'hôte** 2 M. Außerdem empfehle meine nebenan gelegene *Villa* mit **20 Zimmern** und **Salons** und **40 Betten** mit und ohne Pension. Pensionspreise von 36–45 M. pro Woche. **Bäder** im Hause. **Wagen** am Bahnhof.

Fr. Wiehle, herzoglich anhaltischer Hoftraiteur, früher in Ballenstedt im „großen Gasthof".

Thale am Harz

HOTEL RITTER BODO

Besitzer: **Carl Trost** (früher: *Schmelzers Hotel Mägdesprung*)

Übernommen 1. Dezember 18[illegible]8. 2 Minuten vom Bahnhofe am Eingange des Bodethals gelegen, mit sehr schönem **Garten** vor dem Hotel und großem **Speisesaal.** Anerkannt gute Küche und aufmerksame Bedienung. Table d'hote 1 Uhr, à la carte zu jeder Tageszeit. Von allen vollständig zeitgemäß eingerichteten Zimmern sehr schöne Aussicht auf das nahe Gebirge. **80 Betten** (im Preise von 1,50 – 2 M. pro Bett). Hausdiener stets am Bahnhof. **Equipagen** im Hotel.

Besitzer: **Thale—Bodethal** Wilh. Jung

HOTEL KÖNIGSRUHE

Empfiehlt sich seiner romantischen Lage wegen, unmittelbar unter der Roßtrappe und Hexentanzplatz, dem schönsten Punkte des Bodethals, gelegen, 15 Minuten vom Bahnhof entfernt. Logis von 1,50–2,00 M. inkl. Service. Pension pro Tag 5 M.

Treseburg im Bodethale.

HOTEL WEISSER HIRSCH

Mitten im Walde und in nächster Nähe der rauschenden Bode, großer Garten mit 1000 Sitzplätzen, von der Terrasse herrliche Fernsicht (Prinzensicht), so benannt seit dem Aufenthalt der Söhne Sr. Königl. Hoheit des Prinzregenten Albrecht und Sr. Königl. Hoheit des Prinzen Heinrich von Hohenzollern. Zimmer mit schöner Aussicht. 100 Betten. Stets Forellen. Preise mäßig. Vom Hotel täglich viermalige Omnibusverbindung mit Thale, Preis 1 Mk. 50 Pf., sowie Omnibusverbindung mit Rübeland und Blankenburg.

C. Spilker, Besitzer.

Treseburg

Besitzer: **ZUR FORELLE** C. Mäckel

Ältestes Gasthaus in Treseburg, E. Haberlands Nachf., jetzt im Besitz von C. Mäckel. Mit schönen, an der Bode gelegenen Veranden. Table d'hôte 12–2½ Uhr; à la carte zu jeder Tageszeit. Logis (gute Betten) von 1 M. an. Solide Preise. Aufmerksame, prompte Bedienung wird zugesichert.

Besitzer: **Wendefurth** C. Grußhoff.

GASTHAUS ZU WENDEFURTH

Empfiehlt sich dem geehrten reisenden Publikum. Mit schönen, durch Neubau vergrößerten Lokalitäten, Garten mit Veranda und Balkon. Gute Speisen, reelle Biere und Weine, prompte Bedienung. Solide Preise.

Wernigerode am Harz

HOTEL LINDENBERG

Mit neuerbauter, im Walde gelegener Dependance. Einziges, im Freien gelegenes Hotel der Stadt, 170 Fuß höher als diese, auf dem Lindenberge vis-à-vis dem Schlosse, dem Brocken mit seinen Thälern etc. gelegen. In 10—15 Min. von allen Verkehrsstationen der Stadt auf bequemen Fahr- und Fußwegen zu erreichen. Von Wald und Wiesen umgeben, in der Nähe der schönsten Spaziergänge, mit schöner Aussicht auf Berge und Thäler des Harzes, empfiehlt sich dasselbe allen Harzreisenden angelegentlichst bei komfortabler Ausstattung und mäßigen Preisen. Neuer prachtvoller Speisesaal im Renaissancestil. Pension im Mai, Juni, September 3 M., im Juli und August 3,50 M. pro Tag exkl. Zimmer. – Zimmer von 1,50 M. ab. – Table d'hôte 1 Uhr. – Wagen und Führer stets zur Verfügung.

Hochachtungsvoll **Ferd. Körber.**

Wernigerode am Harz

HOTEL GOTHISCHES HAUS

Am Markt neben dem Rathause. Altes renommiertes Gasthaus. Gute Betten. Logis zu 1 u. 1,50 M. Table d'hôte 1 Uhr, à la carte zu jeder Zeit. Gute Biere u. Weine.

Besitzerin: **Anna Fricke Wwe.**

Wernigerode am Harz

HOTEL WEISSER HIRSCH

Ältestes Hotel der Stadt

Am Markt, gegenüber dem altertümlichen Rathaus, empfiehlt sein komfortabel, der Neuzeit entsprechend eingerichtetes **Hotel** dem reisenden Publikum. **Omnibus** am Bahnhof. **Equipagen** zur Weiterbeförderung.

Preise: *Logis inkl. Licht und Service* von **2** M. an, *Frühstück* 1 M., *Table d'hôte* (1 Uhr) 2 M.

Besitzer: **J. W. Fricke,** Hoftraiteur.

Wernigerode am Harz

Knauf's Hotel und Pension

Burgstraße, am Fuße des Schloßberges, nach allen Anforderungen der Neuzeit eingerichtet, mit großem, durch geschmackvolle Parkanlagen verschönertem Garten, dessen hohe Terrassen durch den noch einzig aus der Stadtbefestigung des 14. Jahrh. vorhandenen Turm gekrönt sind. Von der Plattform dieses von Sr. Erlaucht dem regierenden Grafen Otto zu Stolberg-Wernigerode in neuester Zeit dem Stil seines Ursprungs entsprechend restaurierten, um 4 m erhöhten, über 500 Jahre alten Turms genießt man die umfassendste und lohnendste Umschau, einerseits über Stadt und Ebene, anderseits nach dem Brocken und dem östlichen Gebirgszug in seiner ganzen Ausdehnung. Dieser in der Stadt *einzige* Hotelgarten bietet neben der schönen Aussicht vom Turm und den Terrassen die reinste erfrischende Bergluft sowie schattige Plätze und Wege zum Ergehen der Bewohner und Gäste des Hotels und der Restauration. — Dasselbe eignet sich demnach auch vorzugsweise zu einem längern Aufenthalt, einer sogen. Sommerfrische. Table d'hôte um 1 Uhr, à la carte zu jeder Tageszeit; anerkannt gute Küche, solide Preise; Pension nach Übereinkunft. Im abgesonderten Restaurationslokal mit Billard sind stets fremde Biere, vorzüglich erhalten, vorhanden. Hotelwagen bei jedem Zuge an der Bahn. Der unterzeichnete Besitzer beehrt sich hiermit, sein Hotel den Wernigerode besuchenden Herrschaften angelegentlichst zu empfehlen. **C. Knauf.**

Besitzer: Wernigerode am Harz H. Mühe

HOTEL DEUTSCHES HAUS

Bestempfohlenes Hotel des Harzes bei sehr soliden Preisen. **Garten** am Hause. **Omnibus** zu jedem Zuge. **Gute Wagen** zur Weiterbeförderung. **Pension** nach Übereinkunft.

Klimatischer und Höhenkurort

Zellerfeld im Oberharz

(600 m ü. M.)

Nähere Auskunft und Prospekte durch das **Bade-Komitee.**

Klimat. Zellerfeld i. Oberharz **Kurort**

DEUTSCHES HAUS

2 Minuten vom Bahnhof Klausthal-Zellerfeld. Bestrenommiertes Haus am Platze. Schönste Lage an den Terrassen. Hausdiener am Bahnhof. Equipagen im Haus.

H. Meyer.

Meyers Sprachführer

für Reisende

bieten als Verschmelzung von *Konversationsbuch* und *Taschenwörterbuch* den großen Vorzug, sich in der Sprache fremden Landes ohne besondere Vorkenntnisse auszudrücken und eine jedermann verständliche Unterhaltung zu führen. Man findet *im Nu* das gewünschte Wort, daneben Warnung vor üblichen *Sprachfehlern*, *grammatische* Anweisungen, lehrreiche Winke über *Sitten* und *Gebräuche* und eine Fülle *zusammengehöriger* Vokabeln und Redewendungen. Korrekt in der Sprache und praktisch in der Anlage, sind diese Bücher vortreffliche Helfer *auf der Reise und im Haus.*

Französisch von **Prof. Pollak**, *Paris.* Gebunden 2½ M.

Englisch von **Dr. E. G. Ravenstein**, *London.* Gebunden 2½ M.

Italienisch v. **Dr. R. Kleinpaul**, *Rom.* Gebunden 2½ M.

Spanisch von **Dir. H. Ruppert**, *Madrid.* Gebunden 3 M.

Russisch von **K. v. Jürgens**, *St. Petersburg.* Gebunden 3 M.

Arabisch von **Dr. M. Hartmann**, *Beirut.* Gebunden 6 M.

Türkisch von **Dir. Heintze**, *Smyrna.* Gebunden 6 M.

Verlag des Bibliographischen Instituts in Leipzig.

Meyers Volksbücher

Preis jeder Nummer **10 Pfennig.**

Jedes Bändchen ist *einzeln käuflich.* Erschienen sind:

Althaus, Märchen aus d. Gegenwart. 508–510.
Arnim, Die Ehenschmiede. – Der tolle Invalide. – Fürst Ganzgott u. Sänger Halbgott. 349. 350. – Isabella von Ägypten. 530. 531.
Äschylos, Orestie (Agamemnon. – Das Totenopfer. – D Eumeniden). 533. 534.
– Der gefesselte Prometheus. 237.
Beaumarchais, Figaros Hochzeit. 298. 299.
Beer, Struensee. 343. 344.
Biernatzki, Der braune Knabe. 513–517.
– Die Hallig. 412–414.
Björnson, Arne. 53. 54.
– Bauernnovell. 134. 135.
– Zwischen den Schlachten. 408. – **Blum**, Ich bleibe ledig. 507.
Blumauer, Virgils Äneis. 368–370.
Börne, Aus meinem Tagebuche. 234. – Vermischte Aufsätze. 467.
Brentano, Geschichte v. braven Kasperl. 460.
– Gockel, Hinkel und Gackeleia. 235. 236.
– Märchen I. 564–568.
– Märchen II. 569–572.
Bülow, I. Shakespeare-Novellen 381–383.
– II. Spanische Novellen. 384–386.
– III. Französische Novellen. 387–389.
– IV. Italienische Novellen. 390–392
– V. Englische Novellen. 473. 474. – VI. Deutsche Novellen. 475 476
Bürger, Gedichte. 272. 273.
– Münchhaus. Reisen und Abenteuer. 300. 301.
Byron, Childe Harolds Pilgerfahrt. 398. 399.
– Die Insel. – Beppo. – Braut von Abydos. 188. 189.
– Don Juan. I–VI. 192–194.
– D. Korsar. – Lara. 87. 88.
– Mantred. – Kain. 132. 133.
– Mazeppa. – Der Gjaur – Sardanapal 159. 451. 452.
Calderon, Das Festmahl des Belsazer. 334.
– Gomez Arias. 512.
Cervantes, Neun Zwischenspiele. 576. 577.
Chamisso, Gedichte. 263–268
– Peter Schlemihl. 92.
Chateaubriand, Atala. – René. 163. 164.
– Der Letzte der Abencerragen. 418
Chin. Gedichte. 618.

Die Sammlung wird in rascher Folge fortgesetzt.

Die neuesten Verzeichnisse sind in allen Buchhandlungen zu haben.

Die den Titeln beigedruckten Ziffern bedeuten die Nummern, unter denen die Bändchen in der Sammlung erschienen sind.

Verlag des Bibliographischen Instituts in Leipzig.